U0586675

策划编辑：方国根

编辑主持：方国根　夏　青

责任编辑：方国根

封面设计：石笑梦

版式设计：顾杰珍

国家社科基金重点项目(11AZD052)

朱志荣／主编

中国审美意识通史

ZHONGGUO SHENMEI YISHI TONGSHI

·史 前 卷·

朱志荣　朱 媛／著

人民出版社

目 录

总绪论

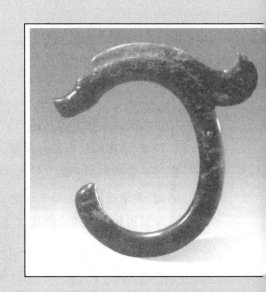

中国美学史研究起初是在参照西方美学史研究的基础上开始的。多年来,学者们从审美意识史、美学思想史、美学理论史的角度研究,已经有了一定的相关成果。但是,中国美学史的进一步研究,需要倡导审美意识史、美学思想史与美学理论史互补统一的研究方法。由于审美意识是美学思想和美学理论的基础,因此中国古代的艺术品、生活用品遗存,包括非物质文化遗产,如通过口头传播的神话、传说、民歌、民谣等,一些社会风俗习惯等方面的遗存等,都为我们提供了极为丰富的审美意识的物化形态和相关信息,对它们进行解读、分析和概括,对中国美学史研究显得尤其重要。它们将极大地扩大美学研究的范围,弥补文献材料的匮乏对美学研究所带来的限制,有利于重新审视我们过去的美学研究存在的片面之处、误解和武断现象,并多层面地、相互印证地、更为合理地重构中国美学史。因此,中国美学史研究要充分重视中国审美意识史研究。

第一节　审美意识的特质

审美意识是主体在长期的审美活动中逐步形成的,是一种感性具体、具有自发特征的意识形态。它存活在主体的心灵里,体现在艺术和器物中。其中既有社会环境的影响,又包含着个体的审美经验、审美趣味和审美理想。天人合一的思维方式在审美意识中起着重要作用,体现了诗性特征。历代的艺术品和工艺品等,都是审美意识的活化石。从历代具体的代表性艺术品、工艺品和器物等入手,揭橥审美意识与环境、与主体的关系,以及它在形态上与美学思想和美学理论的关系,探寻审美意识的源流变迁,继承和发扬光大其中的精华,将有助于继往开来的审美创造。

一、审美意识与环境的关系

我们需要从学科的角度对"审美意识"作严密的界定,应该有一个基本的共识,才能有利于我们对丰富的审美意识发展史资源进行系统研究。我们对"审美意识"的理解虽然可以讨论,可以百家争鸣,但是作为学科的基础概念,我们必须赋予它基本的学理内涵,必须有基本的共识,才有利于进一步讨论和深入研究。即便审美意识、美学思想和美学理论之间是相互联系的,也应该严格地作出界定。只有这样,才能严密地阐释美学作为独立学科的基本问题,才有利于对中国美学史的全面准确地把握,有利于推动中国美学的健康发展。

审美意识是主体由长期的审美实践积累形成的民族优秀传统。审美意识有继承,有扬弃,是人们在长期的审美实践中逐步形成的。它感性地存在于人的脑海之中。人们在审美实践中历史形成的审美经验,通过艺术品、工艺品和器物等创造物进行交流,得以传世,得以继承。优秀的艺术家们通过艺术创造展现其审美意识,引发人们的共鸣和接纳,久而久之,便形成了生生不息的审美意识变迁的洪流。

中国古代审美意识的历程与中国人生活的自然环境和社会生活的历史进程是密切相关的,人们的一切活动都会在审美意识中直接或间接地得以体现。在历史的长河中,审美意识随着整体环境的变化和审美实践的积累而不断变迁和发展。人们从日常生活的体验中积累了丰富的审美经验。自然环境、社会环境,包括宗教环境和政治环境等,对人的情感的生成和丰富发展起到了重要作用。其中体现了人与自然、人与人乃至个体自身的和谐。审美意识在与自然、社会及时代的交互往来中孕育出与其他意识迥然相异的发展性特质。

自然山水在中国人审美意识的形成中起着重要作用。中国古代的自然山水等环境、农牧业与生态等影响着中华民族的审美意识,使华夏民族的审美意识打上了农耕文明的烙印。我们可以走出华夏大地,去异国他乡,但我们身上总会带着中国传统审美意识的基因。人们对自然的审美乃是对自然的诗性的体现,久而久之,就形成了一个悠久的传统。《文心雕龙·物色》云:"山林皋壤,实文思之奥府。"①强调自然山水对主体心灵尤其是灵感的激发。中国画论也强调林泉之心等,都说明自然山水对我们产生审美意识的影响。王应麟《诗地理考序》云:"人之心与天地山川流通。发于声,见于辞,莫不系水土之风而属三光五岳之气。"②也在强调自然山水对人的情性的影响。《管子·水地篇》曾讲人的性格性情与水等环境相联系。③　朱长文《琴史》卷四载唐代赵耶利说:"吴声清婉,若长江广流,绵延徐逝,有国士之风。蜀声躁急,若急浪奔雷,亦一时之俊杰。"④说明山水地域对民风和个性的影响。

不同时代的社会风尚也会在审美意识中打上深深的时代烙印。人们在工艺器物、服饰、建筑等领域表现出了独特的审美意识,体现了独到的审美理想。先民们庆祝丰收、祭祀祖先的各类舞蹈,其仪态、动作,其节奏与韵律等,都是审美意识的具体体现。历代器物等物化形态乃是千百年来审美意识的活化石,其中保存了历代审美理想和审美趣味。如在陶器的纹饰中,对鸟、鱼、蛙等各种动物的描摹和组合表明了他们对外在物象的体认,寄托了古人的审美理想。诸如石器时代对石材的选择,赋予色彩以特定的文化意味等,都是审美意识的体现。到龙凤图案的建构等,则生殖崇拜、宗教仪式和理想观念等已经较为成熟了。

审美意识的传达往往需要感性具体的物象或言语来传达。一切主体的创造物均为主体审美意识的载体和呈现。主体的艺术和工艺创造,作为审美意识的具体体现,表现了主体的审美理想和审美趣味以及创造精神。审美意识更具体、更丰富、更贴切地反映了主体的审美趣味和审美理想,并且通过器物等物质形态加以物态化,使时人和后人得以体验、欣赏,乃至激发出创造灵感,形成了一条不息的川流。譬如魏晋时代的药、酒

---

①　范文澜:《文心雕龙注》,人民文学出版社 2006 年版,第 679 页。

②　王应麟:《诗地理考·自序》,张保见校注:《诗地理考校注》,四川大学出版社 2009 年版,第 84 页。

③　参见李山译注:《管子》,中华书局 2009 年版,第 205—212 页。

④　(宋)朱长文:《琴史》,文化部文学艺术研究院音乐研究所、北京古琴研究会:《琴曲集成》,中华书局 1987 年版,第 45 页。

等,都对时风乃至后世产生了深远的影响。即使是文字的书写,也体现了主体的悟性和灵感,更以篆、隶、真、行、草等书法的多样,引发人们无限的遐想。

不同的器物在造型上相互借鉴,相互影响。如编织物的纹路由印痕而在陶器上呈现。新石器时代器物的纹饰,由写实塑造向象征表意的方向发展,装饰性特征更为突出。早期的陶器在造型和纹饰上对青铜器的产生了一定的影响,而青铜器发达以后,又反过来对陶器的造型和纹饰产生了影响等,使得审美意识在历史的长河中得以丰富和发展。

审美意识在长期的变迁中体现了社会性与个性的统一。存活在艺术品和器物中的审美意识,既包括民族的共性及时代的精神风尚,又充分体现了创作者的个性和特定的情境。审美意识体现特定群体的特征,但总是通过具体的个体得以表现。其中既有民族和时代的烙印,又有个人的独特创造。实际上审美意识都是体现个性的,其中不同程度地包含着主体的独特审美体验和创造精神。从另一个角度看,审美意识的变迁,是由诸多个体的独特创造推动的。审美意识的变迁史,从某种程度上说,是审美个体的创造积累史。每个人的审美意识具有个性特征,个体的创造对群体起着引导作用。对个体来说,审美意识是在生理基础上的心理特征,是在先天素质基础上通过后天的实践和学习形成的。群体的审美经验及其交流,个体的创造性的积累,是审美意识发展的基础。天才的形式感,影响了一代又一代的审美意识。个体的差异与交流,共同推动了审美意识的发展。审美意识中的经验积累是经历个体独特到群体认同,再影响到具体的个体。如此反复,不断向前推进。

中国当代的审美意识有时代的烙印,社会意识、时代精神都包含在审美意识中。其中有全球化视野和交流的痕迹,但依然与传统的审美意识一脉相承,血肉相连。不同时代对历代审美意识的研究会有不同的特色和效果,时代风气在审美意识中打上烙印。时代的要求,时代精神的感召,会对美学研究提出不同的要求,这种要求对于资源丰富的审美意识重视程度和审美视角必然也有所不同。特别是在当今的视野下,在与不同文化背景交流的深入中,审美意识的研究会与历代思想家面对审美意识截然不同。因此,当下对历代审美意识的研究,与历代思想家的美学研究会有一定的差异。

二、审美意识与主体的关系

审美意识既感性具体,又丰富深刻,通过直觉感悟瞬间发挥作用,其中既包含着主体整体心理功能的综合作用,也包含着主体在审美实践中长期的积累,体现了自觉性与非自觉性的统一。

审美意识是主体意识的有机组成部分,与其他社会意识相互渗透、相互影响,互补共存。社会意识的变化影响着审美意识的变化。审美意识与认知能力、道德意识、宗教仪式等既有区别,又有联系。中国古代的审美意识是主体意识的有机组成部分,与伦理意识、宗教意识是相通的,从中体现了美与善的统一、情与理的统一、感知与妙悟的统一。中国人的审美意识与道德意识和认知意识之间不是泾渭分明的,而常常是水乳交融的。但是,审美意识又不能与认知意识、道德意识、宗教意识相混同。审美意识与道德意识、宗教意识等共同构成主体意识,有时会交织在一起,形成相互依托的态势。

审美意识在主体的审美实践中得以丰富和发展,主体在审美活动中起着重要作用。审美意识存活在主体的心灵中,包含着日积月累所形成的心理定势,体现了主体的审美趣味和理想,影响着主体的审美活动。审美意识就其诞生来说,是奠定在自我意识形成的基础上的。审美意识中包含着主体的自我意识,自我意识是审美意识中的重要组成部分。主体的心灵像一面镜子,在映照万象中投射了自我。柳宗元说:"美不自美,因人而彰。"①离开了人的体验,外在的物象和事象都无所谓美丑。王守仁《传习录》下曰:"你未看此花时,此花与汝心同归于寂。你来看此花时,则此花颜色一时明白起来,便知此花不在你的心外。"②外物因主体的体验而精彩。叶燮《集唐诗序》也说:"凡物之美者,盈天地间皆是也,然

① 吴文治点校:《柳宗元集》,中华书局1979年版,第730页。
② 吴光、钱明、董平、姚延福编校:《王阳明全集》,上海古籍出版社1992年版,第107—108页。

必待人之神明才慧而见。"①熊十力在继承《周易》基础上所说的"翕辟成变"②,落实到审美的层面上,乃指在物与心的反复交融中推动审美意识的变迁。审美意识中的审美理想是在审美经验的基础上形成的,同时体现了主体的愿望。其中既包含客观的形式规律,对和谐、对称、均衡等形式规律有着一定的意识,又包含主观的愿望,是主体"从心所欲不逾矩"③的结果。不同的审美心理,不同的审美趣味,不同的审美理想,会对外物作出不同的反应。

审美意识作为精神层面的意识是奠定在物质层面享受的基础上的。审美意识中体现了主体生理与心理体验的统一,同时满足了生理和心理需求,并且不断地在主体和新奇的体验中释放自己。味觉和嗅觉都是通过感觉挪移的通感,经由视听感受而得以上升到精神层面,味觉感受与视听体验在诗意的层面上是相通。审美意识是主体在本能基础上所形成的心态,从情绪的反应到情感的生成是审美意识生成的关键。自然环境、人种特征、生活方式和社会风俗等都影响了审美意识的形成,体现了主体的自然性与社会性的统一。从实用到审美,审美意识使主体的情趣得以升华,从对万物的体认和功利性的考量中升华成精神的价值。

审美意识,是通过直觉、灵感和想象力加以体现,包含自由和创造,体现了气象、情调等特征。审美意识包含着情感体悟。这尤其集中体现在艺术创造中,主体通过艺术创造充分体现自己的理想。主体由感物动情到艺术创造的抒情,都是审美意识的具体表现。优秀的工艺等创造物,在有限的时空中追求无限和永恒,或追求旷达、高洁,在体验中形成对形式的理想,在创造中充分表现了主体的审美理想。艺术中反对唯形似论,主张"妙在似与不似之间"则是在运用传达的张力,最大限度地传达意味,给主体留下想象再创造的空间,并获得传神的效果。艺术品中的气势等,都是主体审美理想的体现。审美意识主导下的艺术创造的过程,无论是

---

① (明)叶燮:《己畦文集》卷九,清戊午孟夏夏梦篆楼刊本,第8页。
② 熊十力:《新唯识论》,中华书局1985年版,第68—70页。
③ 杨伯峻:《论语译注》,中华书局1980年版,第22页。

先民们在表现力与象征性融合等方面所做的长期探索,还是中国书法对法度与筋骨和谐的不懈求索,正是主体在适应中征服法则和语言形式传达审美理想的过程。

族群和时代特征等,都会在审美意识中打下自己的烙印。审美意识是动态变迁的,中国传统长期以来是多元融合的。闻一多先生曾说过,龙是氏族部落整合的结果,而华夏的审美意识是多部落融合的结果。① 外来审美意识的融合,积极推动了审美意识的变迁和发展。重大社会历史事件,会影响到人的心理,会影响到审美意识的变迁。审美意识在多元融合中得以变革和发展,整个审美意识也是在不断融合中变化的。

天人合一的思维方式在审美意识中起着重要作用,体现了诗性特征。审美意识从早期对自然的崇拜进化为天人合一,人与自然之间表现为一种亲和关系。自然万有与主体之间是一种亲和关系。在审美活动中,比拟联想和象征是主体体验外在物象和事象的诗性思维方式,而不仅仅限于具体的艺术创造。柳宗元说:"心凝神释,与万物冥合。"②这种物我冥合的现象,是主体心灵的真情实感,是一种借助于想象力的比拟性体验。主体在比拟性的体验中体现了审美意识。中国古人观物取象、立象尽意、创构方式等,都是中国审美意识的重要特征。其中既有中国人审美意识的独特之处,又有与西方等外国人审美意识互补互证的内容。

审美意识具有超越性特征。在审美意识的发展历程中,它们常常通过器物等物态形式而得以物态化,超越时代而持久地发生影响,影响历代的审美理想和审美趣味。审美意识可以超越时代影响,体现古人审美意识的创造物,可以在不同时期获得共鸣。由艺术品和工艺品所表现的审美意识,让世世代代的欣赏者获得设身处地的同情体验,引发共鸣。审美意识基于现实又超越于现实,是理想的体现。审美意识活动是在心物交融基础上的主体超越。

审美意识中的日常生活和装饰品等,都体现了审美的创造精神。审

① 参见闻一多:《伏羲考》,《闻一多全集》第一卷,开明书店 1948 年版,第 17 页。
② (唐)柳宗元:《始得西山宴游记》,《柳河东全集》,中国书店 1991 年版,第 314 页。

美活动是对审美意识的应用,主体在运用审美意识进行审美活动的过程中,同时满足了模仿欲和创造欲。审美活动中的拟象等,满足了主体模仿和创造的天性。同时,在审美意识的发展历程中,装饰性的追求是一个重要特点。在审美活动中,主体对外物的反应包括体悟、判断和创造,而对纯粹美的反应常常在瞬间进行。审美意识常常通过主体创造的器物、行为等得以体现,包含着风格形态等。主体积极主动地体验、判断和创造,通过创造物等遗存得以传播、交流和继承。

三、审美意识与美学思想、美学理论的关系

审美意识是人的心灵对审美活动的反映与积淀,是人们审美实践的产物,是人们在审美活动中逐步形成的由自发到自觉的意识,是主客体之间通过审美活动历史地生成的,是人与其所处的环境融合的产物,从中体现了人们的审美感受、审美能力、审美观念、审美趣味和审美理想等。审美意识具有感性直觉的特点,它通过审美创造和欣赏得以体现。不仅如此,审美意识还超越了主客之间的对立,达到了主客合一、物我交融的境界,这个境界就是王阳明所说的:不去看山间花,它就与你"同归于寂",你去看它时,它的颜色就一时明白起来,这种看就是一种审美意识,这种审美意识照亮了物象。这种鲜活的审美意识在人类的各种创造物中得到了某种程度的存留。从远古开始,先民们就在自己的生产工具、生活用品、祭祀用品和礼器等器物的创造上,在文字和语言的发明创造上,在流传至今的原始神话上,乃至在岩画和文学作品的创造上,通过感性直观的形态加以体现,从中寄托了自己的趣味和理想。起初他们虽然没有能力通过文字加以记载,后来也不能通过抽象的理论语言加以总结和表达,但是,我们依然能从那些器物的造型、纹饰和风格中看到历代中国人的审美趣味和审美理想,看到人们审美能力的发展历程和审美趣味的变迁历程。

由于审美意识的丰富复杂性,即使到了有美学思想进行概括总结的时代,人们对审美活动中审美意识的研究、概括和总结依然不是完备的,依然需要我们当代人作更深刻、更贴切、更能体现当代要求的概括和总结。历代文献中的美学思想可以与审美意识相互印证、相辅相成,而更为

重要的是,中国古人寄托在器物等创造中的、未能得以概括和总结的审美意识,为我们提供了丰富的审美资源,是中国古代美学思想的源头活水,有待我们进一步的发掘和整理,值得我们加以利用,值得我们加以继承和发展。这些审美意识的遗存既包括鲜活地保留在后代的艺术品和人类的心灵中得以承传的,也包括由于种种原因而被中断了的。而那些中断或消失了的审美意识,其中依然有不少值得我们重视、可以启迪我们灵感的内容,我们可以通过对地下新出土的文物的研究,通过对以前所忽略的艺术品等进行反思,发现其中所蕴含的价值。

审美意识是美学思想和美学理论的基础,美学思想和美学理论是学者反思审美意识的结果。和美学理论、美学思想相比,审美意识是感性地存活在脑海中的,而美学思想则是通过归纳和分析等诉诸文字表达的系统思想,美学理论则是通过一整套的范畴、术语、命题等进行论述的系统化的美学主张。审美意识既是审美活动的基础,又是美学思想和美学理论的基础。

审美意识是美学思想和美学理论的源头活水。审美主体受自然、社会和时代所激发而存于脑海的、模糊的、零星的、未定型的、类同电光火石般的灵感等,是美学思想乃至美学理论的基础。审美意识的外延大于美学思想和美学理论的外延,审美意识乃是美学思想与美学理论的源泉。历代对审美意识的概括和总结,升华为美学思想和美学理论。历代体现审美意识的艺术品和工艺品等遗存,是美学研究的标本或化石。所有美学理论的创新都必须直面千百年来的审美实践,直面呈现在历代器物等作为审美意识标本和化石的遗存,它们是美学理论创新取之不尽、用之不竭的源泉。

审美意识是具体、感性、鲜活的,为历代学者所概括和诠释,通过文字得以表达和交流。这些由主体概括和总结出来的美学思想和美学理论,作为主体对审美意识的领悟和反思,对主体的审美实践和审美意识起着指导作用,使得审美意识从自发到自觉,推动了审美意识的变迁。因此,美学思想和美学理论,以审美意识和审美实践为基础,一经形成,成为自觉的思想和理论,可以指导主体的审美活动,对主体的审美意识起到规范、深化和校正的作用。

审美意识既是前人美学思想和美学理论的渊薮,也同样是我们总结和概括的基础。前人的概括和总结,无论多么精辟,比起丰富、复杂的审美意识来,依然还远远不够,何况时代的局限性等,使得后人依然要从审美意识中加以概括和总结。在审美意识的具体研究中,人们通过具体的器物等物态形式与古人交流,受到感染与影响,并在此基础上对古人的审美意识进行研究、概括和总结。而前人在美学思想和美学理论中的概括和总结,同样可以介乎主体美学思想的形成。这是一种三方交流,在交流中继承,在交流中创造。

当然,这些概括和总结,既有学者时代和个体视角的特色,又有时代和个体视角的局限性。从事美学研究的学者应当充分重视审美意识的研究价值和意义,而不能囿于前人诉诸文字的美学思想和美学理论。美学理论的创新,只有回溯以往的实践,追源溯流,才能继往开来。历代艺术品和工艺品中凝聚了前人千百年来的审美精神,其中既有对传统的继承,又有时代精神的体现,还有各自独特的审美创造。人体解剖是猴体解剖的钥匙,固然有一定的道理,但人体解剖永远不能直接代替猴体解剖本身。同样,对历代美学思想和美学理论的研究,永远不能替代对审美意识的研究。因此,当代人对审美意识的传承一定是有当代的视角的。对审美意识的研究也是当下审美体验和审美创造的需要,是美学理论建设的需要。

因此,我们要充分重视中国传统的审美意识、美学思想和美学理论的关系。中国美学思想中很多独特的观念,诸如器与道、技与艺、阴与阳、形与神、虚与实、动与静等,中国古人体现在创造物之中的那种与自然的亲和态度,那种人文精神,那种独特的审美思维方式和以象表意的特点,那种强烈的生命意识,那种充沛的情感和纵横驰骋的想象力,乃至独特的时空意识、抽象方式、和谐法则和形式美的法则等,都是从审美意识中逐步孕育、升华、提炼出来的。中国传统的审美意识不仅是中国美学史研究的基础,更是中国传统美学思想和美学理论形成与发展的源泉。因此,我们研究中国美学史,一定要充分重视审美意识史、美学思想史和美学理论史之间的内在联系,重视它们之间的相互补充和相互印证。

总而言之,审美意识是动态变迁的,它的产生和发展与自然环境、社会环境及时代因素密不可分。审美意识是具体、感性和鲜活的,它给主体带来的感官享受和心灵快乐,体现了人文精神和主体意识。多元的复合动力,推动了审美意识的变迁。它与美学思想和美学理论之间既有水乳交融的关联又有泾渭分明的界限。我们在当下研究美学,要体现时代的要求,体现当下的视角和特征。我们可以充分重视前代学者美学思想和美学理论中对审美现象的总结和概括,但我们更需要关注历代的审美意识,直接从审美意识中概括和总结美学思想,以适应当下审美活动的要求。我们对历代文化遗存包括艺术品和工艺品中艺术的反思,有助于我们站在当下的立场,借鉴西方的美学方法,对其进行理论概括和总结。

第二节　中国审美意识史的研究价值

悠悠数千年的中华文明,在美学领域为我们留下了丰富而宝贵的精神财富。从史前延续至今的各种遗存,包括各类文学艺术作品和器物等,不仅是自古以来的先民们审美趣味和审美理想的感性体现,让时人赏心悦目,获得身心享受;而且在后代、在当今都极具审美价值,并为我们提供了丰富的审美资源,是历代美学思想的源头活水。中国古人寄托在器物等创造中的那些尚未概括和总结的审美意识,与中国美学思想史和美学理论史共同组成了中国美学史的整体。因此,当代的中国美学史研究和美学理论建设必须珍视和研究中国审美意识史。

一、必要性

审美意识指主体心灵在审美活动中所表现出来的自觉或不自觉的状态。作为一种感性的意识形态,审美意识是被意识到的、体现在审美活动和艺术创造中的审美经验,具有一定的自觉性,包括主体审美的审美心理、审美趣味和审美理想等内容,以生理快感为基础,在心物之间反复融通、物我同一的基础上形成。审美意识是在各种社会生活因素的影响下所造就起来的心理特征,因而受到社会文化形态和一般文化心理的影响,是人们总体社会意识的有机组成部分。它与其他社会意识形态既相辅相成、相互影响,又迥然有别。

前人重要的美学思想大都是直接从审美意识中加以概括和总结的,中国古代的审美意识是一切思想家总结、概括和创化美学思想的源泉。纵观中国美学思想史,一切伟大的思想家的美学思想,都是从审美意识直接概括、总结出来的。无论是先秦诸子中的孔孟、老庄,还是《乐记》,乃至刘勰的《文心雕龙》,刘熙载的《艺概》,乃至近代王国维的《人间词话》等,其中精辟的美学思想,都是直接源自文学艺术。它们常常是日常生活中的审美意识的概括和总结。同样,我们今天的中国美学研究如果仅仅停留在对前人美学思想的基础上作归纳、推导,是远远不够的,而应当重视对审美意识的直接研究。

中国人审美趣味和审美理想的代代相传,主要是通过具体的艺术作品、各类民间工艺和器物等潜移默化地进行的,它们更感性、更直接。而上升到自觉意识的美学思想当然也从客观上对审美意识和民众趣味予以引导,并对艺术创作等产生影响,但它并不可能取代感性的审美意识而产生直接、广泛的影响。

现代以来,审美意识的研究受到了一些学者的关注。宗白华、李泽厚和蒋孔阳等人都十分重视审美意识研究。中国现代美学的先行者和开拓者宗白华先生曾致力于中国人美感发展史的研究,主张"把哲学、文学和工艺、美术品联系起来研究",拓展了美学研究的途径与思路。李泽厚在研究中国美学史的过程中,也重视审美意识与原始艺术之间的密切关系,其《美的历程》一书对具体艺术作品中的审美意识作了深入、系统的探究,也更多地涉及对史前陶器、玉器、敦煌壁画等具体艺术作品中的审美意识的探究,启发了笔者的中国审美意识史研究的思路。蒋孔阳先生的《先秦音乐美学论稿》也是这方面的典范著作。

宗白华先生所说的"中国人美感发展史"研究,实际上就是我们今天的中国审美意识史研究。宗白华重视作为物态化的工艺品,他认为:"从美学观点看,最早的,值得研究的首先是陶器上的花纹。这些花纹不尽是模仿自然的形象,多是人的创造。""我们要从这些材料出发,研究中国美感的特点和发展规律,找出中国美学的特点,找出中国美学发展史的规律来。"①在审美意识史的研究中,宗白华尤其重视工艺和艺术品,重视自下而上的研究。这些具体的审美意识,将极大地拓展美学研究的内容,弥补文献材料的匮乏对美学研究所带来的限制,并且有利于重新审视我们过去的美学研究存在的片面之处、误解和武断现象,并多层面地、相互印证地、更为合理地重构中国美学史。

李泽厚在王朝闻主编的《美学概论》第二章"审美意识"中曾认为审美意识包含"审美趣味、审美观念、审美理想、审美心理等"②,审美意识与人类的其他意识既相互关联,又别具特质。人类的社会意识、宗教意识、道德意识和政治意识等,都推动了审美意识的形成和发展,但审美意识本身始终有自己的质的规定性,这是我们在研究审美意识发展史的时候必须要注意的。我们要避免将审美范畴泛化,把审美与宗教、道德、实用乃至王权等方面的范畴混为一谈。尽管其中有着相互联系、相互影响和相互转化等特点,但是审美意识作为研究的对象,必须有学术边界。我们既不能把审美意识与人类的其他意识截然割裂开来,也不能把审美意识泛化。我们要在重视审美意识自身特性的基础上探究其发展,许多体现审美趣味和审美理想的创造虽然附着于实用器物、祭祀和礼器用品上,但其造型、纹饰和风格中依然充分体现了审美意识。

蒋孔阳先生主张将审美意识和美学思想联系起来研究中国美学史。他认为中国古代的审美意识主要体现在文物和器用中,是古代美学思想形成的基础,其中,审美意识通过文艺作品得到最为直接、最为集中的体现和反映。因而,研究中国美学史既可以从美学思想出发,也可以从文艺作品和文物的考证出发,探究中国美学史的发展以及美学思想丰富与完善的过程。在先秦音乐美学的研究过程中,蒋孔阳从新石器时代遗留下的生活用具中考察了华夏先民当时的审美意识,以及音乐、歌舞之间的关

---

① 宗白华:《宗白华全集》第三卷,安徽教育出版社 1994 年版,第 595 页。
② 王朝闻主编:《美学概论》,人民出版社 1981 年版,第 66 页。

系,证明了史前至先秦中国音乐美学的发达和繁荣,也证明了审美意识与美学思想之间的互动、互补关系。

总之,审美意识是历代思想家总结和概括美学思想的基础。中国古代丰富的美学思想是古人对于他们前代和同时代审美实践和审美意识的总结,而现代以来的美学学科进入中国以后,著名美学家宗白华、李泽厚和蒋孔阳等先生都高度重视审美意识的价值和意义,重视中国审美意识史作为中国美学史的有机组成部分的基础意义。

二、互补性

审美意识是美学思想和美学理论的源头活水,任何精辟的美学思想和美学理论都必须是基于具体的审美意识的。美学思想和美学理论必须与具体的审美意识相符合,而不能用美学思想和美学理论对审美意识颠倒黑白、指鹿为马。历代伟大的思想家,主要都不只是接受和阐释前人的美学思想,不仅仅只是简单地从前人的美学思想中做简单的研究和从理论到理论的简单推导,而总是从具体的艺术实际和生活实际中的审美意识直接加以概括和阐释。

审美意识的萌芽、发展与美学思想的丰富、完善关系密切。审美意识经过深入概括和归纳,被深化为美学思想,而美学思想在一定程度上影响了具体艺术的创作活动,促进了审美意识的发展。我们提倡中国审美意识史的研究,拓展中国美学的研究范围,将文献资料和古人所创造的器物,乃至失传几千年从考古挖掘中复得的器物相互参证,并且从中站在时代的高度加以归纳和总结,一方面可以重新审视和印证已有的美学思想和美学理论,审视我们过去的美学研究存在的片面之处、误解和武断现象;另一方面,也可以突破文献材料的局限,对数千年以来古人丰富的审美趣味和审美理想,乃至对其中的创造精神,加以概括和总结,使我们对古人审美趣味和审美理想的总结更为丰富、更为准确、更为深刻。

历代的审美意识史指各类艺术品、器物中所体现的审美趣味和审美理想,而美学思想则是历代学者对审美意识的理论概括和阐述,是诉诸文字的思想形态。审美意识的实践丰富了美学思想,反过来,美学思想对审美意识有一定的指导意义。审美意识与美学思想是互补的,共同构成中国美学的整体。因此,中国审美意识史与中国美学思想史互补共存,共同构成中国美学史的整体。在前期——在中国,主要是指魏晋之前——审美意识与美学思想之间的关系是相对松散的,越是到后期,审美意识与美学思想之间的互动越是频繁,审美意识会不断得到概括和归纳,被深化为美学思想,而美学思想在一定程度上影响了具体艺术的创作活动,促进审美意识的发展。

宗白华先生当年准备兼顾审美意识和美学思想两方面撰写美学史,并撰写了相关论文讨论这个问题,但最终因为各方面条件不成熟而没有完成。他的《中国美学史基本问题的初步探索》等论文都重视对青铜器及其铭文、书法等古代具体的艺术品中所蕴含的审美意识进行研究。宗白华早就提出要"把哲学、文学和工艺、美术品联系起来研究"的研究主张。

李泽厚、刘纲纪在撰写中国美学史的时候,也提出了中国审美意识史的问题,但当时中国美学史写作刚刚开始,因而选择了从美学思想的角度写作。他在为与刘纲纪合写的《中国美学史》的"前言"中,将美学史分为广义的美学史和狭义的美学史。广义的美学史就是"不限于研究已经取得多少理论形态的美学思想,而是对表现在各个历史时代的文学、艺术以至社会风尚中的审美意识进行全面的考察,分析其中所包含的美学思想的实质,并对它的演变作出科学的说明";狭义的美学史就是"以哲学家、文艺家或文学理论批评家著作中已经多少形成的系统的美学理论或观点作为主要研究对象"①,是以美学思想为主要内容的美学史。而1979年由文物出版社出版的《美的历程》实际上是一部中国审美意识史,是对中国审美意识的发展历程进行宏观的、粗线条的描述和概括的通史。

在研究实践中,蒋孔阳也力求将审美意识与美学思想结合起来进行研究。蒋孔阳先生在《先秦音乐美学思想论稿》中,从新石器时期原始先

---

① 李泽厚、刘纲纪主编:《中国美学史》第一卷,中国社会科学出版社1984年版,第4页。

民所遗留下的生活用具和陶器中考察了他们的装饰性活动,发现了其中所蕴含的丰富的审美意识以及音乐、歌舞在原始先民生活中的重要位置。同时,蒋孔阳又从诗、乐、舞相统一的角度发现了音乐在原始人类生活中的重要地位。同时,大量的出土文物也证明了古代音乐的发达和繁荣。这生动地说明了美学思想与审美意识之间的互动、互补关系。

总之,中国审美意识史与中国美学思想史互补共存,共同构成了中国美学史的整体,有利于多层面、立体地构筑中国美学史。纵观华夏民族的历史,中国审美意识的萌芽与发展是独特、丰富的,是逐层推进的,在承继与革新中嬗变,于独特的艺术形式中彰显民族思维的特征。

三、时代性

每个时代最具典型性、代表性和特色的艺术形式中的审美意识,如汉代绘画中的帛画、墓室壁画、画像石与画像砖等的审美意识,具有重要的价值。中国审美意识通史在以汉民族为主体研究对象的基础上,兼顾少数民族的审美意识,兼顾外来审美意识对中国审美意识的影响和渗透。同时注重宫廷贵族的审美意识、文人士大夫的审美意识、平民百姓的审美意识这三者之间的关系,注重一个时代的审美意识与创作个体审美意识之间的关系。多民族融合和外来文化的刺激对华夏民族审美意识的发展起到了积极的推动作用。

从史前到清代,华夏民族所创造的文艺形式、风俗习惯等,包含着丰富的审美意识内容,它们一同构成了中国审美意识史的内容。华夏先民的审美意识萌芽于器皿的制造。从陶器的形制与纹饰到神话的创构与充实,莫不体现出古人的审美情趣与理想,充分体现了先民们的宇宙观和他们对世界万物的独特体悟与理解,将石器时代的审美意识推向了新的高度。这一时期华夏先民们的审美意识和宗教意识等是杂糅在一起的。

在夏商周时代,先民们的审美意识有了进一步发展。先民们从现实的生活中不断加以总结,以少象多,以抽象的形式规律,象征着更为丰富的感性世界,并且诗意地加以引申和生发。秦汉时期的审美意识具有自身鲜明的特色:追求宏大壮丽的气势与泱泱气派,"大"、"壮"、"丽"是秦汉审美意识的主基调,这种"大"、"壮"、"丽"不仅给人以强烈的感官震撼和冲击,更是当时人们蓬勃向上、雄健豪迈的精神气度与生命意识的真实写照。

魏晋南北朝时期,士人阶层所代表的审美意识的觉醒和独立,审美意识中融入强烈的生命体验,玄学思想作为时代的主流意识形态对审美意识产生了深远影响,同时佛教思想渗入审美意识之中。隋唐不仅处于中国古代诗歌创作的巅峰期,而且在绘画、书法、建筑、乐舞、工艺等方面都达到了古代艺术创作的高峰,呈现出了整体上气势恢宏、富丽堂皇的审美追求。

宋元时期的审美意识形成了韵境兼重、雅俗并立和理趣统一的特征,具有极其明显的文人风格,雅俗共存的中国审美意识正式形成。明代是中国古代审美意识多元复杂、日益成熟完备且由古典向近代转型的时期。明代审美意识重性灵、情欲和情趣,崇尚个性自由,强调审美化的日常生存实践。清代是中国古典审美意识发展的总结性时代,也是中国古典审美意识发生突变的时代。

中国审美意识中所体现的审美理想、审美趣味的缘起与流变,其中历朝历代的审美意识生成的内在轨迹,体现了中国审美意识的独特性和继承性,为后世的美学研究提供了丰富的实证资源。对中国审美意识史的研究,拓展和丰富了美学学科研究的深度与广度。中国审美意识史的研究应有其独特性,诸如将宏观把握与微观探究相接、以"通"驭"变"的视域、地域、阶层关系、民族关系等因素在审美意识形成中的促进与分化作用等,都是研究中国审美意识史应注意的。中国审美意识史的研究是探究与剖析中国美学史发展链条上的重要环节,在历时性与共时性两个方面凸显了主体内在的审美需求与变化。同时,对中国审美意识史的研究也有助于厘清美学思想发展的理路,进一步体现审美意识对美学思想的实证价值。

四、研究意义

中国审美意识史研究可以激活中国传统的审美资源,实现其当代价值。一方面审美意识史研究可以与以往的美学史研究形成互补格局,丰富和完善中国美学史研究;另一方面,审美意识史研究可以展现中国美学资源的当代价值。在此基础上,我们要运用比较视野,将中国审美意识的发展放到世界审美意识发展的大背景下,以古希腊、古印度等文明作为参照坐标,进行比较分析,具体阐释中国审美意识发生、发展的独特性。

我们还从当代意识出发对中国的审美意识研究进行深化,体现超越现实的情怀和对人的精神关怀。从当代人的精神需求和审美理想出发,汲取传统审美意识的精华,将其发扬光大。审美意识具有鲜明的继承性和一贯性,古人的审美意识至今仍流淌在当代中国人心灵中,需要我们对之进行系统研究,从而为中国美学凸显其世界性价值作出贡献。当然,这种当代意识不是一种狭隘的、庸俗的、实用主义的研究,而是与历史意识相辅相成、有机统一的。审美意识史研究应该尊重审美意识自身的价值和特点,从中发现并揭示其历史价值和现实价值,以及它的发展、演变规律。

中国审美意识史研究可以丰富中国美学史研究的方法论体系。中国审美意识研究难度很大,需要不同的研究方法交相渗透、结合。虽然器物表现出的意识更加具体、生动、现实,但是因为器物言说的模糊性、不确定性,从器物上挖掘整个时代背后的审美意识需要有一套行之有效的方法以及针对艺术品的广博、精湛的专业知识。这需要研究者能融会贯通地对多个艺术门类进行熟练分析并获得相关的专业背景,以期可以从一个行内人的专业视角对艺术品说话。之后,分析者才可以从美学的视角将之概括为相应的理论性的审美意识。审美意识史研究既要寻求在纵向时间上的完整,也要追求在横向断代研究中门类的全面,努力实现纵横交错的研究方法。同时,在还原一个时代的审美意识的时候,要注意审美意识的阶层性,即同一个时期不同的阶层也会有不同的审美意识。要通过对不同层次和侧面的艺术作品的分析,呈现出一个完整立体的时代审美意识系统。这些问题的解决,将为中国美学史的研究提供立体多元的方法论体系,推进中国美学史研究的进程。

中国审美意识史的研究,可以为中国美学史研究提供新的思路和方向。中国美学史的研究要重视历史与逻辑的统一,重视对器物和艺术作品的实证研究,将审美意识史的内在脉络和重要艺术门类贯穿起来,充分重视中国传统的审美意识与美学思想的关系,将各时期的艺术品、文学作品、日常生活用具及日常生活本身作为审美对象,放在审美关系中进行反思考察,归纳和总结其中蕴含的中华民族的审美意识及其发展演变规律。

当然,毋庸讳言,与从现成的著作文本研究美学思想相比,研究审美意识的难度很大,但是审美意识作为美学研究对象的价值和重要性,不能因为它的难度而被否定或弱化。中国美学史应当被视为严肃、科学的学科,应当重视对审美意识这一重要问题的研究,而不能因为它具体、感性、未经概括和显得零散就避难就易、避重就轻。中国审美意识史作为中国美学史丰富矿藏的价值是不可磨灭的。目前,中国美学思想史研究已经较为充分和深入,已有一大批中国美学史著作相继出版,相关论文也有了相当规模。而近百年来,大量器物的出土,各种工艺美术研究的深入,也需要我们从审美意识的角度加以总结,从而使各学科交互影响和启发,这也助于深化中国审美意识史的研究。在此基础上,我们应当研究美学思想和审美意识两条腿走路,加强中国审美意识史的系统研究,使中国美学史的研究更为深入。

总而言之,中国美学史研究,既要重视历代的美学思想和美学理论,更要重视审美意识。中国审美意识史是中国美学史研究的基础和源泉,中国美学史的研究,应当兼顾到各个时代生动的具体器物等体现的审美意识研究。中国审美意识史不仅可以印证和修正中国美学思想史的内容,而且可以丰富中国美学思想史的内容。我们应当站在当代的角度和高度,从源头汲取中国人的审美趣味和审美理想的精华,借鉴西方美学等外来资源,从历代的艺术品、器物乃至史料中对日常生活的记载等,对中国古人的审美意识进行研究、概括和总结,特别是古人尚未归纳或归纳得不够,抑或是归纳得不正确的内容,都需要我们花大气力加以发掘,从中获得更多的创获,也必将有助于当代审美意识和美学思想的发展。

第三节　中国审美意识史的研究方法

中国审美意识史作为中国美学史的重要组成部分和坚实基础。我们要从古代器物、艺术作品等古人的审美实践出发,研究中国审美意识史,将中国美学史研究建立在坚实的实证基础上,从而揭示审美意识的历史演变的过程及其规律。作为具体实物和感性审美实践的遗存,研究中国审美意识史与以往从古代文献中研究美学思想显然有所不同。过去许多美学史家和美学家虽然也提倡美学史的研究要重视审美意识史的研究,但在具体的研究中由于审美意识史本身的复杂性,付诸实施尚嫌不足,在具体的方法论上的总结和概括也显然不够。因此,笔者不揣浅陋,拟结合审美意识史的研究实践,就审美意识史的方法论问题谈谈自己的体会。

一、美学思想与审美意识的互补统一

中国审美意识史的研究,是中国美学思想研究的基础。中国古代的美学思想是中国古人对审美意识的概括和总结。中国美学史研究既不应拘泥于既有的美学思想文献,也不应拘泥于具体器物,而是将两者结合起来,使形上之道与形下之器有机统一。当然也要注意审美意识与政治、经济、宗教、哲学等相关思想观念的联系。同时,还要注意以还原的方式来考察器物的造型、纹饰及其蕴涵的审美意识,注重神话传说、民间习俗在审美意识形成和发展过程中所起的作用,发掘古人在文学、绘画、音乐等艺术形式中所传达的自然情感和社会文化心理,从文化背景的宏观视野作还原理解。广义的中国美学史的研究与写作,应该体现美学思想与审美意识相统一。中国传统的审美意识不仅是中国美学史研究的基础,更是中国传统美学思想形成和发展的源泉。

宗白华曾提出要将哲学、文学和工艺、美术作品联系起来进行美学研究,他对《周易》和《老子》中美学思想的概括,就是结合上古时期的工艺和日常生活加以还原的。宗白华说:"美学的内容,不一定在于哲学的分析,逻辑的考察,也可以在于人物的趣谈、风度和行动,可以在于艺术家的实践所启示的美的体会或体验。"[①]这就是将审美意识和美学思想联系在一起研究美学史的方法。

---

① 宗白华:《宗白华全集》第三卷,安徽教育出版社 1994 年版,第 595 页。

李泽厚、刘纲纪主编的《中国美学史》第一卷"绪论"中，曾经把美学史分为广义的研究和狭义的研究，广义的研究即是美学理论和审美意识相统一的美学史研究，认为："广义的研究对中国美学史来说是更为合适和重要的。这首先是由于，就一般情况而论，美学理论的发展常常并不完全符合、有时甚至还落后于审美意识的发展，因为美学理论对一定历史时代的审美意识的概括，受着历史的、阶级的、认识的种种局限，经常不可能准确地、全面地说明社会审美意识的各个方面。其次，我们民族审美意识的丰富无比的内容，很大一部分并未反映和提升到美学理论的高度。如果用广义的方式研究，既可以不受各个时代的美学理论的局限，对我们民族审美意识的孕育、产生、形成和发展的全貌加以详尽的阐述，又可以把那些尚未升华为美学理论的宝贵经验加以整理和总结。"①而李泽厚《美的历程》便是中国审美意识史的一个扼要的勾勒和阐释，为后继者的研究提供了一个范例。

蒋孔阳的中国古典美学研究，主要是按照美学思想和审美意识相统一的方法进行的。他曾多次提到过审美意识研究问题。1985年2月，蒋孔阳在给郁沅的《中国古典美学初编》一书所写的"序"中说："中国古代并没有美学这么一门学科，但美学思想却大量存在。它们有的附丽于哲学著作，有的孕蓄于有关文艺论著之中，还有的则具体体现在文物和器用之中。正因为这样，所以研究古代的美学思想，既可以从哲学出发，也可以从有关的文艺论著出发，还可以从文物的考证出发。"②1987年，蒋孔阳在给王琪森的《中国艺术通史》所写的"序文"中又说："中国古代虽然没有美学这门专门化的学科，但却具有丰富的审美意识和美学思想，它们分别表现在哲学思想、文物器用以及文学艺术等当中。比较起来，文学艺术又最为集中地反映了中国古代的审美意识和美学思想。"③这就是倡导审美意识和美学思想相统一的研究方法。蒋孔阳在研究中国的先秦音乐

① 李泽厚、刘纲纪主编：《中国美学史》第一卷，中国社会科学出版社1984年版，第5页。

② 蒋孔阳：《蒋孔阳全集》第四卷，安徽教育出版社1999年版，第282—283页。

③ 蒋孔阳：《蒋孔阳全集》第四卷，安徽教育出版社1999年版，第291页。

美学思想、中国绘画美学和唐诗的审美特征等方面,能密切结合音乐器物的遗存、绘画作品和唐诗作品等,注意具体作品的赏析和装饰性现象的分析,从而体现了理论与实践的统一、美学思想和审美意识的统一。蒋孔阳由此得出结论:"我国古代早已有了审美意识和大量的美学思想的存在。"①可见,蒋孔阳高度重视中国美学史研究中美学思想与审美意识的统一。

因此,只有在中国美学思想和审美意识的交融互通中,才能有效地把握传统美学的整体。要详细探讨从史前到清代中国审美意识的起源、演化和变迁的历史进程,注重探讨不同民族审美意识的碰撞和交融,以及外来文化的刺激对中国审美意识的影响,总结审美意识的形成、发展的规律和特点,展现中国古人的审美趣味、审美理想、审美观念、审美创造力与鉴赏力、生命精神以及独特的审美思维方式等。审美意识有着比美学思想更为悠久的历史,在美学思想出现之前,人类就在对宇宙万物的体悟,在对器物的创构中表达了自我的审美意识,并且遍及日常生活的各个角落。因此,审美意识有着比美学思想更为丰富的内涵,我们有必要通过审美意识史的研究重新检讨美学思想,重新审视过去美学研究中的局限与不足,超越文献研究对美学研究的限制,通过对比印证从而补充美学思想的不足,挖掘中国古代审美资源的当代价值。

但是我们也要看到,由器到道的研究方法知易行难。虽然器物表现出的意识更加具体、生动、现实,但是因为器物的模糊性、不确定性,从器物上挖掘整个时代背后的审美意识需要有一套行之有效的方法以及针对艺术品的广博、精湛的专业知识,并且与既有的美学思想和器物研究区别开。

二、从文物出发的实证研究

中国审美意识史的研究,需要重视具体文物遗存和具体艺术作品。这主要是指借助出土文物的考古学成果,以及流传至今的古代艺术品,对

---

① 蒋孔阳:《蒋孔阳全集》第四卷,安徽教育出版社 1999 年版,第 464 页。

具体艺术形式进行细致描述,并加以概括、总结,发现其中的审美规律,这是从器上升于道的研究,因此尤其要重视对历代实物中审美意识的考证与归纳。对今天的学者而言,历代与艺术品相关实物的研究需要借助于历代遗存的文献资料,使考古实物与文献资料相印证,这是实证法的主要方式。

我们要重视历代器物、艺术作品和日常生活等方面审美意识的实证研究,从古人具体的创造遗存中加以探究,密切关注当时生活中最新的审美现象、审美潮流和审美趋向。中国古代的许多文化遗存和艺术品,从史前的陶器、玉器,到商周的青铜器,当然也包括绘画、音乐、舞蹈,到后来的园林、建筑、家具等,都体现了中国古人的审美意识。

王国维在《古史新证》中曾说:"吾辈生于今日,幸于纸上之材料外,更得地下之新材料。由此种材料,我辈固得据以补正纸上之材料,亦得证明古书之某部分全为实录,即百家不雅训之言亦不无表示一面之事实。此二重证据法惟在今日始得为之。"①他注重对材料的考证,采用"二重证据法",将地下实物与纸上的遗文互相印证,以地下的材料补证纸上的材料,田野考古成果与文献记载相互补充。陈寅恪先生后来对此也作了归纳和倡导。这对于中国审美意识史的研究尤为重要。借助于考古学的成果,我们得以用考古发现并鉴定的器物从事美学研究,并将其与文献材料相参证。考古学取得的显著成果对我们的研究极为受益。大量出土的陶器、玉器、青铜器以多样统一的造型、纹饰、艺术风格展示着各个时代审美意识的继承与演变。文献材料中史料与思想的记载更让我们可以直接获取当时的相关信息,例如目前我们对夏商周信息的了解与考证大多还受益于文献资料的记载。

宗白华曾高度重视美学史中自下而上的实证研究。在探索中国美学史的时候,他尤其重视工艺和艺术品中的审美意识。宗白华说:"大量的出土文物器具给我们提供了许多新鲜的古代艺术形象,可以同原有的古代文献资料相印证,启发或加深我们对原有文献资料的认识。因此在学

---

① 王国维:《古史新证》,清华大学出版社1994年版,第2页。

习中国美学史时,要特别注意考古学和古文字学的成果。"①"搞美学的尤其要重视实物研究,要以感性认识为基础。研究中国美学史如果同文物考古结合起来,往往会有意想不到的收获。从商、周开始直至近代,都有很多文物被发现。"②

中国作为一个具有悠久历史和灿烂文化的国度,近年来,史前时期的文化遗址被陆续发掘,出土了大量文物。石器、陶器、玉器、铁器、岩画等遗存物包含着丰富的审美意识,有些与后世的审美意识前后有承续的关系,有些并没有得到传承,有些甚至表现出异质性的内涵。但无论哪一种情形,都透露出中国审美意识发展的丰富复杂性,都在昭示我们中国美学史研究绝不能忽视这些遗存中所体现的审美意识,这些历史遗存将有可能重新建构中国古人审美活动的图景。它们反映了中国古人丰富多彩的审美意识及其历史变迁,可以与当时的美学思想相互印证和补充,更好地显示出每个历史时期的审美特征和审美生活的形态及其特征。

审美意识广泛地存在于中国人各个历史时期创造的器物、艺术品和生活方式中。我们应当重视这些器物遗存和艺术实践,从中挖掘、概括和归纳中国人的审美意识,拓宽中国美学史的研究范围,延伸其时间跨度,将美学思想与当时的艺术品和日常生活实践相印证和补充,重视从古人具体的创造遗存中加以探究,尊重古人审美意识的本来面目,重视审美意识的时代特征和历史印记。这些感性存在的具体的创造遗存是人类审美意识的活化石,每个时代的审美意识,乃至自然环境和生活方式等都必然地在人们日常生活的器物、文学和艺术等方面打上烙印。这种审美意识史的实证研究,需要跨学科的广阔视野和比较研究的意识,尤其需要重视考古学的最新研究成果。

从各个历史文化时期的器物和文化产品入手展开实证研究,可以把握整个历史时期多样的、变化的审美意识。我们的研究把审美意识的出现作为人类审美活动的源头,把审美意识的发展变迁视为美学研究的基

---

① 宗白华:《宗白华全集》第三卷,安徽教育出版社 1994 年版,第 448—449 页。
② 宗白华:《宗白华全集》第三卷,安徽教育出版社 1994 年版,第 617 页。

础。我们对这些审美意识的总结和归纳必定可以使我们的美学史更加完善，让我们在思考当下的美学问题时有更多资源。而这对美学研究来说又是必要的，它可以重新检查、弥补和激发我们今天的美学研究，甚至可以提供方法论的意义。

三、多学科和艺术门类研究方法的"纵横交错"

新时期以来，学科之间的相互借鉴、相互融合已逐渐成为大多数学者的共识，许多美学学者在这方面积累了不少经验，但在学科融合和方法论借鉴上还有待进一步改进。把审美意识作为研究对象，就需要从跨学科的角度来进行思考，例如如果没有考古学的知识，我们就无法断定器物的年代、所属文化类型；没有艺术学的知识，我们就无法领会器物的形式特征和风格类型；没有人类学的知识，我们就无法看到器物中所体现出来的人的生活方式和思维方式；等等。同时，为了真正把握历代器物、艺术品、实践活动等中的审美性质和内涵，除了上面几种学科知识外，还需要求助于历史学、社会学甚至更多学科，从而进一步拓展和更新美学研究的思路，为美学研究的跨学科实践提供借鉴，推动美学学科的建设。这就需要各个研究者融会贯通地对多个艺术门类进行熟练分析并获得相关的专业背景知识，以期从专业视角与艺术品进行交流。然后，分析者才可以从美学的视角将之概括为相应的思想和理论。

我们这里所说的多学科，不仅指学科之间，也包括学科内部和各艺术门类之间的融通。宗白华先生在《中国美学史中重要问题的初步探索》一文中曾说："中国各门传统艺术（诗文、绘画、戏剧、音乐、书法、建筑）不但都有自己独特的体系，而且各门传统艺术之间，往往相互影响，甚至相互包含（例如诗文、绘画中可以找到园林建筑艺术所给予的美感或园林建筑要求的美，而园林建筑艺术又受诗歌绘画的影响，具有诗情画意）。因此，各门艺术在美感特殊性方面，在审美观方面，往往可以找到许多相同之处或相通之处。"①的确，诗文、小说、绘画、书法、音乐、舞蹈、工艺、建

① 宗白华：《宗白华全集》第三卷，安徽教育出版社 1994 年版，第 448 页。

筑等各艺术门类中的审美意识在一些朝代并非彼此独立存在,而是存在相互交融和相互渗透的情况,这也是我们在进行美学史研究过程中需要具体、深入探讨的。在各门艺术的审美特征之间,宗白华尤其重视各门艺术之间的内在贯通,如雕镂与绘画的关系等,求同存异,加以比较,既有打通,又有区分。宗白华的这一思想和研究成果,值得我们进一步继承和发展。

李泽厚在王朝闻主编的《美学概论》第二章"审美意识"中曾对审美意识的本质、历史起源及其与科学和道德的关系等问题进行过阐述。李泽厚将审美意识分为广义和狭义两种类型:广义的审美意识是指美感,狭义的审美意识专指审美感受,它是审美意识的核心组成部分。李泽厚认为广义的美感"包括审美意识活动的各个方面和各种表现形态,如审美趣味、审美能力、审美观念、审美理想、审美感受等"[1],而艺术是审美意识的最集中的表现。在讨论审美意识的本质和历史起源的过程中,李泽厚从马克思的实践观点出发,论证了审美意识在人类的物质生产劳动过程中所占的地位,并重点论述了审美意识与原始艺术之间的密切关系。此外,李泽厚还论述了感觉、情感、联想和想象等审美感受与审美意识之间的关系。李泽厚对审美意识的理论阐述以马克思实践观为指导,同时吸收了人类学、心理学等学科的内容。

蒋孔阳也认为:"由于审美意识和美学思想,主要反映在艺术中,并且通过艺术和有关艺术的论述保存下来;因此,要研究我国古代审美意识和美学思想的发展,除了有关的文物和哲学著作等之外,现存的艺术作品和有关的艺术论著,应当是最可靠和最为重要的依据。"[2]蒋孔阳的中国古典美学研究主要集中在先秦音乐美学、中国绘画美学和唐诗美学等方面。

目前的中国美学史研究,往往有很好的美学理论基础,美学史的研究也往往富有经验和成效,但是对于某些门类艺术的审美意识研究常常受

---

① 王朝闻主编:《美学概论》,人民出版社1981年版,第66页。

② 蒋孔阳:《蒋孔阳全集》第四卷,安徽教育出版社1999年版,第464页。

到知识面的局限。在经历了长期的学科专门化之后,我们已经越来越意识到由这种专门化带来的一系列负面影响。对于中国美学史研究来说,我们倡导主要结合当时的历史文化背景,做文本的解读和概念的分析与推演。这种方法在美学史研究中具有重要作用。同时我们还可以整合其他学科的资源及研究方法,从新的视角切入,挖掘被掩盖或忽略的美学价值。学科融合的趋势为审美意识史研究提供了条件,审美意识的研究更有优势融合和整合这些资源,借助艺术学、考古学、人类学、历史学、社会学等学科的研究方法,实现美学研究的跨学科性。这就需要有特别专长的专家积极参与,进一步打破学科壁垒。在审美意识史的研究中真正做到各门类"纵横交错",同时做到美学思想和审美文化的融会贯通。

四、当代意识与历史意识的统一

中国审美意识史的研究要立足于中国当代的审美实际,体现当代意识。每个历史时期的审美意识,乃至其他学科的发展,离不开当时的社会实际。当代社会和审美实际面临的现实问题,是推动美学学科发展的重要动力。当然这种当代意识不是一种狭隘的、庸俗的、实用主义的研究,而是与历史意识是相辅相成、有机统一的。审美意识史研究应该尊重审美意识自身的价值和特点,从中发现并揭示其历史价值和现实价值,以及它的发展、演变规律。

历史意识是审美意识研究的基础。我们对审美意识史研究需要有历史意识,要有史识。审美意识作为人们长期审美实践的产物,是有继承、有发展,有共性、有个性的。我们在揭示古人保留在历史遗存中的时代特征、社会特征和个性特征的同时,更要从中真正梳理出中国审美意识发展变迁的脉络,揭示他们对前人的继承和对后人的影响,以及审美意识变迁发展的历史必然性。对审美意识史的研究不仅要梳理、厘清其发展脉络、流变历程等,还要总结其发展特征与发展规律,探究审美意识与一个时代的审美标准、审美风尚的关系。我们从中也可以看到,中国传统审美意识虽然历经千百年的发展、变迁,但是依然有其不变的内涵,依然一脉相承。

而当代意识则是审美意识研究的目的和灵魂。中国审美意识史研究应该体现出新视野,从当代的学术规范来研究中国审美意识史,尤其重视其当代意识和当代价值,以现代学科意识和学科规范来对中国传统审美意识进行梳理。生生不息的审美意识的长河是不断地演进发展的,同时又是一脉相承的,不同时代的审美意识有其相通和一致之处。这种相通和一致,使得历代审美意识能在当代被理解和产生共鸣,而历代的审美意识也需要进入到当代的理解中。当代的理解使过去的审美意识得以传承,并具有新的生命活力,乃至可以成为新时代审美意识的种子。那些在当代能引起强烈共鸣的审美意识,可以得到优先重视和阐释。人们对于历代审美意识的要求有明显的时代烙印,与当代审美情趣相类的审美意识更易于为人们所接受。当然这种当代性的体验与阐释,也不是信口胡说,不是"六经注我"、而是透过当代意识,在传统审美意识中发现对现实具有指导作用和意义的精华。中国历代审美意识的研究可以参与当代审美意识的创造,使传统的审美意识富有生机。

我们要从当代意识出发对中国的审美意识研究进行深化,要体现超越现实的情怀和对人的精神关怀。我们可以从当代人的精神需求和审美理想出发,汲取传统审美意识的精华,将其发扬光大。审美意识史的意义不仅在于它的历史价值和博物馆意义,而且还在于它在审美意识变迁历程中承前启后的价值,更在于它的现实价值和意义。有价值的审美意识不仅是审美意识史中不可或缺的,而且对于我们当代的审美意识及其发展也是极为必要的。它的很多内涵自身具有符合当代审美需求的潜质,而美学史家的重要任务则在于揭示它的现实价值和意义。因此,美学史家研究审美意识应具有当代视野,使其满足当代需求。当然这种当代意识不是一种狭隘的、庸俗的、实用主义的研究,而是与历史意识相辅相成、有机统一的。审美意识史的研究应该尊重审美意识自身的价值和特点,从中发现并揭示其历史价值和现实价值,以及它的发展、演变规律。这就既要揭示其体现审美意识发展共同规律的共时性的一面,又要揭示其具有时代烙印和特征的历时性的一面。

中国审美意识史研究反映了现实的要求,需要体现出当代性,适应时代的要求;同时,这种当代性也是当代的审美意识史研究能力的表现,包括感受能力和思辨能力,从而作出其他时代美学研究难以取代的贡献;借鉴西方的研究方法,对中国历代的审美实践活动、实物、艺术品和日常生活实践中蕴含的丰富而多样的审美意识进行分析、提炼、概括和总结,揭示各个时期所形成的中国古人的审美趣味和理想,以及它们变迁的历史脉络,充实和丰富中国美学史的研究。同时,我们也要注意,中国历代的审美意识是古人自己的东西,研究者不能以当代的理论对其削足适履,也不能以今天的眼光和思维模式来臆测古人的审美习惯。

总之,中国审美意识的研究要始终结合中国历史上的各种器物、艺术和日常生活来探讨其形成和发展,将它们放在历史发展的进程中来考察,既注重历史联系性,又注重时代特殊性,把田野考古和文献资料相结合,强调从具体感性的材料中分析和归纳中国审美意识的形成、发展的规律和特点,并借鉴西方相关研究的方法,才能将中国审美意识史研究推向一个新的阶段。

第四节 论中国审美意识史中的生命意识

中国审美意识中的生命意识,主要是指主体在审美活动和艺术创造的具体情境中,对物象、事象和背景的拟人和象生等方式加以体验和表达中的生命意味,它以物态人情化、人情物态化的审美思维方式,自发或自觉地体现了对感性生命乃至精神生命及其贯通的礼赞。中国从新石器时代的先民开始,就在审美体验中体现了自己的生命意识和趣味。那时的石器、骨器、玉器、陶器和岩画就包含了主体对生命情调的体认。中国古代先民对生殖的崇拜,对生命冲动的观照与表现,都是生命意识的体现。随着审美意识史的发展变迁,这种生命意识也是与时俱进和不断发展变化的,同时也是后起的美学思想中生命意识的基础,并在审美意识和美学思想的互动中得以深化。

一、诗性的思维方式

中国古人将宇宙视为活生生的生命整体,他们诗意地看待大千世界,将物态人情化、人情物态化，以人情看待物趣，体现了诗意的情怀。他们用诗性的方式感悟外物，使之更有情趣。因此，中国人审美意识中包含着明晰而丰富的生命意识。生命意识是中国古人审美思维方式中的基本特征，贯穿在审美活动的体验中，凝定在艺术创造的物化形态中。而自然万物生机的长期熏陶和感发是主体审美活动中生命意识萌芽和形成的重要源泉。

这种生命意识体现了审美的思维方式。这是一种物态人情化、人情物态化①的诗意的思维方式。审美活动中的生命意识源自原始思维中的万物有灵的思想，它把无生命的物象视为有生命的，表达自身对万物生灵情趣的羡慕和渴望，这在儿童身上表现得尤为明显，是人的一种天性。袁珂认为最原始的神话"多把动物、植物以及自然力、自然现象看作是活物，从而产生了许多类似童话或寓言的天真烂漫的故事。"②主体用诗性的方式感悟外物，使之更有情趣。其中对物象、事象中感性生命和激发生命情趣与情调意味的领悟，是内在生命力的张扬。他们对生机的体验，如对万物的生意，身边动物生趣的体验等，都是兴味盎然的，而不是僵死呆板的，从中体现了中国古人对感性生命和精神生命的体悟。所有这些，都是先民们审美意识中生命意识的具体表现，都是在人的天性的基础上的不断丰富和深化。

在审美活动中，主体通过审美的思维方式，体味到自然万物和事象中生命的兴味和情趣。在中国古人看来，自然万物的生机对人心灵的感发，使得美得以生成，美是在主体能动感发的基础上，物我交融、悠然心会而生成的。他们从审美对象中体悟到弥漫其中的气韵和寓于感性形态中的内在精神及其体势。中国古人重视审美活动中对自然生机的礼赞，对自我的反思，其中物态人情化、人情物态化的诗意的思维方式正是生命意识的体现。郭熙《林泉高致》里的"春山艳冶而如笑，夏山苍翠而如滴。秋山明净而如妆，冬山惨淡而如睡"和"春山烟云连绵人欣欣，夏山嘉木繁

---

① 参见朱志荣：《中国审美理论》，北京大学出版社 2005 年版，第 104 页。
② 袁珂：《中国神话史》，上海文艺出版社 1988 年版，第 16 页。

阴人坦坦,秋山明净摇落人肃肃,冬山昏霾暗塞人寂寂"等,反映了古人诗性地对待自然的生命意识。他们强调自然生机对主体心态的感发使主体的全身心受到感动,从而提升了主体的心灵,拓展了个体的自然生命,进入到生命的崭新境界。主体在审美活动中的妙悟、神会使得个体的生命跃身大化,从而突破了身体的身观局限,使生命进入到审美享受的至乐境界。

正是在审美的思维方式中,自然万物的生机是主体情趣的渊薮。自然中的水纹与涡纹,被视为一种神奇的生命扩张与澎湃,主体从中体验到的是灵动的生机,而不是僵死、呆板的形式,从中传达出先民对他们生存环境生命情趣的热爱,也传达出他们的生存意识,以及他们对生命情趣、生命情调的领悟,对生命、生意、生机的领悟和张扬。在阴山及贺兰山等地的动物母子图岩画,石河子生殖岩画的子孙图像等,则表达了中国先民们对亲情的生命体验。从《诗经》开始的大量描绘山水的诗句,乃至魏晋南北朝和唐代山水诗,乃由自然山水感发生命的情怀,由自然草木通过比兴而感慨人生。李白《独坐敬亭山》所谓的"相看两不厌,唯有敬亭山",正是赋予敬亭山以生命,将其拟人化、情趣化了。而更多的文学和艺术作品把动植物人格化,将外物拟人化,体现出丰富的生命情态。他们以物象和事象寄托情趣,并以此安身立命。

在审美活动中,生命的姿势影响着主体的审美体验,影响着情感的趣味体验。人们用诗意的情怀体验万物的生命,通过对周围动物生动活泼的情趣表达,反映先民渴望点燃激情、超越自己的生命,渴望飞翔、渴望威猛等愿望。外在物象对心灵的触动,使得主体在体验中寄寓情怀,从而使情景融为一体。新石器时期的大量玉饰、玉璜中对蝶、犬、鱼、鸟的模仿和再现,反映了先民对自然外物生命姿势的追求。岩画中简洁而生动的小鹿,也是主体对小鹿生命情态的体认。红山文化中的玉猪龙表现了野猪野性的生命力,其玉鸮也表现出灵动的情趣。商周陶爵和青铜爵造型像小鸟那样的动势,体现了先民主体对鸟类生命飞动的礼赞和叹羡鸟类飞动的理想。正是审美活动中的生命意识,使得主体将无生命的事物生命化,将自然生命精神化。

　　总之,中国古代审美意识中的生命意识,是诗意的思维方式的具体体现,表现了古人在自己生存背景下的情感特征。天地自然中的万物生机,感发、启迪从而激发了他们的生命情调,并在源远流长的文化之流中得以丰富和深化,而艺术品通过物化形态的中介,使之得以交流和流传,并且打上了中国古人特有的烙印。

二、超越现实的审美体验

　　生命意识在审美活动中起到了画龙点睛的作用,审美活动正是在物我统一中体现生命意识。先民们仰观俯察,由自然生机激发创造的灵感,贯穿在整个审美活动中。其中反映了主体从本能到心理,再到社会历史的基本特征。在审美活动中,宇宙生命与物我情感交融为一,创构出具有生命意味的审美意象。审美活动既体现了普遍有效性,同时也是个性化的活动。个体的性情、趣味、姿色等,都充分体现在生命活动中。

　　第一,主体通过审美活动在视听觉的体验中感受着生命的节律。审美活动的过程是一种意象创构的过程,从中体现了物我生命的贯通。审美活动的生命意识需要主体涤荡心胸,以虚静心态领悟自然的生机,从而在直观与直觉的基础上体悟到生命之道。这是一种忘我、超越功利的高尚心态。在审美活动即意象创构中,主体的体验贯穿着生命的节奏和韵律,具体表现为动静相成、刚柔相济等特征。这种生命的节律既源自主体对宇宙大化生命的体认,又源于对自我生命节律的体认。主体正是从与自己身心节律相适应的外物的节律中获得共鸣与愉悦。人们喜爱大自然,追求顺任自然,往往从一花、一草、一木中感受到宇宙生命的勃勃生机,也从自我生命中体味主体作为宇宙生命一部分的生机和趣味。在审美活动中,主体对自然大化中生命节律的体认及其在创造中的表达,是个体获得精神自由的途径。艺术家在工艺和艺术创造中对生命节奏和韵律的传达,正体现出和谐的原则和主体的内在生命力。

　　第二,生命意识中包含着审美主体对生命的关注和对生命价值的尊重。中国古代审美意识中体现了自我意识的觉醒和对生命的自觉,而对生命的价值和意义的追寻,还体现了主体的人本思想。中国古代先民对生命的礼赞、对生命的惊异,以及与自然的和谐相处等,都是他们生命价值观的诗性表达。而主体心灵深处的忧患意识也正是主体生命意识的体现。汉乐府《古诗十九首》中就深刻反映了动荡年代人们在生活中的悲欢离合,强调个体的生存价值,正是时人对生命意义及其人生理想的追寻。其中诸如"人生寄一世,奄忽若飚尘"、"人生非金石,岂能长寿考"、"人生忽如寄,寿无金石固"等,感慨生命的短暂和无常,正反映了他们对生命的价值关注。同时,主体的精神在审美活动中有着重要价值,这种生命意识包涵着主体对精神生命的体验与反思,人们将生命的忧与乐都体现在审美的体验中。

第三,生命意识是一种创造意识。中国古人从审美的感悟和创造中体认到鱼跃鸢飞的生命情调,而这种生命情调又推动了主体的审美创造。在艺术的传达中,艺术家以独特的创意体现出创造精神。先民们在器物创造中体现了主体寄寓其中的共性,又表现了个性的体验,包括对世界、对人生的体验。在原始岩画中,人像与动物(如贺兰山等地岩画中人面与羊角)的融合、人像与植物(如将军崖岩画中人面与麦穗)的融合,神人同形的想象性人面像等,那种拟人化的创意,显现出了先民们丰富的想象力和创造精神。而在《庄子》等作品中,也显示出了丰富的想象力。王国维说:"南人想象力之伟大丰富,胜于北人远甚。彼等巧于比类,而善于滑稽。故言大则有若北溟之鱼,语小则有若蜗角之国,语久则大椿冥灵,语短则蟪蛄朝菌。至于襄城之野,七圣皆迷;汾水之阳,四子独往。此种想象,绝不能于北方文学中发见之。"①这在中国上古神话中尤其如此。鲁迅所谓:"夫神话之作,本于古民,睹天物之奇觚,则逞神思而施以人化,想出古异,诙诡可观,虽信之失当,而嘲之则大惑也。"②中国上古神话,乃至广义的神话意识,正体现了主体丰富的想象力和创造精神。其他艺术也同样如此。钱锺书说:"画形则神式凭之,故描绘通灵能活,拟像而成实物真人。言虽幻诞,而寓旨则为人能竟天,巧艺不亚于造化,即艺

---

① 王国维:《屈子文学之精神》,《王国维全集》第十四卷,浙江教育出版社 2009 年版,第 99 页。

② 鲁迅:《破恶声论》,《鲁迅全集》第八卷,人民文学出版社 2005 年版,第 32 页。

术家为'第二造物主'(a second maker)之西士之常谈也。……手笔精能，可使所作虚幻人物通灵而活，亦可使所像之真实人物失神而死。两说相反相成，并行不悖。"①主体想象力在生命活动中的翱翔，充满着情趣。在审美活动中，个体生命的创造力得到了充分的发挥。主体师楷化机，使得个体的心灵，生生不已、新新不住，在满足自己创造欲的过程中成就自我。

第四，生命意识起于自然万物对生命的感发，也是主体基于现实又超越现实、追求理想的一种特征。生命意识寄托了主体超越的理想。这是超越于基本生存、对于生命本真的探索和反思，寄寓于主体的理想和意味。这种生命意识体现了主体丰富的内心世界和理想的实现，是一种满足。主体的生命精神有着永恒的体验。人们对生命不朽的追求，并在瞬间的体验中，追求须臾永恒的价值。例如玉器质地的坚硬，象征着先民"不朽"的理想。《诗经·小雅·楚辞》中对"万寿无疆"的祝福，是对生命不朽的追求。在审美体悟中，主体敞开了自己丰富的内心世界，通过物象表现出内在生命力，在体验中、在心灵的豁然贯通中不断拓展自己，超越于基本生存，对于生命本真的本源性的探索、反思，寄寓于主体的理想，并在心灵中追求理想的实现。主体通过视听感觉实现对自我身观的超越，即在审美体验中追求生命的体验与超越，超越身观的局限而追求自由。《山海经》等所记载的原始神话中对"长生不死"的追求，表达了先民们的美好愿望。其神奇怪诞中包含着人们超越自身生命局限和时空局限的神奇追求与幻想。

中国审美意识史中的生命意识体现了主体在审美活动中基于自然、基于现实，又超越自然、超越现实的理想，体现了主体在精神上对自由的追求，审美体验从自发到自觉的追求，正是生命体验的有机组成部分。这种生命意识体现出主体尊重人性、尊重心灵的自由。他们追求人与自然的和谐，是其所是，反对异化，正体现出人的尊严和自由并从审美活动中获得满足。通过审美活动，主体实现了感性生命与精神生命的统一。

———————————

① 钱锺书：《管锥编》，三联书店 2007 年版，第 1128—1129 页。

三、感性情调的体现

中国古人在工艺创造和诗画创作中,都体现出强烈的生命意识。与后世的美学思想对生命精神的重视和强调相比,艺术作品中的生命意识是感性具体的,血肉丰满的,是主体内在生意和情趣对外在物象、事象及其背景中盎然生意与生趣的创构与表现。不仅如此,艺术作品本身也被视为有机的生命整体,后人用风清骨峻、气象浑成,以及形神、骨气等对作品的评价和要求,都是生命意识的体现。

在早期的工艺品中,先民们表达了对生命感受和体验的自发意识。在工艺创造中,人们不仅在审美活动和工艺创造中体现了生命的内在动力,而且也表达了他们对生机和生意的体认。如史前玉器中种种动植物象生的造型,如崧泽玉器中的犬首形玉饰、鱼形、鸟形、豆荚、玉璜等,莫不体现出自然的生机和生意,与自然浑然一体的理想。陶器中的纹饰以抽象的线条象征着世界的盎然生意和情感。商周钟鼎中的动物形象也常常神态逼真。青铜器的颈部形态乃至纹饰等,都是生命意识的体现。书法作品也常常灵动飞扬,生趣盎然。

中国古代的艺术家和工艺家,正是从生命的体验中获得愉悦,在对生命意识传达的创造中获得愉悦。文学艺术都是在传达生命的体验与感受,通过艺术语言抒发自己的情怀。在魏晋文学中抒发了诗人真挚的情怀,体现了人们对生命的眷恋,传达了主体精神生命的存在与要求。人们钟情、畅情,一往情深,正是中国艺术和审美活动的一种追求。而艺术语言使这种生命的体验与感受得以物态化,得以传达和交流。

中国古代文学中的生命指喻,也正是生命意识的体现。其中既包括对自然生命的礼赞,也包括对精神生命的追求。《诗经》中的那些爱情诗篇,正反映了主体诗性的生命意识,表达了诗人天真、烂漫的情怀,是个体本真情感的流露。汉代的神话和仙话等,寄寓了人们永生的理想。阮籍咏怀诗中关于游仙的想象;山水田园诗寓情于自然之间淡泊以宁远的憧憬;边塞诗笑看风云,一腔热血的激情等正是生命情调的体现。中国古代诗人们的哀伤和感叹都寄寓了生命的忧患。诗歌中的感伤、哀婉,正寄寓了生命的理想。魏晋南北朝时期的审美意识中融入强烈的生命体验，无论是刚健清新的建安文学、绮靡香艳的宫体诗，还有声色之娱的铜雀伎乐等艺术都传达出对生命价值的思考。乐府中忧生的叹息，建安文学中苍凉悲愤的情怀。那些感叹时光流逝、岁月不再的诗篇，那些伤春和悲秋的意绪，莫不是生命意识的体现。

中国艺术强调骨、气、血、肉、形神兼备，都是一种生命意识的体现。中国艺术追求"气韵生动"、"传神写照"，正是对宇宙大化和生生律动的参赞。中国山水画中的重峦叠嶂，如恽格所说的"咫尺之内，便觉万里为遥"（《南田画跋》），在方寸天地间运筹帷幄，把握生命的节奏，使全幅的画面生气盎然。

蒋孔阳先生说"美在创造中"①。主体的生命精神也正在于创造之中，作为审美理想与趣味体现的艺术作品，正是主体生命创造的物化形态。中国人强调在艺术的创造中，作品是生命源自自然大化的生机和主体的精神生命，物我交融体现了主体的审美情调。中国艺术对"远景"情有独钟，从中表现出流动的生命意蕴和音乐的律动。

四、审美化的人生追求

审美意识中的生命意识和美学思想中的生命精神是互补互动的。美学思想中的生命意识与审美意识中的生命意识相互印证、相辅相成。中国美学思想中很多独特的观念，诸如阴与阳、形与神、器与道、技与艺、虚与实、动与静等，中国古人体现在创造物之中的那种与自然的亲和态度，那种人文精神，那种独特的审美思维方式和以象表意的特点，那种强烈的生命意识，那种充沛的情感和纵横驰骋的想象力，乃至独特的时空意识、抽象方式、和谐法则和形式美的法则等，都是从审美意识中逐步孕育、升华、提炼出来的。

审美意识中的生命意识，是主体对生命体验的直观感受和形象表述，因而更为形象化、直接化，也更为灵动、鲜活、多样，其中以自发为主。随

---

① 蒋孔阳：《蒋孔阳全集》第三卷，安徽教育出版社1999年版，第147—159页。

着时代和文化环境的变化,这类生命意识具有更强的容纳性和变异性,因而与审美意识的联系也更为密切。而美学思想中的生命精神,则已经过系统化、条理化、逻辑化和概念化,因此较为自觉、自为。审美意识中自发的生命意识,乃是美学思想中生命精神的源头,而经过高度概括和提炼升华的生命精神使审美意识中的生命意识更为明晰、更为丰富和更为深化。新石器时代以来的器物遗存和文学艺术作品等,自发地体现了先民们审美意识中的生命意识,而历代美学思想中人们对生命意识的自觉意识,又进一步强化和深化了这种生命意识。

中国古代的陶器、玉器、青铜器等器物,神话、绘画、音乐、建筑、舞蹈、文学、服饰等艺术品,以及日常生活与民俗等,都为我们提供了极为生动丰富的生命意识的物化形态,其中体现了自发的生命意识,包含着艺术家等人的丰富的审美趣味和理想,在历代学人那里得到了自觉的归纳和总结。这些保存在历代文献中的总结虽然不是终极性的,但客观上推动和强化了审美意识中的生命意识。

从《周易》开始,中国古人高度重视生生不息的生命精神,并且形成了一个悠久的传统,道家更重视其自然的一面,儒家则强调自然与人生、感性生命与精神生命的贯通。古人的阴阳五行思想,最初正是这种生命节奏与韵律的概括。其中体现了自然的生机和活力,也表现了主体情感受到万物的感发。这种生命意识,在认识论的层面常常有可笑之处,在审美意识上则是饶有兴味的。

汉代的人物品藻,如刘劭《人物志》和刘义庆的《世说新语》都体现了生命意识,对后世的美学思想产生了深远的影响。《人物志》对人物的形体、仪容、情性等方面的评藻,体现了时人对感性生命和精神生命的审美感悟和评价尺度,其评价方式和范畴都影响了中国古代的艺术批评,特别是书画批评。《世说新语》中倡导一种超越于世俗的生死观和生命价值观,执着地追求精神的生存价值,成就了崇高的人生境界,正是审美化的人生追求,其中对光阴流逝、生命短暂和人生无常的慨叹,乃至任情放达、张扬自我和慷慨就义的个性,包含着对生命的审美感悟的独特体现,是对生命崇高价值的神圣追求。后来中国古代画论、书论中的形神、风骨、气韵生动、传神写照等,正是生命意识的体现,也都受到汉魏晋人物品藻的影响。主体的精、神、志、气,筋、肉以及品位、滋味和人的精神品格等意识,都在魏晋得到了充分发展。

文学中的物色,乃是自然万物以其蓬勃的生机感发情怀,主体触景生情,使情趣受到激发,使自我的生命得以拓展,作家则通过语言加以描写,感动读者,获得更为广泛的共鸣。钟嵘《诗品序》、刘勰《文心雕龙·原道》都是通过对具体的诗歌等作品的反思,对感发人心灵的万物景色对于主体生命的感发予以重视。他们不仅对过去的作品加以总结,而且引导着此后的创作与欣赏实践。

同时我们也要看到,那些古人对历代生命意识的概括和总结在今天看来还远远不够,还依然需要我们作更深刻、更贴切、更能体现当代要求的概括和总结,尤其需要我们进一步研究各个不同时期中国人所独有的生命意识及其发展、变迁的过程,总结出各个时代生命意识的特征,展示中国几千年来各个不同历史时期中国人的审美意识中生命意识的发展、变迁及其当代价值。

总而言之,生命意识是主体理想的体现,它贯穿于中国人从自发到自觉的审美意识的发展历程中。其中既包含了主体千百年来从天地自然之间获得的感发和兴味,又表现了生命的宣泄和情怀的流露,是一种物我融合的创构,既契合于宇宙之道,又体现出心中的理想。这是主体通过审美的思维方式对物我生命的诗性体认与创化,表现了主体既基于感性生命又不滞于感性生命的追求。在数千年来的工艺品和文学艺术作品中,这种生命意识获得了充分和丰富的呈现,并且得以继承和不断深化,形成了一个源远流长的传统。在一定程度上我们可以说,生命意识是主体超越有限追求无限的重要方式。

第五节 中国古代审美意识变迁的动因

在中国古代几千年的文明历程中,一代又一代的艺术家不断地创新,有力地推动了审美意识的变迁。这种变迁往往受到诸多因素的推动和影响,其中既有文明发展的共同特点,也有审美意识变迁的独特特征。在宏观的文明结构中,雅俗互动、南北融合、内外交流和艺际借鉴是中国古代审美意识变迁的主要动因。其中体现了中国古代文明开放宽容的恢宏气度,从而在积极借鉴和多元融合中不断演进,中国古代审美意识生生不息的生命力正在于此。

一、雅俗互动

雅俗互动是推动审美意识变迁的基本动力之一。雅俗关系贯穿于生活境界、宗教境界和审美境界之中。在审美趣味的发展历程中,俗是审美趣味发展的源泉,由雅化走向精深,由雅俗互动而创新。文学艺术包括题材的雅俗和体裁的雅俗等,并体现在趣味和艺术样式中。成功的作品其雅俗无关优劣,更无关成败,而是互补共存,共同体现出全社会的审美趣味,并且积极互动,共同推进了审美趣味的发展。

雅俗观念在中国有着一定的变化和差异,自古就有雅俗区别。最初曾以王室官方趣味为雅,民间趣味为俗。后来又常常以文人趣味为雅,以普通民众为俗,逐步演变为雅谓上层和精英趣味,俗谓底层和平民趣味。统治阶层历来推崇雅正。《释名》卷四"释言语第二":"雅,雒也,为之难人将为之雒雒然惮之也。俗,欲也,俗人之所欲也。"[1]正因为"俗"真实地传达了基本欲望,故情歌较多。雅俗审美趣味的差异,关乎地域和社会阶层。在先秦就很注意区别,例如先王之乐与郑卫之音的区别。在统治阶层,历代都推崇宫廷雅调和中原雅乐,相对贬抑民间俗调和胡夷之曲。俗与雅的关系体现了地域性与普遍性的统一。汉语普通话与方言的关系,便类似于这种雅与俗的关系。

而文人知识分子因其在社会中的地位有一定的差异,其趣味在不同的历史时期,有时会摇摆于官方与民间之间。一般说来,文人知识分子因其教养和所受到的教育,会体现出雅致的趣味,能够飘逸脱俗,存雅去俗。战国时期的一些诸侯喜爱郑卫之音和新声,还受到了文人知

---

[1] （东汉）刘熙:《释名》,中华书局 1985 年版,第 57 页。

识分子的批评。宋元院体画和文人画的差别,主要反映了宫廷之雅与文人之雅,宫廷趣味与文人趣味的差异。沈宗骞《芥舟学画编·山水》专辟"避俗"①,反映出文人画家对雅的追求。元明社会变动之际,市民与文人士大夫之间的趣味相互交流、相互转化。这时的文人知识分子更多地生活在底层,而且其艺术创作必然会适应和迎合底层平民趣味。因此,官方的雅俗与文人知识分子所理解的雅俗关系是有所不同的,文人知识分子的雅俗观有时会超越宫廷与民间的界限,客观上推动了雅俗的融合与发展。

我们在与雅相对举讨论俗的时候,俗主要指通俗,是作为积极意义的俗,而排除作为贬义的俗,其中不包括鄙俗、平庸、粗鄙和低贱,不包括因袭和落入俗套,也不包括俗不可耐,附庸风雅,更不包括被视为流俗的阿谀奉承和格调卑下。通常所谓避俗、脱俗,乃是脱庸俗,但通俗依然是市井、世俗的体现。俗的东西常常接近日常生活,往往是民间的,大众的,率性而为,自然纯真,纵情任达,不矫柔做作。徐渭说:"语人要紧处,不可着一毫脂粉,越俗越家常。"②俗相对粗朴,但充满活力,灵活多样。俗也常常不拘成法,乃至可以惊世骇俗。俗的内容更侧重于感性,更易于感发情意,震撼心灵。冯梦龙《古今小说序》云:"虽日诵《孝经》、《论语》,其感人未必如是之捷而深也。噫!不通俗而能之乎?"③俗常常引发创造,时尚往往也是通俗的。俗对民间趣味的体现迅捷敏锐,民间装饰性就体现了通俗趣味的价值,故有所谓贴近世俗之说。

雅常常表现为质朴与精细,表现出正统、规范、清高。雅与俗的关系,通常表现为民间与官方的关系,以民间为俗,以官方为雅。历代统治阶层以儒家正统思想为雅正,要求符合儒家的礼乐思想,两汉有所谓教化之雅正,以造就超凡即圣的人格。这种观念贯穿在几千年的正统趣味观念中,在正统的意识形态中,一般常常以古为雅,以今为俗,故摹古尚古,崇雅斥

①　(清)沈宗骞:《芥舟学画编》,山东画报出版社 2013 年版,第 61 页。

②　吴毓华:《中国古代戏曲序跋集》,中国戏剧出版社 1990 年版,第 65 页。

③　(明)冯梦龙著,橘君辑注:《冯梦龙诗文》,海峡文艺出版社 1958 年版,第 36 页。

俗。北宋的苏轼、明代的朱权，以及徐上瀛等人都曾强调崇雅黜俗。明代陆西星《南华真经副墨》之三《天地》曾说："大雅之音非里巷之耳所乐欲闻。"①有学者说："雅与俗相比，雅的文化含量较高。它博大精深，是贯穿古今的一种民族艺术精神。……雅文化'形而上'的意味更浓，诗词书画'可意会而不可言传'者被列为上品。"②有一定道理。在文人隐士那里，雅常常超凡脱俗，不同于世俗。在艺术创造中，雅中体现了艺术家的自觉加工。雅是守法的，更侧重于理性。俗多尚巧，雅多尚工。求雅对于特定艺术形式的规范、精致，提升境界非常重要。盛唐诗歌的雅正，体现了兴趣、气象与法度的有机统一。但雅多有因袭，受制于程式。对雅的理解，常常需要知识的储备，造成受众的小众化，以区别于流俗。雅的趣味既是群体的，又常常是个人的，是品位的象征。雅既是一种境界，也是一种风格。

雅俗之间和而不同，共同推进了审美趣味的发展，这主要体现在以下三个方面：

首先，俗为雅源。雅常常源于俗，统治阶层常常力图汲取通俗的成分，又力求脱俗，"变俗为雅"③。《诗经》中的《国风》便源于民歌，由收集、整理民歌而成经，由俗而雅，楚歌因屈原等文人发展成楚辞，也是由俗而雅。当俗精致为雅的时候，民间又不断出现新的为民众所喜闻乐见的艺术形式。文学的文体，就是不断从俗中产生的。先是民歌，再到唐宋间的情词，再到曲和杂剧，再到小说，说明在文体雅化后，会不断出现新的通俗文体，以满足民众欣赏通俗文学作品的需要。在一些艺术形式中，通俗元素同样可以构筑雅趣。园林就是一个显著的例子，园林趣味都是雅趣味，无论皇家园林，还是私家园林，都是雅趣味的体现，但其成分又常常包含着粗朴乡野的元素。

其次，雅俗有别，但并非截然对立，雅俗之间相互交流、相互渗透，在多元的审美趣味中互补共存。雅有雅趣，俗有俗趣。雅俗并存，是趣味多元

① （明）陆西星：《南华真经副墨》，中华书局 2010 年版，第 188 页。

② 梁一儒、户晓辉、宫成波：《中国人审美心理研究》，山东人民出版社 2002 年版，第 337 页。

③ （明）谢榛：《四溟诗话》，中华书局 1985 年版，第 1 页。

并存的具体表现。即使实用艺术也有雅俗之分,雅俗有别,但并非截然对立。滕固在《古代乐教阐微》说:"雅乐有不可存之理,郑卫之音,有不可废之理。"①明清市民阶层的兴起,以俗为雅,也在超越雅俗的对立。即使实用艺术也有雅俗之分。王世贞《艺苑卮言》云:"《孔雀东南飞》质而不俚,乱而能整,叙事如画,叙情若诉,长篇之圣也。"②民歌《孔雀东南飞》"质而不俚",故能雅。通俗小说中也是俗中有雅的。屠隆《章台柳玉合记叙》云:"传奇之妙,在雅俗并陈,意调双美,有声有色,有情有态。"称戏曲雅俗双美,优雅生动。在戏曲的发展历程中,昆山腔唱雅音的戏班为雅部,弋阳腔、梆子、秦腔、西皮、二黄等地方戏的种类,唱花杂、通俗曲调、戏班为花部,统称乱弹。京剧乃徽班进京时,以诸花部与昆山腔融合,推陈出新,技艺高超,由俗而雅,实现了宫廷戏和地方戏、雅与俗的统一。小说也是如此。章太炎《洪秀全演义·章序》中说:"小说自有雅俗,非有俗无雅者。"③雅俗相互渗透,相互协调。从中也可见雅俗之异,在某种程度上是关乎心态的。

再次,雅俗共赏的趣味是人们追求的最高理想,虽然事实上不能完全实现,但这种理想的存在,对于审美趣味的发展起到了积极的推动作用。黄周星《制曲枝语》云:"制曲之诀无他,不过四字尽之,曰:'雅俗共赏'而已。"④其中包含着俗对雅的渗透,雅对俗的吸纳。其俗中之优者,乃雅俗共赏。雅中有俗,俗中有雅。俗中之雅提升了俗的内涵,雅中之俗使雅臻于更高的境界。超越雅俗,说明雅俗在合流互动中推进了审美意识的发展。刘勰《文心雕龙·定势》提出"雅俗异势"⑤,既体现了雅俗有别,又体现以雅为正的观点。同时,《文心雕龙·通变》中所谓"斟酌乎质文之间,而櫽栝于质文之际"⑥。以雅俗共赏作为文艺创作的目标。朱自清

①　沈宁编:《滕固艺术文集》,上海人民美术出版社 2003 年版,第 366 页。

②　(明)王世贞:《艺苑卮言》,凤凰出版社 2009 年版,第 30 页。

③　章太炎:《洪秀全演义·章序》,人民文学出版社 1984 年版,第 1 页。

④　程炳达、王卫民:《中国历代曲论释评》,民族出版社 2000 年版,第 363 页。

⑤　(齐梁)刘勰著,陆侃如、牟世金译注:《文心雕龙译注》,齐鲁书社 1995 年版,第 394 页。

⑥　(齐梁)刘勰著,陆侃如、牟世金译注:《文心雕龙译注》,齐鲁书社 1995 年版,第 386 页。

说:"'雅俗共赏'虽然是以雅化的标准为主,'共赏'者却以俗人为主。固然,这在雅方得降低一些,在俗方也得提高一些,要'俗不伤雅'才成;雅方看来太俗,以至于'俗不可耐'的,是不能'共赏'的。"①他虽然有正统的崇雅立场,但是也在倡导雅俗共赏,在求雅中沟通雅俗。为了强化艺术表现的效果,实现雅俗共赏的目标,艺术家常常力求化雅为俗,化雅入俗,雅俗交融。

二、南北融合

中国南北地域的差异,使得南北方人的性格气质也有着明显的差异。自古以来,南方婉约轻柔,北方遒劲豪放,南方尚柔,北方尚健,形成了一个源远流长的传统。相比之下,南方人温润秀婉、格调清新,具阴柔之美;北方人刚健雄伟,具阳刚之气。南北地理环境的差异也导致了艺术趣味的差异,而社会生活环境的差异也是由自然环境差异所决定的。南北不仅是地理环境的差异,更是在此基础上形成的人文环境的差异。人文环境的差异,带来南北人不同气质的差异,进而有南北趣味的差异。《中庸》云:"宽柔以教,不报无道,南方之强也,君子居之;衽金革,死而不厌,北方之强也,而强者居之。"②南北地理环境的差异决定着审美意识的差异,由此影响到南北文学艺术的差异,其中南北风格的差异一直非常明显。

现代学人梁启超《中国地理大势论》云:"燕赵多慷慨悲歌之士,吴楚多放诞纤丽之文。"强调了南北文学艺术风格的差异。刘师培具体分析说:"大抵北方之地,土厚水深,民生其间,多尚实际;南方之地,水势浩渺,民生其间,多尚虚无。民尚实际,故所著之文不外记事、析理二端;民尚虚无,故所作之文,或为言志、抒情之体。"③更进一步阐释了其中的内在原因。这些阐释或多或少受到了国外南北差异理论的启发。

但中国关于南北地域与文化差异的阐述,则古已有之。《晏子春秋》

---

① 朱自清:《朱自清全集》第3卷,江苏教育出版社1988年版,第224页。
② 王国轩编著:《大学 中庸 孝经》,中华书局2012年版,第74页。
③ 陈引驰编校:《刘师培中古文学论集》,中国社会科学出版社1997年版,第261页。

云:"橘生淮南则为橘,生于淮北则为枳,叶徒相似,其实味不同。所以然者何? 水土异也。"①虽然是借以说明齐楚间民风中偷盗的差异,但也反映出南北水土差异对人们心理的影响。《颜氏家训·音辞篇》:"南方水土柔和,其音清举而切诣,失在肤浅,其辞多鄙俗。北方山川深厚,其音沉浊而简钝,得其质直,其辞多古语。"②从语言的音、辞两个方面阐释南北差异。隋代陆法言《切韵序》也从音调的角度谈南北差异:"吴楚则时伤轻贱,燕赵则多伤重浊。秦陇则去声为入,梁益则平声似去。"③南北差异带来了南北音调的轻重之别和清浊之异。唐代杜佑《通典》说:"贞观之初,合考隋氏所传南北之乐,梁陈尽吴楚之声,周齐皆胡虏之音。乃命太常卿祖孝孙正宫调,起居郎吕才习音韵,协律郎张文收考律吕,平其散滥,为之折中。"④主要阐述了南北音乐声律的差异。北宋郭熙在《林泉高致》中说:"近世画手,生吴越者写东南之耸瘦;居咸秦者,貌关陇之壮阔;学范宽者,乏营丘之秀媚;师王维者,缺关仝之风骨。"⑤阐述了南北画家风格的差异。

明代戏曲也有明显的南北差异,明代学者对此多有阐述。徐渭《南词叙录》云:"听北曲使人神气鹰扬,毛发洒淅,足以作人勇往之志,信北人之善于鼓怒也,所谓'其声噍杀以立怨'是已;南曲则纡徐绵渺,流丽婉转,使人飘飘然丧其所守而不自觉,信南方之柔媚也,所谓'亡国之音哀以思'是已。"⑥南曲多飘逸轻柔,北曲多雄壮厚重。王世贞阐述得更为具体:"凡曲,北字多而调促,促处见筋;南字少而调缓,缓处见眼。北则辞情多而声情少,南则辞情少而声情多。北力在弦,南力在板。北宜和歌,南宜独奏。北气易粗,南气易弱。"⑦王世贞《曲藻序》:"大抵北主劲切雄

①　卢守助译注:《晏子春秋译注》,上海古籍出版社 2012 年版,第 156 页。

②　庄辉明、章义和译注:《颜氏家训译注》,上海古籍出版社 1999 年版,第 323 页。

③　洪诚编选:《中国历代语言文字学文选》,江苏人民出版社 1982 年版,第 135 页。

④　(唐)杜佑:《通典》,岳麓书社 1995 年版,第 1906 页。

⑤　(宋)郭熙著,周远斌点校、纂注:《林泉高致》,山东画报出版社 2010 年版,第 41 页。

⑥　(明)徐渭原著,李复波、熊澄宇注释:《〈南词叙录〉注释》,中国戏剧出版社 1989 年版,第 98 页。

⑦　(明)王世贞:《艺苑卮言》附录一,见陈多、叶长海选注:《中国历代剧论选注》,湖南文艺出版社 1987 年版,第 127 页。

丽,南主清峭柔远,虽本才情,务谐俚俗。"①王骥德《曲律》:"南北二调,
天若限之,北之沉雄,南之柔婉,可画地而知也。北人工篇章,南人工句
字。工篇章,故以气骨胜;工句字,故以色泽胜。"②凡此,都是具体辨析南
北风格差异的。

　　南北审美趣味和审美意识的差异,广泛地存在于历代文学艺术的遗
存中。北方岩画以敲凿法为主,南方以涂赭法为主,这种南北工艺的差
异,决定了表达方式和效果。魏晋南北朝时期,南朝民歌清新瑰丽,含蓄
委婉,潇洒飘逸,多重抒情;北朝民歌慷慨激昂,粗犷豪迈,气势恢宏,多重
叙事。在书法方面,北方重碑,南方重帖;北方重壮美,南方重优美。北魏
时期的野俗飞天造型,到盛唐时代已被中原艺术同化,演变成飘逸的乐伎
形象。书法如刘熙载《艺概》云:"北书以骨胜,南书以韵胜。然北自有北
之韵,南自有南之骨也。"③以内在的骨、韵范畴讨论了南北风格的差异。

　　而在审美意识发展变迁的过程中,南北趣味是不断交融的。南北趣味
相互之间,不断交流、渗透和融合,在各自主流中也融进了对方的一些
特点。这种折中融合推动了发展,但并没有泯灭南北土壤所生成的个性。
晋宋之际,大量的南人流亡到北魏,客观上促成了南北的融合。南北朝时
期的四分五裂,给艺术的多元发展提供了自由的空间,为隋代的整合发展
提供了基础和养分,这种分合无疑推动了审美意识的发展。初唐时期的
文学,则既消化吸收了南朝诗歌藻饰的声调、咏物写景的手法,又继承了
北方诗歌慷慨悲凉的阳刚气质,音律抑扬顿挫且骨气端翔。这种交融本
身追求去短合长,确实在一定程度上起到了取长补短的作用,但若以此认
为可以消弭南北差异未免太理想化了。不断的交融固然有助于发展,但
南北差异在发展中依然长期存在着。北方的胡夷之曲与南方的里巷之曲
得到了融合。清末的京剧是融合了南北的唱腔整合而成,如"皮黄腔",

---

　　① 秦学人、侯作卿编著:《中国古典编剧理论资料汇辑》,中国戏剧出版社1984年版,
第13页。
　　② 王骥德:《曲律》(杂论第三十九下),《中国古典戏曲论著集成》(四),中国戏剧出
版社1989年版,第146页。
　　③ (清)刘熙载:《艺概》,上海古籍出版社1978年版,第382页。

"西皮"源于西北,"二黄"则源于南方。

隋唐时代,统治阶层都力图兼取南北之长,推动艺术的发展和进步。唐代魏征等撰的《隋书·文学传序》云:"然彼此好尚,互有异同:江左宫商发越,贵于情绮;河朔词义贞刚,重乎气质。气质则理胜其词,清绮则文过其意。理深者便于时用,文华者宜于咏歌。此其南北词人得失之大较也。若能掇彼清音,简兹累句,各去所短,合其两长,则文质彬彬,尽善尽美矣。"①隋代南北统一之后,兼有南北之长。隋文帝通过对南北的兼收并蓄推动了音乐的融合发展。事实上,南北交融的方式和形态,比倡导者的规划要复杂得多。李开先《乔龙溪词序》云:"北之音调舒放雄雅,南则凄婉优柔,均出于风土之自然,不可强而齐也。故云北人不歌,南人不曲,其实歌曲一也,特有舒放雄雅、凄婉优柔之分耳。"②这些主张都在追求南北合一,互相取长补短,客观上推进了南北审美意识的融合和发展。

幅员辽阔的南北地域的自然差异,以及随之带来的人文背景及其积累的差异,包括审美趣味和审美风格的差异,为南北的融合提供了便利,尽管这种融合本身不可能消弭南北审美趣味和风格的差异,而且我们不仅不需要消弭这种差异,还应该保持和推进南北各自趣味的发展,尊重和适应审美趣味和风格生成和保持的实际。这不仅是审美趣味和风格丰富性和多元性的需要,同时也是其融合和深化发展的需要,我们应该看到这种融合本身对于审美趣味的多元和发展起着重要的推进作用。

三、内外交流

所谓内外交流,既包括传统中原审美趣味与周边其他民族审美趣味的交流、融合,也包括在更广阔的空间里中外审美趣味的交流、融合,这种交流和融合有力地推动了审美意识的发展。中国古代审美意识发展的历程,正是中原对周边民族,乃至域外审美意识学习、借鉴和吸收、消化的历程,从而使审美意识不断地充满生机和活力。

---

① （唐）魏徵等撰:《隋书》第六册,中华书局1973年版,第1730页。
② 李开先:《李开先集》(上册),中华书局1959年版,第571页。

作为中华民族象征的龙的形成,本身就是多部族融合的象征和产物。战国以降的日本、朝鲜和越南等国在铜鼓等器物的造型和纹饰上也都受到中国的影响,相信他们的审美趣味也多少被带入中国,两者的影响是互动的,尽管会有强弱的差异。在音乐方面,唐代所谓"斟酌南北,考以古音,作为大唐雅乐"①。其指导思想乃是力图融合各地的俗乐、胡乐,乃至域外音乐,诸如西凉乐、天竺乐、高丽乐、龟兹乐等,都对中原音乐产生了相当的影响,与中原音乐融为一体。而在绘画方面,来自于阗的尉迟乙僧便影响了唐代画的技巧和画风。宁夏固原县西郊乡雷祖庙村的漆棺画既有中国传统的道教中的人物和飞禽走兽等形象,其服饰兼有汉族和鲜卑族的风俗特点,是多民族文化交汇的产物。

如果说秦兵马俑和霍去病墓那种气势恢宏的雕塑艺术,基本上是中国本土艺术的话,南北朝时期的敦煌、麦积山、云冈和龙门等地的佛像艺术,则明显受到了由西而来的印度犍陀罗、秣菟罗和笈多艺术等方面的影响。犍陀罗艺术本身作为印度佛教与希腊化艺术交融的产物,不仅直接影响了中国的佛教造像,而且间接地带来了古埃及和古希腊雕塑的影响。这种借鉴和融合,无疑影响到其中的审美趣味。其他如翼马、狮子造型与纹样,也受到了来自西域的影响。

六朝时期,中国古代诗歌在语音上受印度佛教梵呗的影响,讲究声律,并使之上升到自觉意识,从而有力地推动了近体诗的成熟,使中国的诗歌在盛唐发展到了顶峰。北魏时期的佛像服饰衣纹薄透贴体,面态祥和,中国画中的"曹衣出水"(原籍西域曹国的曹仲达在北齐时期将人物衣服褶纹的画法传入中原)等,都明显受到了笈多艺术技巧和表现的启发与影响,而后来又在借鉴的基础上形成中国特色。常任侠在谈及中国画受到域外影响的时候说:"就北魏时代作品看,线条粗犷而颜色强烈,接近新疆克孜尔各洞窟。但是时代愈后,愈加中国风格化。"②这同时也体现在其他艺术领域中,如西域的胡戎乐对北魏文学的影响。北魏皇帝

---

① (五代)刘昫:《旧唐书》,中华书局1975年版,第1041页。

② 郭淑芬、常法蕴、沈宁编:《常任侠文集》卷一,安徽人民出版社2002年版,第51页。

在鲜卑人中推广汉服,对原先自己民族的服饰进行改良,使游牧服饰适应农耕社会的生活,而汉服本身也吸收了鲜卑等服饰称身合体的特点,这固然是出于统治的需要,客观上也推动了服饰的改良。"五胡乱华"客观上带来了中原汉族与北方胡人审美趣味的融合。

中国与西域的丝绸之路,不仅是商贸的交流,更带来了艺术品的交流,从而促成了审美趣味的相互影响和相互借鉴。这些外来艺术元素,经由模仿和借鉴,融会到中国传统艺术精神的整体中,被消化和吸收。外来佛像摹本,正是由变与通而得以中国化的。这种交流、借鉴和融合,正是中国艺术和审美趣味在其发展历程中不断得以关注新的生机的重要方式。

中国古代审美意识的发展,在对外来文化的借鉴和汲取方面,改造和化用外来艺术,体现了包容和"化"的特征,最终融会贯通,化为己有,融入到审美意识的整体中,从而形成自己相对稳定、又不断发展的独特风格特征。对于审美意识的发展,我们既不能持虚无、自卑的态度,也不能持狭隘的民族主义立场,而应当重视借鉴、交流和融合。这种借鉴、交流和融合本身,正是中国审美意识发展的重要特征,也是中国审美意识发展的重要动力。

中国古代审美意识史在中原长期积累发展的基础上,借鉴和吸纳周边南蛮、北狄、东夷、西戎等各部族的审美趣味,从而丰富增强了已有审美意识的特征,并且不断接受来自西域的外来审美趣味的影响,尤其直接、间接地吸纳了古印度乃至古埃及和古希腊艺术中的趣味和技巧。中国古代审美意识的一个重要特征,便是以开放的心态博采众长,兼容并包,从来不拒绝周边部族和外来审美趣味的影响,从而融会贯通、推陈出新,不断地将审美意识推进到崭新的境界。这是中国文明包括审美意识拥有持久生命力的重要保障。

四、艺际借鉴

在长期的发展历程中,不同艺术门类是相互影响的。不同门类的艺术在生命精神上是相通的。宗白华说:"中国各门传统艺术不但都有自己独特的体系,而且各门传统艺术之间,往往相互影响,甚至相互包含。"①宗白华还说:"一切艺术都是趋向音乐的状态,建筑的意匠。"当然,不同艺术门类因其物态形式的差异,产生了表达内容、构思方式和传达效果的差异。这种差异不但使得各门类艺术有自己的特色,从而使审美意识呈现出丰富性,而且也在差异性之中互相促进。不同艺术之间相互借鉴、相互融合,触类旁通,推动了审美趣味的变迁,也推动了艺术形式的发展。

中国古代的画与诗,尤其是山水画与山水诗,在审美趣味与境界上是相通的。中国古代书画同源中也包括文字,兼及文字之诗。作为中国文学最基本元素的文字,与绘画有着天然的联系。在诗与画之间,无论是因诗作画的诗意画,还是由画题诗的题画诗,以诗与画相互补充、相互启发,客观上推动了画与诗各自体验的深化与发展,体现了诗画融合的特点。因此,中国古人尤其重视诗与画的结合。朱景玄《唐朝名画录》载唐玄宗赞扬郑虔"诗书画三绝"②,统一于画面,相辅相成,相得益彰。在中国古代绘画中,诗歌与书法常常作为绘画的配饰。苏轼《书鄢陵王主簿所画折枝二首》云:"诗画本一律,天工与清新。"③强调诗画在风格上的一致性。在《书摩诘蓝田烟雨图》中,苏轼还说过:"味摩诘之诗,诗中有画;观摩诘之画,画中有诗。"④强调诗画之间的相互包含。北宋张舜民《跋百之诗话》云:"诗是无形画,画是有形诗。"⑤说明诗与画的异同,早于西方所提出类似观点的莱辛700年。《林泉高致》载郭思记郭熙:"先子尝所诵道古人清篇秀句,有发于思,而可画者。"⑥说明诗画之间是互补的。《宣和画谱》卷七称,李公麟"盖深得杜甫作诗体制而移于画"⑦。表明诗情

---

① 宗白华:《宗白华全集》第三卷,安徽教育出版社1994年版,第448页。
② (唐)朱景玄:《唐朝名画录》,四川美术出版社1985年版,第29页。
③ 王文浩辑注,孔凡礼点校:《苏轼诗集》第五册,中华书局1982年版,第1525页。
④ 孔凡礼点校:《苏轼文集》第五册,中华书局1986年版,第2209页。
⑤ 张舜民著,李之亮校笺:《张舜民诗集校笺》,黑龙江人民出版社1989年版,第33页。
⑥ (宋)郭熙著,周远斌点校、纂注:《林泉高致》,山东画报出版社2010年版,第63页。
⑦ 岳仁译注:《宣和画谱》,湖南美术出版社1999年版,第156页。

画意可相互表达。宋明等时代一直有以诗命题作画等方面的传统。钱锺书说："诗和画既然同是艺术,应该有共同性,而它们并非同一门艺术,又应该各具特殊性。它们的性能和领域的异同,是美学上重要理论问题。"①诗与画两者的借鉴与交流对于审美意识变迁的价值和意义尤其值得我们重视。

山水画山水诗和园林艺术都是共同发源、相辅相成的,在审美趣味方面是共通的。古代的造园家把自己的诗情画意、审美理想寄寓于一方园林之中,使园林成为诗画艺术的载体。园林中的匾额楹联画龙点睛,与园林景观相得益彰。而宋元以后,随着山水画的繁荣发展,园林艺术的成熟,园林对于山水画的模仿和借鉴尤为明显。明代计成的《园冶》多次强调造园对于画的借鉴。他提出选地要"桃李成蹊,楼台入画"②,叠山理水要模仿画,要"深意画图"③。壁山叠峭"藉以粉壁为纸,以石为绘也。理者相石皴纹,仿古人笔意"④,因纹构思,因势利导,模仿古人的笔意效果。借景要达到图画的效果,要"顿开尘外想,拟入画中行","境仿瀛壶,天然入画"⑤。故明清时期多以画家的风格、笔法和意境来评价园林。如张岱《鲁云谷传》云:"窗下短墙,列盆池小景,木石点缀,笔笔皆云林、大痴。"⑥这里主要描述的是家居景致,未必可以称得上是园林,说其有倪瓒(云林)、黄公望(大痴道人)的笔法特点。而造园创意也常常受到山水画家笔法的影响。

不但山水诗、山水画和古代园林之间相互影响,音乐、舞蹈与诗歌也是相互促进、相互影响的,并且对书画也产生了一定的影响。在人类早期的精神生活中,诗、歌、舞是一体的,后来虽然相对独立,但依然相互影响、相互促进。尤其是在抒情性和动情性方面,诗、歌、舞之间是相通而相应的,从对生命的自发体认到自觉体验。公孙大娘舞剑就是如是。《新唐

---

①　钱锺书:《中国画与中国诗》,《七缀集》,三联书店 2002 年版,第 7 页。
②　计成著,陈植注释:《园冶注释》,中国建筑工业出版社 1988 年版,第 62 页。
③　计成著,陈植注释:《园冶注释》,中国建筑工业出版社 1988 年版,第 206 页。
④　计成著,陈植注释:《园冶注释》,中国建筑工业出版社 1988 年版,第 213 页。
⑤　计成著,陈植注释:《园冶注释》,中国建筑工业出版社 1988 年版,第 243 页。
⑥　(明末清初)张岱:《张岱诗文集》,上海古籍出版社 1991 年版,第 285 页。

书》卷二百二《张旭传》称张旭："观倡公孙舞剑,得其神。"①唐代段安节
《乐府杂录》载:"开元中有公孙大娘善舞剑器,僧怀素见之,草书遂长,盖
准其顿挫之势也。"②由公孙大娘的剑舞,使张旭和怀素的草书得其神,得
其势。可以说明两大书法家得公孙大娘舞蹈的启发,笔力大长。清代不
少画家如扬州八怪,常常喜爱音乐的表演,从中获得灵感和启发。其中有
的是题材的启发,如黄慎的《麻姑献寿图》,受到杂剧和京剧的影响。在
曲折性方面,园林的布局与戏曲的结构也是相通的。

　　同样,中国古代不同工艺之间也会相互影响,邻近的艺术之间会相互
借鉴。陶器在造型装饰方面积累了丰富的经验,青铜器出现时先向陶器
等器物借鉴了大量的造型和纹饰特征。由于统治阶层的重视,青铜器得
到了空前的发展,其设计和铸造积聚了大量优秀而具天赋的艺术家,在造
型和纹饰等方面作出了新的探索和创造,形成了独特的风格,这些探索和
创造又反过来影响了陶器的造型和纹饰。瓷器的装饰在发展历程中,也
得益于剪纸等其他艺术形式的图案积累。古代漆器所谓髹饰,器表的装
饰画也借鉴了山水画的技法。

　　总而言之,多元动力推进了中国古代审美意识的变迁发展,从植根于
民间自发萌生的具体通俗审美趣味,再自觉地上升雅化,并由雅俗互动积
极地推进审美趣味的丰富与发展。雅俗互动本身增强了审美趣味的活
力,也间接促进了社会的和谐与稳定。而中国广袤地域中所存在的南北
差异,给我们的审美趣味提供了丰富性和多样性,南北间的相互借鉴、相
互交融,既有利于各自鲜明特色的深入发展和成熟,也有利于推进审美意
识整体的深化和发展。中国古人以积极开放和包容的心态,对周边和西
域,乃至古印度、古埃及和古希腊进行学习、借鉴,在交流中推进艺术和审
美趣味的丰富与发展,使审美意识生生不息地向前推进。同时,不同艺术
形式间的相互借鉴和相互影响,在某种程度上体现了艺际间的积累共享。

---

　　① 宋祁、欧阳修等:《新唐书》,中华书局 1975 年版,第 5764 页。
　　② 中国戏曲研究院:《中国古典戏曲论著集成》(一),中国戏剧出版社 1959 年版,
第 49 页。

诗、乐、舞和诗、书、画之间的相互借鉴和相互影响,成就了艺术门类间的融会贯通,不仅丰富和发展了审美意识和艺术的外在形态,而且全面推进了审美意识内在层次和境界的提升。中国古代审美意识正是在这种雅俗互动、南北融合、内外交流和艺际借鉴等因素多元立体的交叉推动中获得动力,不断地丰富和发展,从而成就了它的辉煌与灿烂。

绪 论

中国古代的审美意识有着悠久而灿烂的历史,早在旧石器和新石器时代就已经初露端倪。旧石器时代以其原始的打制石器艺术开启了我国历史和文明的第一篇章,在原始实用器物中孕育了中华先民们朴素的审美意识;新石器时代先民在此基础上所制作的石器、陶器和玉器等器物,以及这一时期所孕育的原始岩画、神话传说等,将审美意识的发展推向了一个新的高度。因此,中国史前审美意识,是世界美学宝库里的重要资源,其独特思维方式和体悟方式更是人类美学的源头活水。我们对旧石器时代至新石器时代审美意识的深入研究,不仅对中国美学史的科学建构具有拓荒的作用,将中国审美意识史溯源上溯了数万年,而且对于我们今天将中国传统的美学精神发扬光大、走向世界提供了重要的感性资源。

一、历 史 溯 源

中国作为人类文明的发祥地之一,审美意识萌芽在这里已有数百万年的历史。距今大约250万年至1万年以前的旧石器时代,审美性孕育于实用性之中,并紧密地交织统一于原始器物(石器、骨器)的打制之中,后来在细石器和部分装饰品的创造中才逐渐走上相对独立的发展道路,从而成为中国审美意识的初始物化形态。

早在170万年前的元谋人,已经制作了相对规整和实用的石器工具,从中表明了他们均衡和对称的朦胧意识,尽管它们还显得简单粗糙。到60万年前的蓝田人,在工具的打制和改造上,有了一定的方法和程序,制作了砍砸器、刮削器等工具。再到50万年前的北京人时代,已经有了自己的选材标准。他们能够根据材料的特性,采用不同硬度、形状和纹理,用不同的方法制造工具,反映了他们对石器的外在形式已经有了一定的意识。他们从实用的角度去考虑硬度和形状,从审美的角度巧妙地运用其纹理,并从整体上去把握,从而在工具上体现了主体的情感。这时的石器主要用于生产和生活的实用工具,其审美意识包孕在实用功能之中,还有待先民们在劳动实践中进一步深化。旧石器时代的先民正是通过劳动实践,逐步形成了早期的审美意识。

在此基础上,到旧石器时代中期,如山西的襄汾丁村人,在砍砸器、尖状器和刮削器等工具的制造上,不但器型多样,而且在打制技术上有了明显的进步。在距今 10 万年左右的山西阳高许家窑遗址,不但刮削器等比以前复杂精巧得多,而且出现了一些细石器的基型,反映出人们已经开始自觉地运用均衡和对称等审美的形式规律。石器技术也有了一定的进步,预制单面和转体石核的剥离技术、软锤技术开始出现,石叶生产也已萌芽,石器制作的分工日益明确。从新出现的石器形式和石片剥离技术来看,这一时期的石器在总体上既体现了与早期劳动生产的连续性,又形成了新的合规律的形式要求,如节律、均匀、规整和光滑等。劳动工具和制作劳动工具的工艺技术中渗入了原始先民朴素的审美理想,实用功能和审美形式相互交织。这使得这一时期工具的造型和工艺呈现多样化的形态,成了后代审美意识的滥觞。

旧石器时代的石器造型,由原始的粗糙、随意,逐步变得相对均匀、规整,并日渐磨制光滑,钻孔和刻纹等装饰性技术也在制造工艺中不断得以凸显,这对于中国审美意识的起源和工艺美术的发展有着举足轻重的意义。而那些保存至今的旧石器时代的骨蚌角器、岩画、石雕和红色的赤铁矿粉等原始遗物,乃是中国审美意识和艺术的重要源头,是先民们了不起的工艺创造,也是中国艺术的一丝曙光。其中的许多探索,对后世的艺术创造产生了深远的影响。因此,中国的旧石器时代无疑已经有了原始而朦胧的审美意识。到了旧石器时代的后期,除生产工具以外的装饰品和工艺品也开始出现,其审美意识逐渐摆脱了实用功能的层层束缚,反映了人类审美意识的觉醒。

新石器时代开始打破了实用性主导的工艺创造原则,使得装饰与造型并行发展,有的器物甚至更注重装饰性,形式因素逐步在石器的造型和纹饰中走向独立发展的道路。同时,在此基础上,先民们进一步熟练了磨制、钻孔、镶嵌等工艺制作技术,并且发明了陶器、玉器等新的器物种类。无论是从半坡、庙底沟、马家窑到河姆渡、良渚、大汶口、龙山的彩陶和灰陶,还是从红山到崧泽、良渚的北方玉器和南方玉器,都体现了原始先民从仿生、象形到写意、象征的发展,从制物尚器、制器尚象到因料制宜、因物赋形的艺术构思转换。其独特的造型、风格多变的纹饰,以及感性与理性相交融的整体构图,造就了丰富多样的艺术风格,奠定了中国器物创造的基础。

新石器时代流传下来的原始神话,其意象的创构充分体现了原始先民的宇宙观和他们对世界万物的独特体悟与理解,这种"以象表意"的思维方式,将新石器时期的审美意识推向了一个新的高度。中国史前神话是新石器时期人们审美意识的重要表征。新石器时代孕育了众多诙诡谲怪的神话,盘古开天辟地,女娲"黄土作人"与"正婚姻",伏羲"以佃以渔"与"作八卦",共工"头触不周之山",以及炎帝和黄帝不可思议的神异战争等,虽然这些神话只能在后代众多的历史文献之中,如《山海经》、《尚书》、《太平御览》等,才能见到一鳞半爪,但它们对后代的艺术构思产生了深远的影响。

原始岩画在新石器时代也开始步入其繁荣鼎盛期,形成了鲜明而丰富的审美特征:线条的装饰性、时间性和情感性等线性特征作为最为突出的审美因素,无疑彰显了原始岩画独特的艺术魅力;这个时期岩画存在的空间范围之大,持续的时间范围之长,又使其在审美意象和风格上呈现出明显的时空差异,进一步丰富了中国原始岩画的多样性艺术风格。岩画是现存为数不多的表现原始人审美趣味和审美理想的艺术之一。岩画记录了原始人的生活篇章,表现了原始绘画相当的艺术技巧,昭示着原始先民的审美思维,呈现了原始人自发的审美生活风貌。中国岩画在构图要素、成像特征、题材意蕴等方面自成一格,不仅在世界岩画中独树一帜,而且与史前的其他艺术,以及日后的中国绘画相对照、相印证,展现了中国原始先民独特的审美趣味,显示了中国原始艺术的地域特征与民族特征。

可贵的是,它不仅是艺术的萌芽,它还具有独立的时代色彩,显示了原始人不同于我们的审美方式,为现代人的艺术创新提供着不竭源泉。

总之,早在250万年前的旧石器时代,华夏大地已经有了自发的审美意识的萌芽,其质朴的造型和融实用性于一体的各类器物,体现了中国先民的独特审美趣味和风貌;新石器时代陶器、玉器以及同一时期的岩画、神话,其感性风貌和内在意蕴无不彰显其独特的艺术魅力,对它们进行系统研究,对于中国的美学精神追本溯源和发扬光大、走向世界具有重大的理论意义和现实意义。

二、基本特征

中国史前审美意识是中国美学思想的源头活水。这一时期的审美意识主要是通过石器、陶器、玉器等器物,岩画、神话等艺术形式得以保存、流传下来,为后世中国美学思想的形成、发展和深化奠定了基础,提供了不竭的源泉和发展动力。中国美学有着自己的独特性,中国审美意识的构造中表现出的随物赋形、以形表意和"天人合一"的生命意识等是中国美学思想独有的特点。因此,中国史前的审美意识和审美趣味既有自己独特的时代性,又反映了中国美学思想的一般特点。具体来说,中国史前审美意识主要具有以下七个方面的基本特征:

一是象生造型。先民们在自己的生活环境中,长期观察动植物以及日常生活中的其他物态风貌,创构了丰富多彩的审美意象,并通过陶器、玉器等器物的造型以及纹样的创造,将这种意象凝固下来。例如作为鱼米之乡的河姆渡、崧泽地区,稻作和农耕时代的其他植物,以及猪、狗等家畜,水中的鱼,空中的鸟都启发了古越先民器物创造的灵感,故对这些飞禽走兽加以模拟和表现,形成了造型优美、栩栩如生的陶猪、陶羊、鱼鸟璜等。半坡文化的典型器物葫芦瓶,就是半坡人在采集生活的过程中,从大自然中的葫芦造型中得到启发而创造的陶器,带有浓厚的仿生特点。马家窑先民的器物制作也是一方面"近取诸身",在陶器中表现人自身的形象,如器型出现了人头彩陶壶,男女人形浮雕彩陶壶,以及马厂时期的男女同体瓶,纹饰也出现了神人纹和浮雕裸体人像;另一方面"远取诸物",

在器物的纹饰选择上,将雷电、水、太阳等自然物象,鸟等动物以及一些植物作为创作的母题,而形成了陶器上的雷鼓纹、螺旋纹、水纹及鸟纹等纹饰图案。因此,自然环境和生活实践对新石器时代器物的造型和纹饰产生了重大的影响,造就了先民"观物取象"和"立象尽意"的艺术意象的创造方式。

中国史前审美意识由实用性向装饰性过渡;从仿生、象形向写意、象征过渡;从制器尚器、制器尚象到因料制宜、因物赋形过渡。从中可以窥见中国史前社会生活的百科全书式画面,石器、陶器自不必说,其造型与纹饰是观物取象,随物赋形的结果,另外岩画和神话传说也无不体现出中国审美意识的观物取象特征。中国先民"近取诸身,远取诸物",开启了中国审美意识最早创构形态。

二是写实与写意的统一。中国古代器物和岩画等,其造型和纹饰最初是模仿写实的,但拘于表达的限制和捕捉最富特征的内容的表现,逐步获得了写意的效果,从而更多地体现出主体的趣味。中国传统的"诗性"思维方式,早在史前时代已展露曙光。新石器时代的各类陶器和玉器其造型和纹饰图案更多的不是"为了艺术而艺术",而是表达自己对外在世界的体认。器物的造型和纹饰从对大自然的象生写实性塑造逐渐转向抽象的象征表意性创造,装饰图案也向表意性方向发展。半坡文化时期的彩陶基本上处于制器尚象的阶段,其艺术创作的指导原则更多是写实性的塑造。但是,随着先民艺术表达能力的逐步提高和主体情趣的日益丰富,纹饰更多地抽象化了,成为更加贴切和丰富的表达。那些取材于生活场景中动植物的几何纹样,特别是禾叶纹、稻穗纹和猪纹等图案,则通过写实的造型传达了先民们对自然的礼赞,并由实物韵味激发丰富的联想,甚至朦胧多义的象征意味。以鱼纹图案为例,在新石器时代中期,其鱼身被概括为几何形状,鱼鳍也从不对称演变为对称,装饰性明显增强了。尤其是到了晚期,鱼纹图案则更加趋于符号化,图案经过分解复合,形成了变化多端、形状各异的现象。在河姆渡器物中,也已经形成了相对集中的几何纹饰,说明其中有了更多的自觉性,表意性也更强了。

从中国岩画的成像特征上我们也可以看出,中国史前审美意识具有很强的写实与写意的统一。原始岩画通过简化原则,即轮廓取象、局部代整体和抽象代具象的取象技法,由最简单的图像层次表现丰富的物象,显示了笔简意厚的审美品位。同时,中国史前岩画还通过点、线、块面来寄予丰厚的心灵与信仰世界。

三是审美意识脱胎于日常生活。史前时代的审美意识一直与主体的日常生活密切相关。史前时期的各类石器、陶器、玉器等器皿的发明、使用、创造,都与先民的现实的生存需求相关。旧石器时代的原始打制石器艺术品直接开启了中国审美艺术的第一篇章。新石器时代的陶器由日常生活中所产生,其造型纹饰,如上文所述已经融实用与审美于一体。

中国原始岩画显示了先民们生动的生活画面,是中国初民思维方式与行为方式的图像见证。岩画记载着人与自然的关系,人对生命的体认,以及人的自我意识。中国史前神话体系的形成,也与原始先民当时的生存环境有关,尤其是新石器时代中晚期所经历的长时期的地质活动,对华夏先民的生存环境所造成的恶劣影响十分巨大,在此过程中所形成的神话意象对这些内容都有所反映。其基本特点是人们在描述神话意象时,往往将自我的日常生活经验渗透其中,形成神话意象与日常生活的交响融合。

中国史前石器、陶器、玉器等器物是在先民们日常生活中逐步走向自觉的审美追求,其造型和纹饰脱胎于生活,形式感及装饰寓于实用之中;原始岩画同样是先民生活画面的展现,其线条和意象植根于原始生活之中。

四是立象尽意。"以象表意"是中国传统审美意识的显著特点。新石器时代器物纹饰的表意性发展暗含了"尚圆"和"虚实相生"的雏形。器物的造型从随意多变演化为规整浑圆,器物的纹饰也从实物形象的仿生演化为虚实线条的写意,体现了一定的表意功能。这种抽象化的浑圆造型和虚实纹饰显示了先民们自发的审美意识,是后代审美意识的源泉所在。如红山文化玉器,完整的圆形立雕可以给人们一种更为圆润和厚重的欣赏效果,其丰润的圆形玉璧及孔形玉器显示了在先民的头脑中已经朦胧出了"圆"的审美意象;而镂空玉器所体现的是一种空灵和跃动,钻刻风格的改变也影响了人们立象表意的效果。这种圆厚和镂空的造型就体现了"虚实相生"的原则,细腻真实与空灵虚镂相辅相成、完美结合,创造了厚实与空灵相交融的审美意象。而马家窑陶器中对曲线的运用,一方面体现了求新求异的美感追求,另一方面也是圆融意识的物化形式。如小口双耳罐上倾斜线的运用,表现了人类早期的视觉空间感,展示了立体的自然,同心圆既是圆形思维的体现,也表现了先民们关于万物循环的时空观念。这些器物创造的实例都充分说明,中国传统的审美特征,如尚圆意识、注重局部留白的虚实相生、运用线条写意等在新石器时期已经具有了雏形。

五是浓郁的主体生命意识。新石器时代的器物造型及纹饰体现了一种天真、质朴的气质,包含着浓烈的生命意识。如马家窑类型的漩涡纹和马厂期出现的万字纹("卍"),同太空星云的方向一致,都是顺时针内旋,后代太极生生不息、无限循环的生命意识与此一脉相承。三组五人的舞蹈纹彩陶盆以及红山玉雕文化也充分体现了人的自我意识的觉醒,从中既反映了外物感性形态的生命特征,又反映了主体审美欣赏的内在要求,体现了审美活动中主体的生命意识。如三星他拉村出土的"C"形玉猪龙在自然奔放的动态中表现出野性的生命力,玉鸮在展翅飞翔中表现出生动的气韵和灵动的情趣。崧泽玉质扁管状龙首形饰物、犬首形玉饰、蝶形玉项饰、鱼鸟形玉璜,也包含着崧泽先民对自然生命姿势的追求。尤其是鱼形玉璜,器表光滑,上部用折线形表示头和脊背造型,下部一弯弧形勾勒出了鱼头、鱼腹、鱼尾,折线与曲线相配合,简洁而形象地将小鱼跃出水面瞬间的活泼情趣表现得淋漓尽致。良渚文化玉器的神人兽面纹、鸟纹、蛇纹等,更注重纹饰勾勒与自己主体生命意识的结合,让人深深感到鸟兽的力量与威猛,感受到向往天空、渴望飞翔的生命激情。中国原始岩画中的"尚圆"意识,暗示了原始人对生命的循环交替观念,这种圆形题材一直延续到后代,发展为中国古代的圆形观中的"循环往复,生生不息"、"周而复始"、"圆融"等意义。中国原始岩画蕴含的"天人合一"意识,也展示了原始人在处理人与自然关系的生存智慧。另外,各类器物中不乏人形造型和纹饰,凸显人的自我意识;其中动物的造型和纹饰也显示其灵动生机和生命律动；原始岩画塑造健硕的人形板块，人与自然的合一于一体。

六是崇尚形式感和整体性。早在旧石器时代先民们已经有了多样性统一的观念和朦胧的形式感意识，在其打制的石器艺术品中，就包含了节律、均衡、对称等形式规律。新石器时代的器物结构均匀协调，纹饰线条鲜明流畅、布局有序，注重纹饰与器型的协调，在形式、韵律、节奏中体现了和谐的整体意识。如半坡彩陶注重装饰纹饰与器型的统一，将纹饰、器型结合起来考虑，更加注重装饰的效果，追求彩陶整体上达到美的和谐。而作为"中国彩陶艺术巅峰"的马家窑彩陶也讲究纹饰之间以及器物和纹饰之间搭配的协调，其特点是器物规整，设计精妙，线条自然流畅，多直线而外凸，具有一定的节奏感和韵律感。纹饰中的锯齿纹和重幢纹搭配在一起，刚柔相济、阴阳协调。河姆渡陶器表面的花草树木、飞禽走兽、鱼藻纹、稻穗纹、猪纹、五叶纹等形象刻画也开始初步讲究整体的构图，在鱼禾陶盆中，鱼在游动，禾苗在水中静立，动静搭配，构成了一个和谐的整体。以鱼鸟形玉璜为代表的崧泽玉器的制作也展现了对称、均衡、多样统一等审美的形式特征，使得饰玉的整体造型比例适当、形式匀称。因此，整体和谐的艺术特征贯穿于新石器时代的各项工艺制品之中。中国岩画线条的分布具有对称、均衡、重复等规则，表现了中国岩画自成一体的同一性，表现了中国远古先民们率真、简约而又整齐划一的审美风尚。

七是重视欣赏者的接受视角。中国史前时代的艺术品不论是各类器物有突出其特征性部位，在创造形象时使用夸张和变形等手法来雕塑局部的造型和纹饰，以期便于观赏者的审美观赏。如河姆渡陶鱼的嘴、双鳍和腹部，陶狗昂起的头脖等焦点造型设计就是局部特征凸显的典型。良渚玉器的视角很讲究平视、侧视、仰视等多元的审美角度，讲求构图的整体性，或疏密有致，或均匀分布，集写生与表意于一体。另外，半坡的彩陶工艺考虑到人们欣赏角度的需要，图案常常装饰于陶器的肩部、腹部，肩部画主纹，下部空着，便于人们席地而坐观赏。其中的折腹细颈彩陶壶上腹常常绘着三角形的折纹线，人们在平视或俯视器物的上腹时都可以看到完整的图案，具备了立体设计的效果。这些均表明了陶器和玉器制作者们在制作器物时,充分考虑到了人们的欣赏需要,使这些工艺品器物不仅是现实的生活用具,而且也体现了审美等精神性的因素。

中国原始岩画大多刻绘在岩壁和大石块上,便于人们对其进行观赏;在成像方式上运用最大轮廓化、简化原则和以局部代整体,充分注重审美接受者的解释视角;中国岩画在线条的处理上也是凸显主要意蕴,具有笔简意丰的特点。

总之,中国史前时代的审美意识,呈现于各类工具、器皿,以及岩画之中。在其创构方式上,是先民们象生造型的结果,表现出脱胎于日常生活的特征;史前时代其审美意识孕育于实用之中,在其最早的工艺品中寓实用与审美于一体、具象与抽象相统一;先民们的早期审美意识还具有突出的主体生命意识和以象表意的特点;由于受到实用的需要和原始宗教的影响,其器物注重形式感和整体性,并充分考虑观赏者审美观赏和感受。

三、研究方法

中国史前审美意识研究迄今尚缺乏系统研究,不仅文献资料奇缺,而且现有历史遗存也零散驳杂,对其进行系统梳理必须有适当角度与方法。研究对象、现有材料以及研究方法是学术研究的统一体,三者相生相存。中国史前审美意识具有自身的时代特征,我们将依据其独特性,主要采用以下研究方法对其进行系统研究。

第一,探本溯源。中国史前审美意识研究是中国美学思想史的探源工作。我们从审美意识的萌芽和历史的变迁入手,探寻中国美学思想史的早期形成历程。在研究的过程中,我们采用探本溯源的方法,对中国先民由无意识到自发并逐渐自觉的审美追求的过程,作了材料上的统筹和源头上的追溯。直接将中国美学的探讨逆推了数万年,对中国传统文化中的生命意识、尚象意识、尚圆意识以及绘画等艺术无不进行了追本溯源式总结和归纳,如石器到陶器的变迁及其审美特征的演进,都进行了时代和文化上的探源。

对中国原始岩画的题材意蕴研究,我们紧扣图像这一最早的记录载体,追溯了中国文字和中国绘画的源起;中国传统绘画中的"计白当黑"、以"大"为美、朴拙简蕴等命题，都得到了系统地溯源研究，让我们更加深层次地把握中国美学思想的演进脉络。

对中国神话的意象性、原始性、片段性等问题，我们都进行了翔实的探源。尤其是中国文化的"象"、中国史前神话的成因问题、中国史前神话的表述方式等无不需要探寻现象背后的内在逻辑和源头。中国史前审美意识研究，其研究对象的特殊性也决定了我们必须采用探本溯源式方法。这一时期的文献是匮乏的、驳杂的，甚至是讹误的，因此，中国史前审美意识研究的每一个命题，都需要进行追本溯源式探索，并尽可能得出既符合史实，又体现当代研究视角的结论，对中国史前审美意识史研究作出贡献。

第二，实物本位。中国史前审美意识主要保存于具体原始遗存物中，对其进行当代研究与归纳，应立足于具体考古实物和原始艺术品。对材料的直观感悟与描述可以获得对审美意识的了解，但我们尤其需要用逻辑思辨从审美材料中进行提炼和概括。我们要借助于田野调查的成果，对具体出土器物进行细致描述，并加以概括、总结，发现其中的规律和脉络。中国史前审美意识研究几乎没有现存文献记载，即使保存下来的历史文献，其记录时间也是与史前时期相距甚远。因此，关于中国史前审美意识研究，必须借助考古成果，充分利用考古发现和鉴定的器物从事审美意识研究。考古学取得的显著成果让我们的研究极为受益。大量出土的石器、陶器、玉器以其多样的造型、纹饰、艺术风格展示着各个时代审美理想和风尚的继承与演进。像中国原始岩画审美特征研究更需立足于图像分析，目前世界上关于岩画的最早记录是郦道元的《水经注》，这离岩画创作的兴盛时代已相隔数千年。岩画的文献记录并不能如实地反映岩画的创作实况。传统文献关于岩画创作的理论论述都缺乏确实的论证，而更接近于传说与神话。对于岩画的审美特征分析只能开始于图像中直接表现出来的审美意识。

实物本位法也应做到符合历史与学术的双重规范。一方面，我们要有实证主义精神，不苟同，不盲从，尊重历史，尊重时代的审美特征；另一方面，我们要把中国史前审美意识，放在整个中国美学思想发展史的历史进程中进行考察,梳理史前审美意识在整个中国美学思想史系统中的地位和意义,注重时代的审美意识变迁、成因以及发展脉络。

第三,社会史分析。将中国史前审美意识研究放在社会生活、宗教活动和歌舞、服饰、器物等艺术变迁的大背景下去理解。透过社会、宗教和文化背景,我们可以看到审美活动与社会变迁具有互动性,审美活动作为整个社会系统的有机组成部分,显示着社会的变迁,从社会史的变迁中又可以反观审美意识的脉络。

审美意识史是社会史的有机整体,社会背景是美学思想史的成因,在社会大动荡下观照先民们的审美活动,高屋建瓴地统观审美意识史研究,可以使审美意识研究更有现实意义和坚实根基。审美活动的发生总是与其他活动相互纠缠,审美意识总是在一定的时代、环境背景下产生。因此,美学史研究要与社会史研究相结合。

旧石器时代融实用与形式于一体的原始器物,正是当时生活场景的反映。社会和宗教背景变迁直接影响到石器、陶器和玉器等器物的变迁,审美意识也由实用到单纯的祭祀器物的转变。原始社会母系氏族向父系氏族的社会变迁,以及采集、渔猎到原始农牧业的历史变迁,无不对史前审美意识的发展演进产生重要的影响。新石器时代的原始岩画和神话传说更是与原始社会的宗教活动关系密切。在新石器时代的文明体系中,巫术、祭祀、饮食、战争、音乐、舞蹈、墓葬、渔猎乃至各类手工艺生产等各个社会生活层面,都有着陶器不可或缺的身影。在伴随每个人的诞生、成长、婚配、死亡的历程中,陶器所具有的诉诸现实又超越现实的象征意义,已远远超出其实用功能,上升为足以展现那个时代物质生活和精神生活全部表征的文化创造物。

第四,当代意识。本书将中国史前审美意识放到世界美学的大背景下,以西方美学思想为内在参照,具体阐释中国史前审美意识的独特性,探寻中国审美意识到美学思想的变迁,以揭示出中国史前审美意识的当代价值,为现代美学的建构寻找丰富的理论资源,为发现中国美学思想对世界美学思想的价值与贡献奠定基础。

中国史前审美意识研究应具有当代意识。中国美学和中国美学史作为一门独立的学科并不是材料的简单罗列,也不是古董的陈列,应当体现出新视野,从当代既定的学术规范来研究中国史前审美意识;从中国史前审美意识及其所蕴含的审美独特性角度研究其对中国美学传统形成的影响,努力为中国美学史研究提供一个新视野;另外,从中国审美传统的角度反观中国史前审美意识,也将为开拓中国史前审美意识研究的新局面作出贡献。

总之,上述研究方法在具体的研究过程中不是截然分开的,而是相互结合、互相渗透的,这样才能形成一个立体、多元而综合的方法论体系,从而为中国史前审美意识研究的顺利展开提供方法论基础。美学研究与社会史研究相统一,探本溯源、中西参证、古今结合等方法对中国史前审美意识进行系统而集中的研究,从而揭示出史前审美意识的历史价值,并从中得到现代美学建构的启示。在中国美学史的建构中应尽量中西参照,方法多元,视野开阔,在重视中国美学独特性、整体性的基础上对其进行规范、总结,使其更加学理化,从而为当代美学,乃至为世界美学提供源头活水。

第一章

旧石器时代的审美意识

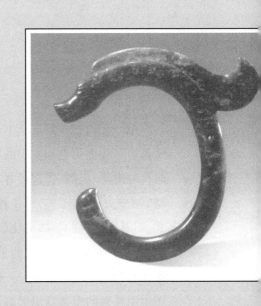

距今大约 250 万年至 1 万年的旧石器时代,以其原始的打制石器艺术开启了我国历史和文明的第一篇章。虽然相对于新石器时代和夏商周时代的陶器、玉器、青铜器等丰富的艺术品种类,磨制、抛光、铸造、镶嵌等精湛的艺术制造工艺,以及种植业、畜牧业、手工业等多样的生产生活方式,旧石器时代的整体文化显得朴素而原始——他们的生活方式以狩猎为主,用打制的方法生产简单而原始的石器工具,并开始促成这些工具的形状与功用的统一,但正是这种旧石器时代的生产劳动和生产工具孕育了中国朴素的审美意识形态:审美性刚开始孕育于实用性之内,并与之紧密地交织统一于原始器物的制造之中,后来才逐渐走上相对独立的发展道路,从而形成了中国审美意识的初始形态。因而,以打制石器为主要文化标志的旧石器时代,无疑显露了先民们简朴的审美历程,其中细石器工艺所代表的审美特征是这一时期的最高成就。

第一节 旧石器的审美历程

石器以其质地的坚硬,成为人类最早使用的工具。在长期的生活和生产过程中,旧石器时代先民们学会了利用石头的刃和尖,把石器制作成砍砸器、刮削器、尖状器等类型,如石斧、石锛、石铲、石镰、石锄、石刀、石凿、石矛、石球、石磨盘及石磨棒等。这些工具中倾注了他们最初的情感,发展到后来,石器不仅实用而且更加美观,体现了原始审美意识的萌芽,表明先民们已经具有了朴素的审美意识。与此同时,人们在保障基本生活和生产活动的前提下,开始了利用石器制作装饰品的历程。

邓福星曾提出,艺术的起源与人类的起源是同步发生的,"石器、骨器及大多数陶器等,虽然有一目了然的实用意义,但同时也体现着易被忽视的诸如对称、均衡、变化、节律等作为造型艺术千古不变的形式法则,以及质地、色泽、平整度、光洁度等方面的种种形式特征……人类的第一件工具是以后所有创造物的起点和最初形态,它包孕着人类在以后一切(精神的和物质的)创作活动中所有的最初的要素,蕴含着创作的思维和想象,也体现并增进了创造实践的技能、技巧。在此意义上说,最初工具的制造和最早艺术品的产生是同一的创造"①。因此,中国的旧石器时代中无疑已经有了原始而朦胧的审美意识,尽管它起初与器物的使用和符号等功能糅合在一起。更何况到了后期,除生产工具以外的装饰品和工艺品也开始出现,其审美意识逐渐摆脱了实用功能的层层束缚,得到了相对自由的解放。旧石器时代不同时期的器物造型和工艺技术的变迁,就深刻体现了审美意识逐渐走向独立,展现了艺术风格演变的轨迹。

在旧石器时代早期,先民们经历了几十万年日积月累的探索,逐渐开始了工具的制造。"例如北京人制作的'尖状器',由于曾对器物两侧进行过细致的修理,使得它的整体的外轮廓呈现出颇为悦目的近于对称的三角形造型"②。石制品的类型有石核、石片和砍砸器、刮削器、尖状器、石球等,造型的稳定性较差,仅出现的定型石器只有小型两面器。与此相对应的,石器技术也反映了极其朴素的一面,多运用比较单纯的石片剥离技术和定型的大石器技术。此时的石器基本上是纯粹用于生产和生活的实用工具,其审美意识包孕在实用功能之中,还有待先民们在劳动实践中进一步深化才得以独立。旧石器时代早期先民正是通过劳动实践,培养了早期的审美意识。

而旧石器时代晚期,随着劳动经验的积累和生产方式的推进,原始先民在器物制造工艺、器物造型、艺术创作和意识形态等方面出现了革命性的变革。人们在制造工具时,开始有意识地选用石料,对于石器原料的色

---

① 邓福星:《艺术前的艺术》,山东文艺出版社1986年版,第7—9页。
② 杨泓:《美术考古半世纪》,文物出版社1997年版,第6页。

彩有了讲究,磨制技术(如磋磨)和钻孔技术得到了进一步发展,并且有了木石结合的复合工具。许多工具有了相对固定的模式。打制和磨制的双重工艺,使得审美意识在对石料的技术性征服中得以物态化。据今28000年前的山西峙峪文化中还出现了细石器的制作,其"技术更为规范,同类器物的大小和外形都大致相同"①。而细石器的制作也初具了磨制石器的雏形。峙峪文化中出土的石镞,有圆、尖两种底边,用压制法制出锐尖和周边,造型两侧对称,"压痕细密匀称,具有拙稚的韵律感"②。石器制作技术走出了直接打击法的历史,而辅以间接打击法和压制法等新工艺生产长石片和细石叶,并以此为毛坯制造石器,使得石器形式更加美观、规整,尤其是云南塘子沟出土的旧石器角锥,上面还留有简单的刻纹;广泛生产和使用复合工具,包括投矛器、弓箭、鱼镖等,使得石器工具的类型更丰富,形制更规则,形态更美观,制作更精细,分工更具体,地区分化更明显,技术与文化传统的更替演变也更为迅速。

此外,其他半实用和非实用性器质种类也开始走进原始先民的生活。如北京龙骨山山顶洞遗址中保留着丰富的旧石器时代遗物:骨针针身圆而光滑,针尖圆润而尖锐,由磨制和刮挖而成;石珠用白色钙质岩石做成,表面光滑而且染上了红色的赤铁矿粉,中间打孔穿起做成头饰;还有用来佩戴的穿孔兽牙、骨坠、骨管和海蚶壳,孔的边缘磨制光滑,有的孔内还残留红色的类似铁矿粉的颜料。宁夏灵武水洞沟遗址和河北阴原虎头梁遗址也出土了鸵鸟蛋皮扁珠、穿孔贝壳、管状骨扁珠和钻孔石珠等装饰品材料。"装饰"作为纯粹的审美形式在先民的生活中得以萌芽,他们"对形体的光滑规整、对色彩的鲜明突出、对事物的同一性(同样大小或同类物件串在一起)……有了最早的朦胧理解、爱好和运用"③。先民们已经开始美化自己,刻意地装扮自己,在身体上佩戴装饰品。其中山顶洞人的装饰品最多,且品种多样。以石材制作的就有石珠、石坠等饰物。石珠的形状虽然不规则,但制作精细,大小相似。人们将其串连成珠,又在表面涂

---

① 杨泓:《美术考古半世纪》,文物出版社1997年版,第6页。
② 杨泓:《美术考古半世纪》,文物出版社1997年版,第6页。
③ 李泽厚:《美的历程》,三联书店2009年版,第2页。

上红色。这一过程表明,旧石器时代的人们在石器的形态种类和制作技术上日益进步,显示出人类对器物成型规律的认同,他们把原始的工艺规范和美感自发地倾注在一件件石制工具上。

此时,原始的雕刻艺术,如刻划骨片、雕刻角柄、石雕人头像等也得以问世;岩画,尤其是西北和华北地区的岩画,如青海都兰县巴哈毛力沟岩画中的大象、内蒙古磴口县阿贵沟岩画中的大角鹿以及甘肃黑山岩画中的野牛,都以动物形象为原型,姿态各异,画面生动。这些都展示了旧石器时代晚期的审美意识,而这种原始朴素的审美性正是借助这些生产和生活器物,尤其是装饰品的器物造型和制造工艺得以物化,从而逐渐走出实用的束缚,走上了相对独立的发展道路。

第二节　旧石器的审美特征

旧石器时代最主要的文化标志为打制石器,即远古人类将天然砾石打制加工成具有一定形状和功能的实用工具,诸如砍砸器、刮削器、尖状器、手斧、石锥、雕刻器等类型,以此来狩获与肢解猎物、采集植物果实和根茎、防身和加工制作其他材料的工具和用具,以满足生产和生活的需要。当然,这种打制石器又不仅仅是先民满足日常生活的需要和生产实践的产物,其中还蕴含着先民们原始朴素的审美形式感和审美情感。在石器制作中,石料、技术以及人们对石器的预期就是形成旧石器时代石器独特审美工艺的三个重要特征。因此,中国区域的石料素材特征,以及旧石器时代的打片、刮制和磨制方法,特别是当时人们对石料形制的预期、用途的预期、打制方法的预期和空间感的预期,对后世的形式感和审美意识的发展产生了重要影响。

首先,旧石器时代石器的素材特征蕴含着审美的因子。如石斧的原料,欧洲许多国家多用燧石,其硬度在7度—8度,便于软锤技术修理,而中国的燧石极少,故广西百色地区的石斧多"因地制宜","因料赋形",用当地的砂岩、硅质岩制作,其石斧也呈现为丰富多样的工艺造型。旧石器时代中期多以从转体石核和单台面石核上产生的石片作为素材,可塑性强,使得先民的审美期待得以充分物化,形成了独具特色的船底形石器和周缘调整石器,富于审美的形式感。随后,用于侧面调整的契形石核和船底形细石核也开始出现,又进一步促进了细石叶技术的多样化发展,促成了石器的多样化的审美造型。

其次,打片、刮制和磨制等工艺手法也闪耀着艺术审美的光芒。软锤技术是旧石器时代石器打制进步的主要标志之一,也是器物的审美形式得以定型的标志之一。所谓软锤技术就是以木、骨、鹿角或质软的岩石(如砂岩)作为打击锤来进行打片和修整石器的技术。它的应用使得较为精细的切割工具如手斧的出现成为可能,而手斧是在文化记录上最早出现的、制成正规类型的"正式"工具,对先民们审美理想的物化起到了重要的推动作用。阿舍利式手斧保存了一块海菊蛤的化石,而且这个贝壳化石被精心地规划在石器的中央,在整个打制过程中被完整地保存下来。手斧的选料、设计与制作无可辩驳地展示了早在几十万年前的直立人已经有了自发的审美意识。百色石斧的发掘证明了80万年前生活在中国的古人类制作工具的技术与非洲的古人类一样成熟,具有西方阿舍利技术特征,在某种程度上宣布了"莫氏线"理论的死亡,是百色早期人类智慧的结晶。此外,锐棱砸击法、石刃技术、细石叶技术、磨制和穿孔技术进一步丰富了石器的审美造型,也使得旧石器时代先民的审美形式感得以物化,审美情感得以间接地表达。

最后,人们对石器造型的期待体现了旧石器时代先民朴素的审美意识与审美理想。当时的中国人对自然和劳动中节奏、韵律的领悟与创构,对石器造型潜在的对称、均衡等形式规律的自发意识,正包含在他们的心理期待之中,并且有着朴素而自发的特点。如先民们制作球状或类似球状的石球用作狩猎,制作前端尖锐后端厚实的砍砸器用作生产,还有福建平和县发掘的尚不完全成型的旧石器时代晚期的石雕也模仿人头造型。当然,这些只是先民们审美意识和审美理想的隐形层面,而石器制作的打制方法和刮、挖、磨等装饰技术,才为心理预期的实现奠定了现实的物化基础,并为后世的艺术创造积累了经验,成为历代工艺品审美制作的渊源。

在以上影响石器造型的三个审美因素的共同作用下,旧石器时代石器也形成了自身独特的审美风格。由于气候、自然条件和地理环境的不同,先民们使用的生产工具也随之各异,从而导致了旧石器时代各地区文化面貌和文化区系的差异,在这种多样化审美意识指导下制造的石器自然也形成了多样化的审美风格。贾兰坡等提出的华北旧石器的两大传统,即以大石片砍砸器和三棱大尖状器为特征的"大石片砍砸器——三棱大尖状器传统"和以不规则小石片制造的刮削器和雕刻器为标志的"船底形刮削器——雕刻器传统"[1],正是两种不同审美风格的呈现:一为粗犷的大石器风格,二为精细的小石器风格,分别满足了生产劳动实践和生活装饰审美的不同需求。而张森水提出中国南北方各存在一个旧石器主工业,同时并存着若干区域性工业,这种南北差异同样也多少显示了当时石器艺术的风格特色[2],因为旧石器的制作既是一种工业,也同时是一种艺术,一种创造工艺品的具有审美价值的艺术。

第三节 细石器的审美特征

旧石器向新石器的过渡是由量变逐渐转为质变的过程。由于各个地区生态环境和生产力发展水平的不同,旧石器向新石器发展的过程也是不平衡的,这也体现了世界原始文化的发展规律既有普遍性又有特殊性。细石器起源于旧石器时代的晚期,以华北地区为例,细石器的出现和发展是从旧石器实用主导风格向新石器实用兼审美风格过渡的一个重要环节。

细石器的出现,得力于三个方面的因素,它们相互作用,互为条件,从而形成了其过渡性的审美特征,我们也可以从中看到先民审美意识在石器制作中的变迁。

---

[1] 贾兰坡、盖培、尤玉柱:《山西峙峪旧石器时代遗址发掘报告》,《考古学报》1972年第1期。

[2] 参见张森水:《管窥新中国旧石器考古学的重大发展》,《人类学学报》1999年第3期。

首先，自然和生存环境的变化是细石器得以出现的自然前提。第四纪更新世晚期，我国受全球性最后一次大冰期的影响，华北地区自然环境发生了巨大的变化，地势较高的地方被冰雪覆盖，山间盆地植被减少，华北草原面积大幅度扩展，植被更替，动物演变。渤海、黄海海平面下降，海岸线退缩。为了适应这种突变的自然环境，人们被迫抛弃大型石片的砍砸器、尖状器，而改进生产工具以提高生产效率，石料多为不规则的细小石片，石器的修理也由粗糙向精细转变，于是出现了相对精致的磨制细石器。华北典型细石器的出现和成熟发展，特别是钻孔和打磨技术的出现，导致了旧石器时代生产兼生活的实用工艺向新石器时代造型兼装饰的审美工艺的变迁，这使得细石器的审美特征得到了进一步的凸显。

其次，原始人类的进化也促成了细石器的审美演变。自然环境的改变只是细石器产生的外部因素，这里起决定作用的是人类自身的进化。旧石器时代晚期人类进化到晚期智人阶段，这一时期的人类已经成为现代人类型，例如山顶洞人和虎头梁文化先民的头脑已经高度发达，双手更加灵巧。他们可以平坦剥离石叶，进行细小石器的加工，如拇指状刮削器、尖状器，并熟练地进行二次加工，出现了局部人工磨制的痕迹，这些呈纵向和横向且深浅不一的条状纹更是开启了器物纹饰的先河，使得实用工具的装饰性得到了独立的展现。细石器工业的出现，正是人类自身审美意识发展的结果。

最后，传统文化的继承和创新使得细石器的审美风格得以彰显。东谷坨、小长梁文化的发现，将华北小石器文化提前到 100 万年前，这时的打制实用工具为先民们积累了丰富的石器制造经验。之后，经历了北京人文化、许家窑文化、峙峪文化漫长的发展时期，石器工艺得以进一步酝酿，形式感和审美情感得以萌芽。到了一万多年前，华北地区的细石器文化才得以诞生，出现了下川文化、薛关文化、孟家泉文化、虎头梁文化等。据远古文化资料显示，华北细石器文化应该是小石器文化造型的继续，但石器制作技术也有了一定的创新，如人工剥制的长石片开始向窄长方向发展，细长的石叶成为细石器文化系统的典型石片，运用各种间接打击法生产和剥离石叶，用压制法修理石器，逐步成为该文化系统石器工艺的主流。随着这一细石文化的成熟发展,其审美风格得以更加完全地彰显,进一步推动着旧石器时代石器工艺向新石器文化工艺的审美过渡。这是一个漫长的渐变过程。

第二章

新石器时代的审美意识

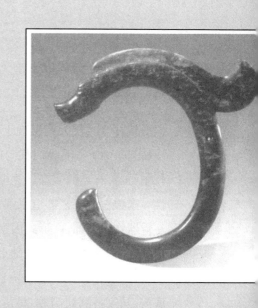

　　新石器时代大约出现于距今一万年左右,是在旧石器文化的基础上发展起来的。新石器时代与旧石器时代最大的区别就是磨制石器取代了打制石器,石器的装饰性逐渐成为器物造型的重要因素,并开始打破实用性一家独占的工艺创造原则,使得装饰与造型二者并行发展,有的甚至更注重器物的装饰性,形式因素逐步在石器的造型和纹饰中走向了独立发展的道路。同时,在此基础上,先民们进一步熟练了磨制、钻孔、镶嵌等工艺制作技术,并且发明了陶器、玉器等新的器物种类。无论是从半坡、庙底沟、马家窑到河姆渡、良渚、大汶口、龙山的彩陶和灰陶,还是从红山到崧泽、良渚的北方玉器和南方玉器,都体现了原始先民从仿生、象形到写意、象征的审美思维发展,从制物尚器、制器尚象到因料制宜、因物赋形的艺术构思转换。其构思独特的造型、风格多变的纹饰,以及感性与理性相交融的整体构图,造就了丰富多样的艺术风格,奠定了中国器物制造的基础。另外,新石器时代流传下来的原始神话,其审美的意象创构充分体现了该时期原始先民的宇宙观和他们对世界万物的独特体悟与理解,这种"以象表意"的审美思维方式,将新石器时期的审美意识推向了一个新的高度。最后,原始岩画在新石器时代也开始步入其繁荣鼎盛期,自身也形成了鲜明而丰富的审美特征:线条的装饰性、时间性和情感性等线性特征作为最为突出的审美因素,无疑彰显了原始岩画独特的艺术魅力;并且该时期岩画存在的空间范围之大,持续的时间范围之长,又使其在审美意象和风格上呈现出明显的时空差异,进一步丰富了中国原始岩画的多样性艺术风格。新石器时代先民的审美情感、审美意识和审美理想正是在这种原始文明中得以更加全面而顺畅地物化的。因此,对于新石器时期的审美意识,我们透过该时期器物的造型和纹饰等形式特征及其所蕴含的审美文化,透过该时期原始神话的现实原型和意象创构特征,透过该时期原始岩画的线性特征和时空审美差异就可窥见其一斑。

第一节 石器的审美特征

新石器时代继续承接旧石器时代的典型器物是石器。这时,磨制石器出现了。石器的形状从旧石器时代的少数几种发展为石锄、石磨、石锤、石刀、石斧、雕刻器,以及石制容器等,并且石器的形状也逐渐趋于定型。

农业起源的产业创新,带动了劳动工具的革新,从旧石器时代走向新石器时代成为文明起源的又一重要物质技术基石。"新石器革命",是距今1万年前开始的一次重大技术创新,具体分析起来,其中包含着以下四个方面:

一是开始了划、钻、琢、磨四大新工艺的综合运用。旧石器本质上是初加工、粗加工简单工艺,而新石器本质上是深加工、精加工复杂工艺。这标志石器工艺从初级阶段走向高级阶段,从简单形态走向复杂形态。新石器时代复杂工艺主要由"划、钻、琢、磨"这四大新工艺综合构成:一是划,指划断工艺,选材、裁材、取材时,旧石器时代用直接打击法和砧击法来裁取石料,从石核上靠打击法取下石片,然后加工,新石器时代的划断工艺则用石片利刃或绳索反复刻画,切断石料,虽然工夫下得很多,但可以合目的性和合规律性地更准确选材;二是钻,指钻孔工艺,通过用石器、木器、骨器做成的钻具,从单面或双面钻透石器,取得穿孔效果,便于随身携带,或进一步加上木柄、骨柄,制成复合工具;三是琢,指使用石锛而进行凿平或钻孔等工艺,就像啄木鸟使用长喙啄树木那样,新石器时代的智人可使用石锤和石锛,琢平石器,精心造型;四是磨,指用砥石进行细致研磨,以便使刃部更加锐利,从局部磨光,到通体磨光,乃至采用抛光工艺。这里的个别工艺如钻孔和磨制工艺,早在旧石器时代末期已经产生,但是对上述四大工艺的综合运用,则是新石器工艺的重大创新。

二是形成了功能复杂多样的新石器农具群。蒙昧时代的经济,是采集狩猎为主的经济,是掳掠式经济,是收集现成自然物的经济,因而旧石器主要是采集活动、狩猎活动所使用的工具,如前者所用的石刀,后者所用的石斧等,功能比较简单。文明起源时代的经济,是以农业为主的经济,逐步走向生产性经济,以人的劳动实践活动、农牧业经营活动增加自然物的经济,因而新石器的主体部分是农业生产工具,并且形成了功能复杂多样的新石器农具群,至少包括以下四种功能的石器农具群:第一,是用来砍斫开荒用的石斧、石锛、石镢等;第二,是用来翻土整地用的石铲、石犁、石锹等;第三,是用来收获收割用的石刀、石镰等;第四,是用来进行去壳加工的石磨盘、石磨棒等。简言之,旧石器本质上是狩猎采集工具群,新石器在本质上是农业工具群。

三是构成了大、中、小器型齐备的新石器体系。新石器时代划、钻、琢、磨的新工艺,农业工具的新功能,促使新石器向着大型化、中型化、小型化三个不同方向发展,从而构成大、中、小器型比较完备的新石器体系,超越了以往单纯发展大型石器或小型石器的旧石器体系。主要与平原农业地区相关的大型石器,典型代表是加工粮食的大磨盘,通常有50厘米左右,长者接近1米,而有些石铲,连带石柄也接近1米长。主要与草原游牧狩猎经济相关的小型石器,典型代表是磨光的石镞,这些石箭头多属3厘米以下的细石器,最小的只有1厘米。大部分石器,包括石器农具群的主体部分,还是中型石器。这样就形成了大、中、小器型配套发展的新石器体系,超越了器型比较单一的旧石器体系。

四是出现了复合工具的新结构。复合工具不同于单一工具的显著特点,是由两种以上的不同材料、不同组成部件组合而成的复杂结构。复合工具早在旧石器时代晚期已开始出现,但那个时代复合工具的品种极少,数量也极少。到了新石器时代,复合工具特别是复合农具大量出现,品种增多了,结构复杂了,效率也提高了。复合工具的典型结构,是把经过划、钻、琢、磨复杂工艺加工过的新石器装柄使用。刃部通常是由新石器构成,柄部通常用木器、骨器构成。从石器的单一结构上升为"石器与木器结合"、"石器与竹器结合"、"石器与骨器结合"的复杂结构。由于给石制的斧、刀、铲、镰加上了木制或骨制的把手,使用起来就更加方便了,加柄的复合工具利用力学原理,力臂大于重臂时可以省力,提高效率,成为人类最早的发明创造、技术创新之一;也正由于复合工具的使用,不仅农业工具群复杂化了,而且也带动了人类的语言结构、思维结构向着复杂化方向迈进了一大步。由单一工具的简单结构走向复合工具的复杂结构,这是技术创新的一大步。

综上所述,新石器开始了划、钻、琢、磨四大新工艺的综合运用,从而超越了旧石器打制方法的简单工艺;新石器增加了农业工具群的新功能,从而超越了采集狩猎的旧石器功能;新石器构成了大、中、小器型齐备的石器新体系,从而超越了单一发展大石器或小石器的旧石器时代;新石器普遍出现了复合工具的新结构,从而超越了旧石器时代多为单一工具、简单结构的技术局限。把上述这四个新因素、新特点综合在一起,从而新石器就超越了旧石器,构成了石器工艺的重大创新,劳动工具的部分质变,因此,原始社会后期生产力得到了重大发展。

同时,新石器时代石器也形成了自己的审美特征。

第一,石器材料由随捡随用趋向囤积准备是先民审美意识的萌芽。原始先民颠沛流离的生存方式决定了当时先民主要生存工具的石器材料的选择具有随意性、不确定性。原始的生存方式对石器材料需求也表现出随遇而安的心态,即随意性。这种粗放、随意的心态不止一次地导致狩猎过程中投掷石器的缺少和失效,从而导致狩猎的失败或人员的伤亡。先民在不断的失败中总结狩猎的经验,改变随意捡料为器的行为,变为对狩猎材料的积极准备、囤积。这个看似简单的改变,为新石器的产生创造了机缘和开端。先民的这种对狩猎材料的准备具有以下几方面积极的意义:(1)为了准备和囤积,不断地寻找合适的生存地,人类寻找自然赠予的同时,也为改造自然提供了契机。(2)在准备和囤积的过程中发现了石头相互撞击而使石头形状发生变化,为打制磨制石器提供了灵感。(3)在寻找生存地的过程中发现了不同质地的石料,为进一步的心灵唤醒提供了可能。(4)为了准备囤积采取原始分工(检石、狩猎、加工工具)。由于这种原始分工,使从事磨制石器较为熟练的人员从狩猎中分化出来,为石器加工工艺提供了更多的精力和时间。先民为生存需要而研究起他们最容易获得的狩猎工具——石材,在对它不断囤积、准备的过程中愈加熟悉对象的各方面信息。同时,也正是在这个过程中萌发了心灵的智慧,从善用的角度改变它们、利用它们,从盲目无意趋向心灵的自觉。

第二,石器的设计制作更加符合人体工学,考虑了人类与工具的关系。石器设计对于现代设计思维是一次全方位的启蒙,不仅强调结构与功能的关系,并且已经考虑到人与工具,工具与材料的关系。在粗粝的石头上不断敲打、磨光而力求其功能,并始终考虑适合于手感的形式。对于使用目的来说工具需要棱角,对于持握的手来说工具需要圆润,这是工具的两大基本命脉。出于人体工程学的考虑,人类控制了手斧的发展方向,砾石在这方面比岩块必然显出更大的优越性而取得更高的地位。砾石适于持握,因此在砾石上打出棱角就正好符合人体工程学和功能的最初要求,这要比在岩块上磨出圆润适手的部分容易得多。人体工程学使得人类与工具之间的使用与被使用的关系变得融洽而配合默契。鉴于砾石在人体工程学上的作用,人类对石器材料的最初选择就是河滩上的砾石,因此有人称"砾石是石器之母"。离山区较远的砾石大多数是坚硬的石头,所以河滩成为选择石器原料的最佳地方。以砂岩、石英岩、燧石和脉石英为成分的石器基本上都是砾石做成的,有的石器还保存着砾石面。

第三,对石器材质进行差异性选择,根据不同的功能而选择不同材料,反映了人类审美意识的觉醒。石器时代作为人类文明的发端经历了漫长的时间,也是由无意识盲目向有意识自主自觉发展的过程。这一意识的进程体现在对石器材质的选择上,即石器材质的粗放趋向不断精致的历程。如果说石器材料的囤积准备还是先民出于一定程度的实用目的的话,那么对石器材质的精心选择和磨制则反映了他们审美意识的觉醒。随着知识经验积累的日益丰富,打制、磨制技术在漫长的过程中逐步改进,因此,越来越适应石器加工的需要。先民从善用的角度有意识地规范对石器材质的选择。如旧石器晚期宁夏灵武水洞沟出土的石器、山西的峙峪人遗址的石器,用料色彩瑰丽,体现出石料颜色上的差异性特点,特别是新石器晚期红山文化出土的石器,已选用燧石、玛瑙、水晶等硬度在

7度左右的高硬度石料来制作砍伐器,部分刃部锋利、腹体较薄的石器和细石器则与切割皮肉有关,石箭头也多见。不同地区的石器对材料的选择有所不同,这是地质条件不同所造成的。许家窑大批量的石球是以脉石英,石英岩、火山岩、硅质岩、变质灰岩等为原料的;北京猿人在使用原料上,是从早期的软质砂岩而慢慢地大量采用燧石。著名的"丁村三棱器"则是就地取材,用角页岩作为原料制成的,因为这种粗粝的岩石制作的工具适于粉磨谷物。石器设计对材料的选择,已经涉及现代材料学的最初内容,根据不同的功能而选择不同材料的设计思想在今天仍是被强调的重要内容。

第四,石器的装饰性色彩更加浓厚,表明石器功能性与审美性的结合得到了强化。在新石器时代早期遗址中发现的石制、骨制或贝壳制作的装饰品可以视为人类美感的最初表现。串饰中的磨孔石器所表现的"结"的含义,与中国的"结绳记事"不无关系。在这种情况下,串饰石器便是绳结的替代,成为信息传递的符号,挂在女性的项下。串饰表现出很强的秩序感,还使用了贝壳、骨器,除了符号功能外,已经逐渐兼有满足炫耀的装饰欲望的功能。装饰人体是石器的另一特殊功能,在这种功能下,石器功能性与审美性的结合被大大强化了,从而促成石器的纯粹功能状况的消失,并且随着功能的发展而萌发出审美的倾向,石器上纹饰的出现就结束了"功能就是美"的观念。同时,石器的实用功能也要求对称和器表光洁,不断从纯实用器跨越出来增强对美的追求。金沙江中游地区的新石器类型非常丰富,有斧、锛、刀、凿、镞、印、模、纺轮、环、镯、弹丸和石球,形制多样、体量大小悬殊,对应着从狩猎、耕种、纺织乃至装饰的日常生活的多方面需求。它们大多磨制光滑,整体造型以曲线为主。其中有一件磨制得非常精致的半月形石刀,很可能是对月亮缺蚀状况的模仿,其器身偏平,厚薄均匀,刃口两端对称,曲线圆润和谐,尤其是刀背较平直边缘钻有两个大小均等对称的小孔。从选定钻孔的部位看,其位置极其适当,与两端距离几乎对等,在视觉上同时具有某种装饰作用。

第五,新石器进一步呈现出规整基础上的规范化趋势,注重整体造型的和谐。新石器时代,对自然物基本属性的充分认识被作为审美的主要内容,以至于对称、平滑、光润、规整、色彩等成为工具形制的基本定性。石器则进一步呈现出规整基础上的规范化趋势,并随着磨制技术的发展,产生出完全脱离自然形态的直线和矩形造型。以破坏自然形式因素为代价的人类形式法则终于确立起来了。原始先民的工具制造行为开始观念化,过去盲目的制作行为已然失去主导地位。这种情形,在云南各地发现的新石器上已甚为典型。不仅石料的选择面更加广泛,制作石器的技术也进一步更新,裁断、打琢、磨光、钻孔等制作工艺已走向规则化并趋向完善。如滇池地区的有肩石斧、有段石锛和有肩有段石锛,它们的整体形制呈矩形或梯形,四缘线条分布除刃口一面外,基本上由直线构成,表面磨制精细,段的弧线圆滑和谐,弧刃或直刃尖锐锋利,且大多制成偏刃,无论从何种角度看,都是一件件完善化的石制工具。在该地区江川县头咀山发现的一件有肩有段石锛,用灰绿色砂石制成,磨制精细,器身偏平,正面平直偏刃;背面上段面呈长方形,中部右边有一道装柄系绳的线沟,往下微微隆起,两侧肩部凸出,弧刃。这件石器已具备了形式审美的基本要素:造型对称、段及刃口弧线圆润和谐,器身规整,肩部造型在功能性改进(装柄系绳:更加适手和方便)的同时,仍然顾及视觉上的协调(肩的内弧线圆润及两侧凸起部大小对称)。另外,灰绿色砂石的选用也在客观上增加了该石器的视觉愉悦感。

第六,人类个体的审美经验渐渐转化为社会群体经验。早期人类从祖先那里继承下来的对形式的快感,通过长期制造工具的实践而朝着指向真正美感的方向大步迈进;审美意识萌芽中的生物机体因素逐渐失去它的主导地位,而渗透了更多的由实践行为提炼出来的审美心理能力。模仿等最早发生的审美意识内容也在实践的复杂化发展和因此带来的动作丰富性中得到进一步的完善。对工具的赋形行为已不再是人类祖先涂抹行为中的生理快感,而是带着自由感的审美愉悦。新石器时代,审美意识的运演促使通过制作活动形成的审美经验超越了个人的性质。晚期智人思维的飞跃带来了有声口头语言的发生和发展,也使先民们的经验交流成为可能,导致个体的审美经验渐渐转化为社会群体经验。一种适应主体内在需求的视觉尺度在先民群体内心中生成,对称感、比例感、秩序感等有助于把杂乱无序的自然元素导向适应主体心理节律和生理快感的形式构成,融化在群体心理意识中,并得到代代传承。不难看出,视觉形象的产生正基于这些实用性工具中的审美要素,形象比工具中的人工形式更具符号性质,它的起源使主体心理活动几乎完全摆脱了生物性机能的羁绊,使人类意识获得了纯粹的精神活动能力,这不仅意味着人类创造物对视觉改造的开始,也意味着主体用形象来认识客体对象的开始,意味着人类用符号联结精神幻像和人类活动的开始,更意味着人类较为纯粹的审美形式结构创造的开始。只有在形象符号的躯体上,史前人类的审美意识才找到了它真正的归宿。

第二节　岩画的审美特征

原始岩画实际上是原始先民凭借着朴素的艺术想象力将其思想和情感具象化而形成的崖壁画和岩刻,它与刻字甲骨、商周青铜器和新石器时代的彩陶一起被学者们称为 20 世纪中国文化学术界发现的四大系列原始器物。原始岩画最早出现于旧石器时代晚期,而大量的以狩猎、渔猎、游牧、农耕为题材的岩画则出现于新石器时代。新石器时代的岩画作为整个原始岩画的典型,自身有着丰富而鲜明的审美特征。其中,线性特征无疑是最为突出的一个审美因素,线条的装饰性、时间性和情感性尤其凸显了原始岩画的艺术魅力。同时,这一时期的岩画存在的空间范围之大,持续的时间范围之长,又使其在审美意象和风格上呈现出明显的时空差异,进一步丰富了中国原始岩画的多样性艺术风格。

一、线性特征

我国原始岩画中的图案造型主要以线条为主。大量的图案,有点线结合的,有长线构成的,有折线有序排列的,也有随意刻画的线条组合纹样。先民对造型语汇的认识首先从线条开始。物象的轮廓,是原始人在作画时被唤起的最为鲜明的影像。当然这个轮廓也不是非常准确的,而线一定是描绘轮廓的一种很有利的方法。如宗白华先生所说:"从线条中透露出形象姿态"①,当原始人发现了简单的线条可以刻画出不同形态时,他们一定会激动不已,心理上得到了极大满足。那些线条从现在的角度看是先天不足的、生硬笨拙的,但它集中概括着事物的本质特征,这种生拙的表达方式,无意中传达出一种生涩、稚拙的美感。同时,这种造型方式更符合原始人的思维特点,原始人认为他们所描绘出的形象就是真实。

纵观我国原始岩画,可以发现大量以线造型的例证。香港东龙古石刻,复杂抽象的纹样,完全以线条勾连、盘旋而成。宁夏贺兰山大西峰沟老虎岩刻,以流畅的线条绘制老虎外形,同时以线绘制了老虎身上的纹样,臀部、肩部为规整的螺旋线,腰部则为平行竖线排列,虎头又以上下对立的两组竖线来表现。这些简洁变化的线条,让观者感受到虎臀部、肩部的圆润,腰部的紧实。头部上下两组线条,又可以让人感受到虎口的开合。这的确是一件非常精彩的作品。福建华安县仙字潭岩刻,人物形体被归纳概括为线条,进行一笔一划,如写字一般的刻制。江苏连云港将军崖岩画,以阳刻线条表现形象。线条粗细均匀规整,突起于岩面之上,鲜明有力。总而言之,散落于我国大江南北的原始岩画,无不以线条为主要的造型媒介。而且我们从中可以发现,在漫长的过程中,原始人对线条的控制由稚拙走向成熟,由艰涩变得流畅,由粗糙趋向精致,尤其是线条的装饰性、时间性和情感性凸显了原始岩画的艺术魅力。

1.线的装饰性

线本身具有明显的装饰功能。虽然原始岩画不是为"艺术而艺术",但它仍然不期而遇了一些装饰特点。这与原始人利用了线条这种表现方式密切相关。

西藏日土县任姆栋豹逐鹿岩刻,是一件非常精彩的线刻作品。画中动物与别处不同的是,均采用双线勾勒,包括动物的四肢、角等纤细的部分。而且虎与鹿按照身体结构的不同,周身以螺旋纹、弧线描绘,是对真实物象的特点规则化、几何化后,以线来表现。被变形后的图案既有某些

---

① 宗白华:《艺境》,北京大学出版社1987年版,第335页。

真实，又有观念性的抽象，其意在似与不似间，非常图案化。鹿肩部与臀部以螺旋纹表现，螺旋纹的回环复叠本身就突破单调呆板，给人以美感。鹿身体部分以两条对称的、反向的弧线表示，可以反映出鹿身体的起伏感。有一只小鹿的身体，简单以一条横向"S"形纹饰装点，简约而生动。鹿角被描绘得灵动、美丽，其形甚至有一点像后代锦缎中的枝叶纹样。无论是横向"S"形，还是螺旋纹与弧线在鹿身体上的结合，都能使观者感受到其中的节奏韵律所在，而这正是线条装饰性的生命。豹的身体上为大致平行的弧线排列，没有过多螺旋纹或曲线，反映出更多的整齐划一的视觉效果。豹与鹿相比较之下，前者多一些强健之美，后者多几分阴柔之美。这与不同形式的线条传达出不同的装饰感是有密切关系的。另外，香港东龙古石刻，是以线描绘的几何形的抽象的图案。虽然我们不能确定它所反映的内容，但它的美丽却不容置疑。流畅的曲线在画面中穿插、勾连、盘绕。其中有些部分类似后来青铜器中的云纹。试想遥望这样一幅线条盘绕的巨型图案，是怎样的壮丽！最后，福建华安县仙字潭岩刻，其人形以单线概括描绘，但线条规整，所绘人形对称，其形如倒写的"出"。人物形象对称规整的描绘，满足人对平衡感的心理需求，符合形式美的法则。同是这种相同的人物形象在巨大岩面上反复出现，又可以产生一种秩序感，与整齐划一的形式法则符合。黑色崖壁上，磨刻出白色的这般纹样，装饰味道浓厚。

2. 线的时间性

线的时间性指的是点在移动中留下的轨迹，因而它可以给人以运动感。但与线的装饰性不同的是，这种运动感产生于人对线的理性提炼中，而非仅仅基于视觉观照。运动是一个过程，存在于时间中，所以线在想象的过程中，因其运动感而有了时间的品格。

线的时间性特征在许多艺术形式中都有体现。如在书法艺术中，由线而生的行笔的气势，文学中的叙事之线，音乐中的旋律之线等。中国原始岩画基于表现的需要，对线的时间性特征也加以利用。例如，云南沧源崖画中，几个人围作一圈舞蹈，可以使观者感受到舞者按照围成的弧线圈运动的态势。同是沧源崖画，在《村落图》中，村落外，有表现路的、向外放射的线,线上有一排排人,有一部分人的动作还大致相同。这就符合了我们在开始提到的线的两个内容,即相似事物的有机排列组合的线性特点与造型上用线来表现。这样,我们可以感觉到路上的人或是归来,或是离开,总之是在运动的。沧源岩画大型舞蹈图中,有三组猴子,每组猴子都以侧面形象,整齐地列于一条线上,作行走状。而且最为生动的是,上面一组猴子中,凡是平地行走的猴子,尾巴都下垂;而凡是向下行走的猴子,尾巴都上翘。这显然是作者细心观察猴子的生活习性后作出的描绘,而且也说明,作者要传达的是这些猴子是在运动的。事实上,我们也感受到了这种时间性。这显然与线的作用是分不开的。

西藏日土县塔康巴迁徙图,也利用了线的时间性特征。我们看到画面时,第一感受是几组迁徙的人以相似的动作,相似的装束,列队整齐前行。显然我们看到的只是一组组具有相似特征的人,而他们之所以给我们前进的感觉是由于这种有秩序感的排列而产生的。这种有秩序的排列也是岩画中的线性特征之一。

3. 线的情感性

线的情感性即所谓的"情形同构"。不同的"线"也具有不同的情感内涵。"如下垂的'线'往往表达抑郁、伤感;向上的'线'易表达欢乐、振奋;平卧的'线'代表宁静;流畅的'线'常常与愉悦有关;艰涩的'线'则暗示郁结。直线、曲线及其粗细、强弱、浓淡变化的情感色彩各不相同"①。一件平面美术作品,能够最直接传达给人的情感信号往往是色彩,但原始岩画的色彩是略显单调的,但我们在第一眼看到大多数原始岩画时,仍然可以大致感受到画面要传达的是动还是静,是和谐还是抗争。正是这种变化多端的线条在其中发挥了作用。线条是原始岩画运用最为广泛的手段,也是原始人在岩画中运用最随心所欲的方法。

例如,广西左江花山崖壁画描绘的是有神秘氛围的宗教仪式,画面中描绘人物的线条粗犷有力、单纯率性。广西花山崖壁画是以笔着色绘制的,在画中可以看到笔触,尤其是一些圈,显然是作者一笔完成的,透露出

---

① 陈龙海:《中国线性艺术论》,华中师范大学出版社 2005 年版,第 99 页。

率性、随意的特点。线条的粗犷有力,传达出英武刚劲的人物感觉以及极具震慑力的宗教氛围;单纯率性,又让人感到不拘小节、大气干练的特点。青海舍布齐沟岩刻以狩猎场面为主要内容,其中线条顿挫、艰涩,粗细变化剧烈,让人感受到狩猎过程中的动荡不安与激烈搏斗。再看云南沧源县崖画村落图中的线条,横向的表示路的线平稳流畅,贯穿于画面中,形成了画面平静安详的基调。描绘人物四肢的线条纤细、圆润,而且形状整齐划一,描绘房屋的线条也有同样的特点。这些平和、细致、规律的线条,恰当地反映出了一派恬淡的田园风光。

二、审美差异

新石器时代岩画除了能让我们感受到那清晰、简练而强烈的线条之外,同时,那主观的概括和略带夸张的稚拙的造型,以及古朴、大胆的色彩所构成的史前岩画美感,甚至原始神秘狞厉的审美氛围中所蕴含的原始生命冲力,均给我们带来了原始自由质朴的视觉冲击。但由于这一时期岩画存在的空间范围之大,持续的时间范围之长,又使得这一自由稚朴的意象和风格呈现出明显的时空差异,进一步丰富了中国原始岩画的审美多样性。

1. 地域差异

中国新石器时代的原始岩画根据其表现的内容和所处的文化地区,大致可分为北方、西南和东南三个系统:以北方和西北草原民族的狩猎和游牧文化为代表的黑龙江、内蒙古、新疆、宁夏、甘肃、青海等地区的岩画为北方系统;以黄河流域粟、黍等旱地农业和长江流域及其以南稻谷等水田农业文化为代表的云南、广西、贵州、四川等地区的岩画为西南系统;以东南沿海渔捞业海洋文化为代表的江苏、福建、广东、台湾、香港、澳门等地区的岩画则为东南系统。① 那么,中国原始岩画在审美上的地域性差异就显而易见了。

首先,中国南北方地区有着不同的生态环境和生存方式,这就直接决

---

① 参见陈兆复:《古代岩画》,文物出版社 2002 年版,第 50 页。

定着不同系统岩画在选择审美意象上的差异。北方地区寒冷、贫瘠,大漠、草原、高山的环境使这里的人生活艰险,因此以不定居的游猎游牧方式生活为主,这在原始岩画中就表现为其特殊的北方母题,即大规模的群猎和放牧的画面,甚至是牧民迁徙的场面。例如在阴山岩画中,就可发现很多类似的描绘。其中有一幅围猎图,左方和右下方有六个执弓的猎人包围着一群野羊,正在射猎;右方一执弓者似在驱赶野羊入包围圈;右下方一人,体态高大,似在发号施令。还有一幅迁徙图,长长的队伍由西向东,有人骑马,有人骑骆驼,中间还夹杂着马羊等动物,真实地再现了北方牧民的生活景象。西南和东南地区则温暖、富饶,丛林、山地、河海的环境使这里的生活相对容易,因此以定居的农耕为主要方式,兼有少量渔捞活动。因而,南方岩画少见大规模猎牧、迁徙的景象,而以农耕的生产、生活为主要内容。云南沧源岩画作为南方岩画的代表,就生动地反映了当时人们的生活面貌。其中有一幅非常著名的村落图,居中的椭圆为一村寨,内里环绕着大大小小的房屋,中间有一大屋,屋前还有人似在扬臂呼喊;在村寨外面上部,有一个独立的小屋,可能是野居的人;围绕村寨有向外射的弧线以及平行的弧线,应该是道路或田畴,其上有一排排的人物,或出或归,或耕、或播、或猎,一派典型的农耕生活景象。

其次,既然不同的生态环境和生存方式决定着南北岩画在审美意象上的差异,那么这种意象上的差异又必然形成其画面特点上的迥异。北方岩画较为动荡,尤其是反映狩猎活动的岩画,常见一群人合力猎杀一些动物,人物东倒西歪。如作为北方岩画代表的贺兰山岩画,其早期的一些组合画面中各物体任意放在一起,没有方位感,颠倒的羊、横着的人随处可见。即使发展到后来,先民们逐渐有了三度空间的概念,并且采取了通过倾斜物体来表现深度的方法,却并非南方岩画中的垂直投影法,这同样给画面带来了不稳定的因素,滋生了动荡的感觉。西南和东南岩画则比较平稳,即使不是表现舞蹈场面,其人物形象之间也有很多相似之处,人物排列比较有秩序,人站立的方向大体一致。比如在反映农牧生活的岩画中,人们的动作幅度小,动物也大都被驯化过,因此温顺乖巧,与人没有太大的冲突。广西花山崖壁画是一幅表现战争巫术的画面,场面宏大,有上千个人物,但整体感觉并不乱,而且给人一种庄严的感受。尤其画面下半部,几横排人物整齐排列。几条穿插于其中的有平行趋势的线,更起到了平稳并规整画面的作用。云南沧源岩画也是由几条整齐的线贯穿于画面中,人物或景物都以这几条线为依托排列其上,自然呈现出平稳的画面感受。

再次,从性格特点上看,北方民族崇尚力量、搏斗,是一种外向的心态,因此其岩画在表现形象上多用夸张、强调,张扬生命的力量,显示出宏大而豪放的审美风格;而南方民族推崇智慧,给人一种内向而神秘的印象,因此其岩画在表现形象上多用暗示、烘托,创造象征的意味,显示出自然而含蓄的艺术风格。就拿猎取动物来说,北方民族以追逐、围堵而力取,显得粗莽,充满着运动的激情;南方则以陷阱、罗网等智获,显得聪敏,蕴含着思考的静默。另外,生殖崇拜无论在北方还是在西南、东南岩画系统中,都是一种比较重要的题材。但这同一种题材却在南北方因为其不同的表现特点而呈现出异样的审美风貌:新疆、内蒙古和西藏表现生殖崇拜岩画的共同特点,就是对男性生殖器的极度夸张,充溢着生命力的冲动,或是在交媾中直观表现,或是与弓并置出现,都给观者留下令人震撼的印象;而南方岩画,对其的表现就是另外一种风味了。如江苏连云港将军崖岩画中有一幅著名的《祈丰图》,画面下方有许多一丛一丛的倒三角形图像,似草丛又似女阴,这正是地母生殖器的隐喻形象。图中还有9个圆形的人面像,其中还有5个有像脐带一样的竖线与三角丛相连,表现出它们是由地母所生。画面中还有两个由鼻和双目合成似人面的图案,据专家说这是两性交合的形象。同样是表现对生命传承的渴望,但这幅岩画却没有一点暴力、夸张的感觉,从而营造出一种恬静而神秘的氛围。

最后,三大系统的岩画在表现技法上的不同,也导致其形成的审美艺术风格呈现出地域明显的差异性。西南地区的岩画在技法上以彩色尤其是红色涂绘为主,侧重于色彩的表现,给人一种空灵而又神秘的审美感觉。广西的左江岩画和云南的沧源岩画大多是用动物的血或皮熬成的胶液与赤铁矿粉混合为颜料涂绘而成的,色泽经久不变,充满生命的希望。再如广西花山岩画也选用色调热情而沉着的赭红色,与冷静的青灰色岩壁底子,透露出一种生命之气,并且充分展现了先民在宗教巫术面前的虔诚与肃穆。而北方和东南地区的岩画在技法上则以凿刻为主,侧重于形体结构的或面或线的刻划,极少使用色彩,因而与岩石的结合更加实在,更多粗犷、刚劲、古朴的"金石味"。以北方的内蒙古阴山岩画和宁夏贺兰山岩画,以及东南的连云港将军崖岩画和福建华安仙字潭岩画为其代表。总之,这两种或绘或刻的不同创作手法,分别采用不同的审美表现方式,表达了先民们不尽相同的审美理想,故而形成了不同的审美艺术风格。

2. 时代差异

中国原始岩画不仅在不同的地域范围内呈现出审美差异性,而且即使在同一区域内的不同历史阶段也呈现出迥异的审美特点。例如中国北系原始岩画的审美演变就是一个漫长的进化过程,它经历了"生命的运动于无序结构"、"寻找稳定的倾向"、"程式化时期"、"多种流向的演化"四个阶段。[①] 从这一典型的发展线索来看,中国原始岩画经历了一个由具象写实的模仿向抽象写意的创造转变的艺术审美历程。这与新石器时期陶器、玉器的纹饰方式的演变过程不谋而合,共同展示了先民们原始思维方式在其发展历程中的审美特征。

早期中国原始岩画中的意象,多为具象写实的模仿性造型,并且其形象往往是单个的、无序的,即使有一些图形组合,也显得散漫,缺乏统一构图的场面。原始岩画就是原始先民的生活写照,其意象几乎都能在原始的现实社会生活中找到原型或根据。就早期活动于北方草原和西藏高原的狩猎民族而言,他们的生活就是捕猎、生育,所以他们所创作的岩画,在内容上,多为野生动物图像和狩猎场面(哈龙沟岩画、阿尔泰山岩画),也有描写战争(阴山岩画)和性交情事(巴尔达库尔岩画),都与他们的现实生活直接相关;在表现上,比例大体适当,显得相对质朴自然;在目的上,描绘对象一般都简单地以某一动物(如牛、羊、鹿、象等)或某一特征(如生殖器)为主,比较单纯直接;在功能上,画牛羊是想得到更多的猎物,画

---

① 　参见张晓凌:《中国原始艺术精神》,重庆出版社 1996 年版,第 114—125 页。

生殖器或性交场面则是祈祷子孙繁衍,都与他们的理想追求紧密相连。因此,他们的审美意识集中表现为描写对象和功利目的的直接同一,艺术手段完全为主体目的服务,注重对感性形象的具象摹写,而对纯粹抽象形式的追求几乎是不存在的。如嘉峪关黑山岩画中的一幅《野牛图》,野牛在猎人的追捕下,那逃奔的步伐和紧张的肌肉彰显着运动的激情和生命的活力,如此逼真的感性描绘充分表达了先民对猎物的无比喜爱;内蒙古阴山炭烧口岩画中的一幅大型动物图,骆驼漫步于沙漠之中,那安详的神情和悠闲的站姿表现了生活的恬静和自由的愉悦,和先民的理想生活情态达到了自然的合拍。两幅岩画简洁明了,几乎没有掺杂任何抽象的因素,以朴素的线条和约略的构图形象生动地传达了野牛和骆驼各自的神韵,形成了早期岩画艺术中浓厚的具象写实风格。

随着社会生产力的发展和岩画创作技法的提高,"人们在自身的发展中,精神文化的丰富和社会经济活动的复杂就需要蕴含性更强的传播形式,一个写实图像的蕴涵能力就愈来愈不适应这种发展,人类越来越需要一种蕴涵意义宽泛的抽象符号出现。因此,某些岩画图像的造型趋于抽象就成为一种必然"①。所以到了后期,原始岩画的意象逐渐走出完全写实的单一风格,开始出现抽象写意的创新造型。为了更好地表达先民们的象征目的,岩画就必须在其整个构图中突出其主要形象,或对某一形象的主要部位进行夸大或变形而加以强调,或使用抽象符号传达深刻意义,甚至形成了一种程式化的构图模式。正是这些表现形式和表现手法的运用,使岩画从最初的具象写实走上了抽象写意发展道路。

首先,突出所有物象中的主要形象,将其放大以与其他物象加以区别。凡是先民们认为最重要的东西,都要被放大和夸张,并且置于图画中最显眼的位置。尤其是北方系统中察布岩画的发展演化最为典型地体现了这一审美趋势,反映了原始先民逐渐从对具体物象的直观写实到对物象的外在轮廓的象征简略描写的历程。如在描写人和羊的一幅岩画中,人被仔细地描绘出来了,但他脚下边的羊却画得十分简略,大概要说明人

---

① 张晓凌:《中国原始艺术精神》,重庆出版社 1996 年版,第 200 页。

对羊的所有权。属于西南系统中云南沧源岩画中的狩猎图也有类似的情形,但是其中的动物形象明显大于人物形象,这并不是对上例的否认,而同样也是在强调画面中的主要形象,即突出表现先民对野生动物敬畏或赞美的审美情感。另外,在左江崖壁画宏大的舞蹈祭祀场面中,威严英武的蛙神处于中心位置,形象高大,头饰华丽,而侧身的舞人则大都裸体且显得非常矮小,只是用于陪衬蛙神,从而展现了祭祀仪式的庄严肃穆和原始先民的恭敬虔诚。这些虽然仍反映了原始审美意识中物质因素或主观目的的主导地位,但也透露出先民的抽象能力和审美理想因素在逐步提高,这无疑是审美意识发生、发展的关键一环。

其次,强调某一物象的主要特征,将其独特部位加以夸张地表现。岩画对于原始先民来说仅仅是一种表现的工具,他们的实用目的和艺术思维决定了岩画中意象的具体形态,尤其是那些强调的特殊部分更是蕴含着他们的理想希冀和审美情感。以狩猎者的岩画为例,当他们绘制捕捉动物的岩画时,只是希望狩猎成功,并且利用动物的身体,所以特别强调用艺术化的方式突出动物身体中有用的部分。这种艺术表现手法在北方岩画系统中比比皆是:如画野猪就夸大其脊背上的鬃毛和前凸的大嘴巴,画猴子就强调其长吻和翘起的长尾巴,画人物强调其动作而不注重其五官。生殖崇拜题材岩画中生殖器官的夸大也当属此类。最典型的是赤峰克什克腾旗万合永乡广义村北崖岩画中所绘鹿的外形,它突出强调了躯干部分和大角,而头和四肢则被忽略,因为身体可食用,鹿角则可作为药材或者至少长的鹿角可以代表鹿正值壮年。另外,在这些鹿的周围有正在搭弓射箭的猎人,但都描绘得比较草率,仅用几根线条来表现,没有作过多的细节描绘。这显然是原始先民在实用目的的作用下不自觉地违背了物象的真实性,没有考虑到鹿的四肢在身体中的比例,也不关心猎人在画面中的真实大小,从而自发地将抽象的艺术表现手法运用于岩画创作之中了,突出反映了先民们的实用性追求和夸张式表现,并且这种规律在后来的彩陶、青铜造型和装饰艺术中得到了很好的继承。

再次,追求意象和画面在构图上的程式化,将其固定下来。这一点在后期北方系统以及东南、西南系统岩画中均得到了充分的表现。如乌兰察布岩画的牧马图和阴山岩画的战争图打破了以往图像个性化的审美表现,开始形成一个相对稳定的构图模式,后来的畜牧图和战争图基本上没有走出这两幅岩画的程式化。广西花山岩画和云南沧源岩画中的舞蹈题材大同小异,开始注重各种表现因素在配置上的对称、均衡,讲究整体构图和布局,并且所有的舞蹈场面都笼罩着浓厚的巫术氛围。但是,我们要注意的是:"岩画的程式化造型强调了事物的共性,削弱了它们的个性,这个过程暗示出先民们的概括和抽象能力的进一步提高,它表明岩画开始向符号形式演变。"[1]

最后,注重抽象符号的象征意义,用其来记事或表现宗教追求。岩画记事功能的日益复杂化,以及所蕴含的原始巫术文化内涵的丰富化,越来越使其造型走向抽象写意,甚至转化成定形的刻划符号,成为中国文字的源头之一。这些抽象符号种类多样,有抽象的图形纹样,如香港岩刻中的圆圈、螺纹、正方螺纹等几何纹和一些不定型的抽象花纹;还有类似文字形状的抽象化刻符,如新疆阿尔泰的唐巴勒塔斯岩画和昆仑山的木里恰河岩画中出现的万字纹,贵州开阳画马崖岩画、四川珙县岩画和广西花山崖壁画中出现的十字形符号。这些致使有些学者认为岩画是"从绘画向象形文字发展的过渡时期的一种语言符号"[2]。中后期的北方岩画在保留写实传统的同时,也开始注重抽象写意在岩画意象创造中的运用。如后期阴山岩画中羊的形象逐步变得简化,以往繁复的角、充实的身躯,还有勃起的生殖器,都变成了由几根简单线条组合成的抽象符号了;左江岩画的正身人像的变化同样也经历了一个由象形写实向写意抽象的演变过程。[3] 东南沿海岩画则几乎完全打破了北方和西南岩画刻意地突出表现其生活状况和自然环境的传统,而更多地运用抽象化的符号。如福建仙字潭石刻形象在形式上如同篆书的笔画结构,其抽象化的图形示意符号

① 户晓辉:《中国人审美心理的发生学研究》,中国社会科学出版社 2003 年版,第102 页。

② 广西少数民族社会历史调查组:《花山崖壁画资料集》,广西民族出版社 1963 年版,第 35 页。

③ 参见刘锡诚:《中国原始艺术》,上海文艺出版社 1998 年版,第 48—50 页。

代表着先民们的某种记忆或思想;台湾万山岩画最主要的特点也是抽象,其中莎娜奇勒娥岩画"整个岩石充满着舒展式的纵横交错的线条和凹点,顶端有两三处凹坑,十余条曲线自顶端蜿蜒而下,还有少数三角形纹和方格纹,以及星星点状排列的凹点"[1],致使我们几乎无法破解这些抽象符号的具体含义。在这些抽象符号中,浓烈地掺杂着氏族部落的宗教观念,加之那种奔放无羁的个人抽象思维的注入,使先民的记事方式以及巫术、宗教信仰得以象征写意式地实现。

总之,这些风格质朴、自然的中国原始岩画,一方面从正面形象地反映了不同地域环境下原始先民们迥异的生存状况和宗教信仰等审美文化,另一方面也从侧面深刻地体现了他们的原始思维由早期具象写实向晚期抽象写意演化的审美历程。

第三节 新石器器物的总体特征

新石器时代的器物制作还明显地突破了旧石器时期打制石器的朴素艺术传统,而涌现出了陶器、玉器乃至铜器等多种新型器物,开始了打磨、钻孔、镶嵌等多种先进的工艺技术,其构思独特的造型、风格多变的纹饰,以及感性与理性相交融的整体构图,造就了丰富多样的艺术风格,奠定了中国器物制造的基础。新石器时代文明已经远远走出了中原地区的局限,形成了众多的文化区域。其器物仅就玉器而言,就出现了东夷玉文化板块、淮夷玉文化板块和古越玉文化板块三大玉文化板块,以及海岱玉文化东夷亚板块、陶寺玉文化华夏亚板块、石峁玉文化鬼国亚板块、齐家玉文化氐羌亚板块和石家河玉文化荆蛮亚板块五个文化亚板块[2],它们各自体现了当地的玉器审美艺术特征,如红山玉器表现为自然奔放、虚实相生和寓多元为一体,崧泽装饰玉器体现为纯洁典雅、自然活泼和轻盈优美,良渚礼仪玉器则透现出神秘、规范和雄犷威严的风格。其他的器物文

---

① 李凇:《中国绘画断代史·远古至先秦绘画》,人民美术出版社 2004 年版,第 78 页。

② 参见杨伯达:《中国史前玉文化板块论》,《故宫博物院院刊》2005 年第 4 期。

明，如陶器、石器、骨器等也都是如此：庙底沟彩陶大多器型独特，图案母题多样，具有很高的装饰性和观赏性；半坡陶器则更是以其简朴多样的造型和典雅流畅的纹饰，形成了中国彩陶艺术的第一高峰；河姆渡骨器也以其象生写实、表号构图和强烈的形式感等艺术表现构成了独具特色的审美风格。

同时，新石器时代的各类器物的制作工艺，又在该时期先民的生活和文化交流中不断碰撞，逐渐趋向融合。先民们在制造石器、玉器、陶器等器皿时，开始逐渐从实用性向装饰性过渡，并注重二者的完美结合，相对独立的审美意识也得以萌发。从仿生、象形到写意、象征，从制物尚器、制器尚象到因料制宜、因物赋形，他们开始讲求纹饰的布局与构图，关注欣赏者的审美需要，在线条的节奏中表现出和谐的生命力，展现了中国传统特有的生命意识和"天人合一"的思维特征，从而在华夏大地上形成了相对统一的审美风格。

第一，新石器时代的器物制造体现了先民们自发的"观物取象，立象尽意"的创造意识，其器物的造型和纹饰大多来源于现实生活。先民们在自己的生活环境中，长期观察动植物以及日常生活中的其他物质资源，形成了丰富多彩的审美意象，并通过陶器、玉器等器物的造型以及纹样的创造，将这种意象凝固下来。例如作为鱼米之乡的河姆渡、崧泽地区，稻作和农耕时代的其他植物，以及猪、狗等家畜，水中的鱼、空中的鸟都启发了古越先民器物创造的灵感，故加以模拟和表现，形成了造型优美、栩栩如生的陶猪、陶羊、鱼鸟璜等。半坡文化的典型器物葫芦瓶，就是半坡人在采集生活的过程中，从大自然中的葫芦造型得到启发而创造的陶器，带有浓厚的仿生的特点。马家窑先民的器物制作也是一方面"近取诸身"，在陶器中表现人自身的形象，如器型出现了人头彩陶壶、男女人形浮雕彩陶壶，以及马厂时期的男女同体瓶，纹饰也出现了神人纹和浮雕裸体人像；另一方面"远取诸物"，在器物的纹饰选择上，将雷电、水、太阳等自然物象，鸟等动物以及一些植物作为创作的母题，而形成了陶器上的雷鼓纹、螺旋纹、水纹及鸟纹等纹饰图案。因此，自然环境和生活实践对新石器时代器物的造型和纹饰产生了重大的影响，造就了先民"观物取象"和

"立象尽意"的艺术意象的创造方式。

第二,器物的造型和纹饰从对大自然的象生写实性塑造逐渐转向抽象的象征表意性创造,装饰图案也向表意性方向发展。起初,原始先民的创造器物中具体的造型纹饰体现着仿生的特点。如半坡文化时期的彩陶,早期的"水鸟衔鱼纹"细颈彩陶瓶上的鸟之执着形态逼真,鱼的挣扎历历在目。"船形彩陶壶"的造型也正是半坡先民渔猎生活的投影,圆雕玉鸟、三叉形器、雕刻鸟纹、卷云纹则均为对鸟的模仿。河姆渡陶猪的憨态可掬,颇为传神,陶羊以夸张的后臀凸显它的肥壮,而连体双鸟纹骨匕,其背翼、蹼足,利钩似的喙,炯炯有神的双眼,以及飘逸的羽冠,生动地刻画出了其神态逼真的形象。这时候大自然是陶器和玉器艺术取之不尽的题材,工艺制品基本上处于制器尚象的阶段,其艺术创作的指导原则不外乎写实性的塑造。但是,随着先民理性思维的不断发展,他们开始了纹饰抽象化的历程。那些取材于生活场景中动植物的几何纹样,特别是禾叶纹、稻穗纹和猪纹等图案,则通过写实的造型传达了先民们对自然的礼赞,承载着演化前的实物韵味所引发的联想,甚至朦胧多义的象征意味。以鱼纹图案为例,在新石器时代中期,其鱼身被概括为几何形状,鱼鳍也从不对称演变为对称,装饰性明显增强了。尤其是到了晚期,鱼纹图案则更加趋于符号化,图案经过分解复合,形成了变化多端、形状各异的现象。在河姆渡器物中,也已经形成了相对集中的几何纹饰,说明其有了更多的自觉性,表意性也更强了。另外,器物的形状不同,各个部位装饰图案也不同,如陶器的口沿、上腹、下腹分别采用几何纹饰、写意鱼纹等,体现了更高的艺术审美追求。

第三,新石器时期先民在器物的创造过程中已经开始重视欣赏者的审美需要和审美感受,多突出其特征性部位,在创造形象时使用夸张和变形等手法来雕塑局部的造型和纹饰。如河姆渡陶鱼的嘴、双鳍和腹部,陶狗昂起的头脖等焦点造型设计就是局部特征凸显的典型。良渚玉器的视角很讲究平视、侧视、仰视等多元的审美角度,讲求构图的整体性,或疏密有致,或均匀分布,集写生与表意于一体。另外,半坡的彩陶工艺考虑到人们欣赏角度的需要,图案常常装饰于陶器的肩部、腹部,肩部画主纹,下部空着,便于人们席地而坐观赏。其中的折腹细颈彩陶壶上腹常常绘着三角形的折纹线,人们在平视或俯视器物的上腹时都可以看到完整的图案,具备了立体设计的效果。这些均表明了陶器和玉器制作者们在制作器物时,充分考虑到了人们的欣赏需要,使这些工艺品器物不仅是现实的生活用具,而且也体现了审美等精神性的因素。

第四,新石器时代的许多陶器、玉器,在造型和纹饰上无疑受到了更早的编织物的造型和纹路的影响,而后来夏商周时代的青铜器的发达,在造型与纹饰上的探索与成就,又离不开新石器时代陶器和玉器的深刻影响,与此同时,青铜器又反过来影响到商周时代的陶器、玉器。这种现象在中国工艺美学史上形成了一条规律,即后起的工艺美术,既带有物质媒介的特点,又受着此前的其他工艺美术的影响,而其自身所积累起来的艺术成就及经验,会影响到当代其他物质媒介的工艺美术,包括先前延续至今的传统物质媒介器物的造型与纹饰。

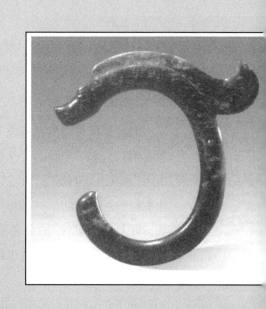

第三章 新石器时代陶器（上）

　　陶器是新石器时代遍布神州大地最重要的日常生活器皿之一,作为集实用与艺术于一身的文化载体,它贯穿了整个新石器时代的社会形态。正因为如此,新石器时代也被称为"陶器时代"。如果将中华的远古文明作更科学的细分的话,石器时代、陶器时代、青铜时代、铁器时代的划分方式,即用"陶器时代"的命名取代"新石器时代"的命名,对这一时代的历史特色和文化底蕴的概括也许更为贴切。

第一节　概　述

　　新石器时代的文明体系中,巫术、祭祀、饮食、音乐、舞蹈、墓葬、渔猎乃至各类手工艺生产等等各个社会生活层面,都有着陶器不可或缺的身影。在伴随每个人的诞生、成长、婚配、死亡的历程中,陶器所具有的诉诸现实又超越现实的象征意义,已远远超出其实用功能,上升为足以展现那个时代物质生活和精神生活全部表征的文化创造物。尤其是彩陶,更具有该时代的文明特征。彩陶是一部纹彩和泥土的文明史。彩陶的全部意义都是通过其丰富瑰丽的艺术形式呈现在我们面前的,其"有意味的形式"本身就折射出彩陶时代人类的文化底蕴和审美意识的变迁。造型和纹饰作为彩陶的主要艺术语言,其中也流动着无尽的不可言说的人类普遍的情感,描绘着先民的心灵世界。

一、陶器的诞生

　　神州大地的第一个陶器何时烧就,我们现在已无法进行精确地查考了。但在中国古老的神话中,我们还是依稀可以寻觅到它的踪迹。神话中宁封子是陶器的发明者。《列仙传》:"宁封子者,黄帝时人也,世传为黄帝陶正。有人过之,为其掌火,能出五色烟,久则以教封子。封子积火自烧,而随烟气上下。视其灰烬,犹有其骨。"而袁珂则搜集了另一个传说,说古时洪水泛滥,人民居洞穴。下山取水没有盛水之物。就以山下湿土为器具,但容易破碎。宁封子一次偶然烧野兽,得到火中硬泥,悟出烧制陶器的道理。[①] 从神话中,我们可以看出陶器诞生的线索,即陶器最初为了盛放水、谷物等生活物资的需要。

陶器的前身是先以湿润泥土做成的器型(相当于后来的陶坯),在人类掌握烧制陶器技术前,经历了漫长的摸索试验阶段。陶器诞生于火与土的交响之中。对于火与土的崇拜和使用引发了陶器的发明,烧制陶器也标志着人们对土和火掌握的物化和具象化,陶器因此也具有内在的神秘力量。土是整个人类生存的根基。陶器时代的人们已经进入了农耕的社会,土地化育万物、哺育生灵,大自然的枯荣盛衰,五谷庄稼的春华秋实,从植物、动物到人类自身,每个个体生命的诞生、生存、死亡的全过程都与大地母亲息息相关。由对万物生命之源的土地的眷恋依赖,产生了对泥土包孕无穷生命力的神秘力量的敬畏,自然引发出对土地崇拜的观念。在中国的神话中,女娲抟土造人的传说便是先民土地崇拜的例证。同样,火带给人类光明和温暖,火跳跃闪烁,奔腾飞升,是生命的本质象征。火的使用对陶器和后来的青铜器的发明,都起到了根本性的作用。

目前在我国发现的陶片最早可以追溯到距今一万年以上的江苏溧水神仙洞出土的原始泥质红陶片。而陶器最早的踪迹可以追溯到距今7000—9000年的广西桂林甑皮岩遗址、河北武安磁山文化遗址、河南新郑裴李岗遗址等。陕西华县老官台文化和甘肃秦安大地湾文化的彩陶是迄今为止发现的最早的彩陶。一般认为,距今约7000—5000年前的仰韶文化和距今约5800—4800年前的马家窑文化是中国彩陶的成熟期和鼎盛期。在人类的历史上,陶器特别是彩陶中蕴含的原始文化和远古文明

---

① 参见袁珂:《中国神话传说词典》,上海辞书出版社 1985 年版,第 136 页。

精神,比其他任何早期文化遗存都显得重要并且集中。一般陶器向彩陶的演变,彩陶的流变和绵延,体现出了人类艺术地把握世界的开始和审美意识的产生、凝结和发展。

陶器自诞生伊始就在人们的日常生活、政治、经济、宗教中无处不在。陶器的发明首先满足了人们日常生活的需要。其中最主要的是炊食器具,有汲器,如小口尖底瓶、背水壶;炊器,如罐、鼎、鬲、釜、灶等;饮器,如单耳罐、杯等;食器,如碗、钵、豆、盘等;盛储器,如壶、瓮、瓶、盆等。陶器也用作生产工具、建筑材料,如陶鱼漂、陶纺轮、陶砖瓦水管等。此外,陶器还用作宗教祭祀用具、明器、葬具和部落标识,成为新石器时代最重要的文化象征物,如陶鼓被认为是“专为死者特制的通神灵的陶器”①。当时夭折儿童流行的“瓮棺葬”,彩陶上众多的蛙纹、鱼纹、鸟纹纹饰也被公认为是氏族部落的族徽标志。可见,陶器自始至终都是实用和审美、艺术与非艺术的复合体。它有着“形式”和“意味”双重的质的规定性,集中体现了中国哲学中“器”与“道”的辩证关系。

我国彩陶的大量出现是在新石器时代中期。目前已知最早的彩陶遗存是泾渭流域的陕西华县老官台文化。这个时期的陶器可以概括为圜底碗和直口袋状罐两种。以砂质红褐陶为主,较少泥质红陶,少量泥质灰陶。陶器烧制火候较低,质地易碎,受热不均,陶色不正。制作工艺还很稚拙。陶器的制作成型有手制法和轮制法两种。手制法比较原始,包括捏制法、泥片贴筑法、泥条盘筑法等,用手捏制,简单实用,但造型粗糙不规整。泥条盘筑法是新石器时代使用最普遍、延续时间最长的方法。至新石器时代后期,出现了轮制法。轮盘的转动带动陶泥的旋转,制作者按照要求造型。这个时候,男子参与制陶并逐渐取代女性成为制陶的主要角色。仰韶文化中期,出现“慢轮修整”,陶器器型走向精美。大汶口文化晚期,人们可以在迅速转动的陶轮上将陶泥提拉成型,出现真正的“轮制”。“轮制”的陶器器型规整浑圆,胎壁变薄,造型美观,坯体内壁留有细密的平行旋纹,器体上有用线拉割的偏心纹。

---

① 高天麟:《黄河流域新石器时代的陶鼓辨析》,《考古学报》1991 年第 2 期。

　　而彩陶的制作又不同于一般的陶器。按质地不同,彩陶可以分为夹砂陶和泥质陶。它的烧制标志着人们对于火候、黏土的性能和色彩的把握达到新的高度。彩陶为人类打开了新的展现自然本性和艺术本性的空间,先民们开始尝试用自由的创造精神描绘自己的意志、情感和智慧。物质实用性与精神象征性在彩陶的介质上实现了最初的融合。

　　经过一千多年的发展,至距今约7000—5000年左右的仰韶文化,彩陶时代真正来临。仰韶文化的发展序列主要是:半坡型—史家型—庙底沟型—西王村型。其中尤以半坡型和庙底沟型展现了彩陶文化鼎盛时期的风貌。除仰韶文化外,同时存在的大汶口文化、大溪文化也独具各个地域的魅力。仰韶文化后中国彩陶文化的巅峰要算黄河上游地区的马家窑文化。马家窑文化在空间上由东向西发展,持续了一千多年,整个文化经历了石岭下型—马家窑型—半山型—马厂型四个阶段。这一时期的彩陶无论是数量还是文化品位,在整个新石器时代绝无仅有,具有极高的文化价值和艺术价值。

　　陶器是人类文化史上的一项伟大发明和创举。主要作为先民饮食器具而存在的陶器改变了人类的饮食习惯,从而促进了人类体力和智力的进化。人类也因此告别了逐水而居、采集渔猎的迁徙生活,逐渐过渡到农耕种植的定居生活。而农产品的丰富需要更多的陶器储存剩余的粮食物品和美酒。农作物的生长也需要一定的陶器皿盛水浇灌。这一切带来了新石器时代陶器制造空前繁荣的局面。通过大量陶器特别是彩陶的烧制,先民们积累了大量的经验,器型和纹饰的不断翻新启迪了它们的审美意识,为后来青铜器的冶炼和装饰提供了完善而又可资借鉴的技术储备和艺术模本。

二、陶器的造型

　　新石器时代的陶器分布广泛,形制各异,即使属于同一文化、同一类型,其器型也有细微的差异和变通。但我们仍可以从中梳理出其基本的发展趋向:新石器时代的彩陶基本沿从简单到复杂、从单一到多元、从随意到和谐的方向演进。随着器具应用范围的扩大,以及器具功能的日益专门化,陶器造型也逐渐摆脱最初实用功能的束缚,形式美的地位日益提升。器皿的造型则越来越复杂,变体也层出不穷。同一器类的物种,本身的变化更是数不胜数。"器"与"艺"逐渐融合,陶器在实用的基石上建构了独具魅力的审美大厦。

国内学者认为,陶器在从实用走向审美的历程中,曾经经历了"两次分化"。"起初,陶器也许只有圜底碗(钵)和直口带状罐,它们处于手工捏制,口部并不平齐,器身大致呈半球形,只有大小深浅之分"。由于使用的缘故,陶器开始了第一次分化,口部出现内敛式或外侈的"沿",进而有了耳、锥突、流、圈足等。"在第一次分化中跨出的最大一步是直口罐的口部越敛越小,终于成为各式小口罐,或称各式瓶、壶。这可能是为了户外取水的需要。但这样一来,器身出现了新的部位,口部分化出了颈部,深腹的器具变成了鼓腹的器具,或者说,在腹部孕育着肩部的分化"。器型的第二次分化是实用需要发展的产物。但在这次分化中,"线"作为审美观照对象的造型与纹饰中最基本的元素而出现。发生在器腹的变化不同于口、底的变化,从器型作为容器的最主要的目的来看,这种变化缩小了容量,增加了材料用量,所以这种变化"唯一的优点就是耐看了"。因此,章建刚认为:"我国黄河流域的原始人类是在裴李岗、老官台文化向仰韶文化过渡的时期开始了对陶器的审美活动;它的标志是陶器肩腹部的分化,其典型表现是:(1)该部位一条或隐或现的弧线,(2)圆肩接斜腹或斜肩折成腹鼓"①。

在早期的彩陶造型中,圆形、球形是基本形体。如半坡型中最为典型的圜底盆和钵,以"人面鱼纹盆"最为著名。其原因除先民陶器造型技艺仍很稚拙外,圆形陶器容量较大、不易损坏的实用优势显而易见。半坡型中的特有标志性器皿"小口尖底瓶"是球形的变体,也主要是实用的目的。"尖底容易入水;入水后又由于浮力和重心关系自动横起灌水,如果中间和口部拴上绳子,提起来时口部会自行朝上,由于口小,搬运时又不

---

① 章建刚:《陶器的肩腹分化和人的审美活动——从原始陶器看日常生活器具方面审美关系的发生》,《文物》1987 年第 8 期。

致溢出水来"①。到马家窑文化，马厂型中的瓶为单肩耳瓶，侈口长颈的直线与鼓腹的曲线形成了鲜明的对比，单肩耳又与腹部的突錾形成对照，遥相呼应，不对称中却又有一种稳定和均衡，避免了单调，充满了灵动。敞口大耳杯收束的颈部与鼓起的腹部，构成了两条反向"S"形曲线，显得流畅自然、均衡和谐。在耳杯的表面饰以直线和折线的单复曲线，整个器型在流动中显得稳定，有一种井然的秩序感。腹部突出一錾，又打破了整体流动的线性秩序，行顿自如，滞畅相谐。马家窑文化的彩陶实用的功能已经明显弱化，审美因素得到了不断的强调。到了晚期的齐家文化，陶器的实用因素已淹没在了巨大的形式意蕴之中。如敞口束腰双耳罐，口径和高度缩小，耳的外径却极度扩张，远远地超过了罐体本身，展现了充满巨大空间张力的形式美感。先民的空间意识、审美情感在千姿百态的陶器造型中获得了具象的阐释。

总的来说，陶器造型的变迁遵循的是"有限变异原则"，在材料特性和实用功能的制约范围内进行无限的艺术创造。陶器器型变异的历程集中体现了因器尚象、因物赋形的特点，对后世造型艺术的审美法则产生了重要的影响。新石器时代的陶器主要器型有碗、钵、罐、盆、豆、瓶、鼎等十多种，多数可能模拟当时某些植物造型，少数则仿造了动物造型、人物造型和器物造型。

在直接取象仿造植物的陶器器皿中，葫芦形造型最多。如半坡型葫芦形陶壶、细颈陶壶、葫芦形陶瓶、陶钵，马家窑型束腰陶罐，庙底沟型陶碗，马厂型陶勺；等等。葫芦是当时广泛种植并在陶器诞生前就大量使用的天然容器。闻一多认为伏羲女娲与匏瓠实是葫芦的化身，"至于为什么以始祖为葫芦的化身，我想是因为瓜类多子，是子孙繁殖的最妙象征，故取此相比拟"②。《礼记·郊特牲》说："器用陶匏，以象天地之性也。"《晋书·礼志上》也说："器用陶匏，事反其始，故配以远祖。"因而古人以

① 严文明：《略论仰韶文化的起源和发展阶段》，《纪念北京大学考古专业三十周年论文集》，文物出版社 1990 年版，第 55 页。

② 闻一多：《伏羲考》，《闻一多全集》第一卷，开明书店 1948 年版，第 60—61 页。

葫芦作为陶器的造型,是一种比附葫芦旺盛的繁殖力的巫术实践,有着明显的生殖崇拜的痕迹。值得强调的是,"仿葫芦形制作的陶器除了用于瓮棺葬的瓮钵盆以外,主要器型均为炊具和食具,这其中暗含的是当时的一个普遍的巫术信仰:通过葫芦状的饮食器皿的使用而将其旺盛的繁殖力传递和生长于人类身上"①。

新石器时代仿动物形陶器并不多见,但造型各异,情趣盎然。如大汶口文化的夹砂陶兽形壶、猪形陶壶、鸟喙型流陶鬶,良渚文化的水鸟形陶壶,三里河猪形陶鬶、兽形陶等。大汶口猪形陶鬶体态丰满肥胖,尾部有直立的鬶口与猪背相连,既实用又美观。动物的多产对于先民既意味着食物的增加,也意味着生殖对象的增加。动物与人相依为命、互为感应。"显然原始人意识到动物养育了人,才用它们的形象做成容器。这些形象在当时可能具有某种神圣的性质,因为它们是食物的供给者"②。动物形陶器大部分也是炊具,也带有自然崇拜、生殖崇拜的意味,是先民兽与人、食与色高度认同的巫术信仰的体现。

将器型制作成人形或人化,则体现出器型成了人观照自身的载体,成为人的精神的化身。人形的美化赋予了器型以超人的力量,是人意志情感的凝结。仰韶文化的人首口瓶,人头形象栩栩如生,头发、鼻、眼、嘴惟妙惟肖、神采奕奕。人头像壶上记录了当时青壮年妇女流行的发式,并注意造型的整体感,着重捏塑出大的脸部形象,而小的脸部形象则用简练的笔调传神。这对后世的雕塑艺术产生了深远的影响。罐和壶的器型人格化,在马家窑文化中尤为突出。其造型颇似人头并有将两耳下器型拉长和内缩,形成椭圆形的趋向。有些器型如半山型的一些彩陶颈上有组相对的鸡冠耳,体现出对称均衡的美感。这实际上是先民从人体结构中得到的启发。"从目前甘肃地区已发现不少以陶器造型来塑造人体的标本来看,当时似乎已产生了对人类自身的某种崇拜意识"③。可见,人形器

---

① 户晓辉:《地母之歌——中国彩陶与岩画地生死母题》,上海文化出版社 2001 年版,第 134 页。

② 朱狄:《原始文化研究》,三联书店 1988 年版,第 530 页。

③ 刘溥、尚民杰:《涡纹、蛙纹浅说》,《考古与文物》1987 年第 6 期。

型的发展是一个逐步被人化、美化到神化的过程。从考古报告上看，陶器最典型、最普遍的用途是用作随葬品和葬具。人形陶器应该是一种象征性的替代物，它替代的不仅是人，更主要的是神和被神化的巫术道具。从大汶口文化到龙山文化时期流行的三足带把的陶鬶、晚期陶鬲、晚期陶盉，都是典型的拟人体的器型，被认为是生殖崇拜的象征或是丰产巫术的遗留。

陶器造型所蕴含的巨大的形式意蕴已远远超越了它的实用功能，在先民的巫术宗教中扮演着重要的角色。"如果我们把我国新石器时代的各种彩陶放在一起，那么这种与当时的物质水平不相称的奢侈性就会强烈地表现出来。……谷物的贮藏需要大量的容器，这就为陶器的发展提供强大推动力。"[①]其中只有彩陶中最精美的一部分可能用于祭礼，否则，后来用于祖先崇拜仪式的殷周青铜器就不可能出现了。

与商代青铜器的"狞厉之美"相比，新石器时代的陶器总体上则体现出圆满中和、自然和谐的静态的美感。受新石器时代因器尚象、因物赋形的造型原则的影响，这个时期彩陶同时也遵循了自然万物造型上对称、均衡、和谐、协调的规律，在整体造型上展示出规整、方正、井井有条、文质彬彬、比例匀称、阴阳相济、相辅相成的艺术精神，融进了中国人对自然宇宙和生命生活的特殊体悟。中国彩陶艺术以"自然"作为最重要的审美标准，生灵万物成了彩陶的摹本，自然精神和自然韵律在其中自由流动。在彩陶中，先民优先采用了圆形球形器皿。陶器造型在圆形和曲线的相互交叉里，体现出强烈的节奏和韵律，同时不奇巧、不险峻、求正不求奇、平易而不平淡。可以说，彩陶集中代表了新石器时代"道法自然"的原始生命激情和自由创造的精神。

陶器无疑是"器"与"形"、"器"与"人"、"器"与"道"最早的完美结合体。朱熹《与陆子静书》云："凡有形有象者即器也，所以为是器者理之则道也。"彩陶朴素的造型里蕴藏着无影无形但无处不在的规律和原则，即"道"。陶器的造型是"道"的具象阐释和形象还原，而"道"则是内在

---

① 朱狄：《原始文化研究》，三联书店 1988 年版，第 527—529 页。

精神的高度抽象和概括,"道"是"器"的本质。先人对这种观念的理论概括虽然是在春秋时代,但其意识在新石器时代就已经显露。

三、陶器的纹饰

陶器纹饰的起源首先受陶器制作过程中胎体上的印痕烧成后仍被完整地保留于陶器器面的现象的启发,原始先民偶尔把指纹印、编织纹、篮纹和拍打泥土的棍棒纹印压在陶器上,无意间"纹"应运而生,如篮纹、席纹、绳纹或刻划纹。郭沫若说:"雷纹者,余意盖脱胎于指纹。古者陶器以手制,其上多印有指纹,其后仿刻之而成雷纹也。"①由原来陶拍上的缠绕草、藤之类的绳子拍打成型,发展为胎质坚硬的印纹硬陶,形成了独具特色、整齐划一的几何形图案。天长日久,不自觉、偶然的"纹"就转向自觉的、有规则的"纹饰"。

新石器时代彩陶纹饰大致可分两大类:象生纹饰和几何纹饰。几何纹饰在其中占了大多数。象生纹饰包括动物纹饰、植物纹饰、人物纹饰和景物纹饰,其中尤以植物纹饰为最多。纹饰从简单的手印画像到对于不同物象的组合,从具象的象生到抽象的线条,从稚拙的模仿自然到有了对装饰美的向往,显示着人类精神发展的轨迹。"从这个意义上讲,真正的装饰只能开始于陶器。因为正是从制陶开始,人类开始不满足于器具物资材料所固有的和加工时形成的纹样,而是赋予其自身不可能有和不可能产生的纹样,即有意识地进行装饰了"②。

象生纹饰是原始先民因器尚象、因物赋形的艺术结晶,象征意味明显。最著名的"人面鱼纹"纹饰,两条象生鱼分别在人面的口部和耳部相向而立。以该纹饰为代表的鱼形纹饰不仅在半坡型中普遍存在,在大地湾型、马家窑型等各时期中也大量存在。鱼纹经过先民的抽象变体,演变为单体鱼纹、双体鱼纹、三体鱼纹、四个鱼头的四体鱼纹等多种形态。大量鱼纹的涌现,一般认为因为鱼多子多产并与生殖器相似,是生殖崇拜的

---

① 郭沫若:《青铜时代》,科学出版社1957年版,第268页。
② 易中天:《艺术人类学》,上海文艺出版社1992年版,第275页。

象征。但蒋书庆却认为,"半坡型一彩陶盆中以人面形纹为太阳形的象征,以上下两个人面纹对应组合的形态,为上下两半年寒热相分又相应的形式表示,以两个人面纹之间左右两条鱼纹对应往来的形式,为寒来暑往不断轮回的寓意象征"①。

在其他象生纹饰中,蛙肢形纹饰是最常见的一种。"蛙纹(蟾蜍纹)是中国母系氏族社会文化遗存中的第二种基本纹样"②。许多学者认为蛙纹是生殖崇拜的象征,"曾经实现过一种模仿巫术,即以人体四肢模拟蛙体和蛙肢之形,久而久之,这种'蛙形姿势'便成为表达人的生育力的一种固定格式"③。最早的蛙纹见于陕西临潼姜寨遗址半坡期的写实蛙纹。马家窑文化的蛙纹最为典型和集中,其蛙纹造型也逐渐抽象化并且形态各异。青蛙的眼睛特别得到强调,起到了特殊效果,点和圈单纯的几何图形被赋予了生命和律动。半山和马厂型出现了拟蛙纹和折肢纹,折肢纹作十字环行交叉状形成勾连纹,横向连续性展开便成为曲折纹。但国内也有学者认为,蛙纹与折肢纹并无联系,提出是由半山、马厂型早期的神人纹形演变而成,是具有神力的超人,氏族全体成员共同崇拜的氏族神④。

除马厂型的神人纹饰外,著名的人形纹饰主要有半坡型的"人面鱼纹"、"彩盆五人舞蹈图"和马家窑文化的"X光人形"。半坡人面眼睛呈直线,鼻子呈直角,嘴巴呈"亚"形,两腮和耳朵饰以鱼形纹,面部安详、似睡非睡。"彩盆五人舞蹈图"人物突出,神态逼真,实线条重在写实,笔法流畅划一。李泽厚认为这种原始乐舞具有严肃的巫术作用和祈祷功能。有些学者也认为是男性在祈求生殖繁盛的蛙祭上跳舞。⑤ 人形纹饰集中展现了先民对于自我认识的超越,对于自我超越的向往。人类力图通过"再现"自身,把握住在茫茫宇宙时空中的位置。

---

① 蒋书庆:《中国彩陶花纹之谜》,《文艺研究》2001年第6期。
② 赵国华:《生殖崇拜文化论》,中国社会科学出版社1990年版,第180页。
③ 户晓辉:《地母之歌——中国彩陶与岩画地生死母题》,上海文化出版社2001年版,第164页。
④ 参见邱立新:《彩陶蛙纹神人纹歧义评考》,《西北民族学院学报》1996年第3期。
⑤ 参见赵国华:《生殖崇拜文化论》,中国社会科学出版社1990年版,第204页。

　　象生纹饰体现了先民们独特、天真的宇宙观和自然观,几何纹饰则更多地体现了它们的艺术观和审美观。它占了彩陶纹饰的大多数。它是以点、线、面的粗细、长短、交叉、曲折的变化构成了规则和不规则几何图形。按外形分,这些几何图形主要可分为圆形及其变体纹、弧形纹、菱形纹、多边纹等;按构成分,几何纹饰有单独图案和连续图案。数学化的几何纹饰的大量应用,表明先民已经开始突破造型艺术技巧的束缚,审美观念走向高度理念化、装饰化。

　　最早出现的几何纹饰也源于先民制陶时无意留下的编织物肌理纹样,起源于先民自动的、天真的、原始的对于外界的把握,如篮纹、席纹、编织纹等。"这种不受经验制约的简单性的心理要求,以及对生成的远离自然的简化形象和再模仿,强化了几何纹样的更加自由化,并产生了对称规则的再生形状"①。几何纹样由平淡、单调的肌理纹样逐步发展出了比较纯粹的美的形式——线型纹饰。这一过程也启发了先民对于规则、抽象的纹样的形式美感,后来逐渐物化为一种审美观念和艺术规律。

　　在彩陶纹饰中,主要的纹饰线形有直线、波纹线、弧线、圆环线、网状线、涡纹线。直线在彩陶纹饰中为数最多。直线条的朴素、直接表达了宁静、舒缓、祥和的美感。"在一些彩陶罐和钵的装饰中常常可以看见到水平直线多出现于器皿的开始部分与器皿腹部的下半部分(结束部分),仿佛一首乐曲的开始与结尾所采用的舒缓柔和的'长音',这种形式较好地将整个图案从开始至结尾统一在一种和谐的风格气氛中"。② 马厂型彩陶纹饰中多层重叠的波纹线给人以水波荡漾的节奏和韵律。圆环纹饰一般作为外框线而且多为大圆环。马厂型中流行的"四大圈纹",运用大图案内套小图案的装饰手法,创造出变幻无穷、不胜枚举的圈内图案,给人以圆满、完美、丰厚、足实的美感。马家窑型彩陶多以弧线构成各种旋动的涡纹纹饰。纹饰围绕一个中心回旋不息,线的重复,粗细长短的变换,

---

　　① 王刚、赵丁丁:《变异中的早期纹样》,《图案》第十四辑,轻工业出版社1991年版,第55页。

　　② 郭庆红:《彩陶图案中线条的功能与性格语言情感表达——新石器时期我国彩陶图案中线条研究之二》,《福州大学学报》(社会科学版)1997年第2期。

加上中间的圆点，从而产生生命感扩张感，使人置身于激流彭湃、波涛汹涌的生命情感之中。多种大的小的涡旋纹和横的斜的波浪纹相匹配，造成图、底互动的动态统觉效果，集中体现了先民原初的心理图式。

如果我们细加观察，早期的纹饰看上去应是一种半抽象的形式，实际上是写实的精致化，受先民表达能力的限制，不能惟妙惟肖，形成不自觉的变形或抽象。后来人们觉得这种效果更有味道，于是就开始自觉地追求这种抽象的效果了，使得这种纹饰更有规则、更有意味，在几何纹饰中体现出生命的律动。抽象的几何纹饰使人感受到丰富的想象意味，这是一种神态的生动所体现的情感形态，简练的情境叙述，"逸笔草草，写其大意"，主要诉诸于"意"的表达。

象生纹饰的很多精品是一幅不可复制的、独立的图画，构成一个完整的艺术天地。如著名的庙底沟"鹳鱼石斧图"，马家窑彩盆舞蹈图、播种神人图，半坡人面鱼纹图等。象生纹饰较为主观，按照物象呈现于眼前的形态予以表达，在此基础上对物象加以组合、附加、变形或省略，因此很难有规律可循。每一个纹饰都以独立的方式出现，都是一个新的创造，有着不可言说的无尽意味。

而占大多数的几何纹饰则体现出规则的图案性，产生出与心理情感对应的强烈的、独特的节奏和韵律。几何纹饰一般通过点线面的黑白、大小、曲折、疏密、虚实、简繁的对比，采用纵向重叠、纵向间隔重叠、横向延续、横向间隔延续的排列方式，实现先民心灵图式的重组和定型化。几何纹饰的共同性和规律性，首先建构在对于一定母题的把握上。如鱼、鸟、蛙母题，花卉植物的茎叶母题等，对于同一母题的反复绘制，装饰艺术的定型概念也逐步在彩陶纹饰中确立。半坡彩陶纹饰大部分是用同一母题或不同母题的花纹互相对称地组合而成，同一母题的一般组成一条带状花纹环绕器壁，不同母题花纹则相互连接组合成一组花纹。在构图时，先民一般以陶器的双耳将罐体一分为二，进行单独构图。这两部分既各自独立，又相互联系，在分割中追求平衡、对称与和谐。或者先民直接在罐体表明分割出偶数等分区域，如一分为二、一分为四等，如马家窑型图案，"图案由于有一定的定位方法，随旋动多变，但组织很严密，如有的以陶器各部位的分界处或对称来定位,也有以图案中横分割或竖分割的界线来定位。还有一种较为复杂的定位法,即在器物中心点的对称各方,再设辅助定位点,将各点连接,形成图案的主次结构线,依次展开多元的图案花纹。"①在旋动的结构中,线性、线形、运动趋势、间隔等因素全部统一于奔腾旋转的主旋律中。而在马厂型中,几十根、上百根平行线组成的方格纹,其线条间隔不超过 1 厘米,已经达到高度严密的工艺水平。线条的重复、间隔、交替、连续的节奏使单一的线状排列变得生动活泼,整体纹样更加紧凑统一。庙底沟鸟形纹饰把一个母题水平排列的同时,以多层重叠方式上下延展,形成和声似的复合节奏。线条、形象、色彩的反复、交替有规律地变化,倾注了丰富的生命情感。他们的纹饰已不只是在遵循固定的框架结构,而是循着心灵的轨迹在舞蹈。

严格来说,彩陶纹饰中的象生纹饰和几何纹饰都是先人观物取象的结果。大地山河、日月星辰、风云雷电、花草树木、鸟兽虫鱼等自然物象,是象生纹饰和几何纹饰的共同创作源泉。"几何纹一部分直接从自然物中得到或抽象出来,另一部分则经由'象形'的变化阶段而逐渐演化出来,在两种可能性中,都离不开'观物取象'的观照方式和象形的纹化方式。从观照和纹化的方式而言,象形纹样体系和几何纹样体系不过是同一观照方式和纹化方式的不同表现形式"②。无论是象生纹饰还是几何纹饰,在发展趋向上,都渐渐与陶器的功能走向协调。如马家窑文化的彩陶中水罐的外形大量饰以涡旋纹,陶器的实用功能里蕴含着柔情似水的情感形态。彩陶的纹饰不同于我们现代社会中的工艺和装饰,这些纹饰就不只是一种附着于器表的形式,它们是内容,是和陶器的功用、选料、造型取象相一致、相匹配的内容。

彩陶纹饰的发展是一个从具象到抽象、从写实到写意的过程。早期的老官台文化彩陶纹饰非常简单和质朴。在半坡型和庙底沟型的纹饰中,大量的物象被装饰有带状和块状的边框,线条的装饰美开始显现,先

---

① 青海文物考古队:《青海彩陶》,文物出版社 1981 年版,"前言"第 1 页。
② 李砚祖:《纹样新探》,《文艺研究》1992 年第 6 期。

民已在观物取象的基础上追求"似与不似"之感。到了马家窑文化时期,几何纹饰已占据了主体地位,仰韶文化的象生纹饰已不多见,至少纹饰的外形已很难直接看出象生的特征。如三角纹、鱼纹、鸟纹是半坡型彩陶早期就十分流行的纹饰。后来都经历了从三角纹向弧边形三角纹的过渡,到马家窑文化又演变为涡旋纹向高度形式化的螺旋纹的过渡。"鱼纹和鸟纹都经历了向'帝'之符号象征的三角纹的演变与过渡,三角纹也成为鱼纹与鸟纹意象表示的抽象符号标志;周围世界生生不已变化表示的需要,也才决定了三角纹向弧边形三角纹—弧旋形三角纹—旋涡纹的发展过渡"①。著名的蛙纹和人形纹饰也经历了这一过程。马厂型的神人纹是萌生期,风格写实,双手斜伸,两腿叉立接近于人的起初形状。半坡型的蛙纹也是完全写实。逐渐地,人形纹和蛙纹的大部分没有头部,肢、臂开始转折形成折肢纹、波折纹并向两侧展开。到了马厂后期,蛙纹结构松散,图案介于蛙纹和波折纹之间。接着出现了被肢解的,只以肢臂的局部形态作为人形纹的变体形态。最后,马家窑文化的蛙纹和人形纹则完全脱离了象生形态,被几何纹饰代替,成为纯粹的特定精神和宗教的象征。

第二节 半 坡 陶 器

仰韶文化距今约 7000—5000 年左右,发源于我国黄河中游的中原地区,分布广泛,延续长久,内涵丰富,影响深远,展现了中国母系氏族制繁荣至衰落时期的社会结构和文化成就。半坡类型是仰韶文化的早期文化类型,典型遗址有西安半坡、临潼姜寨、宝鸡北首岭等。半坡彩陶的兴起标志着黄河中游地区的彩陶艺术进入快速发展阶段,无论从制作技术、器物造型、图案艺术等方面都有突出的进步。半坡人以彩绘纹样与器物造型相结合的彩陶艺术,鲜明地表达出半坡氏族的文化特征。半坡彩陶简洁的艺术形象和寓意深刻的图案,映照出半坡先民的艺术创造力及其斑斓多彩的精神世界。作为彩陶文化的第一座高峰,半坡彩陶向人们展示

① 蒋书庆:《中国彩陶花纹之谜》,《文艺研究》2001 年第 6 期。

了仰韶早期的灿烂文化。

一、中国彩陶的滥觞

陶器是人类经济和生产能力发展到一定阶段的必然产物,它在造型和纹饰等方面继承和发展了以往石、骨质材料的器物和编织物等。人类在陶器出现以前曾以人或兽的脑壳、竹筒或编织物等作为盛水的器皿,一些地穴、窝棚等早期的圆形建筑使他们进一步熟悉了圆形空间,对球形和半球形的感受奠定了他们制作陶器的心理基础。手工艺的发展则为陶器制作提供了客观条件。世界上目前出土的最早的陶片距今约一万年,在我国距今约7000多年的老官台文化,陶器已经作为主要的生活用具了。到了老官台文化晚期,出现了我国最早的彩陶,此时彩陶艺术处于发端阶段,样式简单,只在圜底钵的口沿外绘一圈紫红色的宽带纹,有的在钵内绘独体符号和连续纹样,纹样简单而缺少变化,艺术感染力不强。半坡仰韶文化的彩陶是继承老官台文化彩陶发展起来的。两种文化时间在时间上相承,在地理位置上同处以陇山为中心的渭水、泾水流域一带,陶器器型均以圜底或平底钵为主,彩陶上往往有绳纹、锥刺纹、附加堆纹和红色宽带纹,半坡遗址出土的宽带纹彩陶钵上的刻画符号和老官台文化彩陶基本一致,更说明了它们之间的继承关系。

半坡时代正是母系社会的鼎盛时代,农耕业兴起并随之出现了家畜饲养,先民们逐渐定居生活下来。半坡人的农业以种植粟类为主,狩猎是仅次于农业的主要生活来源,陶器中出现了一些鹿纹,渔捞业也较发达,鱼和鱼网的图案在彩陶上多有反映。制陶生产是半坡母系氏族公社一项具有特色的手工业,制陶业的发展加强了人们的定居生活,促进了社会生产的发展。半坡时期的制陶业从成型、绘彩到烧造已经达到相当高的水平,选用陶土适宜,塑造器型规整,色泽和火候也掌握得较好,质料为细泥红陶,绘有黑、红、白色的图案纹饰,但仍处于手制阶段,小型器物用捏塑法,一般都是用泥条盘筑法,稍后较普遍采用慢轮修整口沿部分。同时,半坡时代石器的磨制、钻孔技术有了高度的发展,人们对自然规律有了一定的感悟。半坡先民在陶器的纹饰中还体现了他们的数、形概念,各种几何图形如折线、平行线、三角形、菱形、长方形、轴对称图形在半坡人的彩陶纹饰中出现,小口尖底汲水瓶和陶甑的发明意味着半坡人已将自己朦胧意识到的物理知识运用到生活中,这些都为半坡彩陶艺术奠定了基础。

半坡彩陶在质地、色彩、造型、图案等方面都有很大的提高。老官台文化彩陶的陶泥没有经过精细的加工,因此器表比较粗糙;由于烧制火候低,陶器呈褐色,常间杂着黑色的斑块;彩绘的红色粗浊而灰暗,并且容易脱落,彩绘的效果很差。半坡彩陶有着明净的质地,陶泥经过澄滤、揉压等精细的加工程序,陶土不含砂质而有韧性;由于烧制火候较高,器表又打磨得很光滑,使陶器显得精美细润;彩绘颜色种类增多,除红、白色以外,大量使用着黑彩。黑彩是用二氧化锰为着色剂,但经过研细加工,色泽较鲜明,以深色的彩纹画在洁净光润的细泥红陶上,显得清新醒目,具有爽朗动人的风采。在彩陶纹样上,半坡彩陶拓宽了写实性纹饰的题材,许多生物第一次进入了彩陶艺术家的视野,例如出土于宝鸡北首岭出土的"水鸟衔鱼纹"细颈彩陶瓶上出现了最早的鸟纹,蛙纹也是以陕西临潼姜寨出土的为最早,鱼更是半坡人最熟悉的动物,在半坡陶器中大量出现,变形的鱼纹、蛙纹、鸟纹均成为后世彩陶艺术家绘制的纹样。

二、文化背景

半坡人生活的自然环境不仅使他们在生理上对自然环境产生依赖,而且在心理上也对自然环境产生认同感,他们不仅希望积极投身于自然环境中以证明自己的智慧与力量,还产生了强烈的表达愿望,由此生发了原始宗教和朦胧的自我意识,并将其表现在陶器制作中。因此,我们可以看到半坡人的彩陶创作融合了对客观环境、社会生活、主体意识的反映,这三者构成了半坡彩陶制作的文化背景。

第一,自然环境影响着他们的创作灵感,加深了他们对自然万物的认识,刺激了他们对于自然的征服欲和表现欲。这不仅为他们的创作提供了表现内容,也造就了他们观物取象的方式和特点。自然环境对陶器的造型和纹饰产生的重要影响,首先体现在对植物的模仿中,半坡典型器物葫芦瓶,就是半坡人在采集生活的过程中,从大自然中的葫芦造型中得到启发而创造的陶器,带有仿生的特点。张朋川说:"半坡早期的细颈壶和葫芦形瓶原是模拟着葫芦的自然形态,后来由实用和美观的要求,逐渐脱离了葫芦的原型,改变了器物单一地向外凸弧的外形。"①在各种写实性的彩陶纹样中,半坡彩陶也出现了为数不少的植物纹样,构成二方连续图案。

动物更是半坡人观察的主要对象。马承源认为,半坡彩陶中"相当写实的鱼形和鹿形动物纹样""显然和人类的生活有关"②。在半坡类型宝鸡北首岭出土的"水鸟衔鱼纹细颈彩陶瓶"中,无论是鸟的执着还是鱼的惊恐挣扎,都表现得形态逼真。姜寨遗址出土的蛙鱼纹彩陶盆,两条鱼涂成黑彩呈弓背状相对,尾鳍分叉,背鳍用四条短斜线表示;蟾蜍呈匍匐爬行状,背部绘有疏密有致的点表现表皮的粗糙,形态上四肢前屈,爪张开,整幅图画笔触简洁,形象生动。围绕在半坡人身边的动植物大量进入半坡彩陶艺术家的创作视野,说明大自然是半坡人发展彩陶艺术取之不竭的题材宝库。

第二,惊险紧张的渔猎生活丰富了半坡人陶器创作的情趣,他们使这些渔猎生活在陶器中深深地打上了烙印。半坡人在渔猎生活中对于动物的形态和渔猎时的惊险场面有很深的感受和印象,对于动物在踏进陷阱前时的期待心情、与动物拼搏时的高度紧张情绪有深切的体验。这大大地增强了半坡人的知识,丰富了他们的情感世界。陕西宝鸡北首岭出土的半坡类型陶器"船形彩陶壶"的造型就是半坡先民渔猎生活的投影。这件陶器壶腹侧用黑彩绘饰渔网纹,壶形是模拟渔舟塑成,器身横置两端尖,大圜底(类似船底),两肩设对称半环形耳,器身上部中央设一瓶口,喇叭短颈与器腹相接,口径 4.5 厘米,宽 24.9 厘米,高 15.6 厘米。可能是当时的陶工以捕鱼的独木舟为原型,结合实际用途进行再创造设计而成的。大量的鱼纹是半坡彩陶文化的重要特征,早期鱼纹比较写实,形象刻画也具体,通常采用正侧面来表现。中期鱼纹向写意和装饰性发展,鱼身由原来不规则的自然形概括为棱角分明的几何形,鱼鳍也由原来的不

---

① 西安半坡博物馆:《半坡仰韶文化纵横谈》,文物出版社 1988 年版,第 106 页。
② 马承源:《仰韶文化的彩陶》,上海人民出版社 1957 年版,第 48 页。

对称向对称演变，增强了图案的装饰性。晚期鱼纹多采用示意象征的手法，向符号化发展，图案多由分解和复合两种形式构成：一种是方向相反的两条鱼的对接，另一种是方向相同的几条鱼的叠加。各自通过分解概括形成了变化多端形状各异的鱼纹图案。半坡人在生产力低下、物质生活和知识智能贫乏的条件下，在鱼纹中寄寓了崇拜自然、渴望了解自然和超越自然的愿望。狩猎生活直接反映在半坡彩陶的鹿纹中，其中的鹿纹盆是半坡彩陶的又一件精品，盆内四只小鹿两两相对各具形态，有的头部高抬、四腿直立，有的全身放松、腹部下垂，流畅舒缓的线条准确而形象地概括了鹿的神态个性。这些写实技巧高超、栩栩如生的陶器反映了半坡人现实生活中敏锐的观察力和高度的概括性，让人们在欣赏陶器的同时体验到半坡人的精神世界。

第三，西安半坡的陶器还继承了此前器物的造型和纹饰特点。张朋川说："半坡的一些陶器是模仿编织器的，甚至将编织器皿时应用的枝条盘筑法移植于制陶，以泥条旋转地盘筑而使陶器成型。"[①]除了葫芦形本来就是模仿取自自然的实用容器葫芦外，器表上的一些几何形纹饰也更多地来源于编织物的编织器型和肌理纹样。另有一些取代前代其他物质材料的器物，如植物的果壳和兽类的皮囊所做的器物，则在陶器制作中硬压（包括压印和拍印）或模拟果壳或皮囊纹饰于陶器的器表。一些彩绘和刻画符号，明显继承了老官台文化陶钵的装饰。

第四，原始宗教不可避免地影响着半坡陶器的艺术创造。在半坡文化时代，人类的思想活动已经较为复杂，除了在葬俗中所体现的在灵魂崇拜基础上发生的崇拜，还有自然崇拜、动植物崇拜和祖先崇拜等。原始宗教观念在一定意义上包括了人类心理活动的几个主要方面，而艺术作为一种精神现象，集中体现为思想和情感活动。换言之，只有当半坡人的心理功能达到一定的高度，才能相应地创造半坡繁荣的彩陶文化与仰韶文化后岗类型的龙崇拜、庙底沟类型的凤鸟崇拜、大河村类型的太阳神崇

---

① 西安半坡博物馆：《半坡仰韶文化纵横谈》，文物出版社1988年版，第105页。

拜。相比,半坡类型盛行的是鱼崇拜。① 一方面,半坡人生活在渭水流域,鱼是他们主要的食物来源之一,与半坡人的生存息息相关,也是半坡人日常生活中比较熟悉的一种生物;另一方面,像远古其他氏族一样,半坡人对人口的繁衍十分重视,而鱼恰是一种生殖力极为旺盛的多子的生物,为了人口的壮大、氏族的繁盛,半坡人虔诚地将鱼作为崇拜对象,希望获得这种生物的繁殖力。崇拜鱼反映了半坡人的生殖崇拜观念,人们对具有生殖力而感到无比骄傲,希望子子孙孙能像鱼那样繁衍,艺术地再现了半坡人对生命之源的渴望,似乎也反映了当时人们对生命延续的精神追求。半坡陶器上出现了大量的鱼纹,最为神秘的莫过于人面鱼纹,它们大多绘在翻沿浅腹盆的内低或内侧,成图案化,圆球形,五官俱全,头顶有三角形发髻,发髻有一尖锥物,耳部外伸上翘,或以两条相对的黑背白腹鱼纹代替。人面额部以上、嘴部以下为黑色,约占面部的 2/3。两眼用一字横线表示,鼻部呈三角形,嘴两边以相对的梭形鱼纹装饰,将人面与鱼纹结合起来,在人头、鱼周边还绘有排列有序的圆点,似乎是表示水泡。整个纹样图案大胆夸张,构思新奇。鱼与人面的结合是半坡人对于自然的征服欲和崇仰心理双重作用的体现,半坡人在长期的渔猎生活中认识到了自己的力量和智慧,产生一种征服自然的喜悦和自豪,但他们的力量并不足以完全摆脱自然而无所不能。于是,半坡人在自我意识觉醒的同时希冀获得自然中的某些力量,这种矛盾促使了鱼纹的人格化演变,造就了人面鱼纹带有宗教意味的神秘美感。

三、艺术特征

半坡彩陶在艺术上的成就,是继承了老官台文化的彩陶,但将其大大推进了一步,使彩陶艺术相对成熟。老官台文化彩陶虽然是中国彩陶文化的滥觞,但老官台文化陶器工艺上较为粗疏,器型随意性较大,外形不对称,口沿不平,略扁。当时的生产技术和工艺都还相对落后,器物只能满足人们生活需要的目的,而不太具有审美价值。随着制陶工艺的发展

---

① 参见王颖绢、王志俊:《西安半坡博物馆》,三秦出版社 2003 年版,第 3 页。

以及原始人类思维能力的提高,半坡人在他们的陶器制作中融入了自己独特的思考和丰富的情感,并在技术上有了很大的进步。半坡彩陶作为中国史前彩陶文化的第一座高峰,有其鲜明的特色。

首先,半坡陶器线条厚重而流畅,造型简单朴素,服从于实用的原则。从器型角度看,半坡人偏爱球形器,其原因除了半坡人的陶器造型技艺仍很稚拙外,球形器在生产和使用中也有着诸多的优点,如制作球形器时材料更加节省;烧制时与其他器型相比不易变形;同样体积,球形器比其他器型容量更大;在生产制作上方便,使用时也不易碰坏。因此,半坡陶器总体上都是模仿球形,造型以平底器为最多,次为圜底器和尖底器。典型器型有直口圜底钵、卷唇圜底或平底盆、侈口鼓腹平底罐、直口短颈鼓腹双耳尖底瓶、短唇斜腹或鼓腹小平底瓮等。除个别鼎的残片可能属于早期外,基本上不见三足器和圈足器,一般无咀、无流、无把,只有尖底瓶有竖耳,器物外括线条流畅。

半坡类型特有的标志性器皿"小口尖底瓶"是球形的变体,这种打破当时常规的特殊器型的出现也是由于实用的需要。它小口、短颈、鼓腹、尖底,形状像一个梭子;两侧都有耳,左右对称。外表轮廓呈流线形,线条简洁流畅,起伏自如。瓶的腹部一般都装饰有倾斜的细绳纹,看上去古朴优雅。小口尖底瓶主要应用于打水,非常实用方便,尖底瓶在汲水时由于受水的浮力作用和影响,瓶身接触到水面会自动倾斜,当水灌到一定程度,瓶子自动立起。这种自动汲水的奇妙现象是重心原理和倾定中心法则的最早形式的运用。可见,相对于史前彩陶文化顶峰——马家窑彩陶的人格化、象生和神化等器型特征而言,半坡彩陶器型从实用出发简单朴素,符合了中国陶器器型由简单到复杂、由粗疏到工整的变化过程。

其次,从装饰部位来看,半坡彩陶注重装饰纹饰与器型的统一,将纹饰、器型结合起来考虑,更加注重装饰的效果,追求彩陶整体上达到的美的和谐。马承源说:"自然我们不能够说每一件彩陶都是优秀卓越的作品,但是大部分的彩陶图案非常适应于器物的造型,有着高度的统一性,这一点不论在大型或小型图案上,它所表现出来的和谐而引人注目的装饰作用,非常显著"①。这在西安半坡的彩陶中表现得尤为明显。半坡彩陶的制作者在制作工艺发展的基础上将创造力更多地投入了对于形式的和谐美观的追求,他们注重图案与整体线条、欣赏视角的配合,开始有意识地探索美的不同表现形式,并力求在陶器中完美展现。这些特征表明了半坡人的审美能力与艺术创造力已经大大增强。

一方面,半坡彩陶用不同的图案来装饰不同的器型,使图案与器型搭配和谐,相得益彰。例如陶器的口沿在器物最上方部位,也是器物最宽处,因此口沿部位常常饰以几何形纹组成二方连续图案(口沿部分不适合繁复的装饰),达到良好的装饰效果和欣赏效果。又如半坡陶器中常见的圆卷唇折腹盆,盆上腹比下腹宽,并向外略凸,使上腹有较宽的空间来绘制花纹,可以表现内容复杂的图案。故陶工往往在这类盆的上腹部位绘写实鱼纹或变体鱼纹,以鱼的各式纹样连续地或间隔地作图,使鱼仿佛在循环游动。有些陶盆内部也描绘着图案,但瓶、壶这类小口直腹的器型内部就不见画有花纹。可见陶工在下笔之先,对图案布局和设计是经过考虑的,充分体现了它的表意性特点。

另一方面,半坡彩陶纹样绘制中考虑到了人们的欣赏角度。张朋川说:"半坡彩陶不仅根据器型的凹凸和宽窄来决定图案的布局,还注意到当时人们在生活中看陶时常取的视线角度,将图案花纹饰于一目了然的位置上"②。先民日常活动不是直立行走,就是席地坐卧,为了取得最好的欣赏效果,半坡彩陶图案常常装饰于陶器的肩部和腹部,肩部常画主纹,下部空着不画,便于人们席地而坐欣赏。同时这些彩陶纹饰上下虚实相映,使器型显得更挺拔、丰满,并起着稳定作用。敞口大盆内部的腹壁也是人们视线常及的地方,人面鱼纹、鱼蛙纹、鹿纹等精美的纹样就常常绘于腹壁。另外,半坡陶工也注意到了不同视角看彩陶会产生不同的图形效果,并根据这点有意地对图案加以设计。例如折腹细颈彩陶壶,根据器型的特点,在这类细颈壶的上腹常绘三角形的折线纹。在平视时,这种

① 马承源:《仰韶文化的彩陶》,上海人民出版社 1957 年版,第 49 页。

② 西安半坡博物馆:《半坡仰韶文化纵横谈》,文物出版社 1988 年版,第 107 页。

三角形折线纹与上腹的近于三角形的装饰面十分和谐;在俯视时,三角形折线纹则构成连续放射状纹环绕于瓶颈周围。无论人们在平视或俯视彩陶壶的上腹时都能看到完整的填充图案,这说明半坡陶工已经掌握了立体设计的方法。

由于半坡仍处于彩陶工艺的发端阶段,在制陶工艺有所发展的基础上,半坡彩陶以实用为基本原则,在努力发掘陶器实用功能的同时又注意到将审美趣味融入彩陶制作中,在实用与审美享受之间寻求一个平衡点,使得陶器不仅成为半坡人的主要生活用具,也成为展现半坡人智慧与趣味的伟大艺术品。

四、纹饰风格

风格是带有一种品性和一种意蕴丰富的表达方式的形式系统,艺术家的风格主要是其思想性格、审美情趣、艺术修养在作品中的综合体现,是艺术家对客观世界的审美能力和艺术再现的结果。半坡类型的装饰艺术原始、单纯和写实,笔触简练,彩陶的纹饰线条流畅,构图严谨,笔法生动,富有情趣,往往引人遐想。半坡类型的陶器装饰纹饰主要有写实性纹饰和几何形纹饰两种。从总体上看,写实性纹饰风格俊逸清丽,而几何形纹饰风格则质朴典雅。

半坡类型的写实性纹饰在表现形式上趋向于装饰的平面化,形体简括,造型明确,直观的形象感强,多以遒劲而均匀的线条来勾画形象,并结合运用黑白对比映衬的手法,具有清新疏朗、灵秀俊逸的装饰风格。其纹样的构图角度有两种:一种是左右对称的正平面,如蛙纹、人面鱼纹。这种构图更易于体现半坡人写实能力,表现出他们对对象的直观感受;另一种是剪影式的正侧面,如鹿纹、鱼纹。这种构图形式具有儿童画特征,易抓住对象的特征加以描绘,给人一种鲜明的印象,又具有一定的装饰性。纹样的组合方式上主要也有两种:一是以单独纹样等距离对称布置,如鹿纹盆、鱼纹盆等。二是以两种不同纹饰等间隔布置,如人面鱼纹盆、人面网纹盆、蛙鱼纹盆等。这两种组合都以等距对称为原则,规整之中又体现出和谐的律动感。

这种写实性纹饰主要有"单体鱼纹彩陶盆"和"水鸟衔鱼纹细颈彩陶瓶"等。"单体鱼纹彩陶盆"的上腹外侧有三条顺时针游动的鱼,仿佛在追逐嬉戏,鱼张口露齿,睁大眼睛,鼻尖微翘,形象十分生动。半坡陶工采用了正侧面描绘的方法,较为写实地将鱼的头、鳃、身体、鳍、尾部描画出来,单纯质朴中流露出天真、稚拙的情趣。而"水鸟衔鱼纹细颈彩陶瓶"中鸟衔鱼纹,构图巧妙,笔法洒脱,随意性强,很有中国写意画的韵味,反映了陶工日益成熟的绘画技艺,是半坡彩陶走向成熟期的表现。

简单的几何纹饰由篮纹和编织纹发展而来。它在时间上要早于具象的写实性图案,而且在数量上占优势,因此成为彩陶纹饰的主流。相比之下,写实性的动物和人物以及可能与原始宗教有关的崇拜图像在彩陶纹饰中所占比例较小。几何形纹饰是由点、线、面等相互重合、交叉、反复及通过排列的参差、疏密、颠倒或连续等手法作出的千变万化的几何图案,是最富于变化、最易适应,又能取得较好艺术效果的一种装饰纹样。最初的几何形纹是由编织纹发展而来的,人们在长期的劳动过程中发现那些或简单或复杂的交织而有规律的线条具有装饰的美,便把它们描摹到彩陶上去,并作出巧妙的布置。半坡类型的几何形纹饰几乎囊括了新石器时代早期陶器上已出现的用各种直线、波线和折线构成的几何形,具有独特的节奏和韵律之美,造型规整、结构缜密、图案简洁纯朴、意境开阔,具有强烈的装饰性。其基本纹饰主要有宽带纹、竖条纹、三角纹、斜线纹、圆点、波折纹和月牙状纹等。

例如波折纹壶器型小巧,环绕陶器外壁的是各种曲折条带纹图案,条纹简单却使人产生无限的遐想,仿佛水面上的层层涟漪;又如连绵不绝的青峦,散发出强烈的生命意识。如果将它平放在地上,从彩陶的上部俯视,可以发现颈口内圈的花纹向腹部的最大处放射,成为一个浑圆的纹饰,在这个圆形图案中的各种线条都配合得自然和协调。如果从侧面观察,同样可以发现从器腹的中线到颈口,又成为另一种样式的图案,并且线条间也是有机相适应的,看上去相当和谐。因此,陶器的每一个装饰面都与膨圆的器型相适应,具有古典、朴实、壮丽的风格。

半坡纹饰的几何型与写实性是两种并行的风格。其中几何纹饰既有从鱼纹等外物的具象中升华的内容,又有器表印迹的提取和刻画符号等其他源头,而写实性纹饰则在此前具象描摹的基础上进一步精细化,反映了先民们模仿能力和表现力的崭新高度。经过一段时间的演化,两者交互影响,又互为补充。

总之,半坡文化是老官台文化出现彩陶后第一个彩陶艺术高峰,无论从陶器的造型艺术、纹饰艺术、制作工艺还是运用范围,都比老官台文化时期有了巨大的进步,并且为马家窑彩陶文化奠定了创作和欣赏的心理基础以及制作的技术条件,成为中国彩陶艺术承前启后时期的重要的一环。彩陶之于新石器时代,正如青铜器之于商周。半坡陶器是当时特定历史条件下人类的思想感情和审美意识的典型表现。

第三节　庙底沟彩陶的审美特征

彩陶是仰韶时期的主要文化表征。半坡文化作为仰韶文化的早期类型,其彩陶以简洁的彩绘纹饰和寓意深刻的图案,标志着黄河中游地区的彩陶艺术进入快速发展阶段。到了仰韶文化中较晚的庙底沟类型,出现了大量的细泥红陶及一些夹砂红陶,并广泛使用了慢轮修整口沿的技术。纹饰图案以鸟纹和花纹及它们的变形为主,并有机地进行排列组合,较之半坡类型更为规整和有序。尤其独特的花卉图案在新石器时代更是独一无二的。器型的发展上也表现了从仰韶文化向龙山文化的过渡,对此后的石岭下类型、马家窑类型产生了重要影响。庙底沟类型把仰韶时期的彩陶艺术推向了又一个高峰。

一、文化背景

庙底沟和半坡同属于仰韶文化,这两种类型的仰韶文化其年代和地域分布都呈现出一种交叉的关系,它们分别代表着仰韶文化发展历程中的两个不同阶段。虽然有一定的共同因素,但基本上各自都具有独特的文化面貌。仰韶时期已经有了一定规模的定居村落,因此半坡和庙底沟类型文化经济生产的共同点都以农业为主,但半坡时期的渔猎生产相对占有较大的比重,而庙底沟时期则是家畜的饲养占较大比重。因为生活的必需,农业的发展,需要一定的器物储水和浇灌,半坡时期的代表性器物——用于汲水的尖底瓶,这时已不多见,取而代之的是大量的曲腹碗、盆和罐。这一时期的先民已经逐渐开始偏离水源,有了更多的选择。而不一定要在靠近水源的地方才能定居,这也促进了原始种植业的发展。

生存环境影响着先民的创作灵感,对审美意识的形成和发展产生了重要影响。不同的生存环境和生活方式,为先民提供了不同的模仿对象。在纹饰上,半坡彩陶的鱼纹图案也已不多见,即使出现鱼纹也不是作为主体纹饰,如鹳鸟衔鱼石斧彩陶缸中出现的鱼纹已经退居为附属纹饰。但这并不能说明庙底沟是由半坡发展而来,而在一定的时间内和一定的地区范围内两者可能是相互联系和相互影响的。早在1965年,苏秉琦先生就依据陶器演变规律从类型学角度论述了两者的关系,他说:"半坡类型和庙底沟类型是仰韶文化在其长期发展过程中形成的诸变体中两种主要的变体,而不是'仰韶文化先后发展的两个阶段'。"①

庙底沟陶器的造型和纹饰对动植物的模仿,一方面源于人们对自然的认识和理解,另一方面则可能源于原始宗教,先民们相信氏族与某一种植物或动物有着密切的关系,视其为本氏族的族徽标志和保护神。如半坡渔猎文化的彩陶中以鱼纹和变体鱼纹为主,而庙底沟的农业文化中则以植物纹和鸟纹较为多见,尤其是庙底沟的特色花瓣纹更是普遍存在着。花是中国传统纹饰的源泉,庙底沟人已经对均衡、对称、色彩等形式规律有了自发的意识,彩陶的图案纹饰构图严谨规范,具有很强的装饰性和欣赏性。从彩陶的器型变化和纹饰构成,我们可以看出当时的人们已经开始有了时空观念,反映了当时人们力图理解和把握空间,并通过自己的体悟方式表达出来。这正是人类纹饰和图案的起源,并且对后世的艺术产生了潜移默化的影响。

二、器型特征

随着农业生产的推广、生活方式的转变,从半坡到庙底沟的陶器造型

---

① 苏秉琦:《关于仰韶文化的若干问题》,《考古学报》1965年第1期。

一方面受自身的材料和工艺水平的影响,另一方面社会的发展及心理需求也对其产生了一定的影响作用,庙底沟陶器造型变得丰富多样起来。与半坡时期相比,庙底沟彩陶的造型产生了一系列变化。其中有为着实用方便而大量出现的储容器;有随着制陶工艺的发展而对器物的局部做了一系列的改良;还有被赋予了神性色彩的陶塑作品。这一系列变化既体现了庙底沟时期的制陶工艺发展水平,又体现了原始审美意味的发展变化。

首先,庙底沟彩陶作为实用器物在造型上体现着生活的需要。"农业经济的发达程度和彩陶的生产状况是成正比的"[①],随着庙底沟农业和畜牧业的发展,庙底沟的彩陶有了很大发展。庙底沟彩陶在整个陶器群中的比例是相当高的,据庙底沟遗址几个单位的统计,所占的比例为14.2%。[②] 庙底沟彩陶开始更多地考虑放置和储存功能。因为生活方式的转换,"储容器的数量比半坡时期有显著增加"[③]。底部多变得平整,与半坡时的圜底有明显的区别,这种变化既满足了实用的功能要求,又在视觉上有一种稳定感。为了保证陶器的储存功能,盆、罐、钵等器物仍保持半坡时期的鼓腹造型,但是在盆、碗等器物的下腹部开始内收,形成优美圆滑的曲线造型。尤其庙底沟遗址出土的花纹曲腹彩陶盆,下部收束有力,整个造型近似倒三角形,即显得稳重、饱满又不失活泼变化,不似半坡时期少有曲线变化的圆形器造型。

与此相关的是庙底沟人已经开始注意器物的实用与审美的辩证统一。半坡时期渔猎生活的代表器物小口尖底瓶,庙底沟类型中也有大量类似器物存在,器型上面多为小平底、双唇,且肩腹部的耳也少见,可见其功能已经由汲水器向储存器发展。半坡与庙底沟的尖底瓶均为小口,由于这种尖底瓶多发现在干旱少水地区,王仁湘认为小口是为着减少水分

① 程金城:《远古神韵——中国彩陶艺术论纲》,上海文化出版社 2001 年版,第 39 页。
② 参见段宏振:《试论庙底沟类型彩陶的传播》,《文物春秋》1991 年第 1 期。
③ 李友谋:《试论半坡和庙底沟类型文化的相互关系》,《中州学刊》1985 年第 3 期。

的蒸发①。与半坡类型相比,庙底沟的这类尖底瓶是以双唇为特征,其双唇的出现对于器物的功能并无多大变化,但增强了观赏的价值。

其次,庙底沟时期制陶工艺的发展,为增强彩陶的形式感提供了可能。庙底沟类型陶器种类多,形制复杂,其精美程度是半坡所不能及的,这在很大程度上是由于制陶工艺在庙底沟时期得到了长足的发展。庙底沟彩陶的口沿多平整圆滑,这主要得益于慢轮修整技术的广泛应用。庙底沟类型的陶土以细泥红陶为主,这种陶土含砂量少、陶质好,具有坚韧和可塑性的特点。因此多为泥条盘筑,改变了以往敷贴模制、拍制为主的制陶方法,所以整体器型较为规整圆滑,加上慢轮修整器沿的推广,使得庙底沟陶盆、钵等的口沿部都经过慢轮修整,直径可达到 35 厘米—50 厘米,而且十分规整且厚薄均匀②。另外,一般盆、碗、钵等器物的口沿都有卷唇、折唇等变化,有些陶瓶甚至还出现双唇,线条的曲折强化了器型的形式感。"制陶工艺的提高使得庙底沟的器型较半坡更为复杂,如釜、甑、灶等配合使用的成套设备,还有少数带流的器物都是在半坡类型中所不见的"③。另外,接底法的运用使得庙底沟器物多平底。庙底沟彩陶主要采用泥条盘筑结合慢轮修整,底部多以接底法做成。制作方法的改变,为了放置的平稳度,所以庙底沟的彩陶多为小平底。

再次,庙底沟彩陶器型的仿生性推动了当时的彩陶由器向艺的方向发展。仿生中的鸟形不但体现在纹饰上,而且还表现在器型上。"这也许是崇拜太阳而以鸟为图腾的氏族徽纹在彩陶上的表现"④。陕西省华县太平庄出土的三足黑陶鹰形尊,虽然通高仅 36 厘米,但是已经准确地刻画出雄鹰坚硬的勾喙和炯炯有神的双目。鹰尊的三足分别是两只短而粗壮的腿、爪和坚挺下垂、束集成矩形的尾羽。线条简洁、饱满、有力,最大限度地体现了一种充满野性的力量感。加之该器表面光滑如镜和上品黑陶的肌理效果,更给人以深邃、沉稳、庄严的感觉。在庙底沟与半坡交

---

① 参见王仁湘:《仰韶文化渊源研究检视》,《考古》2003 年第 6 期。

② 参见严文明:《论半坡类型和庙底沟类型》,《考古与文物》1980 年第 1 期。

③ 严文明:《论半坡类型和庙底沟类型》,《考古与文物》1980 年第 1 期。

④ 张朋川:《黄土上下——美术考古文萃》,山东画报出版社 2006 年版,第 5 页。

互的区域出现不少鱼、鸟结合的作品,似乎也表明了这是分别以鱼和鸟为族徽的两个氏族部落之间的融合。在此后的马家窑类型和齐家文化中也多见有鸟形器,但此时的鸟形器已经倾向于抽象,只是在造型上显示出鸟类的形体特征,线条简洁。庙底沟彩陶中也有取诸鸟类和其他动物的局部作为器盖和盖钮的造型,如一些鸟头形盖钮和兽形盖钮等。鹰隼由于自身的雄健和力量,至今仍被一些草原民族视为神圣物。三足器一般是作为炊具,而此件器物并无火烧过的痕迹,且出土于墓葬中,因此这尊黑陶鹰就很有可能是具有族徽意味的器物。

　　拟人化的器物被赋予了特殊的文化含义。秦安大地湾出土的人头器口瓶是庙底沟陶塑的代表作品。程金城说:"这些陶塑具有人的局部特性同时还不失作为器物的功能,因此与原始陶塑是有区别的,是带有神性的器用之物"[1]。人头和瓶身的比例近于普通人的身体比例,细泥红陶质地。器型为两头尖的圆柱体,下腹内收以优美的弧线作轮廓。陶瓶器口为圆雕人头像,眼、嘴和鼻孔都镂空,鼻、额、面部均为雕塑而成。面部五官位置停匀恰当,并大致表现出头像体面的转折关系。"陶塑面目娟秀,嘴上无须,应为女性形象,可以看出大地湾氏族人们在仰韶中期还崇拜着女性神"[2]。这种拟人化的陶器不仅向我们展示了原始先民的陶塑工艺,同时还包含着当时人对自身的某种认识和理解。人头器口的彩陶在马家窑也多有发现,但人头已演化为人面像,而不似庙底沟类型中的立体陶塑效果。

　　总之,庙底沟文化时期的制陶业较前有了很大的进步。器型突破实用功能的制约,体现着实用和审美的完美结合,造型上出现了凸起和收放自如的曲线,使得器型显得饱满、挺拔,外形比例均衡,开始呈现出明显的从仰韶文化向龙山文化的过渡性,显示了庙底沟人敏锐的观察力和雕塑技巧。在庙底沟彩陶中,无论是实用的器物还是雕塑器物,显示的不仅是它内在和外在的表现力,还有其情感与思维的客观世界,反映了这一时期的社会文化特征和审美观念的变化。

---

　　① 程金城:《远古神韵——中国彩陶艺术论纲》,上海文化出版社 2001 年版,第 170 页。

　　② 张朋川:《黄土上下——美术考古文萃》,山东画报出版社 2006 年版,第 23 页。

三、纹饰特征

庙底沟彩陶纹饰的显著特征是图案的繁复性。庙底沟彩陶纹饰中多用饱满圆滑的曲线，一改半坡时期直线为主的造型手法。显得柔和均匀，流畅华美，显示出庙底沟彩陶特有的奔放活泼的风格。纹饰主要以动植物及其变形为主，也出现了少量的编织几何纹。早期以鸟类形象为主要纹饰，晚期以花纹为主要纹饰。图案纹饰多取动植物形象中富有特征的局部进行构形，大多在定型后成为纹饰的母题，再进行变形、夸张，演化出各种各样、千变万化的几何图案纹饰。这主要表现为以下三种特征：

首先，仿生性纹饰是庙底沟彩陶的主要纹饰。其中以鸟类纹饰为主，鱼纹则退居次要地位，而花卉纹则在后期占据了绝对优势。庙底沟的早期纹饰以影像式的鸟类形象为主要纹饰，可能是鸟作为族徽在彩陶上的表现。早期的鸟纹以写实为主，有侧视鸟纹和正视鸟纹两种，均被规范为影像式。1958年在柳子镇泉护村出土的早期的鸟纹彩陶钵，在钵体腹壁上绘有写实的侧面鸟纹，整个造型简练、生动有趣，呈影像效果。整个画面用写实手法不仅表现了鸟振翅欲飞的形象，同时还对背景作了简单的描绘。据考古资料显示，我们可以得知仰韶时期已经有了毛笔，许多陶器上的纹饰便是毛笔绘制出来的。这或许是庙底沟彩陶纹饰图案多为影像式的原因之一。

庙底沟彩陶中的鱼纹退居为附属纹饰，并多与鸟纹相结合出现。如临汝闫村出土的彩陶缸，上面绘有鹳鸟衔鱼石斧图，图中鹳鸟用没骨法画成，鱼和石斧则用黑线勾勒而成，反映了当时的人们已经能够针对不同的表现对象运用不同的表现手法。鱼纹很明显已经退居为附属花纹，与半坡彩陶图案中的鱼为主题的花纹是不同的。在鹳鸟衔鱼图中，还出现了立置的长斧，斧柄上绘着X状标号。这显然不是一件实用的生产工具，很可能是象征着权威的器物。此外，含鱼的鹳鸟也不是一般的水鸟形象，《山海经·海外南经》记载："讙头国在其南，其为人人面有翼，鸟喙，方捕鱼，一曰在毕方东，或曰讙朱国。"彩陶上鹳鸟与鱼似可理解为以鹳鸟为族徽的氏族与以鱼为族徽的氏族部落间联谊的表现。

庙底沟晚期的鹳鸟衔鱼石斧彩陶缸与半坡时期的水鸟衔鱼纹细颈彩陶瓶,题材都是描绘水鸟叼住鱼的场景,形态逼真,具有很强的装饰效果和浓郁的生活气息。彩陶中此种题材和如此具象的描绘仅此两例,其中蕴含的深意耐人寻味。"庙底沟类型的晚期相当于半坡类型的四期"①,半坡类型以鱼纹为主要纹饰,庙底沟类型以鸟纹为主要纹饰。在两种文化交互的地区出现了部分鱼、鸟结合的作品,这反映了两种文化曾经的交流、碰撞和互渗。这些对场景、情节描绘的画面都反映了人们表意的造型能力有了很大的提高,同时有了相对完善的观察和思维能力。

庙底沟彩陶中还出现了少量的具有空间概念的鲵鱼纹,主要绘制在陶瓶上。甘谷县王家坪出土的彩陶瓶上的鲵鱼图像,形态逼真。这幅鲵鱼图像的细部画得较具体,脸部、爪指和身上的网状花纹都用劲挺的细线勾勒而成,但头部似人脸,嘴部有须,只有两足,是人格化的鲵鱼形象。这幅鲵鱼纹是采用俯视的角度,描绘出鲵鱼爬行游动的姿态,表明了当时的先民进一步丰富了角度和时空意识。由于鲵鱼纹具有某些和人类相似的特征,所以被作为氏族族徽是可以理解的。

花卉纹在庙底沟彩陶后期纹饰中占有绝对优势。庙底沟的植物纹饰最为丰富多彩,是庙底沟发达的农业和采集业在绘画艺术上的反映。庙底沟的花瓣纹,早期以圆点为中心五个椭圆形排列而成花朵,花瓣与圆点的不同排列和组合形成了多种花纹,如花叶纹、豆荚纹、旋花纹等。由于花纹图案母题的单一性,花卉图案常常是几种花纹配合穿插,造型之间相互因借,同时以黑色圆点在其中起连接和点缀作用。各种图案中最有特色的有回旋勾连纹和旋花纹将不同的花纹有机融合,动势极强,充满了生机。这些纹饰虚实结合、相互穿插的技法类似于现代工艺美术的表现手法。

其次,几何纹饰在庙底沟彩陶中显示出自己的特色。它们主要有仿生性纹饰的变体和源于编织物肌理和制陶工艺的几何纹饰两种。在仿生性纹饰中,以简单的弧线表现植物的形象是庙底沟彩陶的最基本特点。

---

① 张朋川:《黄土上下——美术考古文萃》,山东画报出版社 2006 年版,第 37 页。

由植物纹发展的变形几何纹饰在庙底沟占有很大比重。人们用简单的点、线、面相互结合,可以自由地连续演变为许多几何形的花纹。庙底沟的植物纹区别于其他植物纹的特色是善于用简单的弧线来描绘植物,并且善用圆点或圆圈起中心连接作用。这些纹饰以几何形的样式大量出现在庙底沟彩陶上。有简单的叶纹或钩羽圆点纹构成独立的单元,连续环绕器身形成带状纹饰;也有以整体的植物纹饰作为一个单元,通过巧合的手法相互组合,绘在陶器的上腹部。植物纹充分利用了露底与彩绘相互穿插、对比的方法,使纹饰极富变化而又十分统一和谐。

庙底沟彩陶上鸟类纹饰呈现出从具象的自然纹演变为抽象的几何纹的发展过程。经苏秉琦先生根据考古底层和器型排比,得出庙底沟彩陶上的鸟纹是由具象发展为抽象的结论。张朋川认为,随着"实用装饰的审美观念愈来愈强,因此模拟式的具象的纹饰,逐渐变成表意性的纹饰,不仅不断简化,而且造型愈益概括,由自然形纹样演变成几何形纹样"[1]。相对于自然纹饰,富于变化、适形性强的几何纹饰能更为自如地进行造型调节以适合器物造型,可能这也是成为主导彩陶纹饰的原因之一。

源于编织物肌理和制陶工艺的几何纹饰是由制陶工具和方法所造成的。庙底沟陶器出现了不少线纹,可能是由于大量使用泥条盘筑法成型,"螺旋式盘筑法就会产生螺旋线纹;堆筑法会形成同一间隔的线纹,使用轮制法则会产生更为规整的线纹"[2]。随着生产的发展,这些花纹逐渐地愈来愈具有装饰性,由对物质生产表现形态的模拟逐渐转化为精神生产中的艺术表现。

值得注意的是,庙底沟类型彩陶常常以不等距的定位点构成散点式流动的不对称图案,而以统一的造型和动势使图案纹饰取得和谐的效果。

再次,庙底沟彩陶还表现出鲜明的色彩意识。在新石器时代,人类对颜色的识别和运用有了显著进步。吴山说:"新石器时代的人类,对装饰色彩的识别和运用,已具有一定水平,并对后代发生着深远的影响。"[3]新

---

① 张朋川:《黄土上下——美术考古文萃》,山东画报出版社 2006 年版,第 101 页。
② 吴山:《中国新石器时代陶器装饰艺术》,文物出版社 1979 年版,第 17 页。
③ 吴山:《中国新石器时代陶器装饰艺术》,文物出版社 1979 年版,第 37 页。

石器时代彩陶上的用色,一般在红底、橙黄底或灰底上,绘黑色或深红色花纹。红配黑、黑配黄、灰配红,间以白色和浓淡色等作点缀。用色不多,但不单调,看上去既对比鲜明,又沉着而和谐。

庙底沟彩陶纹饰的色彩主要是特色明快和谐的红底黑花纹饰。庙底沟陶器多为细泥红陶,所以色彩以黑彩为主。马承源指出:"这种黑彩,沉黑而纯匀,经过窑中烧过后,甚至会发出一种黝黑的光芒,直到今天,有些还像新的一样,不受时间影响。"①红黑搭配形成强烈的对比,虽然用色不多,但由于纹饰图案变化反复,庙底沟人又善于运用虚实对比的方法显形,故并不觉得单调,反而有一种单纯、明快的艺术效果,而且还根据不同的描绘对象,调整色彩的运用。早期的鸟类具象纹饰多以剪影的方式,用黑彩以单独纹饰的形式绘在陶器上;而后期的花瓣纹则是以黑彩来反衬红底所凸显的花形,与中国传统绘画中的留白有异曲同工之妙。

陶衣的运用使彩陶具有更为鲜艳明快的效果。庙底沟类型在后期出现了带陶衣的彩陶,陶衣一方面可以掩盖陶器表面的粗糙和裂纹等缺陷,另一方面也是为了陶器上彩的方便。庙底沟多施红色陶衣,有少量施白色陶衣。色泽细腻、均匀的陶衣与构成纹饰的色彩起着对比的作用,从而使画面更为明快。另外,人们已经懂得根据原料的不同利用还原焰、氧化焰等来赋予陶器以各种不同的色调。

黑、白线条勾勒出纹饰的轮廓。庙底沟少量的陶器用白色线条在黑线旁勾勒出数道轮廓,如涡纹曲腹盆,黑白色彩相间,使得黑彩纹饰更为醒目,与红色底衬相呼应,装饰效果更为强烈。也有以白色彩绘和黑色勾边的,最具代表性的就是"鹳鸟衔鱼石斧彩陶缸",鹳鸟通体用白色颜料使用没骨法绘成,而石斧、鱼和鸟眼均以黑线勾勒而成。虽然其中含义我们尚无法解释清楚,但说明人们已经有意识地根据不同描绘对象使用不同的色彩和不同的描绘手法来表现,使画面呈现出丰富的面貌。

总之,庙底沟纹饰图案繁复多变,运笔流畅、构图严谨,具有很高的装饰性和观赏性。"在原始社会时期,陶器纹饰不单是装饰艺术,而且也是

---

① 马承源:《仰韶文化的彩陶》,上海人民出版社 1957 年版,第 36 页。

族的共同体在物质文化上的一种表现"①。庙底沟彩陶纹饰,不仅向我们展示了当时的社会生活状况和制作工艺的发展水平,同时也包含着庙底沟原始先民的精神追求和审美意识的发生发展过程。

四、艺术表现

庙底沟类型彩陶在整个陶器群中的数量众多,器型独特,图案母题丰富多彩,具有很高的装饰性和观赏性。纹饰组织较半坡时期更为规整,手法也更为多样。庙底沟类型彩陶的纹饰将点、线、面元素有机地进行组合,构图严谨规范。尤其后期的旋花纹以不等距的定位点构成散点式流动的不对称图案,且在造型和纹饰中多用圆滑的曲线造型,以统一的造型和动势使图案纹饰具有流畅和谐的效果。图案纹饰中还使用影像的表现手法,使图案与露底的空白部位形成黑白相间、虚实对比的均衡效果。尤其在后期的几何纹饰中,通过空间的划分,以连续的图案环绕器物一周,这种以有限表现无限的方法使人感到意味深长,从而调动起人们丰富的想象力,给人以无穷的回味。

第一,圆点在庙底沟几何纹饰中起到了中心连接作用。庙底沟纹饰的主要构成元素为圆点、勾叶、弧三角、直线、曲线等。庙底沟早期的影像式写实鸟纹,头部便是以圆点来表现,随着鸟纹的抽象化,圆点逐渐缩小,将不同的花纹有机地组织、融合起来。圆点的连接作用同样表现在庙底沟的花瓣纹中。从庙底沟的"彩陶曲腹花瓣盆"和"涡纹曲腹盆"的纹饰中,我们可以看出,庙底沟的花瓣纹早期以圆点为中心,五个椭圆形排列而成花朵,花瓣与圆点的不同排列和组合形成了多种花纹,如花叶纹、豆荚纹、旋花纹等。"特别是在后期的旋花纹中,圆点的中心作用更为突出,圆点与弧线、弧三角有机融合形成动势极强的旋花纹,同时圆点在整体纹饰中起定位作用,使得繁复的图案花纹变化丰富、有条不紊"②。如果将绕彩陶盆一周的花瓣展开,就会发现这些连缀起定位作用的点正好

① 石兴邦:《有关马家窑文化的一些问题》,《考古》1962 年第 6 期。
② 马宝光、马自强:《庙底沟类型彩陶纹饰新探》,《中原文物》1988 年第 3 期。

构成一个十分严格的纵横交织的方格网。这种以点定位的图案构成方法对马家窑文化、大汶口文化和大溪文化彩陶都有较大影响,后来"成为中国传统图案主要的构成形式之一"①。

第二,活泼流畅的曲线造型在庙底沟类型彩陶的器型和纹饰上大量使用,半坡时期的直线在此时发展成为曲线。庙底沟陶器中的碗和盆是最常见、最富有规律性的器物,整体造型以曲线为主,线条圆滑优美显出变化中的形式感,对线的把握显得很有信心。如曲腹盆的腹部曲线呈圆弧形,口唇部多有卷唇或折唇,底部线条拉直,收束有力,一改半坡时期少有变化的圆弧线条,随着线条的曲折变化使造型具有了一种形式感和和谐感。

这种曲线尤其典型地表现为弧形线。庙底沟彩陶的纹饰图案主要由垂弧纹、弧三角、斜线等一系列富有变化的线条组织而成,弧形线为其主要表现方式。庙底沟的动植物纹饰均以流畅的曲线造型与点的有机结合,图案之间相互穿插,显示出庙底沟奔放活泼的风格。其中极富特色的回旋勾连纹和旋花纹,相互勾连的弧线造型,以点连接,形成连续不断的花纹。图案之间相互穿插旋变,显示出庙底沟奔放活泼的风格。

第三,影像式的表现手法与露底的空白部位体现了虚实对比的装饰效果。庙底沟彩陶的纹饰注重虚实相生、阴阳结合的表现原则,无论是涂彩的阳纹部分,还是不涂彩的阴文部分,如单独地进行观察,都可以给人以完整的花纹图案的效果。这在花卉图案中表现尤为突出,构成花朵的每一瓣花叶,既是黑色或褐色弧线三角形构成,又是露底的空白构成。这种以虚当实、虚实相生的艺术手法和传统,在庙底沟彩陶中已比较成熟。如果把阴纹视成图案,那么阴纹本身便具有了阳纹的效果,而阳纹却成了有意涂成的底色;反之,如果把阳纹视成图案,那么阴纹就变成了烘托阳纹的底色。如果将阴纹和阳纹结合在一起观察,那么花卉图案就显得更为绚烂。

第四,庙底沟的纹饰表现已经对均衡、对称等形式规律有了一定认识。在器型的制约下充分展开图案,根据不同的器型,其纹饰图案也会有所变化。庙底沟的典型器物盆、碗等矮型陶器,由于视角的原因,纹饰多

---

① 张朋川:《黄土上下——美术考古文萃》,山东画报出版社 2006 年版,第 11 页。

施绘在面积开阔的上腹部。图案采用对称均衡的格式,以圆点、弧线、斜线为主要元素构图,环绕器物腹部一周形成连续的横向装饰带,其纹饰极富变化而又十分和谐统一。相对来说,高型器物如瓶、缸等则常以单独纹饰绘于器物的一面,并且还出现了图案之间的组合,如"鹳鸟衔鱼石斧图"已经是具有一定情节性的画面。

庙底沟的几何纹饰一般通过反复、排列、组合形成富有动态的图案带环绕于器物的一周。同时还会根据器物造型对图案进行灵活的构成,如一般碗多饰以垂弧纹,而盆则多饰以花卉和花叶的几何纹饰。正是花卉纹的图案相对简单,因而多施绘在腹部面积局促的敛口浅腹盆上;侧视花卉纹的图案相对繁缛,因而多施绘在腹部面积开阔的曲腹盆上。花卉图案由于是绕器连续交错构图,所以图案的单元划分显得格外重要,彩陶图案中多用点、斜线用以区分和界格不同单元的部分,同时还起到连接不同单元的作用。这种变形的几何纹饰相对于自然纹饰能更为自如地进行造型调节以适合器物的造型,这是几何纹饰成为彩陶主导纹饰的原因之一。

总之,无论是器型还是纹饰都是源于社会实践,人们在进行各种生产活动的同时,不仅掌握了各种器型的制作工艺以满足实用功能,还以绚丽多彩的装饰花纹满足了人们的精神需要。在纹饰构成的初级阶段,对周围事物的描绘可能与人类的生存意识相关,而不是为了审美,"但可以肯定的是原始先民们在绘制这些彩陶图案时有着整体的构想,一件器皿上的装饰花纹代表着一种完整的图案结构,充溢着自身的韵律和节奏"[1]。其器型与纹饰上的曲线变化,显示了庙底沟特有的奔放活泼的风格;而其虚实相生、阴阳组合,以有限表现无限的装饰手法则对中国传统图案的构成产生了相当的影响。在晚于庙底沟文化的诸考古文化中,彩陶艺术虽得以延续和发展,但在艺术成就上却少有超越庙底沟文化者。兴盛时庙底沟文化的分布范围北达内蒙古南部,西到陇东一带,南及汉水流域,东越河南中部。庙底沟文化因素的传播远达数百、上千里之外,黄河流域及周边地区文化面貌空前相类,这种大一统的局面在我国新石器时代是绝

---

① 武丽敏:《论彩陶纹饰的起源》,《晋中师范高等专科学校学报》2003 年第 3 期。

无仅有的，其势力之强大，为仰韶文化之最。

第四节 马家窑彩陶

马家窑的彩陶文化是新石器时代晚期的文化，距今5000—4000年左右，分布在黄河上游一带，是在庙底沟文化向西发展的背景下产生的，所以过去曾一度被称为"甘肃仰韶文化"，也有着大溪文化的一些特点，但已经形成了鲜明独特的美学特征。马家窑彩陶是成熟的仰韶文化后的又一高峰，是彩陶史上的鼎盛时期。

马家窑文化的彩陶以手制为主，大型的壶、罐、瓮多采用泥圈盘筑法，分段多坯，然后拼接成型，再用陶轮修整，待干后打磨表面、施彩，然后入窑烧制。可以分为四个类型，即石岭下类型、马家窑类型、半山类型、马厂类型。这四个类型在时间上是相继的，其中半山和马厂类型的分布有交错与共存现象，中间穿插了宗日文化彩陶。其中，石岭下类型是一个过渡期，马家窑类型因其器型多样、造型优美、制作精美、纹样繁复、构图奇特，代表了最高艺术成就和审美趣味性。到了半山时期，呈现出整体衰弱的趋势，这和当时人们的生活状态和审美心理的微妙变化有很大关系。

一、实用与审美

马家窑彩陶是在仰韶文化的基础上发展起来的，其实用性与审美性的协调达到了彩陶史上的巅峰期，实用功能的需求推动着审美的发展，而审美功能的追求则可能促使更多的实用功能的发现。马家窑彩陶在很多时候还只是实用器物，但随着没有实用意义的附加器饰以及复杂有规律的纹饰的不断出现，表现出很高的审美情趣。审美性的追求如特异器型的出现，也极大地丰富了彩陶的实用范围，但是审美性并没有以影响器物的实用性为代价，而是在实用的基础上增添了审美的附饰，或是通过对实用器型的改良而获得审美趣味。

马家窑类型沿袭了庙底沟的器物特点，也有卷缘盆和彩陶碗等，还出现了壶、罐、盆、钵、瓶等，造型日渐丰富，并且有了很大的改进，细颈硕腹瓮增加了容量,并逐渐褪去了稚拙感,而造型别致的小口尖底瓶也不再给人上大下小的感觉,而是逐渐收束,修长挺拔。马家窑类型壶罐,直短颈,小口,肩部略宽,腹部较小。半山类型时,陶器多为短颈,敞口,溜肩,壶罐鼓腹膨胀到最大,敛底。马厂类型早期的双耳彩陶壶矮胖,短颈,侈口,长颈的多为直口;到中期,器型发生了变化,整体趋于瘦长,腹部内收,颈加长;晚期朝着更瘦长的方向发展,最具特征的是高颈双耳罐,颈部向内收束成凹弯形,溜肩,腹部上方略收,下方膨圆底部再收,两头小中间大,极富特色的半圆形,浑圆舒展,修长秀美,造型精巧,线条流畅。这是在增强器物的实用性的同时,审美性也有所提升。后来,口、流、肩、腹的多样繁复,錾、足、座、盖等的逐渐产生,彩陶器型从单一到多样化,从普通到特异器型的产生,不仅是多种用途的需要和多种功能的满足过程,也是审美性同步提高的体现。如马厂类型中出土于青海民和的"双耳四錾彩陶罐",是实用功能和审美特征的巧妙结合。

这里的实用,一方面是指日常生活中的使用。马家窑彩陶的器型,在前期比较重实用,腹多为球形及其变体,追求大容量及盛装东西的方便。造型方面,甘肃兰州出土的马家窑类型的带盖彩陶罐,盖上钮的造型像一根瓜藤,很有美感。盖上带钮,可以避免在盛装热的东西时被烫伤,而且也有利于拿起盖子。有些陶壶是模拟葫芦的下半截,因为葫芦的上半部分运用于陶罐或壶等是不实用的,说明人们是追求造型优美的同时,是很重实用的。不管是纹饰还是器型,似乎都向着直线化发展,出现了直筒杯。器物的颈变直的同时,实际上略带弧度,呈流线型,从实用角度来讲,是为了便于所盛装之物顺利地罄尽,而这跟人类似乎特别钟情于委曲也有一定的关系。

实用的另一方面,是一种礼用的需要或是其他的特殊用途。这一点,我们可以从是否是批量生产和纹饰上看出来。如舞蹈纹饰,"为什么在不同墓葬中发现的具有舞蹈纹饰的彩陶盆在数量上都不多,说明这种纹饰的彩陶盆在当时并没有大批量生产,而是为了特定目的制作的"①。彩

---

① 徐峰:《马家窑舞蹈盆及相关彩陶纹饰的文化隐喻初探》,西安半坡博物馆、良渚文化博物馆编:《史前研究》(2004),三秦出版社 2005 年版,第 312 页。

陶作为陪葬品时可以是一种身份的象征,而瓮则大多是作为二次葬时装尸骨的。马家窑类型中代表性纹饰涡纹,多用于瓶与罐的装饰。这种纹饰美观大方,有豪华感,对于当时的生产力状况而言,是奢侈品,可能只是氏族或部族首领专用的。纹饰的观赏性已衰退,走向符号化,正如苏联学者列·谢 瓦西里耶夫《中国文化起源问题》中所说:"中国彩陶在各个彩陶文化的陶器。生产中都属于做得最好最精致的部分,它不仅具有实用意义,而且与其说是实用品,不如说是礼仪用品。"[1]正是这种礼用功能的不断强化,彩陶后来逐渐为后起的青铜器所代替,走向衰落至消亡。

当然,这一时期器物的制作不可能完全摆脱实用的需求,而是在实用需求的基础上对审美的不断追求。当时的先民们装饰陶器,不管是为了满足原始宗教、巫术的需要,还是作为冥器使用,都必须以美化器物本身为前提,但是对器物审美的极端追求会对实用性产生阻碍,因而马家窑彩陶到了后期有反素的倾向。虽然马家窑彩陶的消亡和洪水有直接关系,但是,马厂中后期纹饰的简化、器物制作的粗糙,以及其后齐家文化中素陶的兴盛是一个不争的事实。而这种现象的出现,既是对一些繁缛风格的反拨,更是对审美妨碍实用的反拨。

二、观物取象

在新石器时期,先民们在视觉上总是不断地受到自然现象的刺激,留下深刻的印象,这些印象必然地会影响到他们创造陶器时的表现内容与灵感。马家窑人也是如此,他们对雷电、水、太阳等自然物象,鸟等动物以及一些植物,不断地被作为创作母题吸收进彩陶的创作中,反映了马家窑人的审美心理以及思维方式,于是就通过彩陶的制作将呈现于意识中的世界固定于器物中,通过这种活动使自己感到自己对世界而言是重要的。他们在陶器上通过对自然的模仿来表达自身丰富的情感。

马家窑陶器的螺旋纹是当时的人们仔细观察日常生活中习见的事

[1] [法]列·谢·瓦西里耶夫:《中国文明的起源问题》,郝镇华译,文物出版社 1989 年版,第 183 页。

物,在器表上加以临摹和表现的结果,可以看作是雷电状貌的一种表现,故被看成是一种雷鼓纹。圆形是鼓的俯视平面形象(已有陶鼓出土,鼓作为打击乐器出现得很早),填充纹是表示爬行动物的鳞纹、蟒皮等蒙成的鼓面,而圆周围的波状纹则是闪电的象征。鼓纹和闪电纹一起,表达了古人对雷电敬畏的心态。在古人的祭天和祈福的仪式中,鼓是重要的乐器,模仿它主要是在模仿雷神的神威。

水纹是马家窑陶器上常见的纹饰。水对原始人身心的陶冶,让原始人获得了极大的精神享受,体现在纹饰上就是对水和水生动物的模仿刻画。马家窑类型的旋涡纹体现了当时黄河上游地区人们对水的感受,蕴含着一种生机和活力。受水的灵感的激发,"双耳四系彩陶瓶"中的水波弧线纹,深受汹涌澎湃的黄河的启示,彩陶上的旋涡纹深受湍急、奔腾水流的激发。

蛙纹等水生动物纹也是源自于当时环境中习见的水生动物对灵感的激发。蛙可以理解为控制水的神,人们此时已从对水的敬畏中走出,转而对蛙崇拜。当时黄河上游流域农业已经很兴盛,雨对人们来说有非常重要的作用,而蛙的生理变化与雨水、季节变换有着极强的对应关系,很容易被联想为与降雨或季节变化有关。马家窑类型的蛙纹彩陶钵,蛙的形象是大眼圆瞪,腹部圆浑,由三条黑色竖线一分为二并绘有整齐的网纹,根据器物颜色可以判断不是长期使用的实用器,有着特殊用途,可能是人们用来祈雨的。随着蛙纹演变为万字纹,越来越向抽象化发展,这种象征意味也越来越明显。

类似的纹饰还出现了相关内容的组合,如水纹与网纹、水生动物纹的多重组合等,构成一个表意的画面。1966年,甘肃兰州出土的"双鱼网纹彩陶钵",图案装饰于钵体内,两条肥鱼很写实,网纹可以看作是鱼网,反映了当时的原始人捕鱼丰收的祈愿。网纹也可以看作是一种没有意义的单纯几何纹,这也是马家窑文化时期装饰的一个特点,即动植物纹和几何纹组合的使用。此外,还出现了波形水虫纹、平行水波纹等纹饰。

马家窑陶器中的鸟纹也别具特色。马家窑类型中的鸟纹以点为中心,向四周旋转,如1973年甘肃秦安出土了"羽状纹彩陶罐"等。1976年甘肃兰州出土的"内外彩羽状旋转彩陶罐"。李泽厚在《美的历程》中提道:"鸟纹经过一个时期的发展,到马家窑期即已开始漩涡纹化。而半山期漩涡纹和马厂期的大圆圈纹,形象模拟太阳,可称为拟日纹。当是马家窑类型的漩涡纹的继续发展。可见鸟纹同拟日纹本来是有联系的。"[①] 1954 年甘肃还出土了一件鸟形彩陶壶,器型很罕见。1974—1978 年,青海乐都柳湾遗址出土的带流彩陶壶,和一般的陶壶相比,多了流,是对鸟的一种模仿。1977 年,青海民和还出土了一件马厂类型的鸭形陶壶。

当时黄河上游流域的农业和采集业很发达,先民艺术家从生活中汲取创作题材,对植物进行模仿,1958 年甘肃兰州出土的马家窑类型陶豆以及 1974 年青海民和出土的马厂型陶罐,前者的底边,后者的口沿,都制成了荷叶边形。这似乎并没有什么实用的意义,体现了原始人对美的追求,如荷叶举于水面,和舞蹈彩盆上饰的柳叶一样,都是能产生美感的。而马家窑类型出现的束腰彩陶,是模拟葫芦的。1991 年甘肃广河县祁家集出土的叶形纹铃,器型呈单节长柄葫芦形。1956 年,甘肃皋兰出土的半山类型的内外彩直线、半圆纹彩陶勺和三角形文彩陶勺,是半葫芦形的。1958 年,青海化阴出土的"葫芦形网纹彩陶罐",以葫芦作为一种纹饰。

观物取象与单纯地写实模仿不同,马家窑先民观取大自然中、生活环境中的具体事物,经过思维概括后形成象征之意,表现在纹饰上就是一种图案简化和抽象化,最终表现为独特的几何形。这些螺旋纹、水纹及鸟纹等纹饰图案,正是先民们长期所形成的观照方式、体验方式和思维方式的产物。

三、近取诸身

除了对自然物模仿外,马家窑人还"近取诸身",在陶器中表现人自身的形象,充分体现了人的自我意识的觉醒和人性的形成与升华。除了直接将人体作为纹饰外,还将这种意识寓于彩陶器型的制作中,这是马家窑先民将自己作为生命主体在审美创造中的形象化和具象化,通过"移

---

① 李泽厚:《美的历程》,三联书店 2009 年版,第 25 页。

情"的作用把客体对象人格化。这种造型观念沟通审美主体和审美客体，可以自由地对人的审美感受用象征的手法，在物我之间进行合目的性的、同时又是突破常规的价值创造。

马家窑时期已经出现将人作为纹饰的陶器，如舞蹈纹已经出现。这种纹饰在盆罐壶上都有发现，而在盆上发现的最多。如 1973 年青海大通上孙家寨出土的"舞蹈纹彩陶盆"，是三组五人的。在甘肃武威磨嘴子采集也发现一件舞蹈纹盆，另一件出土于青海同德宗日遗址，一组为 11 人，另一组为 13 人。还有甘肃酒泉干骨崖出土的舞蹈纹罐，以及流失到日本的舞蹈纹盆。宋兆麟先生根据民族学方面的材料将原始舞蹈的内容分为：生产舞、恋爱舞、巫舞和战争舞四大类①，当时的人已经将自己的一部分生活状况反映到了陶器制作当中。

马家窑彩陶造型有不少是以人形为参照，将彩陶器型的各部分与人体的各部分相对应地进行艺术处理，轮廓的曲线越来越鲜明，从单一的圆形向更为丰富复杂的方向发展。而壶、罐陶器等在马家窑类型时整体上已初具人头形端倪，甘肃秦安县焦家沟出土了一件马家窑类型早期的"人头形器口彩陶瓶"，器口的人头不是立体的雕像，而是在壶颈上以浮雕和彩绘的形式做成人面像。马家窑类型晚期的一件完整人头形器口彩陶壶，在壶颈的一面有突出的扁片状双耳，半山类型彩陶壶颈部特有的小耳就是从马家窑类型彩陶壶的人头形器口上的双耳发展来的。人物面部上方浮雕有隆起的鼻梁，双眉沿器口外壁而绘，双眼圆而有神，大嘴很夸张。到半山时，在人们视线所及的腹部上半膨圆，下半收束侈口，纹饰一般在两耳之上，两耳和陶器整体位置比例已更似人头部。发展到马厂时，两耳下器型拉长并内缩，造型趋于椭圆修长，已经是人的整体了，体现在耳的位置的变化：从肩腹的分界线位置逐渐到颈部。双耳上似人的头发，并加冠，耳下好像是人的面孔；或者也可以看作是戴了面具的人头。另外，马家窑陶器中还出现了"人头彩陶壶"、"男女人形浮雕彩陶壶"，马厂

---

① 参见宋兆麟：《中国风俗通史·原始社会卷》，上海文艺出版社 2001 年版，第 513 页。

时期的男女同体瓶。

在纹饰方面,马家窑陶器中也有一些人的形象的表现。它们多表现为神人纹,多为播种的,可能是担负着司营农业的农神,从中也多少反映出当时人主体性的意识还不十分强烈。动物纹和人纹没有很明显的区分,人纹基本上是动物神的人化,即"神民杂糅"。实际上神也是人的另一种表现形式,人们常常将自己的理想寄托在神的形象上。如青海柳湾出土的一件"浮雕裸体人像彩陶壶",壶上的浮雕人像和神人纹配合使用,是人神共同体的两种不同形式的表现。这也说明了,马家窑先民不会用静止的眼光去观察物象,他们不仅能将一个物体的几个特征同时表现出来,还特别善于从多角度去理解几组不同事物,并将它们的特征在同一画面中进行综合表现。

四、线条的写意

马家窑陶器的纹饰已经通过线条写意。线条由具体的纹饰演化而来,是对外在世界的描摹的抽象,倾注了创造者的情感。马家窑彩陶在单纯、明快、绚丽而典雅的风格中,正是通过线条传达了丰富的情趣和韵味,甚至被视为中国写意画的起源。

彩陶上的纹饰从笔迹上可以看出是用毛笔画出来的,李泽厚在论证线条的美感时,举马家窑陶器上的蛙纹为例,指出:"它决定了线的艺术的可能和发展,……线描流畅,有的粗放,而且有笔锋的显然流露。可知当时彩陶的描绘,已经有了毛笔的使用,……近乎兽尾或羽毛之类。用毛笔划线,其粗细变化,转折进行,可以异常自由灵活,而且形态万方;它的走向、动势、力度等等,如同音乐一样,又可以直接与情感相联系"①。特别是纹饰的规整化、线条直线化形成的陶文,可能是古文字的早期形态表现。如用直角折线组成的雷形纹和回形纹是云纹变化而成的,而大回纹的一节就是后来古文字中的回字,体现出原始人对世界的强烈感悟。

纹饰的抽象符号化体现了线条感的强化,并且体现了一定的表意功

---

① 李泽厚:《华夏美学》,天津社会科学院出版社 2004 年版,第 340—341 页。

能,这种抽象化了的图案或线条,暗示了当时人能意识到的普遍意义。同时,这种形式意义带给人以审美的愉悦。如弓字纹杯,单靠线的写意性来实现,器表图案由上百条细小的线组成,线条密实工整,在体现精湛技艺的同时,充满了想象力。马家窑类型彩陶瓶、壶、罐等器表绘制的多道平行线纹,是使用轮绘技术完成的,先民用这种高超技术绘制出的繁复线条纹饰,在当时应给人具有普遍性的审美感受。

马家窑陶器对曲线的运用,体现为漩涡纹和螺旋纹样式的多变,通过线条的各种不同组合体现出不规则的美,从中体现出先民求新求异的美感追求。漩涡纹线条组合密而不乱,繁而有序。螺旋纹有许多较复杂的式样,是线条组合的不断变化。在半山类型中,它是以点带线手法绘成的,先画出圆,再用弧线将圆按不同的方式进行连接而成。随着圆形核心的扩大,花纹也逐渐增多,比如在圆中间填入十字形、波浪形的线条和圆点形花纹、米字形花纹。螺旋形更加扩大时,就这中间描上了美丽的编织纹。当核心的圆环一直扩展到肩部和中线,看来只像四个大圆圈,也就形成了马厂类型时的四大圈纹。

匀细的直线纹和粗壮的宽带纹,组合构成新颖的图案,斜正组合、疏密有致、虚实相生,规整无雷同感。斜线体现出人类早期视觉经验的空间感,如马厂类型出土的小口双耳罐,是用倾斜的关系展示立体的自然,体现了人们反映真实的愿望。而同心圆,既是一种圆形思维更体现着早期人类的时间观念,来自于万物死而复生循环不已的启示。马厂的“细线回形纹彩陶杯”不仅是当时高超技术的体现,更是人们审美心态的体现。

马家窑彩陶以点、线、面的变化组合来表达强烈的思想感情,是通过对客观物象实际接触后所获取的感性理解,并以平面的表现手法表现出来,解决了多维感受的特殊格局,为丰富多样的大千世界开辟了和谐的、理想的审美空间,给人无穷的遐想和美感,带来强烈的感官刺激。

五、和谐的原则

马家窑文化的彩陶造型优美,器型规整,其纹饰虽丰富、繁缛,依然不失其布局的有序与匀称。在观物取象过程中,马家窑人将自己对自然界中的和谐尤其是对对称、韵律感、节奏感的感性体验,不自觉地体现在器物上,使器型和纹饰的结构协调、匀称,线条也显得鲜明、流畅,有较强烈的动感。正因如此,马家窑文化的彩陶才能被称为"中国彩陶艺术的巅峰"。

这种和谐一方面表现为器型规整、设计精妙,尤其是线条的自然流畅,简单、平直,多直线而外凸,具有一定的节奏感和韵律感,陶器的肩和腹明显分化,并且具有对称的特点。陶器的肩和腹用一条或隐或现的弧线衔接,并且圆肩接斜腹,斜肩折成鼓腹,其风格"单纯、淳朴、稳定而饱满",显得"丰满圆浑"[1],体现了线条的流畅多变。

另一方面,马家窑彩陶的和谐还表现在讲究纹饰之间以及器物和纹饰之间搭配的协调。如锯齿纹和垂幛纹配合使用,有一种柔和与刚劲结合之感,刚柔相济,整体上很协调。又如平行波纹有时虽不作为纹饰的主体,但和其他纹饰配合使用时,有速度感和坚硬感,能增强纹饰的完整性。纹饰所体现的主题性很强,多突出一个主体。纹饰的分布根据器型的大小来确定。无论是横向或纵向,都很讲究排列的和谐及规则,大型的多作分层排列,各部位的图案层次感很强,而小型的多用通体满彩。如甘肃永靖县三坪出土的彩陶王,造型巨大,根据器型特点分三层布彩,比例协调,各层的图案都是水的反映,主题也很和谐。在壶的下部一般没有纹饰,一是因为远古人席地而坐,视线所不能及;二是因为下部没有纹饰可以增强稳定感。

这种和谐还是有规律的,马家窑类型的漩涡纹和马厂期出现的万字纹,它们的旋转有一个统一的规律,都是顺时针内旋,这与太空星云的旋涡方向一致,也和后代的太极有一定的关系,给人一种生生不息、转动不已的感觉,包含了周而复始、无限循环、对立统一的生命意识。"原始人未必明确阴阳相合的宇宙观,但他们在审美上所体现的平衡、动感与生命力,像是领悟了生活的真谛。它的出现,反映出四五千年以前的原始氏族

---

[1]　李纪贤:《马家窑文化的彩陶艺术》,人民美术出版社 1982 年版,第 33 页。

对生命的把握和对生活的追求"①。太极象数删繁就简,在以后的中原文明中发展并定型。这时先民已经注意到了阴阳相反相成的巧妙组合手段,在构图时也注意锯齿相对。

　　构图采用二方连续、四方连续等,也是陶器在有规律的节奏中体现和谐的重要方面。它们排列别致,具有正视、俯视多角度的欣赏效果,半山类型的纹饰就特别明显地具有这一特征。1973年广河县地巴坪出土的"垂弧锯齿纹双耳罐",腹部为多层垂幛纹和锯齿纹组成,且有立体效果,俯视时,感觉是盛开的花卉附于罐上。出土的很多葫芦纹饰,无论从哪个角度看,都很有美感。彩陶王体型巨大,根据器型特点分三层布彩,比例协调,各层的图案都是水的反映,主题也很和谐。对称的连贯人物舞蹈图纹、鱼网纹、菱形网格纹、叶形纹等生动流畅,具有强烈的装饰意味,对中国后来的纹样图案的发展产生了深远的影响。

---

① 田自秉、吴淑生、田青:《中国纹样史》,高等教育出版社2003年版,第54页。

第四章

新石器时代陶器（下）

第一节 河姆渡陶器

新石器时代的河姆渡人,在距今 7000 年以前,就已经有了较为精细的陶器创造。其精湛的雕刻工艺,生动逼真的陶塑,优美的刻画装饰与人体的装饰和佩饰等,创造了既灿烂辉煌又独具一格的原始艺术,有力地体现了河姆渡人审美意识的觉醒。除了部分的佩饰等是专为审美而创造的以外,绝大多数既是实用对象,又是审美对象,体现了河姆渡人自发的审美意识,在中国远古时代审美意识的发展历程中起着桥梁作用。在陶器的创造中,河姆渡人展示了自己的审美趣味和创造力,体现着当时长江流域湖沼地带的自然环境和农耕稻作文化的特点,我们可以从器物的造型和纹饰推测他们当时的社会生活场景。

一、审美创造的生成特点

河姆渡人在陶器创造的过程中,经历了从实用到审美的过程,从中显示出因物制宜的特点,而工具的进步则给他们的审美创造带来了极大的便利,有力地促进了审美意识的深化和发展,并在陶器的创造过程中尤其重视观赏者的感受效果。

首先,河姆渡人的陶器创造体现了从实用到审美、艺用不分的原则。河姆渡的陶器就是他们的艺术品,他们把艺术性的理想表现在实用生活品上,反映了当时艺、用不分的特点,也是他们精神生活和物质生活的写照,同时表明他们已经有了专门的陶器生产者和创造者。"从河姆渡艺术本身所反映的情况看,当时已经出现了体力劳动和脑力劳动分工的萌芽。而这种最初的脑力劳动者,就是创造了精神财富的原始艺术工作者,或称之为原始艺术专门家"①。从完全的实用到艺、用不分，并由用而形成独特的审美趣味。如加炭化的植物碎屑制作的黑陶，原先为着防止开裂、提高耐热急变性能和耐用，后来则因物而形成独特的审美趣味与要求。到二期陶器的镂空装饰，则主要是为了审美了。为了烧煮的实用目的，由起到固定、稳固作用的支架演变而来，形制的变化中有实用的烙印，后来竟成了一种审美的趣味了，到了三足的陶釜已经很规整，且富于变化。许多陶器的造型和纹饰是在日常活动中，不经意间发现的。无论是手拿陶器留下的指纹压印、拍打的绳纹，还是贝壳、稻粒的印迹，都是由不经意间的效果得到启示，再自觉为之的。这些陶器上有的是已干后的刻印，有的则是未干时的压印，它们都是器物成型后装饰在上面的，与后来青铜器固定在模子的纹饰有很大的不同，有随意性和即兴创造的特征。陶器上的绳纹，也是由制陶工艺中由缠绳的拍子拍打的痕迹，渐渐转化为纹饰的。这些实用与审美的融合，说明这时已经有了自发的审美意识。

其次，工具的进步促进了审美传达能力的发展。工具作为人的器官的延伸，带来了技术上的进步；同时，给陶器的创造带来了质的变化，使艺术的精美程度产生了飞跃。审美理想的深化、审美能力的提高，是一个逐步积累、由量变到质变的过程，它与人的创造力及其物化能力有着直接的关系。在陶器的创造过程中，河姆渡人继承了旧石器时代钻孔、染色、磨光和简单刻画等手法，并加以发扬光大。河姆渡陶器的纹饰主要靠雕、塑、刻等手法有机协调，形成了独特的艺术创造能力，特别是其中的划画，如压印、拍印等以及捏塑和堆贴方式，起到装饰性的功能。随着工具的进步，审美趣味也随着创造力的增强而日益深化。河姆渡的陶器已经开始了泥条贴筑和慢轮修整，且常用木拍、鹅卵石压光，用竹木和尖锥具雕刻，使陶器的器型更光滑、更规则，纹饰也更精美。陶器的套接，如分段筑迭、直迭和盘类斜迭等，也因方法的不同而影响到器皿的造型。当时的陶豆已经很规整，从中可以看出轮制的特点。饮食陶器用竹片和卵石等在陶胎上的刮削打磨，使其烧成后会墨黑发亮。

---

① 龚若栋：《河姆渡原始艺术的地位和价值》，《民间文艺季刊》1988 年第 1 期。

　　再次,河姆渡人的陶器创造重视欣赏者感受的效果。河姆渡陶器的纹饰常常位于器物表面的显眼部位,为的就是便于感受。它们常常位于盘盆敛口的口沿、器座的底座等显眼部位,且常常在不易磨损的地方。与商周以后的有些纹饰为着某些宗教意图,而放在一些不显眼的地方有着根本的区别。一些陶釜侈口边缘的纹饰,充分考虑到俯视的整体效果。一些动物形象,从木器到石器,再到象牙骨器,以及陶器等,常常体现了动态的感觉。陶质纺轮的制作也开始注重动态的效果。纺轮上用弦纹、旋转纹,虽然静态效果未必明显,甚至显得零碎,但在旋转时视觉效果好,有的一个点旋转起来就可以变成一道线,有动态的完整性。同时,为了对象审美价值的持久存在,河姆渡人还重视欣赏的久远性,耐用品和固定器物,其纹饰就多而精细,而耗蚀品则很少纹饰,甚至不用纹饰,目的在于利于欣赏,便于流传。

二、审美创造的表现方法

　　河姆渡人在陶器制造的过程中,体现了实用的要求,由于更为精细的工具的使用,使得所创造的陶器在实用和美观效果方面都有了提高。审美活动和创造过程中所积累起来的经验也在逐步深化中得到升华。

　　第一是它体现了仿生的特点。河姆渡人已经开始重视通过仿生来进行陶器的创造,河姆渡陶器的表现形态大都即目所见。这些陶器的装饰,常常以人为参照,上重下轻,体现生命意识。如口、颈、肩部装饰精细,腹、底、下沿就相对较差,装饰大都在口沿和肩部。敛口陶器的创造,甚至受到了男性生殖器官龟头的启发。

　　生活场景在他们的心灵中深深地打上了烙印,陶器表面描写刻画的物象是驯养的家畜及生活环境中非常熟悉的动植物等,以及日常生活中场景的描述,是陶器制造者生活情趣的表现,常常还体现着他们的祈望。生活环境中的动、植物形象,影响着他们对陶器造型和纹饰的模拟和创造。作为鱼米之乡的河姆渡,在他们日常的“饭稻羹鱼”生活中,作为主食的稻作和农耕时代的其他植物,猪、狗等家畜,水中的鱼儿,空中的鸟儿都是他们常见、常用的,所见所想,都离不开这些,都启发了他们陶器创造

的灵感,故加以模拟和表现,造型优美,栩栩如生,从中体现了仿生的
特点。

猪纹陶钵形象介于野猪和家猪之间,猪纹的神态逼真、鬃毛直竖,猪
头前伸低垂,两眼圆睁,四足蹒跚,长嘴高腿,野性尚存,好似在觅食,笔触
流畅,能传神达意,是原始畜牧业的艺术缩影。特别是水稻,从禾叶纹到
稻穗纹,再到谷粒纹等,形成一个完整的系列,在河姆渡陶器的纹饰上占
有一定的比例,足见稻谷与南方人的生活息息相关,在他们生活中有着重
要地位。其中,鸟和太阳占了很大的比重,他们对鸟的摹写,说明他们爱
鸟、崇鸟,表达了河姆渡先民们对鸟能自由翱翔的好奇与羡慕,是对鸟的
礼赞。"双鸟朝阳"中双鸟对太阳的好奇心态,正是人类童年自身心态的
表现,有很浓的娱乐成分。

第二是具象与抽象的统一。纹饰中既有具象的实物摹写,也有抽象
的几何形,这是中国古人在观察、描写物象过程中向具象和抽象即几何和
写实两个方向发展的基本规律。纹饰的变迁也与模仿能力、写实能力和
创造能力相关。陶器的外形有很多的写实造型,它们古拙而生动。主要
有陶猪、陶羊和陶狗等家畜形象和陶鱼等,陶猪的憨态可掬,颇为传神;陶
羊则以夸张的后臀凸显它的肥壮;陶狗则以卧地小憩的静态作为器盖,放
在显眼的顶端;陶鱼两鳍竖起若翅,表现其动态的游动、飞跃,表现出浓郁
的生活气息。这些动物器型大都造型优美、栩栩如生。在具象的写实纹
中,在写实的鸟、猪等图像中,显示出高度的模仿能力。如猪身上的涡毛
或竖鬃,刻画得非常生动。河姆渡的陶器中,常常以曲线描摹物象的外形
与内在神情,已经是一种抽象了。几何纹饰如陶罐中的几何图案等,更是
有相当抽象的成分,反映了人们思维能力的提高。它是由繁到简,由具体
到抽象。从简单的压印、拍印纹,到抽象的线条,特别是其中的叶芽纹,开
始了有规则的连续和重复,其抽象的装饰能力更加明显,从中也体现了对
称和节奏感。

第三是构思的整体性。陶器表面的形象刻绘,如自然界的花草树木、
飞禽走兽、鱼藻纹、稻穗纹、猪纹、五叶纹陶块等,已经初步讲究整体的构
图。其构图在重视形式规律的基础上,体现了丰富的想象力和巧妙的构

思能力。在形式规律方面,从旧石器时代延续下来的均匀、规整和光滑等特点,在这时的陶器创造上得到了发展,其中尤其重视对称等形式规律。这是由对客观规律的体悟带来的形式规律的自发意识。如在长方形的陶钵上,有一对对称的猪;"双鸟朝阳"以太阳为中心,两鸟左右对称,具有均衡稳定的视觉效果,被运用到构图的形式规律中。这种对称的法则,显示出其整齐、稳重和沉静。河姆渡器物中的许多雕刻图案,都在讲究对称或均衡。陶钵上的纹饰反映了当时人构思的精巧和想象力的丰富,具有浪漫气息。夸张的使用也别具特色,如对变体怪异鸟的创造。在鱼禾陶盆中,鱼在游动,禾苗在水中静立,动静相合,构成一个和谐的整体。陶鱼的两鳍呈翅膀状,以管戳成的圆圈为鳞,表现出游鱼飞翔腾越的动态。浅浮雕以飞、禽、虫、鱼为表现素材,强调其神态和姿势。这些刻绘从描摹、构图及其设计、变异等,乃至陶器部位的选择,都显示出当时艺术家的独具匠心,我们现在管中窥豹,从出土陶器的一鳞半爪中,可以推测出当时的陶艺工作者的良苦用心和训练有素的技巧。

第四是表意性。河姆渡陶器的造型和纹饰已经有了很大的表意性。河姆渡陶器上的纹饰,无论是具体写实的,还是抽象表意的,都有了写意的意味。写实之中包含着写意,夸张也是为了写意。禾叶纹也多有写意的成分,并且有了丰富深刻的寓意。少有的彩陶也显示了它的写意性,如尖细的蔓草、浓彩重笔的阔叶,栩栩如生,错落有致。在一些陶塑动物中,为了突出其具有特征性的部位,河姆渡人常常在创造形象时使用夸张和变形等手法,如陶鱼的嘴、双鳍和腹部,陶狗昂起的头脖等,以达到传神表意的目的。有的刻有动植物图案的黑陶盆,甚至看上去像是后代的一幅写意画的画面。反过来也可以说,后代的写意画实际上多少是承续了这些陶器刻绘所积累的探求。这些日常生活场景的描摹,特别是禾叶纹、稻穗纹和猪纹等图案,既是通过描摹对自然的礼赞,也表达了他们对家畜的肥壮和农作物的丰收的祈望。至于一些几何纹饰,除了承载着演化前的实物韵味引发联想外,间接的寓意更为丰富,甚至具有朦胧多义的象征意味。在河姆渡陶器中,已经形成了相对集中的几何纹饰,说明其有了更多的自觉性,表意性也更强了。

三、独特的南方风格

河姆渡温暖湿润的气候,以及鱼米之乡的生活环境,对陶器的造型和纹饰的风格产生了深远的影响。这不仅表现在那些鱼、鸟、禾苗、稻谷等内容上显示出南方生活的画面,而且在形态上形成了自己的风格。陶器因当地的土质和保存环境,决定其陶器的质地和形态风格,其线条也多流动、变化,柔和、轻巧。康育义为此提出中国南北艺术的差异"就目前认识应当上溯到仰韶和河姆渡"是非常有见地的。他通过半坡和河姆渡艺术进行比较,指出:"前者喜欢对粗犷直线的追求,表现剽悍豪爽的性格以及对浓烈色调的偏爱,后者喜欢对柔和曲线的追求,不尚色彩,表现出温和潇洒和内含的性格,和对清淡素雅风格的喜爱。"①南方文化和南方艺术求精求细的特点,南北艺术的差异,在河姆渡文化时代就有了端倪。

河姆渡南方艺术的风格主要表现为线条明快,图案简洁,器面光滑。与半坡遗址中的彩陶浓墨重彩不同,河姆渡人的陶器中很少见到彩陶,而多黑陶,其装饰相对素雅,多白描,显示出他们在周边自然环境的影响下所形成的情趣,显得含蓄、隽永。

纹饰中常常反映出河姆渡人对线条更为重视,色彩则相对较少,但比起色彩更具有表现力,这既有时代的原因,更有地域的原因。南方风格由此发展。对线条的充分感受与传达是新石器时代的重要特点。李泽厚说:"如果说,对色的审美感受在旧石器的山顶洞人便已开始;那么,对线的审美感受的充分发展则要到新石器制陶时期中。"②吴玉贤也说:"河姆渡的艺术作品线条多而色彩少,表现了一种明显的时代倾向,这是积极的因素,说明了手法上的进步。"③而河姆渡人对线条更为重视,也更有自己的特色,这就不仅是时代的特征,更有着地域的特点了。与仰韶半坡遗址相比,河姆渡陶器的器型及纹饰早期以直线为主,晚期则更多圆润的曲

---

① 康育义:《论河姆渡原始艺术的美学特征——兼论中国绘画南北差异之起源》,《东南文化》1990 年第 5 期。

② 李泽厚:《美的历程》,三联书店 2009 年版,第 28 页。

③ 吴玉贤:《河姆渡的原始艺术》,《文物》1982 年第 7 期。

线。河姆渡的刻画艺术则更多曲线,在生动、传神中体现出南方风格的细腻、柔和、安详等。在陶器的装饰、刻画中,线条艺术别具特色。仰韶半坡遗址的器物多直线、粗硬,多曲折、圭角,多粗犷、刚劲。而河姆渡人则在线条中传达着情感,如卷曲线、短线、弧线、圆圈线、波曲线等,使得纹饰的笔触比较流利。

第二节 良渚文化陶器

良渚文化是中国长江中下游地区的新石器时代晚期文化,距今约5300—4000年。主要分布于钱塘江以北地区和太湖地区,在钱塘江以南的宁绍平原及舟山等地、南京宁镇地区、苏北海安县也有零星发现。良渚文化具有高超的制陶工艺。良渚文化陶器以泥质灰陶、夹细砂的灰黑陶、泥质灰胎黑皮陶和夹砂红褐陶等为主。早期以泥质灰陶居多,晚期则以泥质灰胎黑衣陶最为盛行。从使用类型来看,良渚文化陶器包括炊具、盛贮用具、食具、酒具和水具等几大类。炊具有鼎、甑等,盛贮用具包括双鼻壶、贯耳壶、盆、盘、钵、罐、尊、簋、缸、瓮等,食具则主要指豆类,酒具包括过滤器、鬶、杯、宽把带流罐形壶、杯形壶等。

一、社会背景

良渚文化陶器是中国史前制陶史上,出现于新石器晚期的一个高峰。它顺应良渚文化的发展,在其特定的自然经济、社会组织结构和原始宗教等背景中产生。

首先,良渚文化陶器的产生是适应饮食习俗改变的结果。良渚文化是新石器时代晚期父系氏族社会。良渚先民大部分时期居住在典型的亚热带温热潮湿气候环境中,各种木本植物、草本植物以及蕨类植物都十分繁盛。适宜的气温再加上地质变化所形成的优良的湖沼环境,使水稻种植条件得到进一步改善,也更有利于渔猎等生产,良渚社会也由攫取性经济发展出较为完善的生产性经济,农具逐步改进,农业生产进入了犁耕阶段,财富迅速积累。完整的农业生产与生活体系使良渚文化先民的饮食习俗发生了彻底改变,伴随这种改变的是大量陶制饮食器具的产生。

其次,制陶专门化促进了良渚陶器的发展。制陶工艺的发展令农业和手工业的分工更为明确,制陶更加趋于专门化。从良渚文化陶器的普及性,器种和数量的大幅度增加的情况来看,当时的相关产业不仅规模大,而且应有专业化分工,似还应有专门的设计人员,形成了一个庞大的手工业阶层和产业群体。尤其是在良渚文化晚期,尽管政体衰微,礼制疏松,但中下层普通聚落文化却继续发展,良渚文化陶器的数量和种类比前期迅速增加,此时的黑皮陶仍非常精美,并经常刻画有精细的花纹,显示作为手工业的陶器制造业,工艺技术在良渚文化制陶历程中的深远影响。

再次,礼仪等级制度促成了良渚文化陶器向实用化和精美化两极发展。随着贫富分化的加剧,特殊的权利层和阶级分化逐渐形成。良渚文化分布地众多的原始部落,渐渐演进为部落联盟,并发展出完整的古国、方国等准国家形态及较为先进的经济社会制度。在良渚文化内部也形成了严密的社会组织结构和严格的等级制度。统治者为了维护他们的统治,将崧泽文化晚期萌发出来的礼制幼苗培育并加以强化而固定下来。土筑高台纷纷营建,葬俗由以往以陶器为主转变为以玉器为主。而在举行婚丧祭祀、朝聘等活动时,所用的器类、数量和质量随着主人的身份、地位的不同而异。从不同墓葬出土的陶器的特点来看,良渚文化陶器满足了各个社会阶层的不同需要。在中小型一般部落成员的墓葬中,一般以陶器为主进行随葬,随葬器物很少,一般仅有1—6件,包括石斧、陶鼎、陶豆、陶壶、陶罐等,有的陶鼎的底部还有烟炱,可见多为生前实际生活使用的器皿。而在良渚文化的一些大型墓葬中,则主要以璧、琮、钺等玉器为主,陶器如鼎、豆、壶、尊、杯、罐等,虽只占少数但相当精美。如在浙江、江苏和上海两省一市,尤其是吴县草鞋山和上海福泉山墓地的良渚文化大墓中,发现了一批相当精美的细刻纹饰陶器。目前学术界较为普遍的观点认为,这些难得的珍品,它们绝不是一般的日用器皿,而是一种礼器。礼制在社会组织结构和政治上的高度一统的良渚文化鼎盛期被进一步强化,而这在某种程度上也限制了陶器的发展。在以良渚——瓶窑聚落群强盛和繁荣期为表征的良渚文化鼎盛期,此时的"王权"和古国特征最为明显,良渚——瓶窑聚落群地区作为政治、经济、文化中心,有明显的布局,并出现了早期城市的雏形。但严密的社会组织结构和政治上的高度一统却也导致了文化面貌上的一致,陶器的种类也相对单调,形态相近。

最后,部分精美的良渚文化陶器是为满足精神盛放而设。与长江流域的跨湖桥文化、河姆渡文化、马家浜文化、崧泽文化等考古学文化中,精神文化凝结于生产工具之中不同,在良渚文化中已形成了具有完整体系、独立于物质文化的精神文化。良渚人凭借自己切身的感觉经验去感知世界,以人的生活和思维来观照自然,并把自身的生命特征和情感赋予自然和神灵的世界,对自然物加以人格化崇拜。在良渚文化的一些大型墓葬中为数不多的精美陶器,多为满足精神盛放的功能。而良渚文化中器壁极薄的蛋壳陶以及工艺精湛、十分罕见的陶琮、陶璧则是满足观念形态需要的尖端产品。

以上因素交织在一起,共同构成了良渚文化陶器产生的时代背景。如酿酒业是农业的衍生品,规模农业使良渚文化先民产生祭天意识,也催发了酿酒技术和祭酒仪式,最早的酒与祭农神直接相关。酿酒业的发展使制陶进一步规模化,出现了一批为配合仪式专设的,以各种酒具为核心的陶礼器,这些器具造型形成了相当完整而独特的工艺体系,并且还有特征明显的地域风格。它们被制作得非常庄重和精美,用于礼制物品的盛放或"精神"盛放。

二、造型特点

良渚文化陶器具有典型的器型特征。从陶器的造型中不仅可以看到良渚文化对于之前在其所在地考古学文化的一脉相承,还可以看出良渚先民在创造这些器物时的匠心,他们通过长期的实践,不仅巧妙解决了实用性的问题,还通过适宜比例和尺度、有意味的形式,赋予陶器以神秘而优美的外形。

首先,良渚文化陶器造型显示出良渚文化与环太湖流域新石器文化的渊源关系。良渚文化不是无本之木,从地下文化层的叠压顺序来看,马家浜文化、崧泽文化是其直接的发源基础。崧泽文化的影响,在早期良渚文化中体现得尤为明显。如福泉山良渚文化早期墓葬出土的红陶附耳鼎，造型小巧规整，口微外敞，腹的两侧附二弧曲的把手，形制奇特，底腹交接处露出一周凸棱，腹下置三个扁凿形鼎足，具有崧泽文化的遗风。凿形足外，扁铲足鼎、肩腹部装饰组合弦纹的平底泥质罐、花瓣足圈足杯、壶等以及豆的造型也与崧泽文化同类器接近。良渚文化嘉兴遗址群的早期陶器也遗留有较浓厚的崧泽文化，如炊器中各式凿形足鼎占主导地位，蒜头壶、折腹壶明显是崧泽文化同类器的延续，罐、壶类器中假圈足、花瓣足较流行，出土的一种高把豆，腹下有垂棱，喇叭圈足装饰有组合凹弦纹或凹棱，也明显是继承了崧泽晚期豆的造型特点。

其次，在良渚文化中不乏模仿植物或动物造型的陶器。如青浦县福泉山出土的"黑陶椭圆形豆"，豆柄细长，施多道凸棱纹，犹如修长挺拔的秀竹。豆柄下端扩展成外撇喇叭形，显得精巧秀丽。又如上海县马桥出土的"黑陶阔把竹节形杯"。杯身为粗矮直筒形，饰多道竹节形凸脊。模仿动物形态的良渚文化陶器也很多，如鱼鳍形足鼎是典型良渚文化器型，几乎贯穿于良渚文化发展的全过程。上海青浦福泉山出土的黑陶鸟形盉，器口似鸟首，宽流上昂，上有器盖，扁核形的器腹，两侧凸出圆脊，腹下有三个扁足，器背有一个绞索状环形把手，整器似一只伫立的企鹅；浙江桐乡新地里出土的实足陶盉其造型如同站立的青蛙；龙潭港出土的灰陶杯则模仿鸭的造型。根据目前研究成果推测，良渚文化大部分时期草木萋萋，并存在动物王国。自然环境以及与此相适应的生活情态构成了良渚先民视觉经验的主体，启发着他们对美的创造。良渚陶器中的仿竹造型反映了新石器时代长江三角洲地区盛产竹子的自然风貌。而良渚文化中的仿动物造型在描摹自然外，可能还具有更深的内涵。早在嘉兴南河浜西区崧泽文化晚期遗址中就曾出土过陶龟、鹰头壶、兽面壶等艺术珍器。其中一大一小两件陶龟，大龟在下、腹部朝上；小龟腹部朝下，叠压在大龟上。两龟形态逼真，又有怪异，均为六足，背甲上有凸起的乳钉。这种神奇的特征，说明不是一般的龟，而是与祭祀、崇拜有关的神龟。良渚文化中仿动物造型的陶器，应当不是日常实用的器皿，而是与原始宗教中的动物崇拜有关。

再次,形态各异的良渚文化陶器充分体现了"用"与"美"的和谐统一。良渚文化陶器大多具有完善精密的结构,它们通常有盖和把手,切口结合严密,即便是与盖之间也保持吻合,把手形状多样,在造型时常常采用三等分定点。有些器物通过巧妙构思,实际具有了组合的性质,可以满足多重需要或实现多重功能。福泉山出土的灰陶带盖双层簋,器型较大,分上中下三部分。中部既是下部的器盖,它的提手又成为另一件簋,上部是器盖,上面的提手呈弧边三角形,便于提握。因此,这件簋就可以同时盛放两种不同的食物。又如福泉山出土的一件黑陶带盖矮圈足豆,实际是两件矮圈足陶豆的组合。一件覆盖在另一件之上,只是从实用和美观的考虑在形态上略有区别。稍矮的陶豆作为器盖,敞口,粗矮圈足外撇而便于手提,而作为器身的陶豆则稍高,敞口,粗圈足无明显外撇。上面作为器盖的豆,豆盘壁略内弧,与豆的斜盘壁和折腹形成变化。除了精巧的结构以及良好的使用功能外,良渚陶器器型遵循着对称和均衡的形式法则。如福泉山出土的"黑陶细刻纹阔把壶",壶身浑圆,上为粗颈,下为圈足,上下对称。壶口前侧上翘成宽流,相对的另一侧装阔把。器型整体匀称、端庄。优美合理的造型是良渚先民力学知识深化的结果。如鱼鳍形足鼎和 T 字形足鼎是良渚文化中具有文化特征的代表性器物。T 字形足鼎由鱼鳍形足鼎派生而来,并流行于良渚文化中晚期。如嘉兴聚落群文化中期仍以鱼鳍形足鼎为主。之后,鼎的鱼鳍足外侧逐渐加厚。到晚期,器型上,鱼鳍足外侧不断加宽,超过纵向厚度,正面略凹陷,成为明显的 T 字足,鼎口沿则由圆唇翻沿渐变为方唇斜折沿。T 字形足较鱼鳍形足与圜底接触更多,从而提高了鼎的稳度。在陶鼎设计上,以 T 字形足取代鱼鳍形足,是良渚先民随着力学知识的深化,在进行陶器造型设计时,"用"与"美"的和谐关系的一次了不起的尝试。

三、纹饰特点

良渚文化器物装饰以素面上细刻纹(也称针刻纹)的阴刻图纹和小巧的镂孔装饰为主,细线刻的线条细而浅,若不认真辨识几乎无法察觉其存在。此外,也有一些以浅浮雕、彩绘、漆绘等手法进行的装饰。特别是浅浮雕花纹装饰,令人耳目一新。上海金山亭林出土的灰陶双鼻壶在其肩部,采用刻画与减地相结合形成浅浮雕技巧,就是前所未有的新创造。肩部装饰秀丽的浅浮雕花纹,两周凸棱纹将浅浮雕分割为两圈纹饰带。上下纹饰相同,都以卷云纹和斜十字纹为一单元连续组合排列。内圈面积小,纹样亦小,共有五个单元;外圈面积大,纹样亦大,共有六个单元。卷云纹以流畅线条勾勒,神韵飘逸;斜十字纹以直线相连,简练明快。勾画这样的纹饰必须掌握娴熟的刀法,在规划好纹样的布局后信手刻来,因此并无完全相同的图案,更显得活泼多姿。再在纹饰外用薄竹片刮去薄薄的一层胎土,以减地法使图案变成浅浮雕。这种装饰技法,在新石器时代各类古文化中,极为罕见,显示了良渚先民的智慧和巧思。

细刻纹饰有兽面纹、鱼纹、鸟纹、蛇纹、圆涡纹、曲折纹、云雷纹、网格纹、编织纹等。根据孙维昌先生的研究,良渚文化陶器上的细刻纹遵循着由原始简单到复杂精微的轨迹。首先,以几何形纹样及其与镂孔纹组合的应用最为普遍,偶尔也出现鱼纹等动物纹饰。中期,陶器的纹饰在已有的图案外,新出现曲折、兽面、鱼、鸟和蛇纹组合等图案,稍晚还出现了鸟纹、圆涡纹与曲折纹、云雷纹组合,抽象纹与云纹组合等图案。此后,陶器纹饰向更为复杂精微的方向发展,出现了瓦棱纹、锥刺纹和细刻曲折纹与鸟纹组合等图案;至这一阶段后期,出现了斜线交错纹、篮纹、蛇纹与新月形纹、圆镂孔纹组合,特别是以细刻纹饰——鸟纹或蛇纹为母题组成的图案,层出不穷,标志着良渚文化陶器纹饰的鼎盛期的到来。[①] 除以上纹样之外,良渚陶器上还出现了一些十分具有生活气息的刻纹。如南湖遗址出土的黑陶罐上的刻纹,有学者认为图中心描绘的可能是"四足兽",且是方钵猪一类的驯养动物,动物后面当是围栏[②],因此,整个图画是农业定居生活的反映。

原始宗教意识是促成良渚文化陶器细刻纹饰发展的重要原因,自然

---

① 参见孙维昌:《良渚文化陶器细刻纹饰论析》,《中国民间文化·民间神秘文化研究》(总第十二集),学林出版社 1993 年版,第 1—11 页。

② 参见钱玉趾:《良渚文化的刻划符号及文字初论》,《东方文明之光——良渚文化发现 60 周年纪念文集》,海南国际新闻出版中心 1996 年版。

崇拜对象不仅成为陶器刻纹的重要母题,它本身也为良渚先民美感的产生奠定了想象、移情、将自然力人化等心理基础。因此,在"泛灵论"影响下,动物、天体等客观对象不仅具有了"自然人化"的可感知的形象,寄托了良渚原始先民丰富的情感,成为仪礼中的重要组成部分,也成为他们对大自然进行审美创造的产物。良渚陶器上反映自然崇拜内容的代表性纹饰主要有鸟纹、蛇纹、日月纹三种。鸟纹是良渚文化中重要的精神符号。对于鸟的崇拜很可能是起于良渚先民稻作农业生产意识的发展。据《越绝书》、《论衡》、《水经注》等史书记载,在人们择地而种的刀耕火种时代,鸟不仅能"春拔草根,秋啄其秽"①,而且还能啄食田虫,以利农事。因此,鸟纹不仅是良渚玉琮、玉璧等器具上的常见图形(还有整只的圆雕玉鸟),也是良渚文化细刻黑皮陶上的常见纹样。如青浦县福泉山出土的"黑陶细刻纹阔把壶",壶身经过打磨,整体乌黑光亮,其上刻满精细花纹。流部是双翼展开的飞鸟正面形象;腹部的主体纹饰是几只向下飞翔的鸟,鸟身填刻云纹与纵横相对的平行短线,双脚下垂,鸟尾分叉,具有浓郁的写实性。这件精美的陶器当是一件重要的礼器。又如上海青浦县西漾淀出土的"黑陶鸟纹尊",腹部有一周刻纹,纹饰由四个图形组成,一个是一只正在向前疾走的鸟的侧视形象,长颈前倾,拱背,长腿,外形酷似鸵鸟;另一个是一只正在栖息的小鸟;另外两个相同,形似展开双翼正在翱翔的鸟的正面形象。三种图案在多件良渚玉器和陶器上有相同或近似的表现形式。良渚文化时期还产生了比较写实的蛇形象。如青浦县福泉山出土的"黑陶细刻纹镂孔足鼎",鼎身与鼎盖满刻细密的花纹,纹饰的基本单元是螺旋盘卷的蛇纹,蛇体上填刻云纹与横直线组成的图案,在蛇身上还凸出多个小圆点。有些则是蛇鸟纹组合的纹样,如青浦县福泉山出土"黑陶细刻纹带盖双鼻壶",双鼻壶的盖、长颈、扁腹和圈足上刻满细密的花纹,洒脱而富有层次,是件重要的礼器。盖上细刻鸟在飞翔时的侧视形象;长颈上刻满了螺旋形盘卷的蛇纹,蛇身上附有多个小圆点;腹部刻纹则以蛇纹与鸟纹相间;圈足上细刻正视和侧视的两种飞鸟。无论鸟纹

---

① (北魏)郦道元著,陈桥驿校证:《韩非子集解》,中华书局 2007 年版,第 941 页。

或蛇纹,身上都填刻云纹与横直弧线组成的图案。对于蛇纹以及蛇鸟纹的出现,方向明认为有两种可能性:一种可能是群体集团之间交流和融合的反映,另一种可能是反映了"祖先"性质或者寄寓"生命繁殖"方面的期盼。如以鸟象征天,代表太阳和光明;以蛇象征地,代表泥土和黑暗;天地、鸟蛇结合才有了人类。① 与天体有关的纹饰在良渚文化黑陶上也不罕见。如瓶窑出土的日月纹黑陶豆以及带有山鸟组合纹的陶璧,鸟是与太阳崇拜联系在一起的,受农耕活动启示的远古先哲,总是把观察天象和研究人事结合起来。中国社会科学院考古研究所研究员冯时在《中国天文考古学》一书中指出,刻有日鸟纹的良渚文化玉璧用于占测气象。而日、月纹也被衍生为最高统治者的表征。如量博满认为月亮作为权力的象征而被表现在石钺或石刀上,安徽含山凌滩岗遗址出土的石锛以及美国佛利尔博物馆所藏良渚文化玉璧上的月牙刻符等资料可以佐证。良渚陶器上的日月纹及山鸟纹都传达了良渚先民神秘的宗教观念。

在良渚先民充斥着神秘而荒诞的种种宗教观念中,朴素的科学观念也在逐渐积累和成长。有学者认为,良渚文化陶器上的"源极图"纹样正反映了他们朴素的科学观念。1991 年,赵陵山遗址出土一件细泥灰陶的陶盖,表面磨光后精心刻上图案,再填色并施红衣。有学者推测可能是赵陵山宗族的族徽,被称为"源极图",又有良渚人的"科学语言"之称。它的主体是通过阴阳结蒂纹的旋纹盘绕,构筑出一个复杂玄妙的循环系统。整个图形非现实图像的描摹,它自我圆足,无始无终,周而复始,布局均衡而非简单的对称。这使人联想到龙蛇类动物的交尾和人类的生殖与繁衍,具有神秘、庄重的审美特征。有学者认为"源极图"具有较为严密的逻辑取向,其中蕴含了一定的哲学性和科学性的因素。②

四、风格特征

良渚文化独特的自然环境、生活方式、发达的手工技艺和独立的精神

---

① 参见方向明:《良渚文化"鸟蛇样组合图案"试析》,《东南文化》1992 年第 2 期。

② 参见周膺、吴晶:《中国 5000 年文明第一证——良渚文化与良渚古国》,浙江大学出版社 2004 年版,第 87 页。

文化,孕育出良渚先民独特的、由自发到自觉的审美意识,并物化于良渚陶器独特的色彩、造型和纹饰中,形成了良渚文化陶器鲜明的风格特征。

首先,良渚文化陶器以富于幽玄神秘感的黑皮磨光陶最为著名。黑皮磨光陶盛行于良渚文化的晚期。据推测,制作这些精美的黑皮磨是以淘洗出的最细腻的泥浆施敷于陶胎表面,在陶胎将干未干时用鹅卵石等工具进行多道打磨,磨研细腻直到出现光泽;入窑烧成之际,用掺入植物茎秆的泥土封顶,采用还原焰和烟熏渗碳的方法制成精美的黑衣陶。制作出的陶器如余墩庙出土的黑陶圈足盘和瓶窑出土的黑色陶琮,周身呈现出乌黑发亮的外观效果,幽玄、凝重、朴厚、坚硬、冷穆,充满神秘气息。黑皮陶的陶衣极易脱落,因此,良渚先民通过如此复杂工艺制作陶器黑皮陶绝非出于日常实用的需要。近代考古学先驱、良渚文化的发现者施昕更先生在 1938 年发表的最早的一篇良渚文化遗址的考古报告中写道:"黑陶期所制的陶器,它的应用方面,不能认为是日常生活所需,惟当时的崇尚黑色,亦有相当的意义存在。黑而有光的薄膜,是经涂饰打磨而成,如果是日常用具的话,很容易损坏,所以用以祭礼及殉葬者,以黑色表示宗教及迷信的意味,较为合理,所以论到色泽,是人为有意义的涂饰。"[①]原始先民思维结构中的宇宙概念是混沌而玄虚的,他们对世界、对客观物象的认识显得含混不清,仿佛置身于幽玄、恐怖的黑色时空。郁暗的乌云、冷穆的夜空、日蚀的黑影、烧焦的物质等,都有可能带给他们视觉和心理上的原初性色彩感应。良渚先民对黑色的崇尚,正是与原始宗教、巫祝礼仪等复杂的观念交织在一起。黑色自身所蕴含的色彩情感使之成为原始宗教行为活动的符号式凸显。

其次,良渚陶器器壁匀薄,器型挺拔,纹饰精美。1955 年良渚镇萑山附近的水塘中发现黑皮陶壶等器具,器壁最薄的仅 0.15 厘米。1989 年以来进行 6 期发掘的庙前遗址出土大量薄型黑皮磨光陶,器薄如蛋壳,质、形、格调均不同凡响。良渚先民还擅长通过恰当的比例关系,赋予器

---

① 施昕更:《良渚——杭县第二区黑陶文化遗址初步报告》,浙江省教育厅 1938 年版,第 340 页。

物挺拔优美的外形。如同地出土的"高柄盖圈足罐",利用腹部横向的椭圆体巧妙地改为竖向配置,从而获得特别细长而且束腰的高盖三者之间形成的阶梯反差,给予整器一种亭亭玉立的气质。从同一器型在良渚文化不同时期的典型形态来看,他们对形式感的把握已成自觉,特别是擅长通过比例的调节、重心的提高,刻意追求器型挺拔感。如良渚文化双鼻壶颈部自早期到晚期逐渐增高,相应地由圆鼓腹发展到扁腹,而器足也由早期的平底假圈足发展为高圈足。陶豆中最为常见的敞口圆盘豆,其演变过程也是由深盘到浅盘,盘壁曲折逐渐明显,圈足由粗矮到细高,圈足上弦纹也由单线一周到数周,成为俗称的"竹节把"。此外,如圈足罐由早期的垂腹矮圈足发展到鼓肩高圈足;陶尊由早期的斜折沿到高领,鼓腹到鼓肩,圈足也由矮足发展到高足。① 很多良渚陶器上的纹饰则相当精美。如草鞋山墓地发现的鼎、贯耳壶等陶器上刻有涡纹、勾连纹、编织纹、曲折纹和鸟纹等,是采用流畅的细线条,刻画技术相当熟练。又如福泉山遗址出土的周身细刻圆涡纹和蟠螭纹的鼎、禽鸟纹或曲折纹壶等是很罕见的相当精美的器物。

良渚文化陶器风格反映了良渚先民独特的审美意识,而这种意识的生成与工艺技术的发展密切相关。如伴随着制陶工艺的发展,陶器造型也更加完美。良渚文化的陶器的制胚工艺分手制、慢轮和快轮三种。手制的既以泥块捏塑,也以泥条盘筑。小型器皿、塑像或非对称部位,仍沿用手制法。轮制法先有慢轮,其最强的功能是对手制陶胎加以整修。随着机械制造技术的发展,良渚文化陶器制坯工艺又发展出快轮机制。快轮制陶法是将泥料放在转动的陶车上,利用陶轮的旋转,用双手将泥料拉成陶器坯体。快轮的构造合理,转速快,平均每秒转二至三圈。拉坯成型速度快、成型好,可以把坯拉成各种形状的坯体,并且规整匀薄。良渚文化快轮工艺给制陶带来新的生命力。陶轮旋转快慢的节奏对陶器的造型产生了深远影响。器型变得更加端正规整,圆弧度准确,线条和谐流畅,

① 参见芮国耀:《良渚文化时空论》,《文明的曙光——良渚文化》,浙江人民出版社1996年版,第131—132页。

棱角线条挺直,器壁富有转折明快的轮廓,使整个陶器群为之耳目一新。器型变得多样,精巧玲珑,例如上海福泉山的鸟形盉,巧妙地将横向的椭圆体改为竖向配置,从而获得了鸟的形态。此外,对烧窑的改进也为陶器造型的发展提供了保证。据推测,不同于黄河流域之横穴窑或竖穴窑,陶窑可能直接建于平地或浅坑中,烧造温度较高,因而氧化完全,所结胎质由此更加坚硬。

良渚文化以其风格鲜明的色彩、造型以及纹饰对中原文化器物造型产生了深远影响。与三代之鼎最相近的是良渚文化陶鼎。良渚文化陶鼎典型器主要有圆锥足式罐形鼎、断面 T 字形足式盆形鼎、扁侧足式釜形鼎等,其造型、足形、器身比例,与商代青铜鼎一致。一些良渚文化的陶鼎器表饰有精细的漩涡勾连纹和曲折纹勾连而成的蟠螭状纹饰,在商鼎上也十分常见。据文献所记,"夏后氏尚黑",而中原陶器以彩陶为主,跨湖桥文化、河姆渡文化、良渚文化一系文化与龙山文化才有黑陶,而良渚文化中还有在红陶鼎表面涂上黑色陶衣的做法,正与文献所载"禹作祭器,墨漆其外而朱画其内"①的夏族祭祀礼器相合。

第三节　大汶口文化陶器

大汶口文化属于黄河下游的新石器时代文化,它始于公元前 4300 年,前承青莲岗文化(北辛文化),到公元前 2500 年发展成为山东龙山文化。大汶口文化的主要遗址有山东泰安大汶口、兖州王因、莒县陵阳河,江苏邳县刘林和大墩子、花厅等 550 多处。

一、创造基础

大汶口陶器器型多样,纹饰繁多,红陶占绝大多数,彩陶以红、黑为主,中后期出现白衣多色彩陶。大汶口陶器审美特征的发展,从陶器的实用功能得到升华,受自然环境和农业经济的影响,同时与原始人的自然崇

① (清)王先慎撰,钟哲点校:《韩非子集解》,中华书局 1998 年版,第 71 页。

拜有一定的联系,这些因素使得大汶口时期的陶器形成了自己独特的审美特征。

首先,由日常实用功能升华为审美的功能。在新石器时代,陶器主要是人们的日常生活用具,据已有的考古成果发现,许多陶制器物底部都留下了烟熏火燎的痕迹,有的煮水器中还留下了水垢。陶器的器型和数量一般都是根据人们日常生活的需要制造出来的,随着人们对生活需求的扩大,人们对陶器数量和品种的需求也相应的有所扩大。不同用途、不同质地的形形色色的器物满足人们的不同需要。八角星纹彩陶豆属于泥质红陶,本是一种盛食物的器皿,上部像钵,敞口大,可以盛放大量食物,下部是呈喇叭形的高足,上细下粗,细的部分处于整个器物的中间,便于用手握住,同时又不必和上部接触,避免食物过热时手被烫伤,粗的部分是底座,正是喇叭形的敞口处,接触地面的面积大,因此稳定性强。器表施以红色陶衣,采用白、褐、黑彩巧妙地在口、腹、足上构成八角星纹、条纹、环状纹等美丽图案。高足造型使整体效果具有高贵典雅的美感,加上精美的纹饰装饰,构成了良好的视觉审美效果。

其次,自然环境和农业经济对人们的审美理想产生了重要影响。大汶口的自然气候较之前的北辛文化,更适合农业耕作和野生动植物的培育,适宜于人类的生存,类似于现在的长江流域。植物中的花朵,动物中的鸟、猪等为陶器纹饰和器型的创作提供了灵感。随着经济生活的日益提高,人类活动的空间不断扩大,人们对器物的用途、数量也有了进一步要求,促使陶器物种类增多。农业经济也有很大的影响。大汶口时期是以种植粟为主要粮食作物的旱地农业,农业不仅提供粮食,也提供了酒类。制酒业的发展促使陶器的形态增多。温酒用的鬶,注酒用的盉,储酒用的背壶、瓶、尊、壶,作饮器的筒形杯、高柄杯和觚形杯,这些形制直接影响了我国青铜器中的专用酒器,如铜罍、铜尊、铜斝、铜盉等。经济的繁荣促使陶器型制的增加,因用赋形。另外,人们从制酒的活动中更提炼出劳动场景图,以此增添陶器纹饰的丰富性。据王树明先生考证,"在陵阳河陶缸上发现的多种图像,多与沥酒的含义相符,从而推定陵阳河 M17 以及 M11 扰土中采集的陶缸残片上的刻画图像,均是对大汶口人采用谷物酿酒,经酒曲发酵后进行过滤这一事实的摹写"①。对人们生活场景的描绘也是陶器纹饰的来源之一,它们将生活场景图案化了。

再次,原始崇拜对审美观念有一定的制约。大汶口陶器中有一部分的器型、纹饰并非简单的日常写照,而与部落的原始崇拜有关。大汶口文化属于少昊氏文化,最大的崇拜对象就是太阳。星纹彩陶豆上的八角星纹饰就是太阳闪光之形的符号化,这个符号最早发现于大汶口文化的刘林时期,后来这个符号在广大的东南地区多处有发现,但追根溯源还是受大汶口文化的影响②。大汶口时期的鸟形白陶鬶数量较多,器型相似,而其他兽形的器物则极少,可见鸟形的特殊性,而少昊氏文化中恰恰是崇拜鸟的。大汶口文化陶刻符号中的"✦"、"✦",一般认为是"炅"字的简体与繁体,也有人认为是"飞鸟负日",还有人认为是男女性结合的象征。不论哪种解释,都离不开与太阳的关系。在古代神话中,太阳就是三足鸟,而说男女性结合的,也是分别把日、月比作男、女的交合。从这些文字在陶器上的位置看,它都是出现在固定部位,即陶尊靠近敞口的部位,且文字上涂红色。"原始人把红色作为生命的象征,使用红色有冀求再生之意"③。陶尊的用途除采集品外,一般均与墓葬有关,不是随葬品就是瓮棺葬的葬具,加上文字位置的特殊性,说明这种装饰是与宗教崇拜祭祀活动有很大关系的。

二、形制特征

大汶口陶器的外形种类众多,例如鼎、罐用来煮食物,豆用来盛食物,杯用来喝水,壶用来装水,鬶用来烧水或温酒,背壶、瓶、尊、壶用来储酒,等。在制作的不断发展过程中,陶器逐渐由单纯的实用性发展为兼顾生活情趣与审美理想,它们在功能的基础上形成了自己的造型特点。

首先是结构的稳定性。陶器主要用来装食物,在远古,食物的来源不

① 苑胜龙:《"大汶口"人农业状况述略》,《泰山学院学报》2005 年第 7 卷第 1 期。

② 参见张忠培:《窥探凌家滩墓地》,《凌家滩玉器》,文物出版社 2000 年版,第 141、172 页。

③ 朱志荣:《中国审美理论》,北京大学出版社 2005 年版,第 28 页。

易,因此在储放时需要细心,器物必须牢固。论稳固当以三足结构为妙,三足形的底座既具稳定性,又节省材料。1971 年山东省邹县野店村出土的彩陶钵形鼎,上部是圆形的钵形,敞口大,不深,钵形的下面有三根细长的向外倾斜的陶柱支撑,陶柱高度达到器物总高度的三分之二。陶鼎最早是一种炊器,陶柱将上部架高,同时陶柱中间有很大的空间可以用来放柴点火。钵体敞口大、较浅,因此食物受热面积大,容易煮熟。后来陶鼎慢慢发展为一种祭器,到了商周时代被质地更好的青铜取代。

其次是大汶口先民的"尚圆"意识。陶器的底座以圆形为主,这至少有两个原因:一是制作方便;二是古人在生存环境的熏陶下逐渐形成了"尚圆"的意识。大汶口文化作为新石器时代较先进的文化,已经使用轮制法制陶,即以轮盘的转动带动陶泥的旋转,按制作者的意图塑造各种造型。用这种方法制出的陶器,当以圆形最为方便。到大汶口文化晚期,轮制法更加成熟,人们可以在迅速转动的陶轮上将陶泥提拉成型。1959 年山东泰县大汶口遗址出土的"漩涡纹彩陶壶",采用敞开的杯口,颈部较细,腹部浑圆,从腹部中央开始往底部逐渐收细,底部与颈部的圆直径大约相同。这是新石器时代较常见的一种陶壶形制,正是因为它同时具有实用和审美的价值才得以流传多时,经久不衰。敞开的杯口具有大气之感,而且方便往里装东西。它的腹部很大,不仅容量增大,同时从视觉上使得陶壶重心偏下,给人稳定感。

再次是仿生器型有自己的造型特征。大汶口陶器对动物的模仿,不在纹饰上,而在乎整体造型的相似,仿的是动物形,在动物形中包涵陶器的基本用途。新石器时代的陶器中仿动物形的并不多见,已知的大汶口文化中就有两例仿生陶器。鸟形白陶鬶的流口明显具有鸟喙的特征,三袋足也有仿造禽类三足的意味,"整个造型极象昂首挺立的警觉之鸟"[1]。但是,鸟的体型娇小,以鸟形作陶器,倘若纯粹模拟原型,势必容量缩小,减小了陶器的实用价值,因此人们对其进行了适当的改造,将陶鬶的三足

---

① 尉崇德:《大汶口文化时期白陶鬶制作工艺的探讨与复制研究》,《考古与文物》1999 年第 3 期。

制成饱满的袋足,保留了视觉美观和稳固的功能,同时增加了鬶体装物的容量。袋足的设计是一大创新,三个袋足圆润饱满,大小一样,足尖距器物"裆部"中心的距离也一样。足尖部位有一个枣核状物,长约2.0厘米—3.5厘米,上部裸露于袋足中央,下部直插入底部,质地与鬶体成分相同。这个枣核状物可以吸收足尖部的水分,又可以增强器物的承受能力,同时使器物重心下移,稳定牢固。尉崇德甚至还将模仿鸟形的白陶鬶联系到男女生殖崇拜上:"那饱满的袋足极像女性丰腴的乳房,而挺立的'颈'部更如男性雄健勃起的阳器。'饮食男女,人之大欲也'。对生殖的崇拜,这应该是古人对自身最先觉醒的认识。"①

大汶口先民独有的自然崇拜也体现到陶器的制作之中。白陶鬶制成鸟形,"反映了东夷民族在图腾时代对鸟的崇拜精神"②。既然大汶口文化属于少昊氏文化,而少昊民族正是崇拜鸟的,很多部落以鸟作为其族徽。"《左传》昭公十七年记郯子讲述以鸟名官的制度",其中讲到"五种鸟的氏族管理历法"③,用各种鸟的名字来命名官职,可见大汶口先民对鸟的重视程度之高。除了鸟形,人们还从日常养殖的动物中选取原型。山东泰安大汶口墓地出土的兽形提梁陶器,泥质红陶,器型为兽形,体态丰满肥胖,四足直立,昂首张口,背上有鋬和管状口,还特地制作了一条短短的微微上翘的尾巴,使得兽形更逼真。从兽面部鼻子、耳朵的特征看,模仿的应该是猪形,这意味着当时动物的多产,食物的增加。这也是大汶口先民自然崇拜的表现,"显然原始人意识到动物养育了人,才用它们的形象做成容器。这些形象在当时可能具有某种神圣的性质,因为它们是食物的供给者"④。该器物的设计带有一定的物理知识。借用猪肥硕的肚子,使得容量增大,兽大张的嘴是出水口,管状口是入水口,由于口都不

---

① 尉崇德:《大汶口文化时期白陶鬶制作工艺的探讨与复制研究》,《考古与文物》1999年第3期。

② 尉崇德:《大汶口文化时期白陶鬶制作工艺的探讨与复制研究》,《考古与文物》1999年第3期。

③ 唐兰:《中国奴隶制社会的上限远在五六千年前》,《大汶口文化讨论文集》,齐鲁书社1979年版,第129页。

④ 朱狄:《原始文化研究》,三联书店1988年版,第530页。

大,应该是用来装水或酒等流体物质的,出水口和入水口高度一致,体现了物理常识中的连通器原理。

三、纹饰特征

大汶口彩陶的纹饰大致可分为象生纹饰和几何纹饰两大类,是原始先民对生活物象具象或抽象的表现方式。彩绘陶主要绘在黑灰陶和白陶上面,常见的有弦纹、带纹和圆点纹等,纹饰较简单,色彩一般用红色,也有红黄两色兼用,这种装饰技法,其他文化较少见。大汶口彩陶的纹饰在与器型、装饰部位之间的协调上有很强的和谐感。其技法多样,手艺娴熟,相当具有审美情趣。

第一是几何纹饰的运用。大汶口陶器的几何纹饰多用在器身空间狭小处,简单的几何形可以轻松地进行重复变化,适合作环形部位的装饰。几何纹可以用在壶身上,如漩涡纹彩陶壶的壶身绘有连续的漩涡纹,体现出原始先民对旋转运动的认识。几何纹也多用于器物口沿处。星纹彩陶豆的钵口稍向外翻,在外翻的部分绘有装饰,以白彩打底,绘有黑彩几何图案,五条短竖线配上两个相对着的半椭圆形,重复一周。每一种图案所装饰的器类及其部位都有一定的规律。一般用大圆点、带状纹、条形纹装饰钵、豆、壶的口外沿、瓬的柄部;用勾连回形纹、锯齿状纹、网纹装饰于盆、钵、壶、深腹豆的腹部、高足钵形鼎的口外沿或器座周身;用几组相同的相对半圆形或三角形纹与若干并行纹相间连续排列组成一个画面,装饰于宽沿盆、豆的沿面,腹部饰 4 个或 7 个等距连续排列的八角星纹,八角星间缀饰两道竖线纹。大汶口人把装饰绘在视线易及的地方,内壁不作装饰,因为器物内部都要盛放食物,使用多次后装饰图案可能会掉色破损。

第二是象生纹饰的运用。大汶口陶器纹饰中非几何形比较少见,但象生纹饰也是大汶口文化时期陶器纹饰的一大特色,主要有花瓣纹、勾叶纹,通常只见于宽肩深腹小平底钵的肩部及腹部。以花瓣纹为例,"常采用以点(圆)定位的方法,从图案地位点的各方都能延伸出纹样,在最小的制约下获得充分展开图纹的自由,使多单元的图案动而不乱,繁而有致,变化无穷"①。大汶口陶器的花瓣纹将这种特点运用到极致。彩陶小口壶上半身绘有花瓣纹图案,以黑色大圆点为花蕊,有多个中心点,辐射出大小不一的花瓣。每一片花瓣都是两用的,从其中一个端点看是一朵花,从另一个端点看,又连在另一朵花上。这样无形中增加了花朵的数目,同时又不觉得拥挤。1975—1979年山东兖州王因遗址出土的"大口彩陶杯",杯身也是绘以宽带花瓣纹,所不同的是,这件大口彩陶杯的杯身上只有一朵花。花瓣从一个中心点向四周辐射开,创作者用尽量修长的两条曲线描绘出椭圆形花瓣的边缘形状,并且富于变化,有的花瓣中间是实心的单一色彩,有的花瓣正中用一条直线隔开,有的花瓣中间有三条和边缘曲线同样平滑的曲线。这种富有变化的设计显示出古人"同中求异"的思想。

第三是镂孔等技法的运用呈现出虚实结合的特点。镂孔形装饰有圆形、菱形、三角形、方形、长方形纹等。1989年江苏省新沂花厅出土的一件镂孔陶器,肩部饰以六个均匀分布的圆孔,腹部分两层各有六组镂孔,每组由两个圆孔、两个三角形孔组成,镂孔周围刻画平行的直线和弧线。器身堆贴三周凸棱,除作为纹饰间隔,还有加固作用。整体塑镂结合,工艺精细,造型美观,体现了大汶口文化花厅期的风格。镂空花纹的灵动之虚与陶器造型的敦厚之实结合起来,相辅相成,增添了陶器的立体感,上升为一种飘逸轻盈的空灵意境。

第四是重视纹饰位置的视觉效果。"彩陶图案在不同视角所产生的不同视觉,从不同角度所产生的不同视觉,从不同角度都能看到美丽的画面"②。彩陶小口壶只有壶的上半身有花纹,其原因:一是由于壶下半身向内收缩,人的视线不易看到;二是体现了"虚实相间"的原则,太满则给人拥挤感,不如留一点空白,更添遐想。一般来说,器物向下收缩的部位都没有纹饰,纹饰绘在向上收缩的外壁上,但也有例外的。1959年山东泰安大汶口遗址出土的"三角形纹彩陶背壶",下腹有三角纹、白点纹,肩

---

① 张朋川:《黄土上下——美术考古文萃》,山东画报出版社2006年版,第11页。
② 张朋川:《黄土上下——美术考古文萃》,山东画报出版社2006年版,第11页。

部绘有弦纹和卷云涡纹,颈上绘有白彩同心纹,口沿和双耳都有纹饰。这件陶壶差不多全身都绘上了纹彩,因为它是一个背壶,壶身上有环形的双耳,用来穿入绳子方便背在背上,壶一旦被背起来,本来不引人注意的底部一下子被抬高,进入人们的视野,因此,涂上各种纹彩,就连底座也精心打扮一番,在人们视线所及之处,无不精美绝伦。

另外,大汶口文化的纹饰中还有一个独特之处,那就是发现了六个含有一定表意性质的纹饰。其中两个上文已提过,还有两个描绘的是装柄工具:一是石斧,二是石锛。这四个都出土于莒县陵阳河遗址。第五个出土于诸城前寨遗址,是件残片。第六个出土于大汶口遗址 75 号墓,字形像花朵形。这些符号历来有很多人研究过,争议颇大,不过大部分人认为是文字,如果真是这样的话,那么我国最早的文字要比殷墟甲骨文提前了很久。

四、艺术风格

大汶口文化的陶器无论从形制还是纹饰看,越到晚期越有很多大气之处,显得风格豪放。无论是陶鬶中上仰的"流",抑或纤巧的高脚陶杯,都显现出"挺拔"的神采。但这种大气之风并不是一蹴而就的,而是在经历了社会结构的变动后逐步由阴柔转为阳刚。

首先,大汶口早期的陶器具有柔美浑圆的女性气质。初始时,女性担负生活资料主要生产者的角色,在氏族中居支配地位;同样,一些生活所需陶器的生产制作亦主要由女子承担。女性的阴柔美体现到陶器制作中。彩陶小口壶常用的花瓣纹饰本身就较为女性化,这种壶的形状在大汶口初期陶器中也很普遍,浑圆的壶腹使人联想到女性的子宫。"彩陶从一开始就是母系社会的产物。最早的陶器和最早的彩陶画工极有可能都是由女性发明和担任。彩陶的器型象征女性的子宫,蕴意生命之母,而纹饰绝大部分含义是对女性生殖崇拜"[①]。

其次,大汶口晚期的陶器具有豪放挺拔的大气之风。随着男性地位的提高,大汶口社会发展至父系氏族社会,男子取代女子参与到制陶活动

---

① 王国栋:《中国新石器时代彩陶泛论》,华文出版社 2003 年版,第 260 页。

中来,制陶技术飞速发展,已使用快轮制陶生产新技术,器类增多,器型复杂,可以成批生产。这时,男子担当了主要制陶者角色,男性的雄壮之风融入陶器制作,使陶器风格趋于豪放,出现了一种轻巧优美的黑陶制品,是这个时期制陶工艺最出色的成就,黑陶制品中有名的高柄杯,代表了当时制陶工艺的最高水平,其形状大大压缩了浑圆的腹部,改为以挺拔纤瘦的高柄支撑起一个不算大的杯子。现在可以看到的有黑陶高柄杯、灰陶鸟首盖高柄杯、黑陶三足甗形杯,它们的共同特点除了有高柄支撑外,通体显出发亮的黑色。挺拔的高柄、深沉的黑色使得器物呈现出大气之感,显得威严庄重,它们的外形,瘦直挺拔,更多地体现出了男性特征。陶器的风格日趋森严,从日常用品逐渐发展为与墓葬、祭祀有关的物品,而在这种意义上,青铜器更具有祭祀价值,符合王者气派,给人以森严之感,因此后来将彩陶取而代之。

大汶口陶器在新石器时代别具一格,既有鲜明的时代和地域特色,又与当时的政权和社会生活息息相关,对后世的北方风格产生了巨大影响。

第四节 龙山文化陶器

龙山文化位于黄河流域的中下游地区,以山东中部、东部和江苏淮北地区最为典型。这一地区的龙山文化上承大汶口文化,下续岳石文化,在中国新石器时代诸文化中具有较高的发展水平和独特的艺术成就。龙山文化的陶器是以先进的生产技术为基础的。社会的发展刺激了陶器的增加,快轮制陶技术的出现,使大量生活用陶剧增,精美陶器也应运而生,龙山文化以大量的素面陶和磨光陶成为黄河流域极具特色的文化类型,尤以黑陶著称。各地龙山文化发现的陶器主要有鼎、鬹、鬲、甗、瓮等,其中最有代表性的是蛋壳陶高柄杯、鬹、鼎等器物,造型规整而不生硬,单纯而不粗陋,意味隽永,耐人寻味。

一、文化背景

龙山文化处于新石器时代晚期,快轮制陶技术在龙山文化时期被广泛应用,不少技术能手从原始的农业和渔业中脱离出来,发展成为具有较强生产能力的专业制陶群体,使制陶成为原始的手工业,积累了许多高于前代的先进经验,产生了大量精美的艺术陶器。龙山文化出土的黑陶,反映了其与大汶口文化的传承关系,形成了独具特色的黑陶文化。龙山文化中的杰出代表"蛋壳陶高柄杯",就是轮制技术的典型产物。

高质量的黑陶代表了龙山文化烧制陶器的高超水平。龙山的黑陶色泽纯正、均匀,通体漆黑光亮,这在其他文化类型中颇为难得。"其(陶器)色彩除了白色需选用瓷土为原料外,其他颜色如灰、白、褐、黄、红几种都可以用一种黏土烧出,关键是技术处理"[1]。龙山发达的烧陶工艺决定了陶器的颜色,独特的渗碳工艺和经过研光处理的胎体表面形成更加致密光洁、细腻光润的黑色保护层,令黑陶具有前所未见乌黑发亮的金属光泽,历经数千年而不受水土侵蚀。

龙山文化时期作为礼仪性器皿的陶器已经成规模地出现。"从对龙山遗址的考古研究我们了解到,龙山时期贫富分化、等级差别已经很明显"[2]。龙山文化的代表性器物蛋壳黑陶也多发现于大型墓葬中,"山东龙山文化的墓葬,常有用蛋壳陶高柄杯做随葬品,一方面说明高柄杯与当时的礼器有关,另一方面说明这种技术已经比较普及"[3]。社会的发展、制陶工艺的进步,使得一部分陶器从器型简单实用的生活器皿向制作精细、造型复杂并且具有很强装饰性功能的祭器、礼器转变。

蛋壳黑陶的这种神秘的、黑色的金属光泽无疑给人带来了直观的视觉震撼,令人不由自主地产生出无限敬畏的、不可轻举妄动的虔诚心态。这些黑陶制品无论是造型、纹饰、图案都极尽完美之能事,加上其易碎的特性,其装饰功能远远超过了其实用功能。这部分陶器说明当时的人们除了不断追求物质生活的提高以外,还有执着追求精神生活的强烈愿望,从中反映了当时人们的审美取向。

---

[1] 于海广:《山东龙山文化生产技术初论》,《济南大学学报》1995年第3期。

[2] 崔大庸:《山东龙山文化的墓葬、城址与房屋建筑》,《济南大学学报》1994年第3期。

[3] 于海广:《山东龙山文化生产技术初论》,《济南大学学报》1995年第3期。

二、造型特征

龙山文化陶器造型规整、单纯。龙山时期的制陶技术水平使得先民能够自如地运用线条,并表达出先民对线条造型的认识。大方简洁的器物造型,在仿生性上更是摆脱了对对象的直接模拟,通过线条的变化,抽象出感性的生机。简洁古朴的器表装饰,表现了这一时期先民对于对称和均衡的认识。龙山陶器的变化发展为发源于东夷的商代青铜器造型奠定了基础。

首先,快轮技术的广泛运用,使得龙山时期的陶器造型端正规整,富有简洁明快的轮廓线。山东城子崖出土的小型直口盆,底和两壁都是直线,只在口沿和底壁折角处略施曲线加工,规整而不生硬,相反则很耐看,意味含蓄。还有蛋壳黑陶高柄杯,其柄部为竹节状的筒形,骤看是筒状,细看却直中有曲,变化虽微,意味无穷。底部还有同心旋转加工的痕迹,可以看出是利用陶轮快速旋转制作而成,很可能还使用"车刀"进行了细致的加工,说明龙山人已经熟练掌握了快轮制陶技术。由于技术的成熟,龙山先民运用各种不同的线型,塑造出具有各种艺术风格的造型。龙山文化以黑陶为著,黑陶有细泥、泥质和夹砂三种,其中细泥薄壁黑陶工艺水平最高,这种黑陶的陶土经过精细淘洗,最能体现龙山的快轮制陶技术的特点,它是龙山文化的代表性器物之一。薄壁黑陶仅有的一种器型是轻巧秀致、薄如蛋壳的蛋壳陶高柄杯,杯和柄分别轮制后再加以黏接,造型规整,胎壁厚仅 0.5 毫米—1 毫米左右,表面乌黑发亮,故有蛋壳黑陶之称。高柄杯整体造型以直线为主,曲线为辅,底壁的直线转折略加弧线,一方面可减少使用时受损的可能性,同时造型也因线条的流畅而生动丰富起来。杯体饱满的弧线和柄部内收的弧线所形成的节奏和比例关系,使人感受到雍容华贵、气度非凡的气魄。这类器物一般出土于墓葬中,且墓葬规模都很大。说明它在当时就是一种极高贵的用品。考古学家认为,蛋壳陶杯属于礼器性质,可能是在祭祀等礼仪上使用的特殊酒器,掌握在特殊身份的人手里。龙山陶器造型整体以直线为主,辅以曲线。其线条流畅,加之质地轻薄,漆黑光亮,因而纤巧又不失庄重。

其次,龙山优美大方的器物造型与简洁古朴的器表装饰有机结合,摆脱了对对象的直接模仿。新石器时代仿生器物比较多见,龙山时期的仿生器物多造型单纯,装饰简练,在满足实用功能的前提下,强调了器物的象征意味。龙山仿生陶器中,鸟类是其表现的主题。如龙山文化的陶鬶均与鸟的形象有关,陶器器表上还多出现鸟、鸡类形状的装饰,打破了器型对称、均衡的状态,让人耳目一新,其艺术特征明显区别于较早的仰韶文化彩陶。

龙山的仿生陶器造型单纯,装饰简练,充分考虑了其功能要素。如陶鬶的三足,根据地域的不同,陶鬶主要分为无腹袋足、有腹袋足、有腹实足三种相对稳定的形态,其中有腹袋足是龙山文化中最有代表性的类型。三足源自生活中的实用功能,三足稳定、坚实,而袋足还有利于增加容量和加快加热速度。陶鬶微侈的口和高耸冲天的流还使受水和注水更加便利,具有阳刚之美的冲天流充满着一种精神力量,凝聚着生命活力,而成为古代炊具中富有特色的一种,从中可以看出先民们对自然和生命意识的热爱和追求。对于鸟类的钟爱同样体现在龙山陶器的器表装饰上,鸡冠耳、鸡耳鼻、鸟喙形足、鸟眼形的乳钉纹在龙山陶器上是常见的。如城子崖出土的帝鼎,就有鸟喙形足,鸟首形足(后期被侧三角形足代替,有时保留鸟首足上的眼睛),足外侧饰鸡冠状堆纹。鼎、罐、甗的口沿外侧也常饰有对称的鸡冠耳。早期的鬶、杯等器物的把手均为索状或圆条状,晚期则为条形的鋬,像鸟的翅膀。龙山的陶器形象含蓄,生趣盎然,加上古朴的器表装饰,使得器物具有更强的表现力。

根据龙山陶鬶的造型,有学者提出这是远古东夷少昊氏鸟崇拜的再现。龙山文化中的陶鬶“被特意拉长了的冲天流,似鸟喙直啄天空;三个肥大而中空的款足,呈两前一后触地,给人以鸟足和鸟尾支撑巨鸟的联想。就其整体形象而言,似一只傲立的凤凰,和篆书中的‘凤’字的轮廓惊人地相似”[1]。

另外,龙山陶器繁复的烧成工艺,丰富多彩的成品器型,对于商代的

---

① 魏筌:《龙山文化中的舜崇拜》,《管子学刊》1998 年第 2 期。

青铜器及以后的陶瓷业发展都产生了极其重要的影响,龙山后期的彩绘陶上面不少图案花纹也与商代青铜器上的花纹颇有渊源。龙山陶器起到了陶器与瓷器、青铜器不同文化之间承上启下的关键作用。蛋壳陶光洁细腻的器表有着瓷器的质感,其出类拔萃的器型断烧、绝烧后,在青铜器中几乎全部得到印证、延续和扩展,这绝不是一种偶然的模仿,而是一种文化传承,也是历史的必然。龙山晚期的白陶使用高岭土烧制而成,也为原始瓷器的发明奠定了基础。龙山的高柄杯,在唐、宋、金时期的耀州窑、定窑、磁州窑系的瓷灯中还能找到类似的器型,可见其传承年代之久远非比寻常。其他诸如直口瓶、长颈瓶、花觚、三足鬲、双耳簋、高足杯、玉壶春瓶等器型都有数千年的传承和发展。

纤巧而不失庄重、单纯而不粗简的龙山陶器充分表达了"实用"和"审美"的统一。多把器物底壁的直线转折略加弧线,既满足了实用上的要求,造型也随之生动丰富起来。一般以直线为主的器物造型,形体变化的折线棱角锋凸,一方面产生挺拔利爽的感觉,但另一方面也易流于生硬乏味。可是黑陶的制作却体现了很高的审美素养,其中以直线为主、曲线相关、圆锐相间、凹凸相称、比例适中,各自都能恰到好处地统一起来,"变化统一"的法则在这里体现得灵活自如。实用的需要客观上推动了人们审美意识的发生。

三、纹饰特征

简洁古朴的龙山素面陶与黄河上游的彩陶截然不同,它们以刻画、镂雕、拍印、粘贴泥饼、附加堆纹等具有凹凸感的纹样为主,划花的纹饰有几何线条纹、波浪纹、鱼纹等,使乌黑发亮的器物表面形成较为强烈的视觉对比,明显增加了器物表面的装饰效果。从诸多的器表装饰上还可看出原始先民有了一定的对称和均衡的认识,如许多器物上均饰有对称的泥饼、盲鼻和鸡冠耳,即使单耳杯和袋足鬶,它们的长流和突錾也形成对照,不对称中也有稳重和均衡,灵动而不单调。后来的鬶颈部开始延长,并向没有錾手的一侧转移,重心更稳,更有力感,其中灌注了更多的情感力量和精神意念。

首先,没有了色彩的对比,龙山陶器更加强调线条的形式感。龙山陶器早期的杯、壶、罐等器物在坯体整体研光之后,刻画上几何纹饰。纹饰围绕器物一周平行排列,疏密相间,避免了单调。刻画纹与凹凸弦纹粗细线条的相互穿插,充分运用线条的造型功能及表现作用。陶器上的瓦楞纹、绳纹、凹凸弦纹通过大小、疏密的对比突出稳重、均衡的特性。流动舒畅的线条组织出来的肌理纹,产生出无尽的生命力,充满了律动和节奏感。表现陶器形状起伏的竹节纹,做工非常精细规整,纯粹用手工在0.5毫米厚的坯体上均匀分布竹节纹,这也得益于快轮技术的广泛应用。竹节纹和刻画纹都需要陶轮快速和平稳的旋转才可以做到纹饰之间等宽、等圆、等弧。变径处理得自然得体且胎体厚度内外一致,在蛋壳陶高柄杯器型上表现得尤为突出。精美绝伦的竹节纹饰对后世的青铜器的制作产生了很大的影响。

其次,刻画镂空产生的空间与黑色陶器的凝重形成虚实对比,使龙山的陶器富有空灵的韵味。龙山时期的镂雕工艺非常精妙,多用于蛋壳陶器,在不足1毫米厚,半干的坯体上镂出非常规则的图形,其难度可想而知。镂空的图形有圆形、菱形、楔形、正方形、三角形、椭圆形、水滴形等几何图形,当时人们用什么样的形象思维方式来表现这些图形,我们今天还无法破解。蛋壳陶的锥孔工艺较为简单,制作却非常认真精准。器物表面孔与孔之间的纵横间隔井然有序,而且孔径大小均匀、疏密有致,给人以直观的美感。器物背面的处理也非常到位,很少有剔除物堵塞锥孔和堆积在器身内部的现象发生。后来人们还在陶鼎和陶鬶的足上或刻或镂雕上花纹图案,形成了一种独特的审美趣味。

再次,龙山陶器还有贴塑鼓钉、盲鼻,以及捏塑鸡冠耳、环形耳等不同的装饰工艺,是装饰与实用的统一。"城子崖类型中陶鼎多在弦纹之上饰一对盲鼻,陶鬶口流间和颈下饰对称泥饼,有的沿下有一对盲鼻;鼎、罐、甗的口沿外侧常饰对称的鸡冠耳,肩部则饰凹弦纹、乳钉或盲鼻之类"①。器表上粘贴泥的饼,或左右对称,或十字交叉分布,使得器物简洁

① 靳桂云:《龙山文化城子崖类型分期》,《北方文物》1994年第4期。

明快而不单调。陶器袋足部分和单耳杯的腹部也常常附加泥条和堆纹，有时这种堆纹也有益于器型的加固，是实用和装饰的有机结合。龙山简单朴实的器表装饰与优美大方的器物形态有机结合，和谐统一，反映了当时制作者较高的制作水平和审美观念。

龙山陶器在器表装饰上对商代的青铜器也同样有一定的影响。龙山文化晚期东北出土的陶器纹饰，"极为明显地与殷商青铜器靠近，性质在开始起根本变化了。它们作了青铜纹饰的前导"①。龙山后期还出现了彩绘陶，山西中原龙山文化出土的蟠龙纹陶盆，其上的蟠龙纹"可以认为是商周青铜盘上蟠龙纹的前身。陶寺彩绘陶上还有一种变体的动物纹，与商周青铜器上的花纹也有渊源"②。龙山器型的竹节纹饰对商周以后青铜器的制作产生了很大的影响，许多器型复杂的青铜器都采用竹节纹作为装饰，与蛋壳陶的竹节纹完全吻合。

四、艺术表现

龙山陶器特别是其中的黑陶，其技术上的独特性带来了表现方法上的独特性，并使线条的使用，特别是在黑陶纹饰的构图变化等方面产生了重要影响。

第一，龙山陶器漆黑光亮的颜色与极为简朴的装饰和器物造型特征相适应。龙山文化的陶器有灰、红、黑陶，其中最著名的是黑陶，为了区别以红陶为主的仰韶文化，又称为黑陶文化。黑陶作为龙山文化的代表性器物，其特点是表面"黑、光、亮"，里外透黑，如出土的黑陶罍，整体漆黑光亮，造型美观，胎质坚硬，器身只有几道凸弦纹，两边有对称的鸡耳鋬，明亮的光泽似漆，有后代瓷器的质感，庄重古朴而灵巧。黑陶选用得天独厚的黄河古道河床下纯净而细腻的红胶土为原料，采用独特的"封窑熏烟渗碳"方法烧制而成，形成了黑陶独特的色彩，说明龙山先民已经能够娴熟地运用火焰温度和火焰气氛来烧制陶器。

---

① 李泽厚：《美的历程》，三联书店2009年版，第32页。
② 张朋川：《黄土上下——美术考古文萃》，山东画报出版社2006年版，第8页。

有些陶器甚至就是黑色的素面，胎体表面经过打磨，器表熠熠发光。龙山文化的磨光器物与其他器物相比，更为平整、光亮，显示出更高的磨光技巧。烧成的磨光器物，富有光泽而保留有轮制的痕迹，这些都增加了器物的美感。它的黑色光泽之美是令人陶醉的。那种细腻润泽的质感，透射出高雅的气质，散发着沁人、诱人的黑色魅力。再加上采用镂孔和装饰纤细的刻划纹，其制作之精致、造型之优美，更为世人所倾倒。

第二，龙山文化黑陶的线条成为其造型和纹饰的主要表现对象。器物造型上的线条和器表的线条纹饰是龙山陶器上最基本的元素。如龙山时期的黑陶豆，整体以直线为主，辅以曲线，器物造型浑圆挺秀。再有城子崖类型中的罐形鼎，唇部由尖唇到圆唇再到方唇，口沿由宽折到窄折再到卷沿，腹部由深到浅再到深变化，从微鼓到鼓腹明显再到球形鼓腹，底由小平底发展到大平底。鬶的流由高到矮，腹由瘦向肥硕发展。这些变化使器物的线条弯曲程度加大，展现了充满空间张力的形式美感，用曲线体现一种力量美。除此之外，器物类型本身也在不断变化中，陶器造型中的变化体现出线条的力量，使得器型越发显得生动。

龙山黑陶的器表装饰也是以线条为主。陶器的肩腹部多有一条或隐或现的弧线，或凹或凸。如城子崖陶罐肩部或腹部就常饰一道凹弦纹。龙山陶器上常见的绳印纹，一圈圈的重复很相似，"投影、高光、明暗交界线和微妙的反光可以瞬息变化，像音乐的和弦，重复是为了主体的突出"①。各种粗细不同的线条相间，或凸或凹表现器物形状的起伏，在光源的照射下形成抽象的轮廓线，寓意于线条，简约而传神。

与色彩的自观原始的审美趣味不同，线条创造了更加纯粹的审美形式感，使写意和象征得到发展。龙山文化陶器的制作者，通过对器物形态的线性把握，将情感表现得深入细腻，尤其是线条之间的组合更加协调。

第三，龙山陶器通过简单纹样的重复、强弱变化来体现内在的和谐，而不同于仰韶时期变化丰富的鱼纹、鸟纹、波浪纹等装饰手法。仰韶时期

---

① 曲冰：《对龙山文化中出土黑陶器的几点探索》，《山东陶瓷》1995 年第 2 期。

的人们通过各种植物纹、动物纹或其变体来表达感情和理想。而龙山陶器的装饰单纯和简单,是一种理智的反复,仔细观察出土的黑陶的纹理,普遍存在着规律性。如疏密相间的弦纹、一圈圈重复的绳纹、凹凸有致的压印纹、孔径均匀的镂空纹都体现出制作者的艺术巧思。陶器简洁纹饰的疏密、强弱、虚实、明暗等体现了内在精神上的和谐,包孕着感性的生机,是相辅相成的生命节奏的表现。又如山东胶县北三里河遗址的陶器的器腹或口沿突起的圆纹被压出一个一个的圆窝,是暗纹中的一种别致形式。有两片薄壁的灰陶罐残片,其外壁轮廓作阶梯状下降,形成一种特殊的平行弦纹,借明暗变化以显示其纹饰的作用。临沂土城子遗址中有借轮转同时进行装饰的现象,也是这种效果。也许先民们阴阳化生的观念也是从这类节律中日积月累归纳出来的。

对火候和渗碳技术巧妙结合,得到外表光亮而质地坚硬的黑陶,是人们对土和火掌握的物化和具象化。这种技术的把握完全是主观的,完全是制作者发自心源的主观情趣。经过泥火水的融合过程的恰到好处,达到了透黑这一炉火纯青的状态,形成流美圆转的外表,达到形体的圆妙光泽,尽显墨玉之质,是一种对圆满的追求,似佛家完美无缺的圆象。在制造的过程中,人们对自然界的法则,诸如均衡、对称、色觉等形式规律逐渐有了一定的认识,形成了自己对物象的形式感。这种意识从自发到自觉,并且通过对物质材料的征服,在创造过程中得以体现。

总之,龙山陶器继仰韶文化、大汶口文化之后,在工艺方面取得了更大的进步,对火候和渗碳技术的准确把握,烧制出内、外透黑的蛋壳陶。单纯质朴的黑陶,疏密相间、强弱相衬富有节奏感的装饰,器物形态和装饰手法的和谐统一,达到了理想的装饰效果。龙山文化的陶器的器型和纹饰对商代的青铜器产生了深远的影响。

第五章

新石器时代玉器

玉器是中国上古时代的主要艺术品之一。玉器的制作是在石器制作的基础上逐步发展起来的,石器的制造为玉器的生产积累了技术上和审美观念上的经验,从而为玉器制作的日益成熟奠定了基础。目前发现的玉器,最早出现在新石器时代的早期。从零星打制到以良渚文化为代表的新石器时代的初次辉煌,再到殷墟妇好墓等为代表的商代玉器,进入到了历史上玉器时代的高潮。由于玉质的坚硬,玉器制作工艺的发展是非常缓慢的,随着雕琢技术的提高,人们逐渐开始对玉进行雕琢。新石器时代的玉器生产,也经历了一个极其漫长的演变过程。玉器能在中国传统的众多造型艺术中占有一席之地,与新石器时代玉器制作的不断探索密切相关。

第一节 概　述

一、玉料的多样性

许慎《说文解字》说:"玉,石之美者。"这也代表了远古中国人对玉的传统观念。先民们在经验的层面上,从色彩、质地和叩击的声音等方面区别石与玉。因而与后来矿物学的概念上对于石与玉的区别虽大体相当,却又不尽一致。在新石器时代,人们用砂岩、页岩、变质岩等岩石磨制农业、手工业、狩猎等方面的石制工具,而用蛇纹石、透闪石、石英岩、硅质石等彩石磨制玉器,逐步将玉器与石器区别了开来。

考古资料表明,商代以前的玉器来自广阔的地域。玉料在中国的分布非常广泛,品种也丰富多样。原始先民由于居住地域所限,在生产制造玉器的材质选择上是单一的,即仅仅选用其居住地附近的玉料。这就使得玉器由于采用不同地域的玉料,在色彩、质地和叩击的声音等方面各有特点。如山东大汶口文化及其后继的龙山文化,原料多为质地细腻、光泽温润的长石;盛行于东北的是红山文化的岫岩玉;江浙地区良渚文化的玉则是浅绿色、带云母状闪亮斑点的透闪石;四川广汉地区多为质地细腻带有斑纹的岩石和沉积岩;等等。商代安阳殷墟妇好墓中的很多玉器则主要以南阳玉为原料。这些都反映了各自的地域特色,从中也可以看出玉料的丰富性。

尤其是到了新石器时代的晚期,随着生产力水平的提高、先民们活动范围的扩大,也随着方国部落的兼并,以及原始贸易的开始,玉料的选择逐渐打破了地域的限制。如江浙良渚文化,其玉料就显示出多样性的特征。从目前出土的玉器看,尤其是到了商代,其原料不仅有岫岩玉、南阳玉,还有新疆和阗玉。这种原料来源的多样化,就必然地促进了玉器制造的多样性,客观上也推动了审美意识的深化。内地对新疆和阗玉的广泛采用,使后来学者普遍认为新疆和阗至殷商之都安阳之间存在着一条"玉石之路"[1]。这种类似于后世"丝绸之路"的说法充分说明,当时的经济也得到了一定的发展。

二、功能的演变

最早出现的玉器,大多数和精制的石器一样,都是些生产工具和生活用品。到新石器时代晚期,已经出现了相对独立的玉器作坊。但人们在石器制作过程中发现,玉料的质地晶莹剔透、光滑圆润,令人赏心悦目,于是倍加珍视。这样,玉器便逐渐由实用向非实用的方向发展。这是一个渐进的过程。尽管起初玉器还只是被制成工具,但已经逐渐被作为观赏的对象和礼器了。这种生产工具的非实用化,反映了先民们思想观念特别是审美意识的进步。"美观而得心应手的工具反过来又能刺激人们的

---

[1] 参见潘守永:《玉器在中华文化中的意义》,《华夏文化》1997年第2期。

劳动热情,扩大了人的精神领域并提高了人的思维能力和审美能力"①。随着时间的推移,玉器的工具功能逐渐消失,转而向装饰品的方向发展。

在河姆渡文化、大汶口文化、良渚文化、红山文化、龙山文化的诸遗址中,分别出土了玉斧、玉铲、玉兵器等玉器。它们有一定的实用价值,而造型则越来越精美,并且被用来作为装饰品和宗教礼器。如玉簪、玉环、玉璜、玉玦等都是装饰品,玉琮、玉璧等是宗庙礼器,而玉龙、玉鸟等则可能是神物。后两者显然被用来作为宗教或权力的象征。同样,当时的玉兵器如玉戈、戚、钺等,应该是军事实力和军事权威的一种象征。

大量的事实表明,礼玉是从实用玉器蜕变而来的。玉璧是环形石斧的蜕变,玉镯由护腕的实用器具演变而来,再进一步演变为礼地的玉琮。玉琮外方内圆,外壁四面饰有兽面纹。从物质的实用到具有精神价值,包括伦理价值和审美价值,反映了人类心灵的历程。丰富复杂的社会意识,增强了玉器审美的内在意蕴,与其自然的质地和形式相辅相成。随着整个社会意识形态的发展,实用玉器和礼玉逐渐在审美意识和伦理观念等方面得到了长足的发展。

在新石器时期,宗教功能是玉器的重要功能。殷商卜文,"巫"字像两手捧玉,以玉事神状。这说明玉在当时是沟通人神的重要法器。而法器在行巫过程中又是极具震撼力的,巫师凭借它才能实现巫术的功能。浙江良渚文化的玉琮就曾被当作祭器,台上放玉琮,外方内圆代表天圆地方,从而沟通天地,祈福于天,以求免降灾祸。玉琮功能的神秘化,渐渐地还代表了一种权力。

三、纹饰的发展

中国上古时代的玉器经历了一个由素面向纹饰发展,又由简单纹饰到繁缛纹饰发展,再进入繁简相错、风格多样阶段的历程。起初的素面基本上是表面空白光滑、不加任何琢刻的。随着新工具和新方法的使用,阴刻的线条出现了,继而用同样的手段使图案凸起,在玉器上便出现了凹凸

---

① 李福顺:《中国美术史》上卷,辽宁美术出版社2000年版,第9页。

有致的纹饰,并且进一步用它来从事各种图案造型。随之,人们自由的想象力和个体丰富的审美情感,也在玉器上得到了充分的显现。这使得玉器日益成为了后世得以保存的艺术珍品。

　　玉器的纹饰的雕琢过程,大致经历了由"勾撒法"向"浮雕法"的演变①、由平面线条向立体浮雕演变的过程。这些方法的运用,强烈要求有对应的新工具,即比玉硬度更高的材料,有的学者就推测当时已出现"钻石雕刻"②。但不管使用了什么样的工具,纹饰在新石器时期出现,已经是不争的事实,并且有日趋繁复的发展趋势。如红山文化出土的玉鱼纹饰简朴,阴线粗略,而同时代稍后的玉龙玦在纹饰上则显然要复杂得多。这种变化,一方面说明了玉器雕琢技术的日益提高,另一方面也反映出人们情感的日渐细腻,思想的日渐丰富和深刻。当然,由素面向不同纹饰复杂化的发展,从某种程度上也体现了古代人朴素的自然观向极具抽象化的心灵观念的转变,为后来玉器的神秘化、理念化作了必然的、顺其自然的铺垫。这使得玉器后来从简单的工具、装饰品转向作为沟通天地的宗教法器和社会生活中仪仗礼器,玉器及其纹饰也借此获得了充分的发展。

四、造型的演变

　　自从玉、石分开以后,人们对于玉质的晶莹剔透及其玉表的纹理情有独钟,而人们对玉器造型的设计,则体现了先民们的模仿天性、创造精神和生活情趣等。尽管受石器质地坚硬的影响,当时的雕琢技术还不能随心所欲,但现存的新石器时代的玉器已经令我们惊奇感叹了。

　　新石器时代的玉器器型是从几何形开始的。如红山文化时代的玉器多以圆形为主;而良渚文化时代的玉器,则多以方形为主。如红山文化的墓葬中,出土了许多的圆形玉璧、玉璜、玉玦以及圆雕的动物等;而良渚文化中,则有多件方形的玉琮、玉冠饰、玉礼器之斧、钺等。这一方面反

---

①　参见白文源:《浅谈商周玉器的雕琢技法》,《文物春秋》1999年第4期。
②　参见林华东、王永太:《良渚文化玉器的雕刻技术》,《浙江学刊》1996年第5期。

映了对自然的直觉体验能力,如对方形的大地、圆形的苍穹的主观印象;另一方面也反映出他们的抽象能力,已把周围的世界抽象成几何的形体。

商代以前玉器在材质、用途、纹饰和器型等方面,发生了重要的演变。所有这些演变,使得商代的玉器在中国玉器史上出现了前所未有的高潮。玉器的演变只是中华民族众多工具制造、艺术形式演变的一个方面,但它影响深远,甚至可以说是中华民族精神的演变的一种投影,反映了上古时期中国人的意识形态和政治观念及其变迁的历程。这些意识对后世中国人来说是浓重的、深邃的,体现了早期的中华民族的某些精神风貌,对中国成为世界上重要文明古国也有一定的意义。

新石器时代玉器的演变也为夏商周时期玉器的辉煌作了必要的准备。到了夏、商、周三代,玉器的发展更快了,具体表现在玉器的造型日益精细独特,纹饰逐步繁缛抽象,风格也日益多样化。

第二节 红 山 玉 器

红山文化距今约6000—5000多年,在中国东北的西辽河地区独领风骚1500年,它无疑是影响中国文化之源的因素,是学界颠覆"中国文化一元论"的有力证据之一。红山文化的早期与兴隆洼文化关系紧密,而晚期则成了影响小河沿文化的一个重要因素。目前我们主要依赖于墓葬内出土的玉器来探索自然环境、社会环境和细石器工艺对玉器的影响。我们从其器型中可以看出,器型中的虚实相生和"寓多元为一体"等特点,既有深化前人创造的一面,又有自己的独创性特点。在整体风格上,红山玉器既充分吸收了北方土著文化——兴隆洼文化的营养,又融合了南方中原地区仰韶文化的精髓。故以自然奔放为主,又兼及契合于岫岩玉玉料特征的优美、柔和风格。随着历史的发展,这种北方土著文化与南方发达的仰韶文化的融合度越来越高,到小河沿文化后的夏家店文化时期,两股原生文化的潜流交织成一股巨大的洪流,为夏、商、周三代玉器和其他器物的造型与纹饰奠定了基础。

一、创造的基础

红山文化玉器与南方的良渚文化玉器在学术界被认为代表了史前玉器制作的最高水平。红山玉器审美特征上的发展，受到了自然环境、主体观念与细石器制作与技术层面的影响。红山先民从自然环境中获得了创作的灵感，又在"唯玉为葬"思想的影响下，使玉器从日常实用的器皿中独立出来，成为祭享先人的宝物，因而在其形制和纹饰上，趋于精细的追求和创造力的发挥，而此前根深蒂固的细石器传统，则为玉器的制作和审美理想的物化提供了技术上的保证。

首先，红山文化时期的自然环境，为红山先民玉器创造的造型和纹饰带来了灵感。"在这一时段存在的兴隆洼文化、赵宝沟文化和红山前期文化遗址中，都出土有大量的原始农具、捕鱼用具、动物遗骨和木炭，表明当时的西辽河流域一带，在农耕兼营狩猎的聚落周围，分布有广阔的森林草原和面积足够的水域"①。这种温暖潮湿的气候使红山文化时期的动植物数量和种类异常繁多，为日后的先民进行器物设计提供了丰富的素材。正因如此，红山文化中便生产制造出了很多动物形玉器。也许是由于温带森林中盛产鸮鸟的缘故，红山先民才有了创作形态逼真的"玉鸮"的灵感。红山文化时期生态环境良好，农耕经济获得了较大的发展，但是这种新兴的经济模式依旧没有取代渔猎经济的主导地位，依赖于优渥的生态环境的渔猎经济仍然非常活跃。这种影响直接体现在出土数量较多的玉龟和玉鱼的造型设计上。不仅如此，红山文化的动物形玉器还间接地受益于周围环境，如红山文化中典型的兽形玉、玉猪龙、兽首玉璜、兽首三孔器等，虽然我们对兽首中到底蕴含了多少种动物的形象还不是很明确，但我们可以知道这些造型都是红山先民基于真实动物的启发，对其进行融合和变体而设计成功的。

其次，在思想观念方面，"唯玉为葬"的传统推动着红山文化的器物向着严格意义上的艺用相分的方向发展，因而推动了玉器超越实用而更

---

① 田广林：《中国东北西辽河地区的文明起源》，中华书局 2004 年版，第 4 页。

讲究其审美价值。红山玉器大多出自各种中小型墓葬,它们少有仰韶文化中居多的簪、珠、节、坠等小型人体装饰品,而大多为以下三种类型:一是富于当地特点的马蹄形玉筒、竹节形筒器和鼓形器等;二是继承兴隆洼传统的各种实用工具的玉器再造,如玉匕、玉刀、玉镞等;三是具有具象或抽象风格的各种动物形玉器,如玉鸮、玉龟、勾云形玉佩、玉猪龙等。红山文化从早期到晚期的墓葬中玉器的比例越来越大,甚至到了晚期陶器与石器几乎在墓葬中绝迹,陪葬品几乎都是玉器。从中我们不难看出,红山玉器在墓葬中大量存在,说明红山玉器主要是超越实用而用于祭祀、丧葬这类场合之下的。张星德就认为:"红山文化墓葬中出土的玉器非日常实用器物,而应当属于礼器"①。在玉器制作方面,红山先民继承了历史悠久的细石器传统,自然不会因为石器的制作而感到困难,"在陶器的制作上红山人同样有着高超的技艺,他们在陶器表面绘制龙鳞纹、勾连花卉纹和棋盘格状纹、零星方格纹……足见其制陶技术的进步性"②,故红山先民更加不会在制陶的技术上受阻。所以,先民的"唯玉为葬"的意识在器物的选择中起了重要的作用,而并非是由于石器与陶器的制作技术跟不上。玉器在红山文化时期人们心中的地位是有别于且高于具有实用价值的陶器和石器的。正是这种"唯玉为葬"的观念,推动了红山文化的器物从艺用不分朝着艺用相分的方向发展。

第三,北方的细石器制作传统促进了红山先民的雕刻工具和钻刻技术的发展,使红山先民对审美意识的传达能力有了质的飞跃。在北方渔猎社会中形成的这种细石器传统与玉器的起源关系密切,细石器传统为玉器的被发现和制作提供了可能的条件。③ 西辽河地区发展起来的红山诸文化中,都发现了"细石器"这种类型的器物的遗存,尤其在红山文化中更为丰富。他们采用"压削剥片"的分离技法,富于智慧的先民在"色

① 张星德:《红山文化研究》,中国社会科学出版社 2005 年版,第 129 页。

② 张星德:《红山文化研究》,中国社会科学出版社 2005 年版,第 127 页。

③ 参见郭大顺:《玉器的起源与渔猎文化》,《北方文物》1996 年第 4 期;杨美莉:《试论新石器时代北方系统的环形玉器》,《故宫学术季刊》1994 年第 12 卷;杨美莉:《存在红山诸文化中的细石器传统》,《北方民族文化新论》,哈尔滨出版社 2001 年版。

彩鲜艳,质地坚硬的石材"上制作了类型丰富的细石器,这"与射猎和刮剥兽类皮肉等经济活动密切相关,带有十分明显的、根深蒂固的渔猎经济色彩"①。渔猎经济的丰富一方面带动了细石器的发展,另一方面也对细石器的制作不断提出更新的严格要求。为了适应这样的要求,人们不断丰富在坚硬的石材上锻造的工艺方法,改良已有的雕刻工具。

不仅如此,红山文化中玉器的雕刻技艺也应该是得益于这种固有的细石器传统。红山玉器与良渚玉器的一大区别是:它们的制作工艺不同,红山文化多使用其独特的透雕、圆雕的制作工艺。在当地的质地坚硬的岫岩玉上又是切割,又是打磨,又是钻孔镂空,又是施加纹饰,如果没有北方独特的细石器传统给予他们的锻炼,红山先民是很难办到的。从另一个角度看,红山文化中玉器造型多立体、镂空手法,它的审美意识的萌动可能恰恰是以细石器锻造为传统的工艺探求中不断获得满足的心理。

二、感性特征

红山先民正是在这种生态背景和技术水平的基础上,才可能按照他们的创作原则,在史前文化中创造出许多体现审美理想而独具魅力的器物来。根据目前出土的玉器,我们可以探寻其中所体现的创作原则和表现方法,进而揭示出其中所体现的审美理想及其物化特征。这些特征为后代所广泛继承,形成了一个悠久的玉器艺术传统。

第一,红山玉器的镂空器型等在造型上体现了"虚实相生"的原则。由于红山玉器雕刻技术的发达,先民们已经熟练地掌握了圆雕和透雕的技术,许多器物中都体现出他们高超的镂空技术,其中最为突出的便是引起争议颇多的勾云形玉佩。"这类玉器是一种长方圆角形透雕,四角翻卷如钩,中间透雕旋曲的勾云形纹饰器表末处于勾云形纹饰相对应的浅沟槽,上部钻有可供佩挂的孔眼,有的下侧带有奇数的齿状造型"②。线形浅雕的细腻之实,与镂空齿眼的空灵之虚完美结合,相辅相成,达到了

---

① 田广林:《中国东北西辽河地区的文明起源》,中华书局2004年版,第44页。
② 田广林:《中国东北西辽河地区的文明起源》,中华书局2004年版,第229页。

一种完整的立体雕像所没有的空灵意境。这一方面是因为细石器传统使红山先民在"务实"方面游刃有余，而在掌握了先进的雕刻技术后，征服心理又促使他们继续"求虚"；另一方面，先民在"求虚"的过程中似乎还存在着这样的考虑：结合玉的本身质地来看，多了镂空的部分，虽然破坏了玉料原有的完整性，但镂空却增加了玉的采光度，这样从色泽光线的欣赏来看，就比一块普通的完整玉雕要显得晶莹剔透。更为重要的是，这种镂空还拓展了表现的空间，丰富了造型的内涵。另外，完整的圆形立雕可以给人们一种更为圆润和厚重的欣赏效果，而镂空所体现的是一种空灵和跃动，钻刻风格的改变也可以缓解人们在雕刻工程中的审美疲劳。

第二，红山文化玉器中的许多动物造型还体现了"寓多元为一体"的原则。红山文化遗存中崇龙思想非常突出，至今出土文物中以其玉猪龙和兽形玉最为耀眼。根据对这些玉器的考察，我们可以排除由雷电等自然形象的灵感刺激的猜测，逐步认识龙形是一种合成的动物造型。田广林根据龙形头部的分解并且结合了西辽河地区的动植物环境，认为这其中含有猪、鹿、蛇等动物的形象。① 无独有偶，红山文化中的"太阳神像"也体现了这类多元融合的理想，这类玉雕头部有多角凸出，兽首人身，整个雕塑呈蹲坐状。很多学者为了兽首到底是牛首还是代表着红山文化的龙首，抑或是太阳光芒的抽象表达争论不休。实际上，无论我们在玉猪龙与兽形器中分解出多少种动物的形象，或是挖掘出多少证据证明后者到底是以哪些形象与人身进行了融合，都并不重要，重要的是红山先民头脑中在自发的审美意识驱动下的设计理念。"寓多元为一体"的观念深植于先民的心中，使他们不满足于玉鸮等鸟形玉器和玉龟的逼真雕刻，而希望将丰富的形象纳入到一个整体中去。这种设计观念深刻地影响了后来的文学、艺术创作和哲学的思考方法，例如后来中国民间的吉祥物麒麟的设计就充分体现了这种设计理念。

第三，红山玉器在造型方面还突出地体现了先民的"尚圆意识"。红

---

① 参见田广林：《中国东北西辽河地区的文明起源》，中华书局 2004 年版，第 210—217 页。

山文化器物中有丰富的圆形玉璧及玉联璧。红山文化的三孔玉器,更是以三个连续的圆孔突出显示了"圆"的设计思想在先民头脑中的重要地位。不仅仅是放在墓葬中的随葬玉器的设计重"圆的思想",连放置在墓葬外围的筒型器也是圆的,祭坛的设计更是有别于同时代的其他史前文化的设计而采用了圆形。这些现象无不反映了红山文化先民心中潜藏的"圆"的审美意识。"圆昭示出流畅、运动、活泼、婉转、和谐、完美等特征……中国古人在审美活动中追求一种圆满具足的体验,追求圆融无碍、流转不息的生命境界。……圆是运转无穷、生生不息的表现,体现了绵延不已、循环往复的宇宙精神和生命特征"[1]。或许正因如此,红山先民在普遍运用"圆"的思想于设计理念方面迈开了较早的步伐。

红山先民的尚圆意识不仅仅局限在标准的圆环上,还独树一帜地大量体现在玉玦形的器物上。玉玦形的器物在很大程度上继承了兴隆洼文化中玉玦的设计,它的典型特征便是圆环之上有一个断口。红山玉玦类型器物的重要代表是 1971 年在内蒙古翁牛特旗三星他拉村出土的"C"形玉猪龙等,它们大致呈一个完整的圆环又缺了一个豁口的形状。圆环上的空缺与封闭的圆环相比,既兼顾了它的圆润效果,又增添了一种开放、广博的意蕴,在造型上更显得舒展,并且回避了标准圆形器物在构形时因追求圆融的和谐效果而带来的封闭禁锢的缺点。不仅如此,前者给人的想像空间也更为开阔。这种缺口虽然有时可能会破坏圆形带给人的平衡稳定感,然而我们发现玉猪龙的钻孔在悬挂后,将会表现为一种动态的平衡,重心会自然而然地与尾末维持在一个水平线上。[2] 这种看上去破坏的举措,却掩藏了在内部寻求一种平衡的思想。在这种追求的过程中,我们体验到一种高于那个标准圆环单一、呆板的平衡模式的动态平衡感。

第四,红山玉器的纹饰则体现了具象与抽象相结合的原则。这些纹饰大都经历了从具象到抽象的历程。典型的勾云形玉佩便是一例,王仁湘根据勾云形玉佩从具象到高度抽象的演变规律,将其分为带有写实痕

---

[1] 朱志荣:《中国审美理论》,北京大学出版社 2005 年版,第 216 页。

[2] 参见张星德:《红山文化研究》,中国社会科学出版社 2005 年版,第 117 页。

迹的定式、完全抽象风格的变式和变式的半体形式三种类型。① 在这个演变的过程中,人们渐渐超越具象形似的追求,而追求抽象神似中所蕴含的神格意味。田广林根据同类型例证证明,即便是完全写实下的勾云形玉佩下侧的齿纹,也应该是具有抽象风格的鸟的尾羽,抽象的尾羽在审美者的眼中又被看成神秘、恐怖的齿牙,重新被赋予了具象特征。红山文化的兽形玉和玉猪龙是红山玉器的代表作,虽然我们很难确切地从湮灭掉的历史中寻找到那些兽首在设计时包涵的具体动物形象,但是它们却因为抽象化的缘故,不再单纯、浅薄地代表一种动物或多种动物的具体形象,取而代之的是具有了一种抽象神格的味道。这也体现了先民在构形时讲究具象和抽象结合的重要原则。

三、艺术风格

从鉴赏的角度看,体现着艺术品灵魂的内在风格往往是玉器被关注的焦点。因此对于一个鉴赏者来说,红山玉器之所以能够具有独特的魅力,正是因为红山文化的玉器有其固有的独特艺术风格。当今的文物专家们常常依据红山玉器的艺术风格来判断文物的真伪,说明他们当时确实已经形成了独特的风格。

红山玉器的艺术风格是以体现自然奔放的生命力为主,又因为玉质及其工艺使得玉器中不乏优美柔和的特征,从而表现出以热情、奔放为主导兼有优美柔和的特点,两者相辅相成,既反映了外物感性形态的生命特征,又反映了主体审美欣赏时的内在要求,体现了审美活动中主体的生命意识。

首先,红山玉器的器型讲求在自然奔放的动态中表现出来的生命力,以三星他拉村的"C"形玉猪龙为例,商场上伪造的玉龙在专家看来可以将其和真玉龙明显地区分开来,尽管假玉龙也有鬃毛,但是毛是驽钝的,缺乏迎风凛冽的、飞扬的生气与野性;尽管假玉龙也有躯体,但是它的躯

---

① 参见王仁湘:《玉眼:勾云形玉佩的定式和变式》,《中国文物报》2001年7月22日第7版。

体是僵硬的,缺乏线条流畅的盘旋的神态。红山玉器中的兽形玉是一种典型的玉玦型玉器,它鲜明地突出其极具特色的獠牙,配合着通过浅刻手法表现的褶皱丰富的面颊和兽眼,自然地露出阴森、恐怖的意味。这说明红山先民在创作玉猪龙和兽形玉的时候,不仅仅考虑到它的独特造型,而且更加重视其形中所体现出来的神韵。

红山文化遗存中多有立体雕刻作品,如玉人、玉蝉、玉龟、玉鸮等,以玉鸮最为普遍。在以玉鸮为原型的作品中,无论是展翅高飞,还是静息中收敛羽毛,都可以看出玉鸮在动静中的神气。动的过程中追求捕捉那一瞬间的姿态,静的表现中体现一种似动非动、欲动未动的状态,动与静的完美结合使红山玉器少了其他史前玉器中匠气的缺点,多了几许生动的气韵和灵动的情趣。

其次,红山玉器还体现出优美柔和的风格。"唯玉为葬"的传统思想在红山文化中占据重要地位,其前提是当时的人肯定是爱玉的,肯定觉得玉是值得欣赏的。红山玉器的原料大多取材于当地的岫岩玉,其质地温润细腻,有着较好的光泽度与透明度,这种玉料使得红山玉器在质料上就体现出柔美温和的气度。

红山先民的玉器制作工艺,也是成就这种优美柔和特征的重要因素。"红山文化在玉料加工上已普遍使用切割成材技术,经切割的玉材会形成锐利的棱角,使形状上自然显现规整。但红山人显然并不接受这种硬朗的造型,而总是对棱边进行再加工,使其器显得圆润光滑。即便是钻孔形成的锐棱,红山人也要打磨得十分光润"①。温润的玉料质地配合着追求圆润的工艺效果,使得许多红山玉器自内而外都彰显出优美雅致的气质。

这种看似有悖于红山文化的典型玉器玉猪龙和兽形玉所彰显出来的具有奔放气度的艺术风格,是有其存在的可能的。我们不能因为玉猪龙和兽形玉的典型性,就以偏概全地认为所有的红山玉器都应该一律具有奔放的特点;相反,红山先民也需要有具备曲线的温润和柔美特点的玉

---

① 张星德:《红山文化研究》,中国社会科学出版社 2005 年版,第 126 页。

器,来消除他们在创作环境中审美的疲惫。先民在创作玉器的时候兼顾两种不同的艺术风格,正是为了满足审美者的多元需求。

四、深远影响

红山玉器自成一派,与良渚玉器共同代表着史前制玉水平的最高成就,对后世的玉器创造影响深远,这突出地表现在其对于造型设计的直接影响:一是对玉琮的直接影响,如牛河梁玉器墓中出土有圆柱形玉器,器型为圆柱体,束腰,横断面外廓近方形,内穿大圆孔,形成外方内圆形,初具良渚玉琮的形态特征,从中可以看出,它与良渚玉琮之间鲜明的源流关系;二是它对历史上玉龙整体造型的影响。"后来出现的凌家滩玉龙、石家河玉龙、陶寺蜷体彩绘龙以及商代的玉龙,其整体造型风格都受到红山文化蜷龙的深刻影响,源于西辽河一带的红山文化蜷龙,应该就是甲骨文龙字的最初原型。商代以后,从西周直到西汉,历代玉龙的总体造型始终保持着这种基本特征"①。可见,红山文化中的龙形设计思想渗透到了后代龙的形态设计中,并且深刻地影响着以龙为尊崇的中国传统文化。

红山玉器对后世的审美影响并不仅仅局限在具体玉器的构形上,还表现在很多思想理念的影响上。一方面,红山文化的"唯玉为葬"的思想首开玉礼器的先河,"上述与其在各文化中均被作为礼器在墓葬中标志墓主人身份、地位的贵贱与高低。地处辽河流域的红山文化区是上述诸区域中最早形成自身玉器群特色的区域"②;另一方面,红山玉器对于艺术创作的原则的影响也非常深远。

不仅如此,红山玉器中"整体布局、局部布白"的设计思想对于后来的文艺创作影响也非常深远。"在装饰上,红山文化玉器的纹饰简洁、疏朗,突出重点,强调神似,寥寥数笔表现其所要表达动物或造型的典型特征,不注重细部刻划,而采用大块面抛光的手法加以处理。比如兽形玉,仅在兽头部分进行精细雕琢。用阴刻线和浅浮雕的手法突出表现其巨大

---

① 田广林:《中国东北西辽河地区的文明起源》,中华书局 2004 年版,第 208 页。
② 张星德:《红山文化研究》,中国社会科学出版社 2005 年版,第 151 页。

的头部以及圆眼、竖耳、前突的嘴部和獠牙。而蜷曲的躯体则光洁无纹"①。金仁安也在其文章中提到"虽然当时的工匠已经能够熟练地在玉器上刻画复杂的纹饰了,但是他们显然对在玉器上进行这样的装饰持极为慎重的态度,在以刻纹表现动物的头部和鸟类的羽翼以外,其余部分一般作抛光处理,而不再附加额外装饰"②。由此我们不难看出,远在红山文化时期"整体布局,局部布白"的思想已经根深蒂固,这种思想对日后中国画的布局产生的有益影响是巨大而深远的。中国山水画在绘画过程中,常常以寥寥数笔精妙地勾勒出一棵松、一顶篷、一溪水,之外便是大片的布白。可是这种布局非但没有让人感到空洞,反而让人获得意境千里,可以放怀驰骋丰富的想象。布白与绘画的完美搭配,以布白衬托绘画的精致,以绘画衬托布白的疏朗,画面整体显得错落有致,详略得当,空间丰富,意象生动。

红山玉器是当地新石器时期最具代表性的器物,也是中国整个新石器时期最具代表性的器物之一。这些玉器不仅影响了周边的吉林、黑龙江地区的古玉器及其他器物,而且其兽形玉、勾云形佩玉以及琮、璧等器型,对南方的长江中游和下游玉器的型制和纹饰都具有一定的影响。我们在良渚玉琮和商代的饕餮纹中,都可以看到红山玉器的影子。因此,揭示红山玉器的审美特征,对于我们研究中华审美意识的源头,无疑具有着重要的作用。

第三节 崧泽玉器

崧泽文化打破了太湖流域此前玉玦"一家独占"的玉器格局,出现了玉璜、玉镯、玉环等多种饰玉。出土时一般位于墓中人骨的胸部和手腕处。玉璜上端两侧钻有小圆孔,圆孔上侧留有因悬挂而磨损的清晰凹痕;

---

① 张星德:《红山文化研究》,中国社会科学出版社 2005 年版,第 126 页。
② 金仁安:《试论红山文化居民对岫岩玉的开发与利用》,《鞍山师范学院学报》2003年第 3 期。

玉环、玉镯内侧则大多因佩戴而被磨得光滑透亮。崧泽文化玉器的多样化形式、佩戴位置以及玉器上留下的磨损痕迹共同反映了装饰风气的盛行。同时,崧泽文化遗址中部分葬玉也开始出现,如含于死者口中的玉琀、置于死者头部附近的玉璧等,形成了后来玉器以琮、璧、锥形器为特色的礼仪风气的先声。黄宣佩先生曾考证:"新石器时代玉器的产生序列,从太湖流域的例证来看,则是先有珠、管、坠等仿石、骨器的饰件,再有耳饰玦,然后出现项饰璜,最后才有随葬和礼仪上用的琀、斧、琮、璧和锥形器、杖饰等玉器"①。崧泽文化玉器就处于由饰玉项、饰璜的"玉美器"向葬玉中的玉琀、玉璧的"玉礼器"过渡的阶段。它上承马家浜文化玉器,下启良渚文化玉器,形成了一个层累的玉文化系列。同时,崧泽玉器作为一个独立的玉文化层,又表现出自己独特的审美特征。

一、玉料特征

太湖周围和杭州湾以北的崧泽玉器所用的玉料与红山文化为代表的北方玉器所用玉料相比,无论外部色泽还是内在质地上,都表现了南方玉料独特的审美风貌。"红山文化玉材,类似岫岩玉,属蛇纹石类"②,而崧泽文化遗址出土的饰玉和葬玉所用的玉材,色泽多样,有墨绿色、湖绿色、淡绿色或绿褐色等,质地相对较细密、光润,有油脂般的光泽,还略微带一些透明感,这与"马家浜、良渚文化玉材多为透闪石、阳起石、蛇纹石,亦有大理石,其以深浅绿色为主,或泛青、或透黄、杂有深色点状或石质"③是一脉相承的,共同构成了古越玉文化板块玉材的审美风貌。同时,崧泽文化时期处于我国玉器创造的孕育期,玉器所用原材料并非成熟阶段的和田玉,而只是一种发展中的"彩石",其斑斓的色彩和细润的质地正好体现了崧泽文化玉器由"玉美器"向"玉礼器"过渡阶段的审美特征。

---

① 上海博物馆集刊编辑委员会:《上海博物馆集刊》第 4 期,上海古籍出版社 1987 年版,第 151 页。

② 中国美术全集编辑委员会:《中国美术全集·工艺美术编·玉器》,文物出版社 1986 年版,第 4 页。

③ 中国美术全集编辑委员会:《中国美术全集·工艺美术编·玉器》,文物出版社 1986 年版,第 4 页。

首先,作为"玉美器"的饰玉,其玉料的色泽和质地特征造就了崧泽大部分玉器的装饰和审美功能。从崧泽文化遗址的发掘情况来看,中前期玉器大多数属于先民们美化自身的装饰品,大致形成了手腕戴玉镯、手臂套玉环、胸部佩玉璜的审美风尚。这显然是由崧泽玉料质纯色丽的典型特征所决定的。崧泽玉器的原材料"因质地致密、细腻,色彩柔和、鲜艳,磨光后具有美观的绿色花纹,是当时人类制作玉环、玉璜、玉玲等佩戴饰件的主要材料"①,这些玉料在自然的生成中被赋予了装饰性的典雅色泽和纯洁质地,只须稍加琢磨、抛光,便可形成精美的装饰玉器。尤其是玉料绿色的花纹和中间夹杂的深色斑点,取代了人工琢磨的纹饰,呈现出自然、朴素的美器特征。崧泽玉料的外在色泽和内在质地所决定的装饰性质是当时其他任何材料所不能媲美的。如果说崧泽文化中的石器、陶器的审美特征很大一部分表现为在实用基础上所附加的装饰化的造型和纹饰的话,那么崧泽装饰类玉器则从一开始就具有了名副其实的审美意义,它直接脱离了现实实用价值的束缚,而涵盖了艺术品的审美形式和装饰特质。

其次,作为"玉礼器"的葬玉,在崧泽文化中晚期也开始出现,其玉料除了自身质地无瑕和色泽纯美外,还具有一定的神秘灵物的表象,承担着原始礼制思维的功能,体现了愉悦的审美形式和神秘的宗教内涵的融合。崧泽先民大部分生活在沼泽地带,经常处于猛兽觅食的危险之中,且无力面对生老病死、风雨雷电等自然现象的侵袭,而崧泽玉石作为"火山作用晚期和期后的喷气及热液作用交代蚀变的产物"②,从诞生之日起,就以其特殊的神秘意义与作为实用器物的石器、陶器制品判然有别,多被奉为神物受到特殊的崇拜。崧泽遗址出土的鸡心形玉玲就是这一观念的实物遗存。该玉玲选用墨绿色的上等细密玉石做原材料,晶莹碧绿的色泽,细腻致密的质地,都比装饰类玉璜的玉石材料更具神秘意义,更何况该玉石属中酸性火山岩,有较强的硬度和耐腐蚀性,寄寓着崧泽先民"人死不

① 青浦县县志编纂委员会:《崧泽文化》,上海人民出版社1992年版,第73—74页。
② 青浦县县志编纂委员会:《崧泽文化》,上海人民出版社1992年版,第73—77页。

腐"的美好祝愿。崧泽玉璧系火山碧玉制成,其玉料湖绿色之中夹杂着灰白块斑纹,似翡翠般晶莹,为玉料中的精品。其致密的碳元素结构透显了大地灵物的表征,而被使用来置于使者的头部附近,赋予其礼制的人文内涵。神秘的宗教价值和朴素的审美价值紧密地交织在崧泽葬玉的玉质材料之中。正如在很多情况下伴奏的音乐、舞蹈等的审美特质会增强某些原始的宗教功能一样,崧泽玉琀、玉璧选用的玉料所具有的天生丽质也衬托了它神秘灵物的表象,二者相互辉映,共同造就了葬玉玉料的多重审美价值。

总之,崧泽文化玉料的色泽在总体绿色的基调上显示出色调上的多种细微变化,且杂有诸多深色斑点;其玉质在细腻、致密的基础上又显得晶莹剔透,并被自然火山赋予了一种可用来象征灵物的表象,这些都体现了独特的南方特色和多重审美特征。

二、造型特征

崧泽玉器在造型上大多为扁平型片状,器表光素无纹,只是极少数玉器背面留有弧线痕或长、短凹弧形槽,但均系切割痕迹,自然算不上纹饰了,即便是鱼、鸟、狗等动物形玉饰,也只是粗具轮廓,别无其他纹面修饰。但在造型结构上,崧泽玉器却形制多样,仅玉璜类形制就有长条形、半环形、豆荚形、桥形、鱼形、鱼鸟形、半璧(半轮)形等,此外还有零星的蝶形玉项饰、犬首形玉饰等,从中体现出崧泽先民们取自周边自然生态环境的仿生特点。

首先,崧泽玉器多样化的造型是在崧泽先民的生活及居住环境中提取原型的。"崧泽人聚集居住在较为干爽的高地茅舍村落中,在村落周围,垦殖了小块水稻田,驯养了狗、猪。附近湖泊沼泽中的鱼、蚌、龟、鳖、虾等水产,周边高地上的野禽、獐、四不象、鹿,这些动物为上海先民生活提供了丰富的肉食资源"①。崧泽先民已经形成了以农业为主,以渔猎、饲养、纺织为辅的生产和生活格局。他们在玉器造型的设计之中,就直接

---

① 熊月之:《上海通史》第二卷,上海人民出版社 1999 年版,第 4 页。

体现了江南水乡、纺织和崧泽农业文明的特点。崧泽遗址出土的各种玉饰、玉璜就是这种艺术创造现象的实物遗存。桥形玉璜之建筑原型、半轮形玉璜之纺轮原型、犬首形玉饰之犬首原型，以及鱼鸟形玉璜之鱼鸟原型，都是崧泽先民在现实日常生活中及目所见的物象。例如，崧泽作为一个水乡，河流密布，河上的小桥也当然是数不胜数了，拱桥形的造型在崧泽先民的心中留下了深刻的印象，从而形成了富有浓郁水乡生活气息的桥形璜。璜面较宽，呈扁平状，显得坚固而厚实，是现实生活中拱桥承载功能的形象体现。江南地区蚕桑纺织较发达，纺轮为崧泽先民解决了穿衣问题，他们就试图借半轮形造型的玉璜来表现纺轮给他们生产劳动所带来的实惠。犬首形玉饰造型的审美创造更加离不开饲养业的发展，先民们在对狗的驯养中，通过观察、体悟，在脑子里逐渐形成了狗的形象，于是将玉片琢磨雕成了犬首形玉饰。还有鱼鸟形玉璜，其形制可能是因为先民根据自己对崧泽水乡的独到观察，而联想到鱼与鸟两种动物共欢的自然生活图景，于是将水乡中的两种典型的动物融入玉器造型的艺术化审美创造之中。可见，崧泽先民眼中的桥、纺轮就是活生生的自然生命，而玉石则是心中生命的物质载体。现实生活中具有实用价值的桥、纺轮、狗和鱼、鸟就正是以原型的形象在玉器的审美创造中转化成为佩戴在原始先民颈部的各式各样的装饰类玉璜的。

其次，崧泽玉器多样化的造型还离不开冶玉技艺之道的直接参与。崧泽玉料多为软玉，崧泽先民只须以线加砂，通过往来摩擦锯割玉片就可形成精美的玉器。如犬首形玉饰，其玉料的形状本来就肖似犬首，凸起的一角像头，前伸的一块似嘴，只需稍加琢磨就可雕成犬首形，先民在此基础上，经过简单的抛光，并用钻孔的工艺完成犬首的点睛之笔，就形成了一只惟妙惟肖的犬首形玉饰，使得整个外缘轮廓线条自然流畅，形象生动逼真。崧泽遗址出土的鱼鸟形玉璜在鱼和鸟的设计上也极为简练巧妙，使整个造型充满自然的生气：玉璜的一端琢制成鱼首形，鱼嘴微微张开，似露出水面作吐气状；另一端琢制成鸟首形，喙部也自然地张开，似站立于枝头作引吭高歌状。鱼鸟相对，交相辉映。另外，璜上端两侧，各有一小圆孔，也正好琢磨成两种动物的眼睛。这种鱼鸟形玉璜虽然器型原始朴实,但却充分体现了崧泽先民冶玉技艺的高超和整体构思的简洁巧妙,呈现出一派鸟飞鱼跃、祥和自然的气象,在器物的造型上达到了相当高的艺术水准。崧泽先民冶玉的技艺之道,进一步深化了观象制器的审美思想,将现实环境和生活中的物象,以及他们对生活的感受,转化成了精美的艺术形象。1988 年谢桥钱底巷出土了崧泽文化"玉质扁管状龙首形饰物",该饰物仅为指甲盖般大小,但整体做工却非常精巧:中心用管钻穿一对钻孔,外缘被简洁的刀法刻成一个纵向的龙首;龙首双角张扬,双眼突鼓,嘴部噘起。每一条纹路、每一个弧度都刻画得入木三分,充分体现了冶玉的高超技艺。这些崧泽装饰类玉器,其玉料本身就是精美的艺术品,更何况在形制上还有冶玉技艺之道的直接参与,从而实现了崧泽先民在思维空间里再造自然的审美能力。

再次,崧泽玉器造型的选取还充分考虑了所造玉器自身的功用和佩戴的部位等因素。从欣赏者和使用者的角度看,崧泽文化早期饰玉的形制,一般都是由其装饰功能决定的。诸如半环形玉璜,其两端的穿孔上有穿线悬挂磨损的凹痕,中部圆弧的夹心角接近 180 度,佩戴于人体胸部,和颈项圈搭配和谐,整体形制设计明显是由其项饰功能决定的,是造型源自饰体的典型。崧泽遗址中出土的玉玦,近似环形,中间被镂空,一侧有一缺口,崧泽先民只须将耳朵下端轻拉变薄后嵌入玦的缺口即可,既便于佩戴,又使整体造型与饰体搭配和谐。闻惠芬说:"在昆山少卿山遗址有一位死者的两个手腕各套有一件,右手玉镯深绿色,外边磨出斜面,内边磨去棱角;左手玉镯黄白色,内外棱角均被磨去。"①崧泽文化玉镯根据人的手腕形状而进行中部镂空处理,边缘琢磨光滑,其外形与手臂相协调,佩戴舒适,又显得美观。同时,扁平圆环形的崧泽玉环,也应该是依据其手臂形状而构形的,其装饰功能本身就蕴含在造型之中。崧泽文化中晚期玉琀的造型同样源自自身功用和佩戴部位。崧泽玉琀均为口含器,其造型有鸡心形、圆饼形和璧形三式,这不仅与先民所吃的食物形状相似,体现了"玉食"的生命理想,而且还非常适合嘴巴衔含,与人体口腔形状

---

① 闻惠芬:《吴地玉文化足迹》,《苏州杂志》2001 年第 5 期。

搭配和谐。总之,玉器自身的功用和佩戴的部位也是崧泽玉器造型设计的一个不可忽视的影响因素,直接决定着玉器的外形。

三、艺术风格

崧泽文化玉器,在玉料的选择上注重饰玉的典雅色泽和纯洁质地,注重葬玉的神秘表象;在玉器造型的设计上深受现实生活中的朴素原型和冶玉技艺之道的影响,考虑所造玉器的使用功能和佩戴部位等因素。在此基础上,形成了崧泽玉器创造的艺术风格,这主要表现在生命意识、柔美风格和整体意识等方面。

首先,崧泽玉器尤其隐现着崧泽先民的生命意识。崧泽玉璜的造型表现出一派生机勃勃的自然和生活景象,体现出一种淳朴的生命气息,诸如豆荚形、桥形、纺轮形玉璜等。自然和生活中的动物,也是生命的一部分,崧泽玉器将这种生命情感化和审美化:玉质扁管状龙首形饰物、犬首形玉饰、蝶形玉项饰、鱼鸟形玉璜,隐现着崧泽先民对自然生命之美的赤裸裸的追求。尤其是鱼形玉璜,器表光滑,上部用折线形表示头和脊背造型,下部一弯弧形勾勒出了鱼头、鱼腹、鱼尾,折线与曲线相配合,简洁而形象地将小鱼跃出水面瞬间的活泼情趣表现得淋漓尽致。这些只是一种显现的生命意识,而深层的隐性的生命意识则突出地体现为以玉琀为代表的崧泽葬玉的象征写意性。

据考证,"较早的、真正的和纯粹意义上的葬玉是崧泽文化中的玉琀"①。从崧泽玉琀所反映的神秘生命意识来看,其玉石质地坚硬,不易腐蚀,很容易被人们借用来表示"不朽"的生命观念。晋葛洪在《抱朴子》中说的"金玉在九窍,则死人为之不朽"就是这种观念的遗存。古埃及人用木乃伊的方式,而崧泽人则用玉琀来防止体内精气的外溢。入葬时在死者口中置玉的习惯风俗,至少反映出崧泽先民对玉琀已经产生了一种超乎玉料本身属性的防腐、祛邪意识及不朽的精神寄托和生命意识,这为以后形成中国古代用玉向礼玉方向发展的第一个高峰——良渚文化时代

---

① 杜金鹏、杨菊花:《中国史前遗宝》,上海文化出版社2000年版,第344页。

的到来,为中国礼玉制度的形成开创了先河。

其次,玉器的主导风格表现为柔美。与后来的良渚大件礼玉的庄严肃穆不同,崧泽玉器多偏于饰玉,色泽淡雅,器型小巧,且富于变化,总体上体现出一种女性化的、静态的、阴柔的美感。崧泽装饰性玉器多为浅绿色,偶有一些自然点缀的色斑,淡色调的颜色往往给人一种朦胧的自然气息和阴柔的美感;同时,玉器表面平滑、温润,富有天然光泽,这些正好同饰玉的生活化造型相照应,形成了崧泽玉器独特的审美风格,与崧泽先民的水乡柔美情怀相得益彰。草鞋山 100 号墓出土的蝶形玉项饰,形制小巧,高不过 3 厘米,宽仅有 7.5 厘米,但却色彩晶莹,白色斑纹自然地点缀于草绿的底色之中。器型如一只振翅飞舞的蝴蝶,上面刃部相对较薄,似伸展的羽翼,显得优美、轻盈;下面突出的半圆形,似孕妇的肚皮,显得凝重、充实,整个器型饱含着浓郁的母性柔美特征。"崧泽文化玉器中……大量的是璜,分为半璧形和条形,多为对称状,也有不对称者,其中还有兽头者……崧泽文化仍属以璜为主体的玉美器阶段"。崧泽文化中玉璜的大量出现,本身就体现了女性化柔美风格的盛行,更何况其造型还表现为活泼嬉戏的鱼鸟形玉璜、轻快旋转的半轮形玉璜、自然生长的豆荚形玉璜,这些都体现了山明水秀的江南水乡环境,蕴含着自然和生活的情趣,极富阴柔的美感。值得一提的是,崧泽玉器型体的边缘,多为弧线、圆形等造型,很少使用带有阳刚气息的直方形制,器物造型也重视神似,如犬首形玉饰只是用钻孔的方式把眼睛凸显出来,不再细致刻画,与良渚文化玉器的错彩镂金的威严风格截然不同。

再次,崧泽玉器在总体构思上还体现了整体意识。受同时期打制石器以及制陶工艺中形式规律的直接影响,崧泽玉器的制作也体现了对称、均衡、多样统一等审美形式技巧,使得玉器的整体造型比例适当、形式匀称。崧泽鱼鸟形玉璜,无论是在整体和局部的配合上,还是在局部间的变化中,都给人以整体上的协调感:从整体造型上来看,玉璜两端均被琢磨成动物的形象,而且嘴都呈微张状,显得对称而又和谐;从局部微雕上来看,鱼首微翘而浑实,鸟首前引而朴素,显得均衡而又自然。桥形玉璜也不乏整体和谐的形式规律,即使是为方便于穿线用而镂空的两个小孔,也大小相同、位置相当。一方面,两孔遥相呼应,在视觉上给人一种整体对称的规整美;另一方面,在佩戴时玉璜的重心也正好落在弧形的中央处,在触觉上给人一种整体均衡的和谐美。诸如长条形、半环形玉璜,两端较宽向上,均钻有一小孔,用丝线悬挂后,用力均衡,整体协调。崧泽玉器的造型虽然形制各异,但是总体上却始终保持着多样统一的审美特征,即在丰富多彩的造型中保持着内在装饰审美形式规律的一致性。在变化中显出统一,在统一中又见出变化,使崧泽玉璜呈现出生机勃勃、情趣盎然的整体审美特征。

总之,生命意识、柔美风格和整体特征代表了崧泽玉器的艺术风格,也体现了崧泽先民的生活情怀和审美风尚。正是这些艺术风格的高扬,凸显了崧泽玉器的审美特征,形成了独具崧泽特色的辉煌的玉文化,深深影响了后来蓬勃发展的南方玉文明。

第四节　良渚玉器

良渚文化距今约 5300—4000 年,分布于环太湖流域,前承马家浜文化、崧泽文化,受跨湖桥文化、河姆渡文化影响,后续马桥文化、好川文化、熟湖文化,是吴越文化以及夏、商、周三代文明的重要渊源。其中心经历了以莫角山为代表的浙江地区向以武进寺墩遗址为代表的苏州—上海一带的苏南地区由南向北的迁徙历程。它的发现是打破中华文化起源“一元论”的重要依据,展现了东南文化与中原文化迥异的风格特征,昭示了南北文化和审美差异的根源,为探求中华文明的审美意识源流提供了丰富生动的历史资料,具有举足轻重的地位。良渚先民已具有了一定的主体意识,自然情感和丰富的社会文化心理。其所制玉器,纹饰上以神人兽面纹为主和鸟纹、蛇纹构成了礼器纹饰系统,造型上以玉琮为代表而形制多样。造型简洁、质朴而意蕴淳朴,柔和而有内在张力,流畅而富有表现力,并将造型与用途、纹饰和玉质相匹配。良渚先民将丰富的情感、多样的审美趣味和审美理想付诸于神人兽面纹为中心的纹饰系统和丰富多样的造型,使良渚玉器具有极高的审美价值。这种价值通过具有构图整体性和视角多元化特征的表现方法得到了充分的表达。

一、主体意识

良渚先民在制作玉器的过程中,体现了他们日益觉醒的主体意识。在与外界事物的不断交流中,主体才逐步觉醒,主客体关系也渐渐明朗,从而促使自我意识的发展,物我关系也开始分化。在此基础上,主体逐步形成自己的精神需要,以审美心态对待物,审美意识才得以形成和发展。良渚玉器就是情感的表达与交流的具体形态,也不断地培育着其审美意识。

良渚玉器体现了良渚先民朦胧的自我意识。这种自我意识是个体对自己与周围环境之间关系和对自己各种身心状态的认识、体验、愿望,主要表现在纹饰勾勒与表意的结合上。神人兽面纹、鸟纹、蛇纹在准确勾勒形体的基础上,对形体作了夸张变形,同时附加卷云纹、横纹、弧纹等装饰纹。良渚先民已经明确地意识到人与万物的区别,可以准确观察、表现周围的事物与环境;已经意识到自身的意志和愿望,深感鸟兽的力量与威猛,向往天空,渴望飞翔等种种对自身力量、缺憾的认识与不满。这种自我意识在具体纹饰上表现得更加明确。良渚文化玉琮上的神人兽面纹均为人面在上,兽面在下,部分左右配以鸟纹。戴冠人面和夸张兽面均以浮雕表现,而人面上阴刻线较少,是整个纹饰中线条最为疏朗的部分,与刻纹密集的兽面形成鲜明对比。良渚先民借助兽和鸟来体验自然的力量,人在这种体验中处于主导的地位。但这种主导力量是脆弱的,人本身是没有这种主导力量的,要借助高耸宽大的冠来增加其威仪,以控制夸张变形的兽面、蹲踞锋利的鸟足。

良渚玉器体现了良渚先民丰富的自然情感。良渚先民对天空有着深切的渴望和向往,这渗透在良渚文化的各个方面。在大量的高台墓地中,出土的玉器多与鸟有关,玉琮、陶器的形制变化均体现了这一情感。圆雕玉鸟、三叉形器、雕刻鸟纹、卷云纹为对鸟的模仿、象征和再现。良渚文化晚期出现了大量下小上大的高节琮;酒器器身则由圆腹形逐渐变为筒形,流逐渐加高加宽。晚期多见带盖杯形壶,造型轻盈美观,体式修长,体现向上升腾、飞跃的愿望和情感倾向,这是由于风雨雷电这些具有强大力量的自然现象均来自天空,给良渚先民心灵以强烈的震撼,由此而产生敬畏、向往之情。这种内在情感的要求使良渚文化具有了审美意识生成的内在条件。

良渚玉器中还体现了良渚先民们丰富的社会文化心理。受良渚文化特殊的社会组织形式和原始礼制等社会因素的影响,其审美意识与生产、祭祀和伦理等方面的活动密不可分。良渚玉器继承崧泽后期素面无纹的特征,在经历了纹饰的盛宴之后,进入纹饰的简洁图案化阶段,即玉器的形制、纹饰向规范化、类型化方向发展。良渚文化后期,玉琮出现了多节琮改制的现象,如福泉山 M40 出土的两件玉琮应为六节琮分割改制而成的两件。有的学者认为这与玉器、玉材的分配制度有关,与良渚文化后期追求拥有玉琮数量,以表示身份地位的倾向有关,一反早期以玉琮纹饰,即神人兽面纹组合,表示身份地位的做法。①

但良渚先民并没有对材质的物理属性有了较为明确的认识,不是将其与功利的选择相互独立,不是将物之特性比之于德,审美倾向也并没有从重纹饰向重材质过渡。这一点在其他器物的出土情况中有所证明,良渚文化玉重器之一的玉璧虽圆大、光素、厚重,但工艺较其他玉器较为粗糙,常堆叠于墓主脚部;其中部分制作精美的玉璧,单件出土于墓主胸部;只有极少玉璧饰以鸟立纹。玉璧虽常与玉琮、玉钺等共出,但瑶山墓地并无玉璧出土。大部分学者认同瑶山为祭坛墓地复合型遗址,据此推测玉璧代表了财富,其意义与瑶山祭坛的性质相冲突,不可以出现在庄重的祭祀场所。也有学者认为玉璧为货币,或"上币"②。倘若良渚先民已经意识到了后世赋予玉材"六瑞"、"五德""九德"等种种美德,则不会出现玉璧与其他玉重器的显著差异。

总之,良渚玉器中所蕴含的良渚先民朦胧的自我意识、丰富的自然情

① 参见[日]今井晃树:《良渚文化的地域间关系》,姜宝莲、赵强译,《文博》2002 年第 1 期。

② 参见王宇、陆根林、边任:《良渚文化玉璧专题学术研讨会纪要》,《中国钱币》1998年第 2 期。

感和丰富的社会文化心理,是良渚先民强烈主体意识的体现。这种主体意识的表达形成了良渚文化玉器特殊的形制特点。

二、造型特点

良渚玉器在制作中以情感和想象力为动力,在尊重实用规律的基础上形成了特殊的造型特点。良渚玉器以玉琮为代表而形制多样,将造型与用途、纹饰和玉质相匹配。造型简洁、质朴,而意蕴淳朴;外部柔和,而有内在张力;形体流畅,而富有表现力。这种形制特点反映了良渚先民淳朴的爱美天性、审美情趣和理想。

玉琮是良渚玉礼器的典型,琮的基本造型也影响了其他器物的造型。良渚玉器中所有的玉琮作为重器,多为真玉,都制作精致,工艺复杂。良渚文化的不同地区相同时期的玉琮形制具有相似性,不同地区玉琮形制流变的总体趋向一致。早期玉琮形制规范性较弱,筒形器、镯形器均有发现。进入良渚文化中期以后,玉琮形制较为固定,发展变化有较为明显的规律。玉琮的射部逐渐明显,射平面由圆壁形向圆环形发展,琮角逐渐趋近于直角,琮节数增多,琮体增高。后期玉琮以高琮为代表,玉质多为深碧或青色,与矮琮多为湖绿、黄色玉材相异。多节琮大多上大下小,玉琮节之间距离较小,简化人面纹反复叠加。琮的造型深刻地影响了良渚文化的建筑设计和其他玉器,寺墩遗址的似琮性规划,锥形饰的琮化,以及陶琮的出现,均体现了玉琮在良渚文化中的影响力,也间接证明了琮这一形制的特殊意义。

良渚玉器造型丰富,与作用密切联系。造型包括琮、璧、玦、璜、管、珠、钺、钩、坠、牌、镯、三叉形器、冠形器、锥形器等不同种类。作为礼器有三叉形器、冠形器、锥形器、琮、钺、璧有较为固定的共出关系。三叉形器为鸟的变形,锥形器插于顶端似羽毛,表达了良渚先民对鸟飞翔能力的羡慕,对天空的敬畏与渴望。作为礼仪活动的辅助工具,有玉半圆形饰,与部分玉璜相似,区别仅在于玉璜保留了上缘中部的半圆凹槽,似今天的长命锁,与玉管、玉锥形器组合成配饰。作为日常挂饰,有玉坠、玉镯、玉珠、玉带钩等不同种类。玉坠有玉鳖、玉鱼、玉蝉、玉蛙、玉猪等不同造型,均简洁生动。玉镯呈或凹或凸的弧面,造型规整,均光素无纹,抛光精致。

良渚玉器造型还与纹饰和玉质搭配和谐。良渚玉器的雕刻因料赋形,依据材质的物理特性进行形式设计,最大限度地将玉质表现出来,是人与自然的深度沟通。良渚玉器造型与纹饰相配合,矮琮纹饰繁,高琮纹饰简。矮琮纹饰多为饰以地纹、鸟纹等纹饰的神人兽面纹;高琮纹饰多为简化神人兽面纹。同时,其造型与玉质相配合,矮琮多湖绿、黄色玉材,高琮玉质多为深碧或青色。高琮造型大多上大下小,玉琮节之间距离较小,与浅绿色矮琮相异,深色突出玉琮的质感,弥补纹饰的不足,保持玉琮作为祭祀礼器的庄严性和神秘感。而玉圆雕多浅色玉材,多有凝脂感,与圆雕内容的生活化,风格的写意、活泼、形象性密不可分。

良渚玉器造型简洁、质朴,而意蕴淳朴。良渚玉器造型简洁,作为礼器的玉琮,在造型上仅以"内圆外方"为组合基础,以下小上大为形态特征。作为日常配饰的玉镯则光素无纹,光滑精细,呈或凹或凸的弧面。淡黄色链状玉镯(福泉山 M9)晶莹剔透,由两半环组合而成,半环的两端各有一小穿孔。良渚玉器造型质朴,切形、雕刻简单、自然。玉蛙(张陵山 M4)蛙眼镂空,仅以直线阴刻蛙的眼、头、四肢。玉鳖(反山)鳖背中部纵向横棱突起,两侧斜倾,而头颈前伸。玉鱼鱼背略拱,腹部微弧,分叉尾鳍上有阴刻线,平唇,单圈圆眼。这些简洁的造型,却表现了丰富的内涵;造型的质朴,并没有影响其意韵的表达。玉琮内圆外方的造型组合,被认为是"天圆地方"思想的滥觞,下小上大的形态则寄寓了良渚先民对天空的渴望之情。玉镯典雅大方,良渚先民对蛙、鱼、鳖等仿生而造型的多样化,不仅反映了良渚先民精湛的制作技艺,更体现了其多样的审美趣味。

良渚玉器外部柔和,而有内在的张力。良渚玉圆雕形制上,大多外部为圆润的弧形,给人以和谐、安定、宁静之感。如瑶山 M2 出土的玉鸟,两翼展开呈半圆状;福泉山出土的侧面鸟,体态圆润丰腴,昂首前瞻,镂空圆眼,两翼收于腹下。但在这圆润柔和的外部线条内,却蕴含了结构的稳定与张力。如瑶山 M2 出土的玉鸟,整体为对称三角形,顶角为鸟喙,两底角为两翼,内部构成了稳定的三角形,但又充分表现了玉鸟展翅翱翔的形态特点;福泉山出土的侧面鸟,远伸的尾翼使其增添了活泼灵动之感。

良渚玉器形体流畅,而富有表现力。良渚玉器有如流水屈曲婉转的曲线,玉镯(瑶山),外壁有13道斜向凸棱纹,玉蝉以凸凹弧线刻画出眼、翼,线条流畅,对称和谐,玉猪(福泉山M74)造型宛如一头肥胖的小猪,形象可爱。流畅的曲线造型,在规整中增添了变化,有流水屈曲的形态和浓厚的生活气息。绞丝纹镯即使在今天看来,仍具有极高的审美价值,而并非与现代风格格格不入。这是在形的静中蕴含着意的动,在一动一静之中看到良渚玉器型制的鲜明特点。

三、纹饰特点

在纹饰上,神人兽面纹为主和鸟纹、蛇纹构成了良渚礼器的纹饰系统。神人兽面纹构图规整,阴刻、浮雕相间,阴刻线纤细如发,神人兽面与曲尺纹、水波纹、短弧纹、鸟纹、蛇纹相配使用,体现了繁复的风格。

首先,神人兽面纹出现在玉琮、玉钺、玉锥形饰、玉三叉形饰、玉冠饰、玉半圆饰、玉璜、玉管、玉牌饰、陶琮等玉器上。在构图上,神人兽面纹居于中心地位,常配以鸟纹和蛇纹。反山遗址出土的"琮王"上出现了完整的神人兽面纹,在3厘米高、4厘米宽的尺寸之间精雕细刻,浅浮雕戴冠人面纹和兽面纹,阴刻神人肢体和通体密布的卷云纹、弧纹,冠顶、冠底角、四肢关节伸出的小尖。同时,"琮王"上简化神人兽面纹代表了良渚文化神人兽面纹的简化趋势:人面必保留两组凸起弦纹,中间或为空白,或为水波纹、卷云纹,眼角或为尖角或为短线,已与甲骨文"臣"字有相似之处。后期人面纹简化,上部两凸起横棱,阴刻圆眼,部分无眼角,以一短凸横棱或倭角横棱为鼻,图案化倾向明显。兽眼与人眼变化不同,兽眼轮廓的夸张变形,椭圆形的兽眼逐渐立起表现怒目圆睁的神情。如故宫博物院传世玉琮,两浅浮雕兽眼相连,呈"V"字形,密布卷云纹、短弧纹、短横纹,单圈圆眼,有眸,狰狞神秘之感毕现。

良渚玉器纹饰常在人面或兽面左右配以鸟纹,部分有阴刻卷云纹、弧纹、短横组成的整体似水波纹的曲尺形饰带,整体构图疏密分明,如寺墩M4出土的玉琮。部分卷云纹纹线疏松均匀,如草鞋山M199出土的玉琮。鸟纹和蛇形纹均不占主导地位,鸟纹通常位于神人兽面纹的左右,蛇纹变化而来的地纹多位于神人兽面纹的下方。

其次,良渚先民将丰富的情感、多样的审美趣味和审美理想付诸于以神人兽面纹为中心的玉器纹饰系统。在玉琮和神人兽面纹的尺寸之间包蕴凝固了丰富的意味,静谧、力量、神秘、飘逸浓缩其中。神人兽面纹整体构图从上而下为矩形、倒三角形、弧形,矩形冠饰的方正、威严,倒三角的紧张感、力量感,积蓄动势可随时奋起的弧形蹲踞状,现代部分少数民族的祭祀歌舞中仍保留类似姿势。遍布全身的卷云纹,显示出神人的威严,鸟纹、地纹是沟通天地的桥梁,增加神人的威力。而神人兽面纹冠顶、冠底角、四肢关节伸出的小尖,使神人兽面纹在狰狞力量中蕴含了一丝飘逸感。高琮人面纹简化程度加深,简化人面纹反复叠加,有一种不同于矮琮的神秘感,"琮节之间有一种压缩得紧紧的强力,于灵魂有震慑"①,一种威严、神秘的震慑。

四、表现方法

良渚文化治玉工艺发达,开眼、钻孔、打磨、抛光、雕刻技术均已成熟,出现了阴线刻镂、半圆雕、减地浮雕、透雕、微雕等雕刻形式。治玉工艺直接影响了玉器的表现方法,进而影响其审美趣味和理想的表达,而审美趣味和理想对玉器表现方法的要求又促进了工艺的发展。他们在玉器制作中不自觉地体现出了较为娴熟的技巧和富有创造力的表现方法,这主要表现在以下两个方面。

第一,讲究视角的多元性。良渚文化玉器在设计制作中特别注意视角的选择,成功运用平视、侧视、仰视等视角,充分考虑人们的视觉心理和玉器使用时的视觉效果,使视觉效果与玉器的实用价值相匹配。玉琮是一个典型例证,玉琮作为祭祀的礼器要让所有参与祭祀的主要成员看到。最常见的方柱形玉琮,以转角为中轴是一完整的神人兽面纹形体,则琮体的每一个侧面为两个半面的神人兽面纹,在部分玉琮的琮体凹槽中还饰

① 周膺、吴晶:《中国5000年文明第一证:良渚文化与良渚古国》,浙江大学出版社2004年版,第124页。

以完整的神人兽面纹,如琮王。这种设计就充分考虑了视觉效果,玉琮是置于台上还是柱头只要高于人的视线,无论从哪个角度都可以看到至少一个完整的神人兽面纹,从而体现祭祀的庄严、神秘与神圣。同时良渚玉器还表现为几种视角综合运用,在神人兽面纹两侧的抽象鸟纹通常为侧视视角,与神人兽面纹的正面平视视角不同,纹饰形式丰富而富于变化。多种视角综合运用的表现手法不仅增加了变化,拓展了思维和视觉的空间,而且扩大了审美或精神表现的容量。

第二,纹饰讲究构图的整体性。它们在给定的尺寸内构图,表达完整,而绝不旁逸斜出。"不从大势和外放上做文章,不取雄犷威猛",而将天地万物之精气凝于内敛的纹饰中,主要"关注精致中的机智和积累含蓄的内力"①。若纹饰内部构图为辐射型,则在此之外必然有方框将这种外放约束、限制在尺寸之间。如鸟立纹梯形内部刻符:一种为变形鸟形,圆形图案充当鸟躯干,圆形中或为空白或有纹饰,鸟头为"介"字形,侧翼充分展开似蝶翼,尾翼似鱼尾翼,翼尖均长而细且向外伸展,整体图案呈辐射状,但被框定在三级弧边梯形中。神人冠饰上的射线,若羽翼、若光芒,但限制在高耸冠饰明显的凸缘内。而纹饰内部为辐合形的多为从放射型演化而来,立鸟的另一种刻符为较抽象的图案,或以漩涡纹填满的圆形,或内有两短竖弧线的扁圆形,是鸟纹与日纹结合的变形。神人兽面纹兽面中眼部突出,占整个兽面的2/3。圆眼重圈,眼睑饰以短弧线、卷云纹,短弧束纵横相间,横向短弧束保持了眼的圆形,纵短弧束弧度呈辐合状,有旋转的动势,静中有动。从张陵山出土的玉兽面纹镯式琮上的纹饰来看,此部分应为上扬粗眉的变形。纹饰的附加变形也遵循这一内敛的原则,如兽面两眼短弧纹带外侧上部饰以半月形卷云纹带,将兽眼的整体轮廓变为椭圆形,达到眼角上挑的狰狞之感。部分鸟立纹弧边梯形下部有残月装饰,在构图上客观体现了这一原则。

纹饰的整体构图有两种表现方式,或疏密有致(寺墩M4玉琮),或均

---

① 周膺、吴晶:《中国5000年文明第一证:良渚文化与良渚古国》,浙江大学出版社2004年版,第124页。

匀分布(草鞋山 M199 玉琮)。神人兽面纹在尺寸之间精雕细琢极尽变化之能事,凹凸相异,阴阳相对,疏密有别,纵横相间,写生与表意结合。而神人兽面纹与地纹、鸟纹之间是大片的空白。密如工笔,疏若留白,当真是密不透风,疏可走马。但这种疏密不同于后世国画的疏密关系,疏密之间截然分裂,不似国画形离而神连,而匠气意味较浓,后期逐渐图案化则更具有一些现代工业化生产的风格。纹线均匀的纹饰自有另一番情趣,是一种天真、质朴气质的体现,有着更加浓烈的生命意识。

良渚文化玉器的表现方法讲究视角的多元性、构图的整体性,整体构图的疏密有致和均匀分布体现了良渚先民丰富的情感、多样的审美趣味和审美理想。

第六章

史前岩画的基本特征

岩画是为数不多的表现原始人审美意趣的现存艺术之一。岩画记录着原始人的生活篇章，表现着原始绘画的艺术技巧、审美特征，昭示着原始先民的审美思维，呈现出了原始人自发的审美生活风貌。中国岩画在构图要素、成像特征，题材意蕴等风格上自成一格，不仅在世界岩画中独树一帜，而且与史前的其他艺术，及日后的中国绘画相对照、相印证，标示着中国原始先民独特的审美风貌，显示了中国原始艺术的地域特征与民族特征。

第一节　概　述

岩画是史前艺术中不可缺少的组成部分，具有十分重要的美学研究意义，是原始艺术研究、审美意识研究的主要实证物。可贵的是，它不仅是艺术的萌芽，还具有独立的时代色彩，显示了原始人不同于我们的审美方式，为现代人的艺术创新提供着不竭源泉。

一、时间域

中国岩画在时间上横跨古今，上至旧石器时代，下至明清时期，甚至是当代，都有岩画的创作。有些岩画明显不是史前岩画，如西藏的塔形图，以及北部的一些游牧民族岩画等。除了这些风格与其他岩画不同的作品外，那些被普遍认同为原始岩画的作品也有待于进一步澄清它们的时间域：如果它们是原始岩画，又是以什么标准被断定如此呢？

首先有一个误区要进行辨析，西方很多学者以西方中心主义看待中国时,常将古代中国当作原始社会看待,如爱德华·泰勒认为中国是文明社会之前的野蛮社会。弗朗兹·博厄斯在《原始艺术》一书中,也将中国文明史后的艺术作品当作原始艺术进行举例。这些带有西方俯视色彩的定位与我们的历史事实是不一致的。无论是史前,还是文明史后原始部落,都应根据既定的标准来确定是否为原始社会。中国岩画的原始身份是不同于中国古代社会这个时段的,它比那个伦常纲纪、文德教化系统已经建立起来的传统社会要更早一些。

文明社会与原始社会的界定具有多种标准。首先是文字界定说,以摩尔根(Lewis Henry Morgan)为代表。摩尔根说:"文字的使用是文明伊始的一个最准确的标志。"①这项标准已被普遍认同。但是若只论文字,就忽视了原始社会的丰富性。因此,除了文字外,社会学家们还逐渐确立了其他的划分原则,包括阶级、使用工具、宗教等。其次便是阶段说。早期时候,受国家意识形态的影响,我国广泛使用的划分标准是阶级论。恩格斯(Friedrich Engels)在《家庭、私有制和国家的起源》一文中主张野蛮社会的高级阶段向文明社会转变的过程中的关键点是奴隶制的普及导致阶级社会的产生。恩格斯认为在这个过程中发生了手工业和家业的大分工,生产力在不断地增长,"在前一阶段上刚刚产生并且是零散现象的奴隶制,现在成为社会制度的一个根本的组成部分"②,"氏族制度已经过时了。它被分工及其后果即社会之分裂为阶级所炸毁。它被国家代替了"③。在宋兆麟、吕振羽等我国原始社会史学家的著作中可以明确看到他们以阶级为分水岭的划分标准。再次,弗雷泽的宗教划分法也非常信服地比较了两个社会的差异。弗雷泽在《金枝》中论述了巫术与宗教的差别,认为巫术是原始的宗教活动。弗雷泽证明的论点是:"在人类发展进步过程中,巫术的出现早于宗教的产生,人在努力通过祈祷、献祭等温和诌媚手段以求哄诱安抚顽固暴躁、变幻莫测的神灵之前,曾试图凭借符

---

① [美]摩尔根:《古代社会》,杨东莼等译,商务印书馆 1977 年版,第 30 页。
② 《马克思恩格斯文集》第四卷,人民出版社 2009 年版,第 182 页。
③ 《马克思恩格斯文集》第四卷,人民出版社 2009 年版,第 188 页。

咒魔法的力量来使自然界符合人的愿望。"①由于弗雷泽论证了巫术信仰是人类落后状态中的真正全民的、全世界性的信仰,所以人类学家逐渐将巫术当作原始社会的主要活动方式,我们从当前的岩画释义中已可以看到它是如何深远地影响着岩画的时间限定的。

其次岩画是原始艺术。从世界范围来说,原始社会的定位最少具有两种含义:第一种为史前。史前是整个人类文明的起源期,处于地质时期的更新世与全新世阶段,是文明社会史之前的社会。第二种指现存原始部落。如美洲、非洲等地的原始部落,已由文明史记载,但他们的生活状况仍停留在国家政权未建立之前的部落生活形态,可以被人类学家当作原始社会事例进行研究。中国及欧洲的大部分国家指称他们自己的原始社会时,多指史前社会。岩画的作画时间涉及很广,从旧石器时期一直到现代都有。但是绝大多数岩画作品都是史前社会人群与文明史后原始部落所作最具有特色的作品也属这两部分。所以从原始社会时间与区域的定义来说,岩画是原始艺术。

中国岩画的原始性是指文明社会之前的原始社会。中国岩画分布广泛,数量众多,时间上跨度很大。从旧石器晚期到明清时期都有岩画出现,而且各地文化类型不同,文化发展不均衡,这使中国岩画的原始定位变得较为复杂,不能一概论之。中国岩画中有很大一部分属于新石器时期作品。新石器时期时代岩画的原始性毋庸置疑,它们代表着整个中国地区乃至整个世界的史前艺术,如江苏连云港、宁夏贺兰山的岩画。这些地方的岩画可直接作为史前作品看待。有些著名岩画年代在中国文明史后,有些岩画点的断代日期甚至在秦汉时期,如左江花山岩岩画。这种地方的岩画是否为原始,是否可当作原始艺术看待就需小心谨慎。但从地域性来说,这些岩画点为中原文明的边缘地带,从文字、城市、冶金、宗教四个标准来判断,仍然属于原始社会,可以当作原始艺术来考察。事实上,中国岩画的绝大多数作品都是少数民族所做。如福建华安仙字潭岩

---

① [英]J.G.弗雷泽:《金枝》,徐育新等译,新世界出版社2006年版,第57页。

画"应是商周时期闽族或'七闽'的祭祀遗迹"①。广西左江花山崖壁画绘制于距今约2400—1600年之间,这一时期在岭南居住的民族有属于百越民族群的西越以及乌浒和俚,左江崖壁画的作者是"瓯骆部族或者部落联盟中居住在左江流域的氏族及部落"②,是"壮族的祖先"③。沧源岩画被认为是古代佤族先民创造的文化遗迹④,或是傣族先民"滇越"、"鸠僚"和"掸人"的作品。⑤ 他们的作画时间从汉民族史来看,已进入汉民族文明社会,但并不能因此否认这些岩画的原始性。总的来看,绝大多数中国岩画的制作者都不是现存原始部落,而是早期初民的遗留品,所以对中国岩画的研究主要应是对中国原始岩画的研究。

就目前的岩画断代研究来看,以下地点的岩画可以看作中国岩画中原始艺术研究的载体:内蒙古早期及该地区相似风格岩画⑥、宁夏早期岩画⑦、江苏连云港岩画⑧、广西左江及附近相似风格岩画⑨、云南沧源及附

---

① 欧潭生、卢美松:《福建华安仙字潭岩画新考》,《考古》1994年第2期。

② 覃圣敏:《广西左江流域崖壁画考察与研究》,广西民族出版社1987年版,第150页。

③ 覃圣敏:《广西左江流域崖壁画考察与研究》,广西民族出版社1987年版,第155页。

④ 参见段世琳:《云南沧源崖画是佤族先民创造的文化遗迹》,《中央民族大学学报》1986年第4期。

⑤ 参见邱钟伦:《也谈沧源岩画的年代和族属》,《云南民族学院学报》1995年第1期。

⑥ 内蒙古岩画有许多是原始作品。(参见盖山林、盖志浩:《内蒙古岩画的文化解读》,北京图书馆出版社2002年版,第396—439页;盖山林:《阴山岩画》,文物出版社1986年版,第343—347页。)

⑦ 宁夏岩画大部分是原始作品。(参见龚田夫、张亚莎、乔华:《宁夏岩画的出现、发展及特点》,《中央民族大学学报》2005年第2期。)

⑧ 根据汤惠生、梅亚文的研究,江苏将军崖岩画基岩凹穴距今约11000年前左右;刻以凹穴岩画的石棚距今约6000年前;人面像岩画距今约4500—4300年左右。(参见汤惠生、梅亚文:《将军崖史前岩画遗址的断代及相关问题的讨论》,《东南文化》2008年第2期。)

⑨ 根据林晓的综合考察,国内对左江流域崖壁画的时代与族属问题众说纷纭,但可基本定在上至战国时期,下到东汉时期,其作者有苗瑶先民、唐朝西原蛮与壮族先民的不同说法。(参见林晓:《四十年来国内学者对左江流域崖壁画的研究概述》,《广西师范学院学报》2000年第3期。)

近相似风格的岩画①、新疆早期岩画及该地区相似风格的岩画②、西藏早期岩画及该地区相似风格的岩画③、青海早期岩画及该地区相似风格的岩画④、东南沿海地区⑤等相似风格的岩画。

二、材料域

中国岩画是原始时代遗留下来的考古材料。岩画是至今能找到的最早人类遗留物之一。作为原始时期的遗存，它有着深远的研究价值。因为它数量众多，分布广泛，是原始社会的重要实证材料。中国岩画的材料价值是多元的，它是现实性的记载工具，又是现存最早的艺术形式。中国岩画的多元材料意义，决定了它的艺术价值必然是与其他目的相互掺杂的。

---

① 一般认为云南岩画是云南地区少数民族的先民所作。（参见汪宁生：《云南沧源崖画的发现与研究》，文物出版社 1985 年版，第 125 页；邱钟伦：《也谈沧源岩画的年代和族属》，《云南民族学院学报》1995 年第 1 期；段世琳：《佤族历史文化探秘》，云南大学出版社 2007 年版，第 3—36 页。）

② 新疆岩画包括了大量的原始时代作品。[参见苏北海、孙晓艳：《新疆母系氏族社会时期的洞窟彩绘岩画》，《岩画》(1)，中央民族大学出版社 1995 年版，第 73—80 页；王炳华：《新疆呼图壁生殖崇拜岩画》，燕山出版社 1991 年版，第 38 页。]

③ 根据张亚莎的研究，"西藏岩画产生的时期，主要发生于距今约 3000—1000 年之间，即考古学的铜石并用时期或藏史的小邦国时期与吐蕃王朝时期"。（参见张亚莎：《西藏的岩画》，青海人民出版社 2006 年版，第 124 页。）

④ 青海岩画中有许多是史前作品。（参见汤惠生、张文华：《青海岩画——史前艺术中二元对立思维及其观念的研究》，科学出版社 2001 年版，第 165—189 页。）

⑤ 我国东南沿海地区包括福建、珠海、香港、澳门、台湾等地的岩画都为原始作品。福建华安仙字潭岩画应是商周时期闽族或七闽的遗迹。（参见欧潭生、卢美松：《福建华安仙字潭岩画新考》，《考古》1994 年第 2 期。）福建华安高安岩刻被看作史前作品。（参见汤惠生：《凹穴岩画的分期与断代——中国史前艺术研究之一》，《考古与文物》2004 年第 6 期。）珠海宝镜湾岩画在约 4300—4500 年前。（参见李世源：《珠海宝镜湾岩画年代的界定》，《东南文化》2001 年第 11 期。）据秦维廉的研究，香港石刻"总括来说，虽然不能说，石刻完全不是新石器时代晚期的作品，但所得的证据，却强烈支持青铜时代的说法（约公元前 1200—200 年）"。（秦维廉：《香港古石刻——源起及意义》，中国宗教文化研究社 1976 年版，第 38 页。）澳门与台湾岩刻都在新石器时代晚期。[参见陈兆复主编：《中国岩画全集·图版说明》第 4 卷，辽宁美术出版社、人民美术出版社 2007 年版，第 118、119、132 页。]也有人认为澳门岩画是在新石器时代晚期至青铜时代之间。（参见黄静：《粤港澳岩画浅析》，《2000 宁夏国际岩画研讨会文集》，宁夏人民出版社 2001 年版，第 450 页。）

岩画材料域的原始性是指它是文字产生前的图像记载工具。原始文字与图画是长期混在一起的。岩画不同于文字,真正的文字"其意义大概都是难于用一般的象形方法表示的。如数词、虚词、表示事物属性的词,以及其他一些表示抽象意义的词。此外,有些具体事物也很难用简单的图画表示出来。例如各种外形相近的鸟、兽、虫、鱼、草、木等"①。岩画显然没有虚词的运用。中国岩画对题材的选用非常讲究,一些题材是反复出现,如人物、牛、羊、马、鹿,一些题材偶尔出现,如鸟、鱼、船等,更多的题材至今未在岩画中发现,如蜜蜂、飞蛾、蜘蛛、苍蝇,以及各类有区分的植物等。岩画虽有记录的作用,但因为不能做到如象意文字那般细致,有秩序的记录活动,因此最多只能算是图像文字,是正式文字产生前的记录载体。

中国岩画是中国初民思维方式与行为模式的材料见证。岩画这种记载工具表现了人与自然的关系,人对生命的认识,以及人对自身的认识。与现代艺术不同,原始艺术的重点不在讽喻生活,保持自身的独立,维持与生活的距离,而是展示了直接掌握生活的雄心壮志。原始艺术向后世艺术的发展中出现了艺术的分化,在艺术分化中原始艺术创作的多面性、圆满性遭到了某种程度的丧失。一方面表现在艺术类型的专业化,另一方面表现为艺术的远离生活。在中国岩画独特的图像形式、精心的题材选择中蕴含着原始人的宇宙自然的认识,在某种程度上展示了原始人的生活习惯。

岩画的原始材料意义是指它体现了人们对形式的早期感悟。与工具的创造不同,中国岩画稍稍偏离了实用目的,可以较为自由地表现原始人对图像形式的感悟。岩画图像的艺术特色、审美特质可以充分地表达出原始人的审美意识。正如托马斯·海德所说:"当我们说岩画美学时,在综合的角度上,意味着研究作为它们自身,并在它们自身之中成为知觉对象的岩画图像。"②岩画中由情感判断决定的独立形式与内容相结合,使

---

① 裘锡圭:《文字学概要》,商务印书馆 2010 年版,第 2 页。

② Thomas Heyd and John Clegg edited, *Aesthetics and Rock Art*, Hampshire: Ashgate publishing Limited, 2005, p.6.

岩画成为这样一个相对封闭的事件。

岩画与后世绘画又毕竟不同。它不是讲究主体情感与观念表达,与现实保持距离的观看式造型艺术,而是眼、耳、身全方位参与的身体力行的艺术。原始人在对岩画的鉴赏中存在共存共生的艺术要求。原始时代岩画的制作与欣赏通常伴随着其他时代的艺术活动。原始时代的艺术是多种形式并存的,《尚书·舜典》载:"诗言志,歌永言,声依永,律和声,八音克谐,无相夺伦,神人以和。击石拊石,百兽率舞。"①文中诗、乐、舞三者合一,以达到神人以和的目的。与巫术和祭祀密切相关的岩画制作是与巫术、祭祀活动中的其他程序重叠在一处的艺术活动。它不是被创作以后束之高阁,或放在博物馆等地与现实拉开审美距离,获得自己独立空间的唯美艺术,而是与现实生活紧密联系,并参与、督促人类活动的生活艺术。它以促进巫术、祭祀、生活百科书的方式最早地实现了日常生活审美化。

岩画的艺术研究既要注重这种联系,又不能全部依赖于它们的联系。岩画的艺术定位要避免走向两个极端,既不能消极地把它完全定位为巫术附庸,也不能太过乐观地视它为"为艺术而艺术"。岩画作者不具备为艺术而艺术的概念。目前没有任何证据能表明,原始社会的岩画作者具有和现代人一样的纯艺术概念。岩画作者的审美追求是混沌不清的,是未从巫术、庆典中分化出来的意识。岩画的研究无法忽视人类学家们的研究成果,岩画是与巫术活动紧密相连的作品。

岩画的材料意义还指它是某个特定民族的记录符号。怀特里指出:"弄清楚一个特定的象征系统的运行机制意味着两个层次的概念分析。第一个层次包括在普遍术语中符号如何在人类的交流交际中作用,第二个层次是我们将要讨论的,它关注在特殊民族例子中符号的分析。"②对于地方性的岩画来说,研究者常常注重他们的民族特性。作画民族群的不同显示了岩画是具有地方性特色的。如王炳华认为新疆呼图壁康家石

---

① (清)阮元校刻:《十三经注疏·尚书正义》,中华书局 1980 年版,第 131 页。

② Dvid S. Whitley, *Introduction to Rock Art Research*, Walnut Creek: Left Coast Press, 2005, p.81.

门子岩画的作者是"塞人",原因之一就是岩画的主体形象——狭面、深目、高鼻,与文献中所反映的塞人的形体及服饰特征一致。①

在中国这个相对独立的区域中,岩画又有共通的特征。仅从审美特征来看,以目前世界上人类史前岩画的代表作品中国岩画与欧洲洞穴岩画为例。二者的艺术风格、取材、作画背景等都十分相似,显示了它们作为史前作品的审美意蕴的共通处。同时,由于地域差异,中国岩画与欧洲洞穴岩画的审美意蕴又有所不同。欧洲洞穴岩画巫术氛围十分浓厚,而中国岩画更接近于生活气息。欧洲洞穴岩画作者求繁逐精,更重细节,作画态度严谨;中国岩画作者求简避繁,重图像的整体性,具有更加强烈的抽象意味。

总的来说,岩画的原始材料域指它是包含丰富文化内蕴的混合性艺术。在作为艺术品的同时,它又是交流工具、信息载体、民族史料,岩画的审美特征与其他的材料内容相融合,互为提升。大多是考古学类的人类学家对岩画的年代、岩画的测定、岩画的技术保护等问题比较感兴趣。讲究实证的考古学者们从岩画上的敲凿痕迹、岩画旁边的祭祀场所推测岩画是巫术活动的附属品。当我们对岩画中图像的象征性进行艺术考察时,就不可避免地要吸收这个社会背景,注意图像与巫术之间的联系。岩画研究要充分考虑到这种联系,但也不能就此否认岩画的艺术性。中国岩画的审美特征研究要重视其他的文化背景。中国岩画是有内部差异的,但同时,作为一个相对独立区域的作品,中国岩画又可以作为一个整体进行研究,以探求中国原始时代共通的审美意识。

三、类型域

岩画是艺术,但应定为艺术的哪一种,是单独成列,还是归入与它极为相似的艺术形态仍然是待讨论的问题。岩画与其他艺术在形态、存在方式上有所不同。当中国人称岩画为"画"的时候,它首先就是作为艺术

---

① 参见王炳华:《新疆天山生殖崇拜岩画初探》,《2000 宁夏国际岩画研讨会文集》,宁夏人民出版社 2001 年版,第 128 页。

中"画"的一类而存在了。英语世界称岩画为 rock art 时,词的重心却是偏向石头,凿刻类岩画——petroglyph 这个单词更是偏重于雕塑。岩画是特殊的艺术形态,它有特殊的艺术背景,对岩画的研究必须挖掘它的独特性。

岩画是介于绘画与雕塑之间的作品。绘画方式灵活多变,它可以采用多种材料为物质载体,如布帛、木板、纸张、陶器等。岩画一方面是以岩石为物质载体的绘画;另一方面,因为材质的坚硬,带来了凿刻技法的运用,这使岩画常具有浮雕效果。岩画材制特殊、做法独特,介于绘画与雕塑二者之间,具有浮雕与绘画的双重效果。通过进一步的比较研究,我们可以发现中国岩画更靠近于绘画。

中国岩画靠近雕塑,与雕塑又有着极大的不同。绘画是空间艺术中的平面艺术,雕塑是空间艺术中的立体艺术;绘画是二维的空间艺术,雕塑是三维的空间艺术。雕塑分为圆雕与浮雕两种。浮雕是作品在平面上的浮凸表现。中国凿刻类岩画中常具有浮雕效果,但通常只是浅浮雕。凿刻类岩画线条的深度大致一样,并没有强调图像的凹凸变化,立体感不强。雕塑中的圆雕是完全立体的,从四面八方都可以看到作品的变化,这种效果在中国岩画中并不存在。中国岩画中虽有浮雕的效果,但岩画与雕塑艺术的联系较为薄弱,不如绘画那般密切。

中国岩画与绘画极为接近。首先,岩画与绘画具有同种构图要素。达芬奇(Leonardo Da Vinci)认为:"绘画的第一原则是点、线、面,以及由面所限定的物体。"①绘画中包含着点、线、面三种基本要素。不管绘画的载体、技法、工具如何多变,唯有这三种基本构图要素亘古不变。就像音乐以音符为基本单位一样,绘画以点、线、面为基本单位,标志着绘画与其他艺术的不同。点、线、面作为构图的基本要素在岩画中得到了极致地运用,表现了原始先民在这三者范围的灵活变化。岩画构图中的常用的分割、扭曲、变形等技巧也是对这三者要素的灵活运用。其次,岩画在二维

---

① Leonardo Da Vinci, *Selections From the Notebooks of Leonardo Da Vinci*, Tr. Irama A. Richter Oxford University Press, 1952, p.4.

平面构图中有着立体空间表现技法。与雕塑不同的是,岩画主要为二维平面构图。以二维平面表现空间意识是绘画区别于雕塑造型的主要差异。岩画中具有模糊、不确定的透视技巧,并充分地运用了排列、图底对应等空间层次法,以表达空间意识。这些特征显示了中国岩画与绘画更加接近。

从岩画定义的科学性来看,我们也应将中国岩画归为绘画一类。岩画学者们为岩画定义时,不约而同地提到,岩画是制作在自然岩面上的作品。如怀特里提出岩画岩面是"裸露在地面上,经受风吹雨打,遭到破坏与腐蚀的天然岩石"①。他严格地界定了岩画的物质载体。可以再进一步地指出,岩刻是制作在自然岩面上的浮雕作品,而非圆雕作品,以期将之与原始社会出现的石像雕刻,以及文明史后的壁雕区分开。在中国,敦煌石刻这些以自然岩面为载体的作品并没有进入岩画的研究范围。为了与这些作品相区分,应谨慎地将中国岩画归为绘画而不是雕刻。盖山林先生是岩画绘画论的坚定支持者,他指出岩画"实际上无论绘还是刻,都是在石头上作的画","岩画只有上下、左右两度空间,为平面造型,与有上下、左右、进深的圆雕、高浮雕是不一样的"②。后来,陈兆复先生在《中国岩画全集》的开篇"序言"中,也采用了近似的观点:"岩石,同时也是世界上最早的绘画载体,先民们在岩石上刻画和涂绘,描绘人类的自身生活,以及他们的想象和愿望,这就是岩画。"③

四、价值域

关于原始艺术的争论主要体现在两个方面:1. 原始是否有艺术。2. 原始艺术是一种进化论上的起源,还是一种历史文化现象,它与文明社会艺术相比,有无高低优劣之分。前面我们已经谈了第一个问题。现在我

---

① Dvid S. Whitley, *Introduction to Rock Art Research*, Walnut Creek: Left Coast Press, 2005, p.3.

② 盖山林:《中国岩画学》,书目文献出版社 1995 年版,第 3 页。

③ 陈兆复主编:《中国岩画全集》第一卷,辽宁美术出版社、人民美术出版社 2007 年版,第 3 页。

们主要谈论第二个问题。作为原始时期的艺术,中国岩画是否具有独特的艺术价值。原始艺术的价值观历来有两种观点:一类认为它是野蛮的、粗俗的,原始艺术是现代艺术的萌芽,处于低级阶段,如黑格尔、谢林、爱德华·泰勒等人持此观点;另一类认为它具有独立性,现代艺术只是代替了它,而不是超越了它,以美国人类学家博厄斯为代表。20世纪以来的人类学家们越来越认同原始人思维的独立价值,这包括列维-施特劳斯(Claude Lévi-Strauss)、列维-布留尔等非常具有影响力的人类学家。

对于原始文化的偏见,容易在两方面误入歧途:将原始文化描绘为儿童文化与将之简化。原始文化与儿童的思维大不相同。原始人拥有系统地对世界的认识与掌握方式。这些方式不是儿童式的非理性的单纯顺从与直觉模仿。原始人的集体表象中有既定的规则与制度,他们同样是遵照因果律来行事,只是他们的因果律不是来自于实证与矛盾律,指引他们的是神秘的互渗,是万物有灵、神人相协的信仰。原始文化分析的另一分歧是将之简化为文明社会文化的萌芽。正如布留尔对泰勒等人的批评,这种方法一心地偏重于原始文化与后世文化的联系,却没有强调二者的差异,"英国人类学派追随着自己首领的榜样,一贯竭力指出'野蛮人'的思维与'文明人'的思维之间的联系;他们甚至竭力解释这种联系。然而,正是这种解释妨碍了他们前进。因为他们的解释是早就预先准备好的。他们不是在事实本身中去找解释,而是用现在的解释去套事实。他们在原始民族中间发现了一些与我们大不相同的制度和信仰,但没有问问自己是不是应该为了理解这个差异而探究出若干假说。"①一味地将原始文化定论为现化文化的萌芽,会影响对原始文化的整体考察,它遵循的是从我们的思维习惯中逆向寻求原始文化痕迹的方式。相反,将二者独立起来,可以更加纯正地思考原始文化的特征。至少,在某种程度上,我们应如此做。

岩画是为数不多的表现原始人审美意趣的现存艺术之一。它是中国现存最早的绘画艺术,是中国绘画艺术的源头圣地。同时,它又不仅仅是

---

① [法]列维-布留尔:《原始思维》,丁由译,商务印书馆1981年版,第9页。

萌芽与奠基。岩画记录着原始人的生活篇章,表现着原始绘画的艺术技巧、审美特征,昭示着原始先民的审美思维,呈现了原始人自发的审美生活风貌。岩画是艺术中不可缺少的组成部分,具有十分重要的美学研究意义,是原始艺术研究、审美意识研究的主要实证物。可贵的是,它不仅是艺术的萌芽,它还具有独立的时代色彩,显示了原始人不同于我们的审美方式,为现代人的艺术创新提供着不竭源泉。

总而言之,从中国岩画的时间域看,中国岩画大体上处于原始时代,可以作为原始作品进行整体研究;从材料域看,中国岩画是与巫术及其他的活动相混合的艺术,中国岩画的审美特征必须考虑其他的文化背景,中国岩画是多民族的融合,但又有整体的风格特征,可以作为一个实体进行考察;从艺术域看,中国岩画的艺术类型更偏于绘画,而不是雕塑;从价值域看,中国岩画既是绘画的源头,又具有独立美学意义。

第二节 史前岩画的基本特征

新石器时代的岩画作为整个原始岩画的典型,自身有着丰富而鲜明的审美特征。史前岩画是先民们因物赋形的结果,充斥着情感导向和浓厚的生活气息。在对人本身的认识上,岩画更直白率真地透露出开放的身体观念,表现出了不以视觉为中心而以肢体表达为中心的更全面、均衡的感知力,具有突出的主体生命意识的特点。

一、整一自足,笔简意丰

点、线、块面是中国岩画的三大构形要素,具有不倚靠于巫术的自足形式特征。中国岩画的构图要素中线条最为普见。线条的存在方式分为实线与虚线,虚线的使用更能激发审美想象力。中国岩画线条的分布具有对称、均衡、重复等规则,表现了中国岩画自成一体的同一性。与国外岩画相比,中国岩画线条呈现出粗犷质朴、爽朗有序、矫健有力的艺术风格,显露出对规则与秩序的追求,表现了中国远古先民们率真、简约而又整齐划一的审美风尚。中国岩画点、线、块面的形式独立风格展示了先民们对这三种构形要素的岩画图像的构成包括图与底的层次关系。在中国岩画中,图像缺少背景衬托,岩画岩面就是背景。中国岩画常单幅构图,无背景衬托,以平面经营为主,主要分为分割、对比、排列三种方式。中国岩画岩刻直接在岩面上轮廓取象,岩画便是背景。涂绘类岩画也多为单色平涂,少数岩画运用了多种颜色,但也是用并置排列方法,没有体现出图像的多层次的明暗关系。

中国岩画以轮廓取象,轮廓之上少见五官与骨骼,即使有,也只用露白来表现,并不在轮廓上再加其他笔画。中国先民坚守最简单的二项层次对比的图底关系,善于运用露白表现物象,以最简洁的笔画表现深厚的图像意蕴,意到而止,构图高简、质朴,体现了岩画作者们笔简意厚的艺术追求。

中国岩画对细节不甚关注,事物的轮廓是他们作画的重点。岩画是简单、质朴的。岩画的朴拙还表现在岩画构图简单,多为单幅构图,以平面经营为主要方式。中国岩画作者还有意识地忽视绘画对象的细节,只取对象的基本轮廓。总的来说,中国岩画表现出了朴拙美。

二、仰观俯察,随物赋形

原始时代的岩画如一本百科全书,记载着原始时代的生活知识。以图像为记录的百科全书首先要面临的是模仿问题。如何能按自然形象将图像模仿出来,使图像在当时工具、材料奇缺的情况下得到对现实的再现,并将之分门别类,是原始人在处理岩画时需要慎重考虑的问题。

岩画在对题材的自然摹写中直接反映了当时的社会经济环境。根据中国岩画题材的经济环境,可以大致地将侧重于动物题材的北部、西部岩画归为狩猎与畜牧类;侧重于人物题材的南部岩画归为农耕类;侧重于船只题材的东南与东北沿海岩画归为渔猎类。这些题材的选择与当时人们生产生活相关,并直接反映在岩画中。

比经济环境分类更贴近岩画作者意图的是对物种类别的模仿。虽然不能证明当时已经具有明确的分类思维,岩画图像还是如实地记录了不同生物的种类。以动物题材为多数的中国岩画表现出了不同种类动物之

间的差异。盖山林先生在《阴山岩画》中凭借阴山岩画动物图像分出 39
种不同类属的动物,其中鹿就有梅花鹿、马鹿、麋鹿、驼鹿、驯鹿、狍、白唇
鹿、大角鹿八类。① 岩画对各类动物的分类刻画充分显示了原始人的观察
力与描摹技巧,表明了岩画所依据的客观现实基础。除了动物外,初民对
人本身也进行了分类。岩画人物图已经出现了男女性别的区分。岩画中
有大量明显标示出性别器官的图像将男女形象区分开,就是在不注重此类
刻画的人物变形图的人面像中也具有性别的差异。如将军崖的"人面中遍
饰黥纹,男子的黥纹线风毅,女子的柔和舒展。黥纹的方式也有相似之处,
如男子脸上以三角纹线显出果敢的气概,女子则以舒曼的线条显其慈祥温
和。"②人物图还有身份之别。有些人物图像的头上、身上常带有各种装饰,
标志着他们特殊的社会地位,这将他们高高置于一般的子民之上。中国岩
画中表现出来的教科书化的图式作用离现代人的审美境界虽然甚远,却是
艺术模仿的初级层次,它在类的层次上表现出了先民们的图像制作追求。

三、生活氛围,生命意识

中国岩画显示了浓郁的生活气氛。中国南部出现了大量农耕民岩画,
西南、东北有渔猎经济岩画。从作画地点来看,欧洲洞穴岩画具有更加浓
厚的巫术氛围。西方原始岩画有很多都在洞穴中,而目前,中国除了在西
藏发现了少数洞穴岩画外,基本上是刻画或涂绘在裸露的岩石上。原始社
会照明设施落后,洞穴中光线昏暗,无论是作画还是欣赏都非常困难。西
方初民将岩画绘制在此,更倚重岩画绘制活动的创作过程,而将岩画的接
受过程排除在外。中国岩画则不然,壁立千仞的高崖上,纵横千里的山脚
下,漫山遍野的岩石上,都可见岩画。中国岩画的创作者并不忌讳自己作
品的现世,而是毫无顾忌,并带有一点炫耀地将作品展示在大众面前。

欧洲洞穴岩画与中国原始岩画各自对"大"形象的处理也传达了不
同的氛围:欧洲原始巫术色彩浓厚,中国原始岩画凸显生活和生命意识。

---

① 参见盖山林:《阴山岩画》,文物出版社 1986 年版,第 415—424 页。
② 宋耀良:《中国史前神格人面岩画》,三联出版社 1992 年版,第 227 页。

欧洲洞穴岩画多为大型动物,穴壁上的图像都较大,充分展示了原始人以大为美的特质。阿尔塔米拉洞穴野牛基本在 1.4—1.8 米之间,这么大的形状凸显巫术氛围。中国岩画虽也是以大为美,但更注重大小的对比,中国岩画图形的宽、长一般都在半米之内。贺兰山回回沟岩画中有一幅巨牛图,宽 245 厘米,高 126 厘米,是中国动物岩画中的巨幅图像,在中国岩画中实为难得。中国岩画中还特别表现了对小人物、小动物的关注,如出现在阴山及贺兰山等地的动物母子图、石河子生殖岩画的子孙图像、云南沧源的普通人物图等。中国岩画的大小对比既展示了中国先民们对"大"形象的崇敬,也表达了中国先民们对普通生命的关爱,更具有浓烈的生命意识。

中国原始岩画与欧洲洞穴岩画相比,显示了先民们生动的生活画面,而不同于欧洲洞穴岩画所表现出的浓厚的巫术氛围。中国岩画也更多的是强调动物的生,有别于欧洲岩画中动物吐血、受伤、中箭等情景。欧洲洞穴岩画有许多死尸形象,如喷血的熊、受伤的马、蜷缩起来垂死的牛以及各种四肢漂浮的动物形象充斥于欧洲洞穴岩画中。中国岩画中动物的四肢很少出现完全无力下垂的样式,大多都前后展开,具有活力。中国岩画中动物吐血、受伤、中箭这些状况都是极力避免的。总的看来,中国岩画更具有生的气息。

中国原始岩画与欧洲洞穴岩画对人物形象的取材方面也各有倚重。

总之,中国岩画在构象成图上体现出仰观俯察、随物赋形的取象方式,系统梳理中国岩画可以管窥中国史前人类生活概貌和审美意识;中国岩画在形式上体现出整一自足和笔简意丰的特征,中国岩画多以单幅成图,点、线、块面意蕴丰厚,表现出质朴美;中国岩画也显示了浓郁的生活氛围和生命意识,是中国传统审美文化的源头圣地。

第三节 史前岩画的民族特色

中国岩画大部分是初民所创,研究这样一个距离我们十分遥远的时代的岩画的审美特征必会联系到审美发生问题。要注意的是,即使是处于新石器时代,岩画的审美发生还远不是零发生。对于岩画中表现出来的审美发生研究依然是一个具有时代特征的发生问题,我们并没有来到顶点,我们依然在路程之中。所幸的是,这个时代的审美特征已经与我们既有很大的不同,又有很大的联系。在同与异的碰撞中,中国岩画的时代特征已初有显露,并展示了在那远古时期人们已经走向的民族差异。

　　岩画主要是原始时代或原始文化的作品。世界岩画作为早期绘画形式有共同的风格,它们共同表现了原始人的作画智慧与艺术追求。但各民族的生活习惯、文化信仰毕竟不同,世界各地的岩画在主题与绘画技巧上又有不同的表现。中国岩画数量众多,遍布极广,与国外岩画相比已经形成了自身的艺术特色。欧洲洞穴岩画最早引起学术界的关注,是岩画研究的发源地。与非洲和澳大利亚的近代原始部落岩画不同,欧洲洞穴岩画与中国岩画都是史前艺术的代表作。与中国岩画一样,欧洲洞穴岩画也是数量惊人的。"许多现存的欧洲旧石器时代洞穴绘画存在于西班牙北部的山崖,特别是比利牛斯山脉,和法国 Dordogne\Perigord 地区的二百以上的洞穴中。"[1]欧洲洞穴岩画的代表主要有阿尔塔米拉(Altamira)、拉斯科(Lascaux)、康巴里勒斯(Combarelles)、尼奥(Niaux)、三兄弟(Les Trois Freres)、蒂多杜贝尔(Tuc d'Audoubert)、哥摩(Font de Gaume)、康斯科(Cosquer)、萧维(Chauvet)、蒯克-马雷(Pech-Merle)等洞穴中的岩画。中国岩画与欧洲洞穴岩画审美意蕴的对比可以在艺术的早期源头上窥见二者审美文化的异同。

一、共通点

　　大多数岩画都是原始作品,岩画记载着原始人的文化生活,是世界人类的共同财产。作为最早的绘画艺术,世界各地的岩画具有共通性。陈兆复说:"作为史前时代的岩画也是没有国界的,它具有全球的广泛性。"[2]全球的广泛性不仅指在全世界一百多个国家都发现了岩画,岩画

---

① Laurie Schmeider Adams,*Art across Time*,New York:McGraw-Hill College,1999,p.28.
② 陈兆复、邢琏:《外国岩画发现史·序》,上海人民出版社 1993 年版,第 1 页。

遍布世界各地,还指岩画艺术具有共同的特征。同样是远古时代所作,同样画在岩石上,同样采用了简单的作画工具,原始人绘画的技巧与习惯也有惊人的相似之处。

中国岩画与欧洲洞穴岩画的艺术风格非常相近。岩画作为原始社会的绘画,可以研究它独特的艺术风格,因为世界各地岩画有着共同的艺术特色。以中国岩画与欧洲洞穴岩画来看,二者的色彩运用较为简单,基本为红色,偶见白色、黑色。这两处的岩画大多接近于绘画,惯于轮廓取象,不讲究现实比例,岩画的图像与图像之间不注重彼此间的对应关系,缺乏深度表现。这些艺术特点使它们与后代绘画迥然不同。因此,它们共同占有相似的艺术个性,这使它们可以像其他艺术一样,作为一种艺术类别、一种艺术风格来进行专门研究。

中国岩画与欧洲洞穴岩画在取材上有共通之处。二者都是以陆地上的哺乳动物图像为主,包括狩猎动物与被狩动物。欧洲岩画动物图中大部分是马、牛、鹿,还经常出现狮子、豹子、犀牛等大型动物。而在以动物题材为主的中国北部岩画中,可食用的牛、马、羊同样占用了很大的比例,并伴有虎这种食肉动物。如果说牛、羊这些可食性动物更多地代表巫术中的多产意义的话,那么狩猎动物的刻画将代表更多的其他意义。因为"熊与狮子只是偶尔被吃,他们并不代表主要的常用食物"[1],所以对于熊来说,它更可能被看作"祭祀的与季节性的,而不是繁衍的与食用的"[2]。从岩画中看,原始时期动物题材是人们最常关注的对象。但岩画作者并不是对所有的动物都一视同仁。

原始人的取材都是来自最贴近他们生活的自然与社会环境。岩画动物的选择依据两点:一是要与食物相关。岩画中出现的动物图像主要是当时人狩猎的或畜养的哺乳性动物,要不然就是捕食这些动物的食肉类动物,飞鸟、昆虫较为少见。二是要依据环境进行选择。与陶器上经常出

---

[1]　Alexander Marshack, *The Roots of Civilization*, New York: McGraw-Hill Book Company, 1972, p.237.

[2]　Alexander Marshack, *The Roots of Civilization*, New York: McGraw-Hill Book Company, 1972, p.240.

现的鱼纹不同,岩画中很少出现鱼这类形象,大概是因为岩画地点的悬崖与洞穴都不是鱼常出没的地方。我们在陶器上却常见此类图案,最著名的便是我国半坡文化陶器上的鱼纹人面图。陶器可以用来汲水,这便于人们将它与水中生物亲密联系起来。岩画的选择总是与它周围的环境相关的。内陆岩画以动物和人物两种题材为主,沿海岩画会出现船只的形象。人们可以根据岩画中的动物形象推测当时的年代与生态环境。如盖山林在《阴山岩画》中依据大角鹿与鸵鸟的图像推测阴山岩画最早可溯至新石器时代。[1] 同样,当人们发现"康斯科洞穴最有意义的特征之一是出现了大量的海洋动物,包括海豹们、海雀们、一条鱼和许多近似水母的图形"[2]时,也可以推测出这个洞穴在约公元前16000年之前就已经处于海岸生态环境之中。

除去艺术风格、题材选择外,两处的岩画在作画背景、审美意识背景中表现出了时代的特殊性。一方面,作为原始宗教社会的遗留品,这两处岩画不时地表现出与巫术、祭祀相关的特征,表现在洞穴岩画中为死去或受伤的动物图像,表现在中国岩画中是大量的巫师图像;另一方面,它们都有独立的形式特征,有不依赖于功利性的艺术风格表现。所以这两处的岩画同样是与原始宗教相关的混合性艺术。

作为史前艺术的代表作,中国岩画与欧洲洞穴岩画共同显示了原初先民的绘画习惯与审美特征。这其中固然与受环境条件制约有关,但在很大的程度上表现了先民们的主动选择与艺术追求。从风格的接近到题材的有意识筛选,都表达了先民们独特的审美追求。不过,二者的艺术风格虽在很大程度上接近,但毕竟分属于不同的地域与种族,因此,二者的表现又是同中有异。

二、生活氛围与巫术氛围

欧洲洞穴岩画大都是狩猎民与畜牧民所作,农耕民的岩画数量很少。

---

[1]　参见盖山林:《阴山岩画》,文物出版社1986年版,第426—430页。

[2]　Laurie Schmeider Adams,*Art across Time*,New York:McGraw-Hill College,1999,p.34.

中国北部与西部的岩画大都是如此,但南部出现了农耕民岩画,西南、东北有渔猎经济岩画。经济文化的不同影响了中国岩画与欧洲洞穴岩画的取材特征,也在一定程度上造成了岩画审美氛围的不同。与欧洲洞穴岩画相比,中国岩画显示出了浓郁的生活气氛。

较之于中国岩画,欧洲洞穴岩画对地点的极度讲究更强烈地展示了岩画的神圣巫术氛围,"就像许多学者所信服的一样,这种被创作于深入地下的阴暗洞穴中的艺术必然有着深刻的巫术功用"①。阴暗而未知的洞穴易激起人的恐怖情感,使这里变得神秘又神圣,欧洲洞穴岩画凭借洞穴的神圣暗示加强了自身的巫术意蕴。此外,洞穴岩画欣赏的不易也表明作者并不在乎岩画的接受过程,而更注重它的巫术效果。

欧洲洞穴岩画集中于有限的洞穴中,不可避免地出现了大量的重叠图像。中国岩画虽有打破关系,但并不常见,绝大部分地区的中国岩画以并置方式排列岩画图像,而欧洲洞穴岩画却常有重叠的形象出现。如发现于1912年的"三兄弟洞穴以它图像的数量和各种凿刻的或重复凿刻的形象而突出"②,"相互叠压的现象在拉斯科洞窟大量存在着,仅就前洞和与他相联的走廊的岩画中,即可辨认出叠压之处达14层之多"③。而其他的如阿尔塔米拉、哥摩、萧维等洞穴皆可发现大量的重叠形象。它们或整体重叠,或局部交叉,或边缘相层。这种重叠关系并不表示图像的深度,只是在同块岩面上不同时段地连续重复图像。与中国岩画保持图像清晰度的意图相反,这种不断重叠形象的手法更像是祈求丰产的巫术行为。

中国岩画与欧洲洞穴岩画在生与死的选择上各有倚重。雷森(P. Leason)指出洞穴岩画中"许多动物的踏脚处十分不自然,好像它们脚部一点力也使不上,只是以朝下的脚尖飘浮着。在肩部与脚部的关节处也缺少张力"④。雷森的观察指出死尸形象影响了欧洲岩画作者的创作。

---

① Helen Gardner, *Art through the Ages*, New York: Harcourt Brace Jovanovich, 1976, p.28.

② Alexander Marshack, *The Roots of Civilization*, New York: McGraw-Hill Book Company, 1972, p.236.

③ 陈兆复、邢琏:《外国岩画发现史》,上海人民出版社1993年版,第45页。

④ Evan Hadingham, *Secrets of the Ice Age-The Word of the Cave Artists*, New York: the Walker Publishing Company, 1979, p.205.

艾文·海丁汉姆(Evan Hadingham)继而指出:"从这种形象中可以轻易地推想到这是狩猎作者对被猎杀动物灵魂的进行救赎,他们画出动物的尸体,并将这个形象搬到'神圣'的洞穴墙壁上。"[1]与之相反,中国岩画更多的是强调动物的生。总的看来,中国岩画更具有生的气息。

欧洲洞穴岩画的取材有一个很重要的特征是缺少人物形象,以至欧洲洞穴岩画研究者总是追问:"为什么没有人物形象的刻画(这是一个旧石器洞穴的普遍事实)?"[2]这种说法过于绝对,因为我们已经知道拉斯科洞穴中有鸟人图。但从大致上来说,人物形象确实很少出现在欧洲洞穴岩画中。

中国岩画与欧洲洞穴岩画的作画位置、题材选择各有偏重。欧洲洞穴岩画紧绕巫术活动,处处留下了显著的巫术痕迹,中国岩画虽也与巫术相关,但更多地表现出对生活世界的关注。洞穴岩画题材多为动物及与动物相关的狩猎。中国岩画虽也是动物占大多数,但中国岩画中出现了平和宁静的生活题材。就算同样是狩猎岩画,中国岩画也更倾向于表现人的生活,而不仅仅是将之当作一种工具。

三、逐朴与求精

岩画不重细节,无论是欧洲洞穴岩画还是中国岩画都是如此,但在这一点上,中国岩画表现得尤为明显,反观欧洲洞穴岩画,虽然仍是轮廓取象,作者们却在很早以前就开始了对皮毛、面部器官的关注。这说明中国与欧洲的先民在史前就表现出了显著的艺术差异,而这同样也是他们后世子孙的艺术差异。中西艺术的不同,在史前岩画中就已经初见端倪。

中国岩画基本为轮廓作画。中国岩画重整体效果。中国岩画块面与动物的主要躯干相对应,中国岩画的动物很少标画眼睛与皮毛。欧洲洞穴岩画块面运用不限于实体,大都点上动物的眼睛,人物也是如此。许多

---

[1]　Evan Hadingham, *Secrets of the Ice Age-The Word of the Cave Artists*, New York: the Walker Publishing Company, 1979, p.207.

[2]　Thomas Heyd and John Clegg edited, *Aesthetics and Rock Art*, Hampshire: Ashgate publishing Limited, 2005, p.22.

岩画绘制了轮廓,注重刻画动物面部器官及鬃毛,又常在轮廓中取不同色块塑造动物身躯的立体感,这就使他们与中国岩画求简易的风格大为不同。见图 6-1 显示的尼奥洞穴中的野牛图,背部、腹部、颈部的鬃毛历历可见,不但刻画了牛鼻、牛嘴、眼睛,还在眼睛上部添加了一条类似人的眉毛。图 6-2 是中国岩画动物图像的常见类型,一个侧面剪影,简洁质朴、明快干练。眼睛、嘴巴、鬃毛等细部被统一收缩进最简单的轮廓中,踪迹全无,只留外围最简练的形象,图简而意赅。

图 6-1　尼奥洞穴岩画 源自 *Art through the ages*

图 6-2　源自《阴山岩画》

为达到更细致的效果,欧洲洞穴岩画对构形要素的运用与中国岩画大有差异。欧洲洞穴岩画讲究线条与块面的相互配合。欧洲洞穴岩画中有许多图像以线条凿出,或绘出对象的轮廓,并在轮廓中用红色、黑色涂绘出各样块面,有选择性地突出对象的局部区域,再加上某些表现皮毛、眼睛的点。欧洲洞穴岩画在单个图像中就融点、线、块面三种构形要素为一体,展示了欧洲先民对这三种构形要素的熟稔(见图6-3)。中国岩画中块面构形与线条勾勒通常是要区分开来的,而且并不在动物图像中以"点"画睛,也不用点与短线标示出皮毛。与欧洲洞穴岩画相比,中国岩画的三种构图要素就显得各自为阵,自成图像了。中国岩画中的点常常以凹穴的形式出现,有时干脆就是密密的涂绘点,这都是作为独立的图像而存在。只有在一些抽象性符号中,如太阳、马蹄印等,点才与线条相配合。线条与块面的并举更是经常出现在中国岩画中,但不是像欧洲洞穴岩画一样共同构成一个图形,而是各自成型,突出两种手法的不同。

图6-3 源自 *Art through the Ages*

非但如此,在制作技法上,二者也有很大的不同。欧洲洞窟岩画有先在岩壁上刻出轮廓来,然后涂绘的。如阿尔塔米拉洞穴、拉斯科洞穴、萧维洞穴等岩画都综合运用了凿刻、涂绘方法来表现图像效果。中国却不是如此,凿刻技法与涂绘技法二者在绝大多数岩画中泾渭分明,互相比照。中国南部岩画基本是单一涂绘而制;中国东南沿海、北部岩画多为凿刻;西部岩画中综合了二者,既有凿刻岩画,也有涂绘岩画,但在同一岩画上还是常采用同一种手法。

欧洲洞穴岩画更注重对岩画岩面的利用,加强绘画与浮雕的综合效果。法国康巴里勒斯洞穴中有一线刻饮水鹿,该鹿的头伸向一处岩石积水的窟窿前,作要饮水状。图6-3是蒴克-马雷洞穴中的岩画《带点的马》,图右马的头部正好绘在同样形状的岩石上。除了这种直接心理投射方式外,欧洲阿尔塔米、蒴克-马雷、莱斯德·塔雅克(Les Eyzies-de-Tayac)、剔比卡·佐娜(Tibiran-jaunac)等处的岩画在表现动物图像时,有意识地运用了岩石的凸出塑造动物身躯,增强岩画的立体感。马沙勒·奥格瓦(Masaru Ogawa)称这种现象为综合(Integration),它聚焦于常被发现的岩石表面浅雕与动物轮廓描画的结合。① 中国岩画很少直接将自然岩石当作图像运用,更没有有意识地在岩画绘制中考虑到利用岩石的凹凸来塑形。对于中国岩画作者来说,岩石是与图像独立开来的,它们最主要的作用是与图像相对比,形成稳定的图与底的二次项关系。在中国岩画中,图是图、底是底,图底分明,相互对照、相互区分才能保持图像的清晰端正,这正符合中国岩画追求明朗简洁的一贯风格。欧洲先民与之相反,他们总是想方设法地以多种途径增强图像的表现力,雕刻一层,又用线条勾勒一层,还要用块面渲染一层。求简与求繁的不同审美追求造成了不同的绘制方式。

中国岩画的色彩运用单一。北部中国岩画为凿刻类,基本不用色彩装饰;南方中国岩画为涂绘类,色彩偏重于单色,以红色为主。国外岩画色彩运用要稍微丰富一些,以红、黑、褐、黄为主。② 欧洲洞穴岩画有一些是单色绘制,或红或黑,还有很多习惯于用红、黑两种颜色穿插涂绘,绚丽缤纷。如萧维洞穴的岩画涂绘成黑色的犀牛多于涂绘成红色的犀牛,马也是如此。野牛与鹿只用黑色,熊多为红色。③ 仅以萧维洞穴岩画为例,还不能表示欧洲先民看重黑色多于红色,但至少可以说明这两种颜色是同等重要地进入了欧洲先民的视野。可见,欧洲洞穴的作画者更热爱色

---

① Cf.Thomas Heyd and John Clegg edited, *Aesthetics and Rock Art*, Hampshire:Ashgate publishing Limited,2005,p.117.

② 参见陈兆复、邢琏:《外国岩画发现史》,上海人民出版社1993年版,第25页。

③ Cf.Thomas Heyd and John Clegg edited, *Aesthetics and Rock Art*, Hampshire:Ashgate publishing Limited,2005,p.22.

彩的绘杂,而中国岩画墨守红色,独对这种热烈、鲜艳的色彩情有独钟,显得明快而简约。

欧洲洞穴岩画有意识地突出了视觉绘画特征,中国岩画倾向于故意地破坏此类特征。与世界岩画一样,中国岩画与欧洲洞穴岩画都遵循最大轮廓化原则,动物取的是侧面轮廓。有差异的是,中国岩画动物图更注重正侧面形象,欧洲洞穴岩画则更注重符合视觉规律的全侧面轮廓的绘制。虽然中国岩画中马角太短,表现得不明显。但中国岩画中的其他动物,如鹿与牛的角总是以重复、对称等艺术原则对其进行了加工改造。欧洲洞穴岩画大部分也是如此,却在一些形象中出现了不规则的突破,有了模糊的视角定位。见(图6-1)与(图6-2)所示,二者一个讲究对称、均衡,一个却有意图地从固定视角出发描画对象。从作图看,中国岩画的更注重抽象性,而欧洲洞穴岩画中很多点的运用具有视角写实的特征。

在中国岩画与欧洲洞穴岩画的对比中,中国岩画逐简而欧洲洞穴岩画求精。中国岩画简略掉动物的鬃毛与脸部器官,只绘制对象轮廓;欧洲洞穴岩画注重动物鬃毛与脸部器官的绘制。为了达到更繁复的图形效果,欧洲洞穴岩画在同一幅图中常综合使用点、线、块面三种构形要素,而中国岩画更注重不同构形要素在不同图像之间的形式对照。此外,在岩画岩面的运用、色彩的选择、视觉与视觉的确立中,二者都呈现出了存简与求繁的不同艺术品位。欧洲先民在绘画时力图把对象精化、细化,中国先民早已认同了图像的指意表达,力图简明地传达图像的丰富意蕴。一个追根刨底,一个整体观照;一个严谨认真,一个大而化之;一个重局部细节,一个重整体形象。

四、风格的延续

张光直先生在论述亚美文明的世界奠基作用时指出,西方文明是与亚美文明不同的另一类型文明。[①] 源头上的不同在更大的可能性上会带来不同的归属。欧洲洞穴岩画的风格暗示了西方绘画以后的发展,预演

---

① 参见张光直:《美术、神话与祭祀》,郭净译,辽宁教育出版社2002年版,第118页。

了西方以文艺复兴绘画为代表的古典绘画的写实风格;中国岩画同样暗示了中国绘画的日后发展,预演了中国传统水墨画的基本追求。

中西绘画在繁简风格的选择中延续了岩画的不同。中国岩画趋简,欧洲洞穴岩画求繁。西方绘画非常重视人物细节与五官的绘制,它们要求人物表情、局部动作的惟妙惟肖。文艺复兴时期,波提切利(Sandro Botticelli)等人的绘画继续使用轮廓绘画;到17世纪的伦勃朗(Rembrandt van Rijn)时,就从轮廓转向了色块绘制,并模糊图与底的界限,强调绘画光影的繁杂变化,使原来的绘画表现更加局部化、细致化。中国绘画讲究人物的整体风流,以轮廓为主,逸笔草草而生机益然,常常主动忽视对象的细节刻画,更不要提发生在对象身上那样细致的光影转换。中国绘画从来都没有脱离整体勾勒的传统,基本都是先勾勒整体轮廓,再在此基础上皴擦点染,即使是泼墨画,图与底之间也是界限分明、简单明了。

绘画功利与超功利的区分中展示了岩画的地域差异。中国岩画生活表现化,欧洲洞穴岩画更具有巫术氛围。后者更直接地掌控生活,给予生活以指导性的意义;前者与社会生活较远,更多地流露出艺术对生活的超越意义。欧洲洞穴岩画表现出了更强烈的现实干预期望,具有更多的功利性。这种差异也表现在了他们的后续者中。中国传统绘画与欧洲古典绘画都有强烈的干扰现实欲望,但中国传统绘画是以出世的姿态,否定的姿态达到对现实的超越与推进;欧洲古典绘画是以入世的姿态,肯定的姿态达到对现实的赞美与促进。中国艺术家徜徉于山水之间,人生无常,如梦如幻,唯清风明月、高山流水才亘古如斯;反观欧洲古典绘画的取材则多来自于直接的宗教生活与世俗生活。所以,同样是对现实的劝诫,中国绘画流露出更少的直接参与性,这与中国岩画是相同的。

同时,中国岩画与欧洲洞穴岩画的这些特征也促成了西方古典绘画表现出写实,而中国绘画表现出抽象的原则。欧洲洞穴岩画对细节的关注,使它们在塑造形象时刨根究底,重视绘画局部与局部、局部与整体之间的现实对应;中国岩画执着于整体的取象构图,为了取得整体的完整,常模糊甚至是放弃大块的局部刻画。西方古典绘画对于构图的精确比例追求正是延续了它们原初民关注局部细节的兴趣,但这不是说文艺复兴那些画家不重视整体,它们的整体是在精确的局部构造中形成组合的,是深思熟虑后的整体构图;反观中国传统绘画,在主流上并不囿于局部细节的刻画,而更追求整体的气韵风度。中国绘画对整体的把握建立在主体的经验性体味中,不依赖于精确细致的条分缕析,以不可言传的意会境界为艺术导向。

中国岩画与欧洲洞穴岩画是同中有异的。它们都属于原始艺术作品,拥有共同的作画载体、制作技法与相似的艺术风格。同时,由于地域中审美品位的差异,中国岩画与欧洲洞穴岩画又不尽相同。欧洲洞穴岩画更偏重于巫术氛围,中国岩画则显示了更多的生活趣味。在艺术风格上,欧洲洞穴岩画求繁追精,中国岩画避繁趋简。这些反映了二者不同的审美意识:欧洲洞穴岩画先民细致严肃,力求功利性与审美性的统一;中国先民偏于整体直观,艺术创作上喜抽象化,常逸笔草草,简练明快,善于抓住对象事物的最主要特征。

第四节　史前岩画的民族传承

中国岩画主要表现为原始性的艺术,它与中国后世绘画有极大的不同。岩画不喜自然山水描摹,题材多为动物、人物、人面像以及星宿图像等。中国传统绘画保留了人物、动物的主题,发展了山水画,舍弃了手印、人面等形象。岩画的艺术风格与中国传统绘画相差甚远,前者粗率劲爽,后者典雅精致。此外,在作画工具、载体选择、作画目的等方面,两种绘画也是大相径庭。要在西方艺术史中给岩画一个定位的话,最起码我们可以说岩画是古典艺术的开端。岩画属于触觉绘画,"触觉的图画变成了视觉的图画——这是美术史上最有决定性的革命"①。在中国绘画中,岩画从来没有在文献中直接显示它对绘画的影响。与中国古代绘画相比,岩画质朴而幼稚。好在,中国岩画原初性的混沌效果使它包罗万象,万变

① ［瑞士］海因里希·沃尔夫林:《艺术风格学》,潘耀昌译,中国人民大学出版社2004年版,第30页。

不离其宗。虽然很难确定岩画属于中国绘画史中的哪一种艺术类型，但至少在中国岩画与中国传统绘画的一些相似风格中，我们可以发现它们之间的联系，找到中国绘画的最初源头。

一、计白当黑

"计白当黑"是中国传统画论与书论中重要的艺术观念。清代邓石如首次明确使用这个概念论艺术，他以黑白理论肯定书法中的笔外意义："字画疏处可以走马，密处不使透风，常计白当黑，奇趣乃出。"①"计白当黑"的艺术观念来自于老子的知黑守白观。老子在论述"常德"时说："知其雄，守其雌，为天下溪，为天下溪，常德不离，复归于婴儿；知其白，守其黑，为天下式，为天下式，常德不忒，复归于无极；知其荣，守其辱，为天下谷，为天下谷，常德乃足，复归于朴。"②易顺鼎、马叙伦、高亨、张松如等人论证老子原文应为"知其白，守其辱"，但"辱"为黑义。③ 老子以黑白对举的观念论述了达到"常德"的途径。古代绘画理论家们在老子思想中阴与阳二元正反相合观念的基础上发展出了"计白当黑"思想。

"知黑守白"观转述到画论中变成色彩上的黑白、布局上的虚实、用笔中的阴阳二元构成的"计白当黑"思想。它在中国绘画中首指黑白二色的关系。清代龚贤论绘画色彩的黑白关系："非黑无以显其白，非白无以判其黑。"④清代张式在《画谭》中解释王安石的"画道之中水墨为上"时说："画以水墨而成，能肇自然之性，黑为阴，白为阳，阴阳交媾，自成造化之功。"⑤计白当黑不仅仅是指水墨画中黑白二色的对照，更多地指向绘画中两项元素的对照手法。《论语·八佾》中最早记载了绘画中的二元对比观。子夏问曰："'巧笑倩兮，美目盼兮，素以为绚兮'。何谓也?"子曰："绘事后素。"⑥朱熹解释为："素，粉地，画之质也。绚，采色，画之

---

① （清）包世臣：《艺舟双楫》，北京图书馆出版社 2004 年版，第 10 页。
② （魏晋）王弼：《老子注》，《诸子集成》第三卷，中华书局 1954 年版，第 16 页。
③ 参见陈鼓应：《老子今注今译》，商务印书馆 2003 年版，第 183—186 页。
④ 俞剑华编著：《中国画论类编》，人民美术出版社 1986 年版，第 797 页。
⑤ 俞剑华编著：《中国画论类编》，人民美术出版社 1986 年版，第 304 页。
⑥ （清）刘宝楠：《论语正义》，《诸子集成》第一卷，中华书局 1954 年版，第 48 页。

饰也。言人有此倩盼之美质,而又加以华彩之饰,如有素地而加采色也。"①粉与彩色、质与饰的二项元素的对比成为儒家主要的构图论之一。"计白当黑"理论中强调的用笔与未用笔处的关系,也就是笔墨与画面留白之间的关系。宋代画家马远有"马一角"之称,因为他画画通常只画一角。他的《寒江独钓图》画面大部分为空白,只画一扁舟,上有一老翁于舟头垂钓。画面黑白相显,虚实相生,大面积地运用画面空白表现苍凉空远、寂静淡泊的境界。之所以可以造成这种效果是因为画面的空白并不是虚无,正如张式所论:"空白,非空纸。空白即画也。"②

　　原始时代没有这么精深的理论。原始时代以图像的方式表现了绘画中二项元素的对照与关联。岩画中颜色上的黑白对峙并不多见。东南亚马来西亚东部上卑拉克地区(Upper Perak)的洞窟中有数百幅岩画,均用黑白两色绘成。西班牙拉文特(Levant)也发现了黑白两色描绘的《跳舞的妇女》图。中国岩画尚未出现纯用黑白二色绘制的图像,但中国岩画的色彩的运用同样隐含了二元相生、虚实相应、阴阳相对的艺术手法。大多数中国岩画仅仅包含图与底的二项对比关系。甚至在中国岩画第三层次上,依然倚重图像和岩面之间的互衬。以涂绘画类岩画来看,中国涂绘类岩画基本是以红色绘制,以红色和岩面颜色的对比,凸显图像,形成岩面是背景,红色为图案的简单二项次对比关系。有些图像要加上第三层次,却并不在红色上再涂上别的颜色,而依然以岩画颜色构成第三个层次。如贵州岩画的人物图像,岩面为底,红色勾勒出人体轮廓,为了加上人物五官这第三层次,岩画作者用同色在人物面部留下几个写意的空白处,而不是另外增添颜色,甚至也不费心多添笔画。中国岩画在图像的第三层次刻画上十分随意简略,基本上是将之漠视。以凿刻岩画看,中国凿刻类岩画线条多为阴刻。线的凹下在石面圈出大片有意义的空白,人们才可以在线条的空白之间观察并且想象作者所绘制的对象。这时图与

① (宋)朱熹:《四书章句集注》,《朱子全书》第6册,上海古籍出版社、安徽教育出版社2002年版,第85—86页。

② 俞剑华编著:《中国画论类编》,人民美术出版社1986年版,第989页。

底处于不确定的跳跃中,被圈中的岩面可为图像,也可为背景。这种变化依然限定于图像与岩画的二项对比之中。

不同技法的使用也形成了"计白当黑"的虚实、阴阳观。岩画块面与线条勾勒技法的对照流露出虚实二元的对照。如云南沧源《村落图》(见图6-4),有些干栏建筑以块面绘成,有些却中间留白,以线条勾勒房屋轮廓,两种技法相对比,形成了岩画中虚实相间的二元对比关系。凿刻类岩画中动物图像块面绘制法与线条勾勒法的对照也是一样。块面为实,线条为虚,虚实相对,才使图像绘制手法丰富有变(见图6-5)。

图6-4　源自《中国岩画全集》

虽然不同于中国传统水墨画黑白二色的对照,但岩画作者们以最质朴的图像表现出了中国传统绘画中"计白当黑"的精髓所在。或者正是因为求简思维的共通,人们才会一直采用这种手法简单、表达丰富的艺术方式。在虚实相生、阴阳相对的互换中,岩画或以图底关系,或以线条留白,或以两种技法的对衬,以最简单的方式表现了图像设计中二元互换的智慧。

二、泛化对象

中国岩画在选取对象时,往往是泛泛而绘,并不注重对象的个性特征。这一点与中国传统绘画极为相似。陈传席先生在评论中国绘画特点

图6-5　源自《阴山岩画》

时,曾直言不讳地指出中国绘画的缺陷:"中国绘画常常存有这个缺陷。即使一个画家有自己鲜明的艺术风格,但在表现某一山、某一水时,往往也缺乏这个具体山水的个性。"①虽然不时有理论家呼吁山水的个性表现,但中国古代绘画中的对象表现在总体上依然没有摆脱泛泛而绘的习惯。

中国绘画重意境的艺术追求促成了中国绘画喜欢泛化对象的艺术习惯。古代绘画对于绘制的对象并不关心,也一向反对图经式的写实绘制方法。古代山水画以形表意,重在画中所营造的意境,以及其中所传达的情趣意味。虽然画家们也强调"面面看也",但只是突出山水图形各角度的不同,以达到"如此是一山而兼数十百山之形状"②的效果,而不是要真实地表现对象本身的独一无二。画者对于用来传神表意的形体持借用其

①　陈传席:《中国绘画美学史》,人民美术出版社2002年版,第351页。
②　俞剑华编著:《中国画论类编》,人民美术出版社1986年版,第634页。

神、忽视其形的态度。古人论画，认为它是"从于心者也"①，画者是要借画来"寄兴于笔墨，假道于山川"②。所以中国传统绘画缺少实在性的具体个性描写。一方面，泛化的对象描画方式会使中国绘画于形体描绘上极为相近，不利于写实性地复制现实形象；另一方面，中国绘画重神不重形的艺术风格更有利于抒发情志意趣，写照胸襟抱负。

岩画也缺乏个性描写。个性表现在绘画历史中出现得很晚，西方绘画一直到浪漫主义时期才注重个性表现。作为绘画萌芽的岩画当仁不让地显示了此特征。岩画一般是静态的图像绘制，强调对象的整体形象，而不在于某个瞬间动作的捕捉。中国岩画作者还没有发现视觉规律，他们按照记忆中的所知、所感而绘，所以他们基本上漠视了千变万化的细微动作姿态。当然，岩画有塑造一些形象的动作，但并没有抓住这些动作的特征，并不强调对象处于这些动作时表现出来的艺术张力③。岩画的塑造基本是类的描写，我们在岩画的自然题材中已经论述过，类的描绘方式使图像叙事摒弃琐碎的细节，更有利于岩画形象的偶像化、符号化。

中国岩画中处在一定区域的岩画在取材与风格上必有共通性。北方岩画以动物图像为主，南方岩画以人物图像为主。云南的倒三角人体块面，宁夏中卫北山的简要线条，阴山西部默勒赫图沟的方形人面图像，西藏动物图的斯基泰风格等都表现了中国岩画艺术风格的地域性趋同特征。在同块岩画上，岩画图像更是基本保持一致的绘制方式。这说明，原始人在绘制岩画时基本上还是秉持学习与模仿的集体求同意识，这也从另一方面促成了他们泛化对象的习惯。

显然，中国传统绘画延续了原始人不重视觉现实的泛化方式，并偏好在绘画中以主体情志代替对象刻画。如果说，中国传统绘画是以情志个性代写实个性的话，那么我们的初民无论是在取材还是在对象的摹写或

---

① （清）石涛：《苦瓜和尚画语录》，选自潘运告编著：《清人论画》，湖南美术出版社2004年版，第2页。
② （清）石涛：《苦瓜和尚画语录》，选自潘运告编著：《清人论画》，湖南美术出版社2004年版，第35页。
③ 参见李彦锋：《岩画图像叙事的"顷间"性》，《民族艺术》2009年第2期。

情志的抒发上都不顾忌千篇一律的泛化方式。原始人并不以共性为耻，他们更热衷于整齐划一的风格。原始人虽对人类这个种类的存在有了一定的认识，但隐含于集体情感、集体理智中的个性还未凸显，所以原始人绘画时喜爱采用相似的题材与相似的风格。

三、整体观照

轮廓描画与色彩平涂的不同选择标志着绘画风格的差异。沃尔夫林曾用这两种风格来区分西方 16 世纪绘画与 17 世纪绘画的差异，"如果要用最通俗的语言来概括丢勒的艺术和伦勃朗的艺术之间的差异，那么我们要说丢勒是个善于描画的画家，而伦勃朗是个善于涂绘的画家。这样说来，我们认为已超出了对个人的评价而强调了时代差异的特征。西方绘画在 16 世纪是描画的，而在 17 世纪主要发展为涂绘的"①。对于沃尔夫林来说，描画是从轮廓入手的绘画手法，涂绘是从局部块面入手的绘画手法，前者是触觉绘画，后者是视觉绘画。岩画与中国传统绘画属于前者，他们都非常重视图像的整体性，因此也更重视图像的轮廓绘制。

中国岩画绘制的是事物的基本形状，无论是凿刻类，还是平涂类；无论是线条勾勒类，还是块面绘制类，都从物象的轮廓着手。有趣的是在这种风格中，中国岩画与西方岩画竟已然表现了不同的偏重。欧洲洞穴岩画虽然也有轮廓勾勒，但大量地使用了局部块面构图，已经会利用不同色块的对比来渲染图像。而中国岩画始终从整体入手，尽量避开了局部块面的突出效果。

在现存实物上，直接延续中国岩画风格的汉壁画也是如此，图像与底部的轮廓界限分明。即使在成熟后的水墨画中，取轮廓往往成为画家绘画的首步。明代董其昌论轮廓的重要性时道："山之轮廓先定，然后皴之，今人从碎处积为大山，此最是病。"②"有轮廓而无皴法，即谓之无笔；

---

① ［瑞士］海因里希·沃尔夫林：《艺术风格学》，潘耀昌译，中国人民大学出版社 2004 年版，第 25 页。

② （明）董其昌：《画禅室随笔》，《四库全书》第 867 卷，上海古籍出版社 1987 年版，第 449 页。

有皴法而无轻重向背明晦,即谓之无墨。"①沈颢也在飞墨法中论及:"轮廓布皴之后,绡背烘漫。"②可见,描画轮廓在山水画中是首要一步。中国传统绘画人物图大都衣袂翩然,而五官简约,喜好从人物的身体姿势、衣襟袍冠的整体气质中捕捉人物的风姿神韵。中国画者善于从对象的整体轮廓中把握提取图像。

绘画重整体描画与中国艺术中整体观照意识相通。中国绘画讲"神",求"韵",追"势",这些都使中国画家注重对物象整体性的把握。托于顾恺之的"得妙物于神会"③,王微的"竟求容势"④,谢赫的"气韵生动"⑤,石涛的"深入其理,曲尽其态"⑥,等等,莫不如是。沈括在《梦溪笔谈》中斥责绘画中"仰画飞檐"的局部视角,而是要"大都山水之法,盖以大观小,如人观假山耳。若同真山之法,以下望上,只合见一重山,岂可重重悉见,兼不应见其溪谷间事。又如屋舍,亦不应见其中庭及后巷中事。若人在东立则山西便合是远境,人在西立则山东却合是远境。似此如何成画?"⑦沈括的观点正阐明了古代绘画重视物象的整体性,而不局限于某个特定视角的审美追求。中国传统绘画将多个视角所摄取的图像融入一幅画面中,不但要摄入一山一景,而且要容纳重山叠嶂,使"咫尺之内,便觉万里为遥"⑧。这是未陷入主客二分桎梏的大胆想象;是超越心理时空的藩篱,在情感空间中自由驰骋的绘画理想;是将万里江山融于方寸之中的自由豪迈的整体性生命情怀。

中国岩画与中国传统绘画都重视物象的整体描画。中国岩画取物象

---

① (明)董其昌:《画禅室随笔》,《四库全书》第 867 卷,上海古籍出版社 1987 年版,第 448 页。

② 俞剑华编著:《中国画论类编》,人民美术出版社 1986 年版,第 772 页。

③ (唐)张彦远:《历代名画记》,人民美术出版社 1963 年版,第 114 页。

④ 俞剑华编著:《中国画论类编》,人民美术出版社 1986 年版,第 585 页。

⑤ 俞剑华编著:《中国画论类编》,人民美术出版社 1986 年版,第 355 页。

⑥ (清)石涛:《苦瓜和尚画语录》,选自潘运告编著:《清人论画》,湖南美术出版社 2004 年版,第 2 页。

⑦ (宋)沈括:《梦溪笔谈》,侯真平校点,岳麓书社 2002 年版,第 121 页。

⑧ (清)恽寿平:《南田画跋》,潘运告编著:《清人论画》,湖南美术出版社 2004 年版,第 153 页。

的基本形,不重细节,不重五官。中国传统绘画也是从物象的整体上去营势造韵,而不役于一枝一形。从整体入手,取物象轮廓,是中国岩画与中国传统绘画的共同特征。原始人按记忆作画,中国传统画家从心所欲,迁想妙得,二者都不囿于主体的视觉规律,同属于触觉绘画,善于从整体上把握对象。

四、以"大"为美

中国岩画是以大为美的。"大"显示着力量、强劲、优势。在以形体优势决定力量的原始时代,"大"的形象固然是受人青睐的。中国岩画中凡是较大的岩画都可享受一个相当独立的岩面空间,身份较为重要的人物也会得到较大的形体形象。在贺兰山、云南麻栗坡、云南沧源、新疆呼图壁康家石门子等地都可看见远远大于附近其他形象的主体图像。如贺兰山的《太阳神岩画》形体显著大于附近的其他人面像,所以它独占了一块岩画,位置也较高,以彰显它卓尔不群的地位。云南麻栗坡岩画"'保护神像'主体人物全长 3 米",而"最小者仅为 4 厘米"[1]。悬殊的形体对比衬托出"大"形象的重要,突出了主体图像的神圣庄严,昭示着原始人对"大"形象的赞美。

先秦文献已明确表达了中国审美意识以"大"为美的传统。东周文献已明确记载了古人以大为美的倾向。《诗经》中经常出现"硕人其颀"、"硕大且卷"、"硕大且俨"等赞美大形象的词语。"大"是美的至高无上的规范,代表着最完善形象。《周易·乾卦》中述,"大哉乾元,万物资始,乃统天"[2];《庄子·知北游》中论,"天地有大美而不言,四时有明语而不议,万物有成理而不说"[3]。"大"的形象指刚健纯粹的艺术风格,"大哉乾乎,刚健中正,纯粹精也"[4]。"大"形象常与高尚的人格相结合,《论

---

① 杨天佑:《麻栗坡大王岩画》,《云南民族文物调查》,民族出版社 2009 年版,第104—106 页。

② (清)阮元校刻:《十三经注疏·周易正义》,中华书局 1980 年版,第 14 页。

③ (清)王先谦:《庄子集解》,《诸子集成》第三卷,中华书局 1954 年版,第 138 页。

④ (清)阮元校刻:《十三经注疏·周易正义》,中华书局 1980 年版,第 17 页。

语·泰伯》中说："大哉尧之为君也！巍巍乎！惟天为大,惟尧则之。"①
孟子论人格美时也说："可欲之谓善,有诸己之谓信,充实之谓美,充实而
有光辉之谓大。"②

　　以"大"为美的意识相当长的一段时间里都存在于中国绘画中。郭
熙于《林泉高致》中言："大山堂堂为众山之主,所以分布以次冈阜林壑,
为远近大小之宗主也。其象若大君赫然当阳,而百辟奔走朝会,无偃蹇背
却之势也。长松亭亭为众木之表,所以分布以次藤萝草木,为振挈依附之
师帅也。其势若君子轩然得时而众小人为之役使,无凭陵愁挫之态
也。"③山与树皆有主次远近之分,最大最有气势的那一处为众山群树的
中心,其他的山树影像根据此中心安排布置,气势皆不如它。人物画中也
是如此。如唐代阎立本的《十三帝王图》描绘的历代帝王形象具有程序
化倾向。帝王的形体是侍从形体大小的近两倍。画家用大小的对照突出
了帝王的气质仪容。明代陈洪绶的《无法可说图》继续采用了以大为美
的对比手法。图中传法的罗汉与跪地求法罗汉之间的形体大小差距也在
一倍左右。以大为美的观念透露出差异划分的审美倾向。画家以大小之
别区分出画中的主要形象,形体小的形象则起着众星拱月式的衬托作用。

　　原始人与后世画家绘制的"大"形象皆不仅仅指对象形体的大。岩
画中的"大"形象是为了表示神秘而强大的力量。在岩画中"为了将公牛
身上无形的'力'转化为可见的视觉形象,绘画者采用了写实手法,如实
画出他们所见到的、具有巨大'力'能量的公牛形象,对于他们来说,这不
是夸张和变形,他们眼中的现实就是如此。"④后世绘画更是如此。大小
对照表现在绘画中,便成现实秩序中主次君臣相应位置的隐射。郭熙
《林泉高致》称："山水先理会大山,名为主峰。主峰已定,方作以次近者、
远者、小者、大者。以其一境主之于此,故曰主峰,如君臣上下也。"⑤沈颢

① （清）刘宝楠：《论语正义》,《诸子集成》第一卷,中华书局 1954 年版,第 166 页。
② （清）焦循：《孟子正义》,《诸子集成》第一卷,中华书局 1954 年版,第 584 页。
③ 俞剑华编著：《中国画论类编》,人民美术出版社 1986 年版,第 635 页。
④ 户晓辉：《岩画与生殖巫术》,新疆美术摄影出版社 1993 年版,第 123、128 页。
⑤ 俞剑华编著：《中国画论类编》,人民美术出版社 1986 年版,第 642 页。

《画麈》也言:"先察君臣呼应之位,或山为君而树为辅,或树为君而山佐,然后奏管傅墨。"①可见,原始人与后世作者一样,在对形象的认识中,都运用了想象夹杂了联想性的意义指称。

当然,对于"大"的表现二者也是有差异的。随着绘画的发展,人们逐渐意识到"大"的审美蕴味与形体上的"大"没有直接联系,而是通过气势表现出来。宗炳的《画山水序》首先发出"不以制小而累其似"②的感慨。姚最《续画品》评萧贲画云:"尝画团扇上为山川,咫尺之内,而瞻万里之遥;方寸之中,乃辨千寻之峻。"③杜甫诗《戏题画山水图歌》颂王宰的山水画说:"尤工远势古莫比,咫尺应须论万里。"④王夫之《夕堂永日绪论》言"论画者曰:咫尺有万里之势,一'势'字宜着眼,若不论'势',则缩万里于咫尺,直是《广舆记》前一天下图耳"⑤。将千万里的景观浓缩于咫尺之内的风格是岩画所欠缺的。岩画缺少深度表现,运用的是平面经营技法,只能将所绘对象一个个陈列于岩面上,所以岩画无法表现方寸之中重峦叠嶂的万千气势。但岩画作者们又具有作"势"的野心,这时候,他们往往在一块岩画上挤上许多众多的图像,这些图像可能不是一人所绘,也不是一时所绘,众多的作者在同一岩画上反复加工,造就了恢弘之巨制。如宁夏中卫北山的"十米台岩画"。十米长的岩面上布满了放牧与狩猎图,以占地面积的开阔表现了当时的生活习惯,又暗示了人们对生活的期望,营造出了大型岩画的气势。

以"大"为美是中国审美特征中以许慎"羊大为美"观点为代表的感觉论。它显示了人们最直接的心理状态,并从感性上直接界定了"美",是人类社会中通用的审美鉴赏习惯。中国岩画的以"大"为美既指原始人对高大形象的敬畏,也以大的形象象征了与之相对应的力量,并表现出人们对此力量的倾慕。后世延续这个审美兴趣,只不过将之细化,进一步

---

① 俞剑华编著:《中国画论类编》,人民美术出版社 1986 年版,第 773 页。
② 俞剑华编著:《中国画论类编》,人民美术出版社 1986 年版,第 583 页。
③ 俞剑华编著:《中国画论类编》,人民美术出版社 1986 年版,第 371 页。
④ (清)钱谦益:《钱注杜诗》,上海古籍出版社 2009 年版,第 119 页。
⑤ (清)王夫之:《船山全书》第 15 册,岳麓书社 1988 年版,第 838 页。

深入到人格象征中。在最基本的心理基础与符号推衍中，二者是相同的。

五、朴拙简韵

岩画是简单、质朴的。岩画点、线、面的运用时有跳跃，时好时拙，大部分不够精致规则，达不到后世绘画的娴熟流畅。岩画的朴拙还表现在岩画构图简单，多为单幅构图，以平面经营为主要方式，难以营造多重复杂的图像关系。从岩画的艺术手法看，岩画作者未充分发现视觉规律，基本是按记忆中的触觉规律作画。而且中国岩画作者还有意识地忽视绘画对象的细节，只取对象的基本轮廓。总的来说，中国岩画表现出了朴拙美。

中国岩画的简易当然一部分受制于当时的作画工具与作画材料。可一味地将之归因于此，也是以偏概全的。中国岩画不重细节，只作大体勾勒；在构图要素的运用中，中国岩画线条的使用与块面的使用常泾渭分明，二者尽量避免了相互混杂；在中国岩画的制作技法中，凿刻与色彩涂绘两种方式也各守其阵，互不通用；中国岩画图与底的关系是纯粹的图像与岩面的二元对比关系，而不像欧洲洞穴岩画一样，绘画与雕刻相混合，块面与勾勒相融会，具有多层图像关系。中国岩画避繁求简的特征，使它在本就端正简明的原始艺术中于简朴之风上更胜一筹。

中国古人对朴拙有着先天的亲近心理。最早记载人们对朴拙的喜欢的文献并不是画论。东周著作已出现了大量的相关论述。简易是认知天道、天理的最佳途径，《周易·系辞上》述："乾以易知，坤以简能。易则易知，简则易从。易知则有亲，易从则有功。……易简则天下之理得矣。"① 简易是美的最高统帅，老子说："道常无名，朴虽小，天下莫能臣也"②；庄子的《天道》说："朴素而天下莫能与之争美"③，《刻意》又言："澹然无极，而众美从之"④；《淮南子·本经训》记："太清之始也，和顺以寂寞。质真

---

① （清）阮元校刻：《十三经注疏·周易正义》，中华书局 1980 年版，第 76 页。
② （魏晋）王弼：《老子注》，《诸子集成》第三卷，中华书局 1954 年版，第 18 页。
③ （清）王先谦：《庄子集解》，《诸子集成》第三卷，中华书局 1954 年版，第 82 页。
④ （清）王先谦：《庄子集解》，《诸子集成》第三卷，中华书局 1954 年版，第 96 页。

而素朴,闲静而不躁,推而无故。"①朴素的物事直率、简易,一目了然,通畅直达,因而可以作为美的最高规范统领多种美的形态。

中国绘画一向追求朴拙之美。《淮南子·说林训》上云:"书画谨毛而失貌,射者仪小而遗大。"②这说的是绘画塑形应不拘小节,对于微毛这样的细节不用过于注重。不纠结于细节的画风是酝酿朴拙之美的重要途径,这种风格在中国文人画中尤为明显。文人画主要体现文人的情怀、抱负、志向、胸襟、气质,这些都作为绘画中的整体韵味流露出来,而某处细节的精确刻画常被作为旁枝末节而被忽略了。中国传统画论中充斥着大量反对精致、纤细、华靡、秾丽画风的文本。中国文人画追求清旷、平淡、高远的意境,例如:倪云林称"逸笔草草"③;欧阳修主张"萧条淡泊"④;米芾赞董源"平淡天真多……,格高无与比也",颂孙知微"逸格造次而成,平淡而生动"⑤;沈颢认为"愈简愈入深永"⑥;恽南田指出"画以简贵为尚,简之入微,则洗尽尘滓,独存孤迥,烟鬟翠黛,敛容而退矣"⑦;王昱叹"'清空'二字,画家三昧尽矣"⑧……可见,古代绘画求逸远、清新、淡泊、静穆、笔简意厚、景少味多,是中国文人画所追求的至高审美境界。

平淡质朴的审美追求显示了人们的尚古情怀与共通的求简心理。图像繁杂的艺术也会受到人们的喜欢与欢迎,巴洛克艺术、汉代青铜制品、清代瓷器都是个中翘楚,纹饰的发展从整个历史流程来说也存在一定程度的从简到繁的趋向。已品尝过精美艺术盛餐后的人们为何会反过来追求简单、质朴的审美意境? 这一方面与他们的尚古情怀有关,"人类从能够自我反省时起,就具有追怀和向往远古的天性,往往会流露出崇古慕

---

① (东汉)高诱注:《淮南子》,《诸子集成》第七卷,中华书局 1954 年版,第 113 页。

② (东汉)高诱注:《淮南子》,《诸子集成》第七卷,中华书局 1954 年版,第 293 页。

③ 俞剑华编著:《中国画论类编》,人民美术出版社 1986 年版,第 703 页。

④ 俞剑华编著:《中国画论类编》,人民美术出版社 1986 年版,第 42 页。

⑤ (宋)米芾:《画史》,《四库全书》第 813 卷,上海古籍出版社 1987 年版,第 6 页。

⑥ 俞剑华编著:《中国画论类编》,人民美术出版社 1986 年版,第 771 页。

⑦ (清)恽寿平:《南田画跋》,潘运告编著:《清人论画》,湖南美术出版社 2004 年版,第 140 页。

⑧ (清)王昱:《东庄论画》,《丛书集成续编》第 86 册,上海书店出版社 1994 年版,第 557 页。

俗、返璞归真的情绪倾向。尤其是每当社会处于解体更新或复杂前进之际，人们更难免瞻前顾后、疑虑丛生，以至产生怀疑文明现状和成就、要求反归原始的思想。"①在尘世的喧嚣、名利的挣扎、权势的倾轧里，疲于奔命的人向往的是无欲无求、恬淡适性的生活。原始社会作为否定当下社会的一个理想社会就出现在人们心中，与之心理相对应，代表原始画风的简朴美便受到了人们的青睐。另一方面是因为人类对简朴风格有着共同的审美需要。阿恩海姆论述艺术时引证的简化原则就表明了人们对简单的东西具有与生俱来的执着，"人们倾向于把任何一个刺激样式看作已知条件所允许达至的最简单形状"②。笔简意厚的古朴韵味使人们可以在最有限的形式中寻求最丰富的意蕴："笔墨简洁处用意最微，运其神气于人。所不见之地，尤为惨澹。此惟悬解能得之"③。一目了然却又反复涵咏，一正一反、一少一多的两极反差形成了强烈的心理冲突，令人回味无穷。

将岩画与中国传统绘画的简、朴韵味相比较、对照时，并不是要把岩画中的质朴、简单提升到后代画论中的"简"一样的位置。中国画论中的"简"虽与岩画中体现出来的"简"、"朴"处于不同的审美境界，具有不同的审美韵味，但它们同样处于繁缛、累赘的对立面，在笔简、景少、图朴这些方面是一样的。从简单到精致，再从精致到简单的审美演变中，对拙、朴的执着追求表现着人们审美心理的共通性。无论原因是对精致大餐的腻味，还是简朴本身就具有幽远的审美韵味吸引着人们的注意力，简单质朴风格在艺术史中成为了人类不可或缺的重要风格之一。

如此看来，中国岩画与中国传统绘画是前后延续关系。作为中国目前挖掘到的最早绘画形式，中国岩画表现了原始人绘画思维的混沌特征。如一个包罗万象，孕育一切的母体，中国岩画酝酿了中国传统绘画的一些

---

① 方克强：《文学人类学批评》，上海社会科学院出版社 1992 年版，第 23 页。

② Rudolf Arnhelm, *Art and Visual Perception*, Berkeley and Los Angeles: University of California Press, 1974, p.53.

③ （清）恽寿平：《南田画跋》，潘运告编著：《清人论画》，湖南美术出版社 2004 年版，第 186 页。

主要风格。同时,中国传统绘画在岩画的某些基础上发展、壮大,有选择性地成就了中国绘画的独特境界。中国岩画与中国传统绘画的关系远离又亲近。在二者的差别与相似中,我们可以看到中国绘画文明是连续性的,我们的绘画具有最早的本土源泉,是从我们自己的土地上发展成长出的辉煌艺术。它作为文明的旁枝力证了中国文明的连续性。

可知,中国岩画具有自身的民族特色。中国岩画与欧洲洞穴岩画都是人类史前岩画的代表作品。二者的艺术风格、取材、作画背景等都十分近似,显示了它们审美意蕴的共通处。同时,中国岩画与欧洲洞穴岩画的审美意蕴又有所不同。欧洲洞穴岩画巫术氛围十分浓厚,而中国岩画更接近于生活气息。欧洲洞穴岩画作者求繁逐精,更重细节,作画态度严谨;中国岩画作者求简避繁,重图像的整体性,具有更加强烈的抽象意味。中国岩画与欧洲洞穴岩画风格的差异,影响了它们各自的后世延续者,是造成西方古典绘画与中国传统绘画不同的源头奠基。中国岩画与中国传统绘画有着密切的联系。中国传统绘画在以“大”为美、朴拙简韵、计白当黑、泛化对象、整体描画五个方面延续了中国岩画的风格。在现存古物中,中国岩画是中国传统绘画的最早源头。

第七章

中国岩画的构形要素

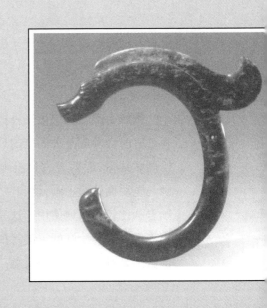

　　图形由点、线、块面三种构形要素组成。绘画构形对三种要素的倚重程度有时会形成某种固定的风格,并造成不同的艺术效果。如中国传统绘画重线条,而西方古典绘画重色块;中国绘画中重"点"的米点皴山水画与重块面的泼墨画,就和注重线条的山水画风格各异。原始时期的中国岩画比较均衡地使用了这三种构形要素,并在这三种构形要素的运用中表现了初民绘画的审美特征。中国岩画构形要素的形式独立性表明中国岩画具有独立的审美意蕴。

第一节　点的审美特征

　　虽然不如线条那般瞩目,点历来也为中国绘画传统所重视。南朝王微在《叙画》中论点:"枉之点,表夫龙准。"①明代唐志契论山水画时强调:"画不点苔,山无生气","必要点点从石缝中出,或浓或淡,或浓淡相间,有一点不可多,一点不可少之妙。"②中国绘画专有点染传统,如宋代米芾独创米点皴,米家山以点染为主要技法;元代黄公望专门研究点,以恣肆多变的点表现树叶的各式形态及远山的丛林树木;晋代顾恺之点睛的传说更是为点的重要性增添了绚丽色彩。可见,点在中国传统绘画中十分重要,而点的重要意义早在史前的中国岩画中已经表现了出来。点在中国岩画中占据了重要地位,它是目前中国岩画中出现最早的构图要

---

① 俞剑华编著:《中国画论类编》,人民美术出版社 1986 年版,第 585 页。
② 俞剑华编著:《中国画论类编》,人民美术出版社 1986 年版,第 748 页。

素,如江苏连云港杯状穴被断代为 10000 年前①,这是目前直接断代法测出的中国境内最早的岩画。东南沿海一带的许多凹穴也被断代为旧石器时代的作品。与线、块面相比,点是目前最受岩画研究界重视的构图要素。点在岩画中早期的出现带来了人类艺术写实与抽象谁先谁后的质疑。人们根据陶器上纹饰得出的图案是从写实再到抽象的推论与岩画中点最先出现的事实相悖。② 点的奥秘使岩画中点的审美特征成为研究艺术起源的重大立足点。

一、点的外形

明代的沈颢说:"一墨大千,一点尘劫,是心所现,是佛所说"③,揭示了点内蕴的博大精深,称颂了点生动多变的表现力。中国岩画中已经初步体现了点的丰富多变。中国岩画的点不是单一不变的形状,它具有四种基本形状,并在这四种形状的基础上各有变化。中国岩画点的制作手法也不同,并因此表现出不同的形态特征。岩画中的点还表现了不同的艺术思维,它或指事或摹形,在写实与写意的交融中构建自己的形态。

中国岩画中的点可分为圆、方、扁、尖四种基本形状。岩画中大部分的点都类似圆形,如人面像中的眼睛、星云图中的星体、植物的果实花蕊、男女的性特征等都经常用圆点来表示。方形点是除了圆点外另一种具有较为固定形态的点。新疆的阿尔泰地区的多尕特岩棚、河南的具茨山、宁夏的贺兰山等地都可见方形点。扁状点指类似于短线的点,在新疆阿拉泰地区青海县与阿拉泰市杜拉特等岩画图像的大角羊的羊角上经常能见到此类点。尖状点一头较尖。新疆的多尕特岩棚岩画中有许多这样的点,它们有些是一头尖、一头圆,如水滴雨点;有些是一头尖、一头平,恰是一个三角形。还有很多点处于这四种基本形状的中间地带,但都可以模糊地归为这四类。

---

① 参见汤惠生、梅亚文:《将军崖史前岩画遗址的断代及相关问题的讨论》,《东南文化》2008 年第 2 期。

② 参见李泽厚:《美的历程》,三联书店 2009 年版,第 17—27 页。

③ 俞剑华编著:《中国画论类编》,人民美术出版社 1986 年版,第 772 页。

岩画中的点有凿刻、研磨、涂绘三种方式。凿刻与研磨手法经常混合使用，它们制作出来的点依据深度的不同分为麻点与凹穴。麻点的深度在2厘米以内。麻点一般是凿刻或涂绘而成。凿刻类麻点主要分布于我国北方草原、西部高原的岩画点。凿刻类岩画中的线与块面由点状技法构成，在此类岩画中，点是其他两种构图要素的基础。为了制作线条与块面而敲凿出来的麻点不具备构图独立性，它们的形状随敲凿工具与石面硬度的关系而变化，没有较为固定的形状，审美价值不高。这种现象在我国凿刻类岩画中非常普遍。如贺兰山苏峪口有一幅羊形图像就是由虚线凿刻而成，构成线的点与点之间保持着一定的距离，点的形状不固定，显示了作者对它的漫不经心。由麻点组成的块面在北方岩画中随处可见，举不胜举。这说明当时人们已经具有集点成线、集点成面的意识，对点与线条、块面之间的关系具有清晰的认识。有些麻点也独立出来，不再仅仅作为构成线条、块面的点，如内蒙古曼德拉山的斑点图案，由几十个近似圆形的散落麻点组成，抽象玄妙，意义不明。宁夏贺兰山也经常有麻点出现，这些点独立成型，并伴随其他图案出现，是重要的构图要素。独立成型的凿刻类麻点形状不一，较为随意。

凹穴又称杯状穴。凹穴的深浅在2—6厘米，主要分布于我国东南沿海地区。凹穴是独立的构图要素，在人面像与同心圆等图案中较为常见，常与沟槽、涡纹、同心圆搭配，构成星云图与流水图。凹穴的制作工序是先敲凿，再研磨。由于制作手法的稚嫩，同一地点凹穴的大小、深浅、形状会有很大的不同。如福建华安高安岩画中的二十多个凹穴直径在3—10厘米之间不等，深度在1—5厘米间不等①，形状有圆形、半圆形、马蹄形等。贺兰山有许多与人面像相组合的凹穴形状变化也很大，同一岩画岩面上会出现圆形、扁形、长条形等不同的形状。

涂绘类点主要分布在我国西部与西南岩画点，是用作画工具沾颜料在石面上点、蘸而成。涂绘类点没有深度的变化，形状变化较为自由，有

① 参见林焘：《华安县高安地区岩刻——星宿图、圆穴》，《岩画》（2），知识出版社2000年版，第71页。

些看似由工具随性落笔而成,有些又似用心描绘制作。与凿刻类点相比,涂绘类点较为规整,同一岩画点的涂绘类点大小、形状有向一致发展的趋势,如新疆多尕特岩棚岩画中的点丰富多彩、排列整齐,同种类型的点大小近似。此岩画中点在图像中的精彩表现将线与块面压制下去,使线条与块面隐于其后,成为点的陪衬,表现了岩画作者对点的浓厚兴趣。在新疆喀什地区叶城县棋盘乡的托勒拉尔格彩绘手印上绘制了排列匀称的白色圆点,它们形成了手印上的手纹,使手印显得鲜活有趣,充分展示了先民运用点的艺术智慧。

点的外形状态依据写实与抽象两种艺术思维而改变。中国岩画中的点具有摹形的特征。如人面像中的点一般是圆形,先民们用圆点来模仿人的眼瞳,还有模仿女阴的圆形点,模仿男根的扁长点都属此类。相对于摹形来说,指事类的点要抽象些。指事类的点在中国岩画中也常见,用来祭祀的凹穴趋向于圆形,而且比处在同个图像中的线条刻得更深一些,突出了点所指称对象的重要地位。许多指事性的点都只表示位置,形状表示上很是随性,如贵州岩画中人物的五官用或圆或扁的点表示,形状变化很大,并不固定。

简简单单的点,依据其形状、凿刻方法、深度、思维方式竟可分出不同的样式、种类。可见,中国岩画的点在外形上已是变化多样,不容小觑。这些点的基本样貌一直延续到后世的中国传统绘画之中,甚至是当代的绘画之中。岩画中点的外形说明原始人的艺术思维即使不能与后世的人齐平,也已经掌握了形式的基本变化。而后世之人正是在这些基本变化中进一步开拓进取,精益求精,才取得了更加辉煌的艺术成就。

二、点的布局

中国岩画中点的外形已经会根据摹形与指事的技法有所选择,点的布局、位置也不散漫,时常透露出一定的规律。它们有些大小不一,有些却大小均等;有些随意洒落,有些却排列有序;有些独立成型,有些却常伴固定的图案反复出现。中国岩画点的布局反映了先民们独具匠心,表现了最初的构图意识,证实了中国岩画中的规律性,有力地反驳了岩画阐释的信手涂鸦论。

岩画的点在大小上已经显示了彼此的对应,这在涂绘类岩画中表现较为明显。对于凿刻类岩画来说,很难做到大小均等。凿刻类中国岩画中构成线条与块面的麻点大小不一,形态各异;有些独立成型的麻点大小有些趋同,但形态变化仍然很大。凿刻类凹穴许多都经过了磨压,形状多选择圆形,大小还是很难一致。如前述的福建华安高安岩画中的点,在直径、深度、形状上差距很大。不过,在这些不同的凹穴中也能找到11个大小均等的凹穴①,展示出先民们追求匀称的作画意图。河南具茨山的凹穴或两两相对,或五个成行,大都追求匀称一致。涂绘类岩画更是发挥了工具优势,比较追求点与点之间的一致性。如上述新疆多尕特岩棚岩画中的点具有相当严谨的一致性,是艺术价值较高的岩画点类作品。

中国岩画有很多的点排列有序。在江苏连云港将军崖B地点的一块岩石上凿刻着对称的凹穴图案,其直径在3—7厘米之间。② 澳门寇娄岛棋盘岩刻的凹穴呈线性有序排列。贺兰山贺兰口有一幅花的图案,除花柄、花瓣外,还凿有三行平行排列的点表示花蕊,虽然这些点的形状有圆有方,并不统一,但这些点的位置无疑经过了特意的布局,表现了先民的秩序感。另外,在广西定模山、福建漳浦大苍山、台湾万山等地也可见到排列有序的点,而河南具茨山以点组成的梅花图案,为中国岩画排列的有序性添加了重要举证,是中国岩画中凹穴图案的杰出代表。

中国岩画的点具有较为固定的伴生图案。中国岩画有些以点单独构图,如福建华安高安、江苏连云港岩画地点B处的凹穴岩画就有单以点进行构图的现象。在大多数情况中,点一般都有其他伴生图案出现。中国南方岩画的点经常与沟槽、同心圆、涡纹等一起出现。点在布局中喜欢与曲线沟槽相结合并组合成各类图形,如新疆托克逊县库普加依由点与蛇状曲线构成的"流水图",江苏连云港的"星云图",广东珠海高栏岛宝

① 参见汤惠生:《凹穴岩画的分期与断代——中国史前艺术研究之一》,《考古与文物》2004年第6期。

② 参见汤惠生:《寻找中国最早的美术——旧石器时代岩画的确认与重估》,《美术》2004年第9期。

镜湾的"月轮图"等。点也常与人物像、人物图组合成图形,这在南北都有,如北方内蒙古、宁夏贺兰山、南方福建华安仙字潭、台湾万山孤巴察峨等地都可见,且以北方居多。除了以上圆形或近圆形图外,点还会与其他图案搭配默契,如贺兰山贺兰口、贺兰山广武口等地出现的伴着"×"形符号的点,福建漳清大苍山与马蹄形图组合的圆穴等。在这些图中,点与符号互相配合,相得益彰,增强了这些符号的装饰意味。

如上所述,中国岩画中的点排列具有粗浅的规律。与某些国外岩画的点比起来,中国岩画更注重点与点之间的规则对应。如西伯利亚加尔湖希什金诺崖壁画中有一幅《牡马》图,马的身躯下是一个指事意味很强的圆点,表示生殖器。值得注意的是,马后腿部有几条短短的波纹线相组合的点,一些学者认为这是表示水。[1] 这些点漫不经心地洒落于后腿部,指意模糊,表现出了作者的写意趣味。西伯利亚贝加尔湖穆古尔·苏古尔岩刻的点也显示了随性挥洒的写意性。一个个线圈中任意地刻着一些大小不一、形状各异的点,表示被饲养的牲畜,既指事又随性。与这些毫无秩序的点相比,中国岩画的点显然要更注重规则。但与一些精致的国外史前时代凹穴比,中国岩画的点又显得有些粗陋。如法国尼奥洞穴的《符号与野牛》中绘制了排成圆形,两两相对排列,平行延伸的小圆点。英伦三岛的凹穴图形与其他图形相互配合,"组成玫瑰花状(或花蕊状)、山形、棋盘形、梯子形、梳子形等各种构图"[2]。上述这些精美的构图是中国岩画的稀有物。中国岩画点的构图还有较大的局限性,仅仅出现了一些简单的图形,处于组成图像的萌芽阶段。

三、艺术风格

中国岩画中的点有很大一部分年代久远,特别是东南沿海地带出现的凹穴有很多被断代为旧石器时代作品。这些岩画中的点较少组合成精致、复杂的图案,看似简单、粗浅,却隐藏着一定的规律与秩序,在具有不

---

[1] 参见陈兆复、邢琏:《外国岩画发现史》,上海人民出版社1993年版,第148页。

[2] 汤惠生:《凹穴岩画的分期与断代——中国史前艺术研究之一》,《考古与文物》,2004年第6期。

同变化的指事、摹形、写意中表现出了丰富的审美韵味，呈现出抽象玄妙、显著精要、粗率劲直的艺术风格。

第一，抽象玄妙。岩画中的点非常抽象，导致它的构形与意义容易模糊不清。有些岩画中的点与图形结合紧密，较容易判断出它的意义，如人面像中由凹穴组成的眼睛、嘴。有些点可以独立构成一个形象，此类点构图抽象，写实性不显著，通常要经过与其他图像的配合，才能猜测它所绘制的形象。而且，岩画中的点与其图形之间的关系较为模糊，并不能让人一目了然地了解它的意义，很难在鉴赏者中达成共识。中国岩画中的点可以代表果实、星体、女阴、祭祀穴等。如江苏连云港的凹穴被推论为果实和星体；广西靖西县岩怀山凹穴图案被指认为女阴与祭祀穴；中国台湾孤巴察岩画点中的圆穴被赋予生殖崇拜的含义。① 许多点的象征意义依然是一个谜。如中国澳门寇娄岛岩画中船只上方出现的凹穴，贺兰山中出现在一些图案中的点都很难推测它们要表现的主题。点的极度浓缩使它的表意性异常广泛，而中国岩画构图中点的分散、独立成型特征更加大了它们指意的不确定性，使中国岩画中的点玄妙异常。

第二，显著精要。点在构图中处于显著的位置，龚贤论述用墨时说"浓为点，淡为加，干为皴，湿为染"②，表明了点在图画中清晰突出，是最为浓厚的笔法。相对而言，文人山水画的点已经隐逸入苍苔、山水之间时隐时现，而岩画中的点就显得醒目亮眼，地位突出，因为岩画中的点可以单独构形，自身具有独立成型的条件，在图像中非常醒目，比线条更能受到关注。目前学术界也出现了许多单独研究点，特别是凹穴的文章，却少见单独研究岩画线条意义的文章。可见中国岩画点在构图中显明突出，地位卓著。位置突出的点在状物达意时特别引人注目，中国岩画的点突出了指事作用，如女阴、祭礼穴、星体、人物五官等都可以用点来表示。这些点以其存在主导着整幅图的主题意义，是中国岩画中最为显著精要的构图要素。

第三，粗率劲直。中国岩画中的点的总体风格并不精致，显得粗率劲

① 参见李洪甫：《论中国东南地区的岩画》，《东南文化》1994 年第 4 期。
② 俞剑华编著：《中国画论类编》，人民美术出版社版 1986 年版，第 788 页。

直,透露出刚健、遒劲的笔力。中国岩画中点的用笔还未臻至圆熟浑厚,而是显得较为生硬、刻板。中国岩画中的许多点不够规则,除了圆、方、扁、尖四种基本形状,还有许多介于这四者之间的点。点的变化也不如后世那么宽泛,指意范围较为狭窄,表现力不像宋代以后中国山水画中的点那么灵活、惬意。绘画,特别是中国画讲究笔力。笔力追求刚健、遒劲、厚实、圆足,反单薄、纤弱、刻板、疏散。中国岩画点的用笔整体风格较为遒劲、有力,但也流露出单板、疏散的不足。中国岩画中凿刻圆穴入石三分,往往比同组图形的线条、块面更加深入、有力。涂绘类点下笔明确,直率中透着劲爽,并携有齐整、圆润的风格。中国岩画中的各点独立成型,点与点之间不滞连,不拖泥带水,一点自成一世界,虽然粗浅却也蕴含着一定的审美技巧,表现了先民们的审美追求。

与国外岩画点的艺术风格相比,中国岩画的点缺少装饰性。非洲撒哈拉沙漠塔西里岩画的《双角女神》,用点表现了人物脚踝、小腿、手腕处的纹饰,并用点组成了一个华丽的头冠,使点在这里凸显出秾丽的装饰意味。用点装饰服饰在塔西里岩画中经常可见。此外,在撒哈拉南部的马里、美国加利福尼亚印第安人崖壁画、澳大利亚的崖壁画中装饰意味强的点也大量存在。反观中国岩画,指事意味较重,即使是装饰,中国岩画的点也是在指事、摹形的基础上,拘谨小心地显示它的装饰性,缺少以上岩画那般秾丽的装饰意味。

总之,点在中国岩画中占据重要地位。中国岩画的点有深浅、形状的变化,并根据写实与抽象两种技法选择自身的形状。在布局上凿刻类点大小不均,参差不齐。与岩刻相比,涂绘类点在大小上有明显的趋同性。中国岩画的点有一些虽在排列上有一定的形式规律,并有固定的伴生图案出现,终不严谨。中国岩画的点偏重于指事,而忽视装饰,呈现出抽象玄妙、显著精要、粗率劲直的艺术风格。

第二节 线的审美特征

线条是中国绘画中运用最基本的构图要素。线条具有强大的构图表意能力,"抽象线纹,不存于物,不存于心,却能以它的匀整、流动、回环、屈折,表达万物的体积、形态与生命;更能凭借它的节奏、速度、刚柔、明暗,有如弦上的音、舞中的态,写出心情的灵境而探入物体的诗魂"①。线条的作用在中国岩画的绘制中已见端倪。在点、线与块面三个中国岩画的构图要素中,线条最为普遍。中国岩画对线条的运用,虽未达到后来气韵生动、挥洒自如的混成境界,却也颇见功底、富有变化,在各种线条的穿插组合中形成粗犷爽劲的艺术风格。

一、线的外形

中国岩画中包括的线条已经较为复杂。从线条的刻画来看,由于岩石的坚硬材制,先民采用的线条刻画有不同的技法,线条形状有直线、曲线两大类,其中曲线的运用更是多姿多彩,包括圆形曲线、弧线、波纹线、蛇线,线条的存在方式分为实线与虚线。这些看似粗陋的技法与简易的线条形状是中国岩画构图的枢纽所在,它既使中国岩画线条远离僵化、呆板,体现出自身的变化,展示出不同的审美特征,又在线条的分类中体现了中国岩画自成一系的艺术风格。

线条刻画技法有凿刻、磨刻、线刻、涂绘四种。岩画材制坚硬,在颜料稀缺的情况下,先民们首先选用了凿刻与磨刻的刻画技法。凿,卯眼。用硬物在岩画上凿出一个个小洞,并让这些小洞依次连接起来,组成线条。这种技法在我国岩画中分布最广。凿刻线条非常粗糙,线条的宽度往往过粗。这种过粗的线条因为凿得较深,具有浮雕的风味,它既使岩画的图像呈现出立体感,又形成岩画线条阴刻线与阳刻线显出互为交错的效果,使原始岩画粗犷中更见神秘。新石器时代的面具与脚印岩画多为粗厚的线条形成。新石器时代内蒙古磴口县沙金陶海苏木默勒赫图沟的《圆形面具图》中四周并列排布的芒纹,就可以看成由一系列的阴线构成,但又何妨不能看成是一系列的阳线呢(见图 7-1)？粗厚的凿线使图像具有双重绘画效果,既是阴刻面具,又似阳刻面具,显得扑朔迷离、多感交杂。

----

① 宗白华:《美学散步》,上海人民出版社 1981 年版,第 132 页。

图 7-1 源自《中国岩画全集》

磨刻是在凿刻的基础上对线条进行磨制加工,这类线条的宽度、深度都相同,线条加工水平明显更进一步,使线条更加精致、耐看,线条构成的浮雕效果也更加清晰明确。线刻是用比岩石更加锋利的石头或铁器直接在岩石上刻制的线条,此类线条一气呵成,以流畅、婉转为优势,出现时期较晚,大多为铁器出现时代。涂绘的线条最为自由,变化多端,随物赋形,但由于涂绘线条是在岩石表面作画,这类线条彻底丧失了岩石作画可进行浮雕创造的材制优势,只将岩石当作画布处理,不能不说是在工具进步的同时带来的又一遗憾。

中国岩画中线条的形状以曲线为主,可分为圆形曲线、弧线、波纹线、蛇线。中国岩画特别善于利用圆形曲线。中国岩画中太阳神图像、车轮图像的轮廓线、人与动物的四肢线都以圆形曲线为主。云南、贵州等地岩画的村落图也常出现圆形或半圆的曲线。人体与自然中圆形的普现,使"近取诸身,远取诸物"的先民们对圆形欣然受用,喜爱用圆形曲线来描图绘物,表现出几何形的规整,体现了先民们规整的审美品位。弧线是圆形线的一部分,北方岩画的山羊角、鹿角、动物的身躯轮廓、面具的五官,西部岩画的人体四肢、动物轮廓,南部岩画的村落图、山坡线都大量采用了弧线。将不同的弧线组合在一起又可以形成别种线条:波纹线、蛇线。

波纹线较少见,以广东珠海高栏岛岩刻为代表。蛇线自由度极大,在塑像组形时最为常见,我国各地岩画中都可见到此种线条。

图 7-2　源自《中国岩画全集》

　　根据岩画线条的存在方式,可将中国岩画线条分为虚线与实线。实线直接显示自身,无须想象力便可得到,一目了然,实在又明确。虚线分为两种情况:一种是集点成线;另一种是线外之线。集点成线的虚线,点与点之间留有空隙,北部与西部岩画中常有虚线,这些由小点构成的线条为绚烂夺目的岩画更增瑰丽。线外之线的虚线,存在于线条与线条的彼此呼应之中。如云南省沧源佤族自治县洋德海 1 号岩画点着羽裙的人物图中,该羽裙由数根四散线条组成裙裾飘摆状,所用线条下端统一组成了隐藏弧状线条表现了裙裾下摆的圆整、飘逸(见图 7-2)。虚线的使用更能激发人的审美创造力,表明了先民们审美品位的内在圆融,看似简单质朴的线条下隐藏着深层的艺术规则。

　　可见,中国岩画线条的外形状态绝不单一,而是富有变化。无论是岩画制作的艺术手法,还是线条的形状与存在方式都内蕴丰富,表现着中国岩画线条的灵活意蕴。当然,中国岩画线条的外形状态与后世绘画、书法中的线条相比还是极其单纯的。中国岩画线条对圆形、半圆形弧线的偏爱,线条浓淡、干湿、提按、徐疾、行顿、轻重、藏露等手法的缺失表明了中国岩画线条的初级性。

二、线的布局

岩画线条的搭配可变幻出不同的图像,这些图像或勾勒轮廓,或描摹形态,具像指物,不一而足。线条的搭配还可构成各种纹饰,直线可构成方格纹、菱形纹、芒纹、三角纹等,曲线可构成云纹、漩涡纹、重圈纹等,这些纹饰或与陶器纹饰相互辉映,或自成一格,与陶器纹饰共享中国纹饰的开元鼻祖尊位。在岩画线条的搭配中,一定的分布规律始终在暗中支配它们,从这些规律中可以明确岩画线条构图的形成技巧,探索先民们线条运用的审美意识。

(一)岩画线条的对称感

观物取象的结果使先民们在创造岩石艺术时,自然地把在人体与自然中发现的对称现象运用到了绘画中,并且夸大了这种对称。另一方面,岩画基本为二维平面构图,这使舍去深度感的岩画艺术更加突出了平面构图规则意识,对称显然是规则意识中最为简单的技法,因此它在平面构图中被普遍采用。岩画中线条的长短、方向均具有对称感,对称在抽象符号中,更是直接明显。

线条对称在人物图像中表现得最为明显,包括轴对称与点对称。中国岩画人物图像的四肢线条经常运用对称方法,这在全国各地不谋而合。中国南部岩画中的人物有很大一部分是手臂上举,上臂与肩平行,小臂朝天,腿部撑地,大腿与地面平行,小腿垂直接地,手肘与膝盖的内角接近90度,这种严格垂直对称的人物形象与陶器上的蛙形相似,是蹲踞纹的一种。它在岩画中一般被视为舞者。这种舞者遍布大江南北,以广西宁明县花山、广西崇左县驮柏山、广西龙州县沉香角山、云南沧源最为多见。西部岩画中舞者的手臂却多下垂,或平举,腿部不再与地面垂直,膝盖内角多小于90度,或与地面垂直,新疆阿勒泰地区哈巴河县多尔特、新疆和田地区皮山县桑株乡、西藏革吉县监湖均可见此类图像。此外,云南沧源人物图像身躯的"又"字形,各地或圆、或方、或三角形的人面图,都表现了人物图像的轴对称。其中圆形面具图是人物图像线条点对称的代表。西部一些人物线条也运用了点对称,如新疆昌吉回族自治州呼图壁康家石门子的生殖崇拜岩画中女性舞蹈者大都为右手上曲,左手下垂,两手线条围绕颈胸接触的正中一点构成点对称。

　　描绘动物的线条的对称感主要表现在动物的角与四肢之中。西藏岩画中的牦牛图、鹿图与新疆岩画中的鹿图头部两角呈相对的半圆形,犀利中尽显优美。动物四肢中,也可见对称手法,尤其以两腿动物图像为著。牛、羊等牲畜具有四足,南部岩画作者对此是如实绘制,南部岩画的动物图像基本为四蹄。西部与北部岩画两腿与四腿动物图像交叉出现。新疆阿勒泰地区阿勒泰市杜拉特的动物图像一般表现为两腿,甘肃嘉峪关、甘肃肃北蒙古族自治区县、内蒙古阿拉善等地都可见大量的两腿动物图像。这些图像中动物的前肢与后肢都只画一个,前肢、后肢、腹部形成具有优美弧度的半圆形,或近似方正的半矩形。新疆杜拉特的两腿动物图最为规整。在西藏、内蒙古其他地方也有这种两腿图,但呈对称姿势的较少。在其他地方的动物图中,如西藏的鹰图像、云南的鱼图像中的线条也均体现了对称技巧。云南省丘北县狮子山岩的鱼图像中组成鱼外形轮廓的是两条对称的弧形,鱼背部的鱼鳞由两组轴对称的短斜线构成,整个图案对称手法表现清晰、稳定(见图7-3)。

图7-3 源自《中国岩画全集》

(二)岩画线条的均衡感

　　同样是体现秩序美,如果说对称在一定程度上阻碍了岩画线条的象形写意,而使图像稍显呆板,那么岩画线条的均衡,却在秩序中呈现了线条的变换节奏,在秩序寻觅中透露机巧,规整而不呆板。中国岩画线条表现了均衡感,在线条的长短、粗细与线条的间距上都可发现中国岩画线条所流露的均衡特征。

中国岩画线条的长短力求一种均衡美。作为原始绘画，许多中国岩画线条的长短调和有度，配制有术。无论是人物、动物，还是村落、山庄的线条，在线条长短的运用上都体现了均衡的张力。这种张力体现在人畜四肢长度的相似上，体现在太阳神面具芒纹线条的等同上，体现在村落栅栏线条的同一上，体现在动物角部线条长度的递增与递减中……由此可见，中国岩画用线条的长短一致与线条长短的有序变化体现了均衡美。

中国岩画线条粗细有致，表现了线条的均衡美。虽然只有粗糙的制作技巧，但先民们在线条的粗细问题上已是煞费苦心。中国岩画中勾勒轮廓的线条一般都保持粗细一致，一幅图像中的线条要么就全部粗犷有力，如新石器时代凿刻的太阳神面具；要么就全都纤细精致，如江苏连云港将军崖的人面图中的线条。有些图像中的线条不仅勾勒轮廓，本身就是图形，具有随物赋形的特征，如沧源岩画孟县岩画点中的人物四肢已具有写实性，虽还不够精确，但已隐约显示出根据人四肢的形状而变换线条粗细的倾向。

岩画线条的间距也表现了均衡美。中国岩画线条的间距隐约透露出张弛有度的特征。在许多中国岩画图像中，同类线条的间距会趋同，如太阳神面具的芒纹的四方射线的间距，表现鹿茸的分支线的间距，都基本持同。但中国岩画的间距均衡感还未成熟，有些明显应均衡的线条间距往往把握不准，如车轮轴线间距常常不等。太阳神面具外部的芒纹线条虽可以排列整齐，而车轮内部轴线却歪七倒八，估计这应是原始人对事物比例的陌生而导致的现象。芒纹间距小，原始人围绕着圆依次将线条排列，基本可以达到均衡效果，车轮内部的轴线间距较大，需要掌握分割原理，显然原始人在这方面还稍逊一筹。

（三）岩画线条的重复性

中国岩画中的重复线条是中国岩画最具特色的线条特征。重复线条指两条或两条以上形状相同、大小相等的平行线条。重复线条使同种形式在图像中反复出现，在严谨单一的重复中直接构成线条的同一，进而形成图像的同一。中国岩画采用了大量的重复线条，这在讲究错落有致的后代绘画与书法中绝不可见的禁忌却被原始人运用得理所当然，显示了原始人追求秩序、同一的审美理想。

中国岩画中具有大量的重复线条。中国岩画在处理人物的双腿与动物的四肢时，会使用重复线条。如内蒙古达尔罕茂明安联合旗夏勒口的动物，前后肢就分别由相同的平行线构成。内蒙古乌拉特中旗呼鲁斯太苏木地里哈日的动物图像、云南沧源的人物图与畜牧图、云南元江它克岩画点的甲虫图等处均可见重复线条。在抽象图案中，也能见到重复线条，如新疆且末县莫勒切河谷的菱格几何纹图案，中国香港石壁岩刻的正方形漩涡纹。人面像更是精致运用了重复线条，如内蒙古磴口县阴山的人面像、江苏连云港的人面像上均使用了重复线条构成纹饰，使人面像更加精致。

与对称、均衡在线条之间的相互关联中构造线条之间的张力，建立线条的同一相比较，重复线条的同一性较为简单，在倾向于写实性的图像中更是显得有些机械，这种手法是原始人在追求秩序时流露出来的稚嫩、单纯。当绘画发展到一定阶段后，人们不再依重于重复线条。如中国山水写意画的很多地方是要力图避免重复线条的，树木与花卉寻找最可能的变化、差异，动物四肢也逐渐不讲究整齐划一，而是追求错落有致。

岩画线条的相互关联使岩画线条成为一个有机的整体，这种关联不仅表现在线条的构图上，还表现在线条之间的形式关系上。中国岩画线条的对称、均衡与重复使岩画线条具有同一性。对称通过线条的对称两方在轴线上或对称点上的感应唤起同一；均衡通过线条长短、粗细、间距的安排达到同一，重复更是简单利用线条的相同，引发线条的同一感。对称、均衡、重复使线条成为一个相互关联的整体。岩画线条的同一性是图像形成的基础，它自觉或不自觉地带来了图像中力的存在，表现了先民们质朴的构图意识。

三、艺术风格

中国岩画的线条手法质朴，它没有浓淡、干湿、提按、徐疾、行顿、轻重、藏露之分，但中国岩画的线条质朴而不单一，它在粗细、曲直、疏密中表现着审美效果,在看似拙劣的技法下隐藏着向秩序、规则靠近的趋向。这种岩画中秩序的形成建立在较为简单的思维方式上,线条构图较为清楚、明朗,并不会带来复杂的悬念,也构成了中国岩画线条粗犷质朴、爽朗有序的艺术风格。

第一,粗犷质朴。作为岩画的承载体——岩石的质料非常坚硬,而且表面往往凹凸不平,这种更相似于雕刻的材质,给绘画带来了一定的困难。由于工具的缺乏,凿刻、磨刻与线刻都未能在凹凸不平的岩石上制造出规格精确的直线或曲线。涂绘的方法本是可行,但是中国岩画的线条只是偶尔出现随物赋形的现象,写实不够精确,写意不够挥洒,大致上还是不讲究。因此,中国岩画的线条具有直线不直、曲线不曲的特征。除了一些几何纹外,仔细观察中国岩画的线条可以发现绝大多数线条的用笔具有稚嫩、粗拙的痕迹。岩画作者们没有精确的数学思维,也不具备多变生动的,如浓淡、干湿、提按、徐疾、行顿等绘制技法。从单根线条看,中国岩画的绘制手法率性、恣肆,不讲究规则,整体地呈现出粗犷质朴的艺术风格。

中国岩画线条的粗犷质朴与原始人的绘画习惯有关。在简单而粗犷的图画中,"可以从中引出一条最重要的结论,即表现首先是通过象征图形达到的,作者在制作时并不追求线条的准确性。原始人或儿童在绘画或雕刻时,并不认为他的作品可以准确地表现某种形象"①。象征性的绘画手法,使先民们在绘画时,不太讲究形式的自觉性,中国岩画这种天真灿烂的自发性线条追求,体现着人类的原初艺术追求,与后代画论中的"拙"、"质"、"朴"等审美品位遥相呼应。

第二,爽朗有序。撇开因经年腐蚀、风化而使岩画线条不清的情况不谈,中国岩画线条爽朗清晰、方位分明。中国岩画在以线构形中,常以简明扼要的主干线条勾勒对象的轮廓,爽朗明快,不重细节与表情的刻画,这与中国写意画以简单线条直取神姿的意境有相通之处。以线绘形,线

①　[美]弗朗兹·博厄斯:《原始艺术》,金辉译,贵州人民出版社2004年版,第45—46页。

条为主干之笔的中国岩画清楚明晰,每根线条都是重要笔画,在构形中起着重要作用,根根有神,少见山水画与素描图中皴画山形与描绘阴影的辅助、模糊线条。

线条体现着人类的生命节奏。原始人的集体生活使他们的艺术追求深嵌入集体意识,线条的节奏追求集体统一性的整齐划一。中国岩画线条这种向规则性靠近的趋向,表现为强烈的秩序感。具有对称、均衡、重复、同一感的中国岩画线条遵循着一定的规格模式。原始人审美思维所具有的初步秩序感在其中显露无遗。与国外岩画的错落、繁杂相比,中国岩画线条更加注重简单的秩序性,这种秩序以质朴、简单方式落笔成韵,表现了中国古代先民直率、拙朴的审美情怀。

第三,矫健有力。中国岩画线条用笔清晰,笔中气力周备,少有凝滞,具有雄浑刚健之风。国外岩画,如西班牙、法国的史前岩画线条讲究写实性的随物赋形,线条逼真,惟妙惟肖。而粗犷质朴的中国岩画线条虽颇具动态感,但与国外岩画相比,中国岩画线条的动感被初级秩序所囿,难臻生动自由,更未达到后世中国山水画线条所具有的畅然适心、悠然会意。

中国岩画线条的矫健有力、明朗坚硬,另有一种雄厚之美。在中国岩画中,凿刻、磨刻线条刚劲深厚,绘制线条的起笔与收笔也是一气呵成、一蹴而就,不拖泥带水,不旁枝逸出。中国岩画线条的构图,无论是写实还是写意,无论是粗犷的还是精致的,都清楚明朗、一笔定位。岩画线条的刚劲拙朴促成了线条中雄浑有力风格的形成,使中国岩画线条在构图中简约率真,直达图意,而显得精神弥满,骨骼奇警。

中国岩画线条以线构形,在线条的外形状态、视觉质感、运动趋势中勾勒对象的轮廓,进而从对象的轮廓中把握对象的气质、灵魂。这种舍去深度构图规则,在平面构图中充分运用对称、均衡、重复技法,粗犷质朴、爽朗有序、矫健有力的艺术风格是中国岩画线条的主要特征。但同时,岩画线条直线不直、曲线不曲,对于对称、均衡、重复技法的运用还没有后代人成熟,这又使它未达成艺术的成熟规范性,表现为对秩序、规整的朦胧追示,少见生动逼真的写实性线条,还处于线条运用的前规则状态。

第三节 块面的审美特征

在中国岩画中,块面是与点、线并举的构形三要素之一。块面在绘画艺术中具有重要地位,中国传统绘画中的泼墨画、没骨画,除少数线条外,全由淋漓酣畅的水墨块面组成。块面的构形性质在岩画中已初见端倪。不管有没有清楚的概念区分,在图像制作上先民们已区分开块面与线条的不同,所以出现用块面绘制对象轮廓与用线条勾勒对象轮廓的不同技法。中国岩画中块面外形多变,善于摹形,多用来直接模仿现实对象。块面的布局比较固定,具有一定的模式。中国岩画块面呈现出笃实丰富、端正自足、刚健沉稳的艺术风格,它表现的远古时期图像中的块面运用规律,为后世绘画中块面的运用奠定了图像基础。

一、块面的外形

与点、线相比,图画中块面的形体变化最自由,它可在自身四周360度的方位处,不同程度、不同方向地随意变形。块面外形的自由度对点与线来说是望尘莫及的,点受形体大小限制,过长为线,过大为面;线受方向限制,它只能朝两边发展。块面形状变化要自由多了,单独的一个块面可以任意变化,来表现不同的对象。许多块面没有固定的形态,而是模仿对象的形体随物赋形。这些块面注重绘制对象的实体形貌,刻画对象的姿态特征。根据制作方式与艺术取象的不同,中国岩画的块面表现出了不同的形态。

中国岩画的块面具有阴性块面与阳性块面之分。岩刻的阳刻块面即为浅浮雕,这在国外出现过,如南太平洋的复活节岛上出现的《鸟人浮雕》就采用了浅浮雕的方式制作块面与线条。中国岩画岩刻块面基本为阴刻块面,没有出现这种整体、清晰的浅浮雕作品。与中国岩画岩刻的明显偏向相比,中国涂绘类岩画鲜明地体现了阴阳之分。如云南耿马芒光岩画点的同一个岩画岩面上出现了阳性手印与阴性手印,表现了中国先民们在涂绘技术中对这两种块面的娴熟运用。

中国大部分的岩画都是通体凿刻或通体涂绘，块面四周只是偶尔才会出现勾勒好的线条。中国岩画虽然很重视图像的轮廓，但北部、西部岩刻块面多采用通体凿刻方式，南部涂绘块面多采用通体平涂方式，这些块面四周多不用勾勒好的线条。也有例外，如宁夏贺兰山大西峰沟的《游牧风情图》中就可以看见牛与人物图形块面的四周有用锋利金属勾勒好的轮廓线条。有些块面四周虽未见明显的刻画线条，但块面边缘圆滑流畅，有精心的磨刻痕迹。如宁夏中卫市红泉乡石山峁岘子村的《野猪图》，块面四周线条平滑劲直。这说明随着技术的进步，人们制作块面的手法在不断地改进，并有从块面制作轮廓向线条勾勒轮廓转变的趋势。

中国岩画的块面出现了具象与抽象两种外形的分化。许多表现动物轮廓的块面选择了具象造型。中国北部与西部岩画的动物轮廓有很多是通体凿刻或磨制而成。这些块面往往就是动物的侧面影像。各个块面随物赋形，演绎出不同种类的动物形体。为了区分各个动物所属种类的不同，动物块面的塑形写实性较强：牛的背脊微微拱起；骆驼的驼峰双双对峙；羊、狗、鹿等动物翘臀压背。尤其是表现牛与骆驼的块面，抓住事物的主要特征如实绘制，让人一目了然。

中国岩画的块面已经抽象出了固定的几何形状，并主要表现在人物图像块面中。人体躯干块面以倒三角形、倒梯形为代表。如新疆的呼图壁石门子岩刻出现了阴刻倒三角形状的块面；云南的沧源岩画中人物身躯通体涂绘，呈倒三角形状。在倒三角形的人物形象中，人体的肩膀被夸大，腰臀部被缩小至点，突出身体的健硕、强壮，这与后世"美女无肩"的审美品位大相径庭。在新疆多尕特岩棚画与西藏当雄县扎西岛洞穴画中也出现了倒三角形身躯，虽然这两个地方的倒三角形是用线条勾勒出来的，不是块面制图，但也表现了同样的审美趣味。倒三角形是非常有特色的岩画块面，在国外岩画中也经常可以见到，如泰国孔尖县、非洲撒哈拉沙漠塔西里等岩画点处就有此类图形。中国岩画还经常起用倒梯形塑造人体块面，如广西花山的祀神图中就有许多这类人体块面。除了人物的躯干外，人物的头部也经常被概括为规则的方形或圆形，如花山岩画就用方、圆两种形状来区分正面人物与侧面人物。块面几何形的出现，证明了先民们已经具有较高的图形抽象水平。

从中国岩画块面的形状看,虽然涂绘类岩画中已有阴阳块面之分,但中国岩刻的块面基本为阴刻,中国岩画中并不重视浮雕技法。岩画的块面通常是通体凿刻或涂绘,块面外围少有勾勒轮廓的线条,先民们已经有意识地区分了线条勾勒与块面制图这两种技法,并将它们在图像中区分开来。中国岩画块面的形状机巧多变,在具象与抽象的两种艺术思维中都表现出色,显示出了动物块面写实、人物块面抽象的不同旨趣。

二、块面的布局

不同的块面布局表现了不同的艺术效果:著名艺术史家沃尔夫林在《意大利和德国的形式感》一书中就以块面为基本单位,比较了文艺复兴时期意大利艺术的造型风格与德国艺术的运动风格[1];西方油画将色彩块面的运用作为基本作画笔法;中国传统山水画在对块面的位置安排中逐渐成熟,明清画论出现了许多对块面的分析。对块面布局的思考在岩画中已经有所显露。从中国岩画来看,块面制图的岩画比比皆是,但是布局尚为粗浅,表现为在图形中位置的单一与固定模式的写实特征。

块面是图形中最大的构形要素,往往也用来表示图像最主要的部位,位置较为单一。在以块面制图的凿刻类岩画与涂绘类岩画中,块面皆用来表示对象的主体躯干。中国岩画的块面在岩画中一般用来描画动物与人物的躯干、头部、颈部。而人物的头饰、手、脚,动物的四肢、角、纹饰则多由线条表示。有些岩画图像没有明确地区分块面与线条,画中动物的身躯与四肢一般粗。如贺兰山黄杨湾岩画的一幅人骑图,马的身躯与四肢一般大小,介于粗线条与矩形块面之间。此类岩画的构形要素摇摆于

---

① 如沃尔夫林论述意大利艺术的特性时说:"很明显,刻意强调的块面比例是不需要添加什么装饰的,它们本身就意蕴丰富……关注自足块面关系的移情感的基本条件还是保持着的"[(瑞士)沃尔夫林:《意大利和德国的形式感》,北京大学出版社2009年版,第23页]。又如沃尔夫林解释德国艺术的风格时说"团块化的巨大体量感是首先要表达的,但没有向人们展现出标准化的面貌。由此可以确定,这些结构的基本意义不在于清晰可解的比例,而在于略带含混和模糊的团块特性"[(瑞士)沃尔夫林:《意大利和德国的形式感》,北京大学出版社2009年版,第25页]。

块面与线条之间，不是块面岩画的典型代表。总的来看，在采用了块面制图的岩画中，块面的位置较为固定。块面与块面之间的组合不如点和线条那么灵活，相对于点、线条的分散而言，中国岩画中的块面像笨重的大个子占据着图形的主要位置。中国岩画中块面位置的单一特征限制了块面与块面之间的组合。可见，中国岩画中的块面与线条各有优势，前者的个体充满力量，后者善于集体配合。单个块面的外形变化远胜于单条线条的外形变化，但线条与线条的组合却比块面的组合更加灵活。

中国岩画中块面与块面位置的安排呈现出固定模式的写实倾向。岩画块面的写实是为了区分对象种类的不同，它还没有达到区分岩画岩面上各个形象姿态的高度个性化。我们可以发现岩画岩面上各个动物的姿态大都相似，表现动物的块面都按同一类型的写实风格安排块面的组合。中国岩画的绝大部分块面动物图像都是或立或跑的向前姿态，偶尔夹杂着回首姿态。但我们知道，动物姿态绝不止这几种，仅以马的姿态来说，便有引颈嘶鸣、低头饮水、蹲卧休憩、扬鬃踏草、悬蹄后倾、奋力狂奔等不同，每种不同的动作都可以拥有不同的块面构成。与之相比，中国岩画过于千篇一律。

与欧洲那些非写实性的岩画块面组合相比，中国岩画块面组合更是显得倾向于程式化。在欧洲的一些洞穴中，一些彩绘岩画的块面是非写实的，单独的块面并不与物象一一对应，它们要与其他块面、线条组合才可以形成物象。如法国哥摩洞窟（Font de Gaume）中的一系列彩色野牛，就是"先用棕红色打底子，再用黑色加以渲染"①。在西班牙阿尔塔米拉（Altamira）、法国拉斯科（Lascaux）等地也出现了以颜色渲染的技法。用来渲染的颜色在明暗关系上突出了物象的体积感，这些渲染的块面却不直接与物象的部位相对应，它们的位置比较自由。中国岩画并不采用此技法，而是偏向于单色平涂，每一个块面都对应于物象的某一个具体部位。与国外岩画相比，中国岩画的块面中规中矩地按物象的大致结构组合画面，从而表现出模式化的写实规律。

---

① 陈兆复、邢琏：《外国岩画发现史》，上海人民出版社1993年版，第53—54页。

　　中国岩画的块面通常在形象中占据重要位置,其位置的单一特征主要归结于块面体形庞大,与描绘对象的庞大躯干相对应,所以绘画者们直接选择用块面表现对象的主要部位。先民们在使用块面时,注重块面与对象的形体对应,表现出固定模式的写实趣味。块面的组合缺少个性,说明先民们对于多个块面的掌握远不如线条那样娴熟。也许,正是岩画中块面布局的缺失,使人们偏爱于线条的运用,导致了中国传统绘画重线条的集体无意识心理。

三、艺术风格

　　中国岩画块面布局的缺陷丝毫不影响先民们对块面的喜爱。与南美洲形体纤秀的岩画对线条的钟情偏爱相比,块面在中国岩画中出现得更为频繁。中国岩画的块面注重模仿事物的外形,并在此基础上进行抽象加工。虽然未臻娴熟境界,但中国岩画的块面外形与块面布局彰显了原始绘画的审美特征,表现为笃实丰富、端正自足与粗壮沉稳的艺术风格。

　　(1)笃实丰富。在中国岩画的点、线、块面三种构形要素中,块面是最为写实的。块面的外形非常灵活,有利于更好表现事物的主要形状。作为构形要素之一的块面在构形时往往利用自身的形体优势,自由变换形状,达到应物象形的效果。即使是南方几何形体的人物躯干块面,也是在写实的基础上抽象变形,符合人体的基本特征。块面的布局也依据实体对象的特征写实性地安排。所以块面总是出现在人、动物这样的实体对象中,而神人同形的想象性的人面像却多用线条刻画。与块面相比,线条的象物性要差很多,同样是表现动物躯体,如果不用块面状形,也不用线条勾勒,而是直接用单一的线条来表示就会僵硬不少。如在甘肃大黑沟、甘肃马鬃山、宁夏大麦等地出现的图案化羊图的躯体就直接为一条较粗的直线,这些图像抽象浓缩为固定的图案,缺少个性色彩。块面在刻画对象躯干时,极富变化。不同种类的对象如牛、羊等,躯干块面自然不同。同种类型的对象也是各不相同,如表现人的躯干可用倒三角形、梯形、矩形、椭圆形。即使在同一区域,表现同一类型的块面也会根据作者的兴趣千变万化。同样是表现贺兰山鹿的躯干块面,有大腹便便的(《贺兰山岩画》图片第 20 张),有压背提臀的(《贺兰山岩画》图片第 94 张),有特意拉长肚子,突出前胸与后臀的(《贺兰山岩画》图片第 576 张)等不同形状。中国岩画块面的形状充分发挥了自身灵活变化的优势,使岩画形象鲜明生动。

(2)端正自足。块面在中国岩画中是最大的构形要素,它不能再构成其他的构形单位,而点却能再构成线,线可以再构成块面。中国岩画中一个块面就是一个图形,自足坚定。它虽不如点线那般灵活,可以自由拼凑成不同的图案,却以不可比拟的坚定态势支撑着岩画的整个构图,令人不容小觑。在有些类型的绘画中,如油画、水彩画,块面是基本的构形单位,这些绘画的块面很可能并不直接代表绘制对象的主要部分,而是多个块面集合成某种图形。在某幅拥有数以万计块面的油画中悄悄地减掉某个色彩块面,可以欺骗大多数观众;而从中国岩画中减掉一个块面,却会立即引起绝大多数人的警觉。中国岩画块面的安排简约明确。S.雷纳克(S.Reinach,或译为赖那克)在评原始艺术时,认为原始艺术有一个特点是端庄,因为它们"没有无用的笔触"[①]。笔触的简约性在中国岩画的块面中表现得尤为明显。一幅岩画图像块面的使用绝不累赘,一个块面往往代表绘制对象的主要身体部位。块面在中国岩画中不仅没有装饰意味,而且还注意抓住对象的基本形状,有意识地忽略旁枝末节,显得明确端正。

(3)刚健沉稳。中国岩画块面位置单一,布局简单,倾向于一致,显得沉稳统一。虽然中国岩画块面形状多变,但从整体来看,中国岩画的块面近似矩形,粗壮健硕。表现动物身躯的块面在世界各地的岩画点中各有不同,却都喜爱将动物绘制得膘圆体肥。表现人物身躯的块面在世界各范围内呈现出了不同的审美倾向。印度马哈德山、沙特阿拉伯早期岩画、非洲东部坦桑尼亚、非洲南部布须曼人的岩画人物身躯颀长,喜好用纤细块面甚至是线条表示人物躯体。无论是动物还是人物的身躯,中国使用的块面要粗短些,更接近于矩形,着重凸显原始人的强健有力与动物

---

① [法]赖那克:《阿波罗艺术史》,李朴园译,商务印书馆 1937 年版,第 7 页。

的矫健肥壮。如广西的花山、沉香角山、珠山等地的涂绘岩画都习惯用倒过来的矩形表示人物的躯干,广西的倒矩形块面与云南的倒三角形块面的审美点集中于肩部,这些人物都肩宽腰窄,以肩部的广阔展示了男性的力量美,而选择性地缩小了人体的臀部,与非洲岩画中人物的肥臀正好相反。中国的岩画块面的这种表现突出了健壮沉稳的风格。

从中国岩画的艺术风格中可以发现,中国岩画充分发挥了块面的塑形特长,既拟实写真,又变化多端,在尊重实体物象的基础上加以变形夸张,其形体粗壮,布局简单,显得沉稳有力。中国岩画块面形成了自身的艺术特色:与欧洲渲染性的块面相比,中国岩画块面端正明确,笃实坚定;与南非、中亚一些地区的人物块面颀长纤细的艺术品位截然不同,中国先民偏好刚健雄壮的块面,而不喜阴柔纤细的块面。

可见,先民们已经有了自发的审美意识。块面的处理取决于人们对不同构形要素的区分和人们对绘制对象的认识上。这种有选择地运用一种构形要素去绘制对象的现实证明了岩画中形式的独立性。就算完全承认巫术理论,认为绘一头牛是巫术行为,那么绘制这头牛的时候是用线条勾勒,还是用块面绘制;这头牛哪些部分应用线条,哪些部分应用点,哪些部分应用块面,应如何运用这些块面诸如此类的问题就属于审美范围了。而中国岩画块面是点、线、块面三个构形要素中最具形体变化、最能体现随物赋形优势的岩画构形要素。它擅长摹形,能根据不同的绘制对象机巧灵动地变形,其形状可分为阴性与阳性、具象与抽象、通体绘制与线条描边等不同的形式。中国岩画块面布局稍显呆板,通常只用来表现物象的主要部位,有固定模式的写实倾向,正是这种布局使它显得端正明确。中国岩画块面的整体艺术表现呈现出笃实丰富、端正自足、刚健沉稳的风格特征。

综上所述,中国岩画中的点、线、块面具有不倚靠于巫术的形式特征。点在中国岩画中占据重要地位。中国岩画的点有深浅、形状的变化,并根据写实与抽象两种技法选择自身的形状。在布局上,凿刻类点大小不均,参差不齐。与岩刻相比,涂绘类点在大小上有明显的趋同性。中国岩画的点有一些虽在排列上有一定的形式规律,并有固定的伴生图案出现,终不严谨,偏重于指事,而忽视装饰,呈现出抽象玄妙、显著精要、粗率劲直的艺术风格。中国岩画的构图要素中线条最为普见。中国岩画线条的刻画技法可分为凿刻、磨刻、线刻与涂绘,分别交糅着浮雕与绘画两种刻画效果。线条形状有直线、曲线两大类,其中曲线的运用更是多姿多彩,包括圆形曲线、弧线、波纹线、蛇线等。线条的存在方式分为实线与虚线,虚线的使用更能激发审美想象力。中国岩画线条的分布具有对称、均衡、重复等规则,表现了中国岩画自成一体的同一性。与国外岩画相比,中国岩画线条呈现出粗犷质朴、爽朗有序、矫健有力的艺术风格,显露出对规则与秩序的追求,表现了中国远古先民们率真、简约而又整齐划一的审美风尚。中国岩画点、线、块面的形式独立风格展示了先民们对这三种构形要素的感知已经有一定程度的积累。

第八章
中国岩画的成像特征

有了点、线、块面三种基本构形要素后,再将它们按一定的规律组织起来,就可以成为图形,图形又能按一定的主题组合成图像。此章先从形式上分析构图问题。我们先讨论那些相对而言,具有形式独立性的成像特征。构图成像包括取象与图像位置安排两个过程。取象仅就单幅图像而言,指先民们在取象时运用的规律。图形位置安排分为图像中的平面经营与纵深经营。中国岩画的图像基本来自于对现实形象的模仿与变形。在加工于现实形象时,中国岩画采用了不同其他绘画的取象规则,并运用了原始人独特的智慧将岩画按各种方式进行平面经营。虽然中国岩画图像的深度空间表现得较为模糊,但原始先民利用图像图与底的关系以及岩画自然环境的利用与安排,同样在图像纵深经营上有所成就。

第一节 取 象 规 则

中国岩画以图像的形式存在,如果我们不是一心地痴迷于独断论的冥想的话,那么我们应该承认图像来自于人们的日常生活。人们俯仰观察自然物像,采用了本能与时代特有的思维方式来截取自然物像,然后再把它们按一定的规律安排、制作在岩画岩面上。岩画图像最早地显示了简化、最大轮廓化、局部凸显以及多点平视这几项取象原则。它们不仅仅是原始艺术的表现,事实上,它们还是绘画艺术中重要的艺术风格。纵观整个艺术史,这些原则始终时起时伏地出现在绘画艺术中,而中国岩画以原始人的品位别出心裁地运用了这些原则。

一、简化原则

人不可能全方面地观照一个事物,图像对事物的反映永远都是局部的截取。岩画中体现出来的简化原则既包含了图像的基本方法,又体现了岩画本身的取象特征。我们将从以下三个方面谈岩画中的简化原则:轮廓取象、局部代整体和抽象代具象的取象技法。

中国岩画对细节不甚关注,事物的轮廓是他们作画的重点。在谈到岩画图像的取象特征时,学者们已经注意到了轮廓取象技法。盖山林先生说:"岩画所表示的物象主要是供人远观的,在物质条件和当时技术手段的局限下,先民们难于刻画细部,故把对象外形高度简化,舍弃细节,强调主要特征,只把握基本形。"①陈兆复先生也认为:"岩画主要是抓基本形,绝大部分是五官也不画的。"②两位先生所说的基本形,就是指岩画取的是物象的投影轮廓。投影轮廓的取象规律是世界岩画的一个共通点。值得注意的是,我们不能仅仅将轮廓取象原则看作因先民艺术技巧稚嫩而产生的取象规律,实际上注重轮廓取象是艺术中的一种重要风格,这种做法屡见不鲜,并一直延续到当代。中国传统绘画与西方素描,甚至西方一些写实性绘画中也倾向于使用这种手法。沃尔夫林(Heinrich Wolfflin)在《艺术风格学》中论述了艺术中线描风格与涂绘风格的不同。线描风格艺术意味着:"首先在轮廓上寻找事物的感觉和事物的美——内部的各种形体也有其轮廓——意味着眼睛沿着边界流转并且沿着边缘摸索。"③沃尔夫林认为,波提切利(Botticelli)、拉斐尔(Raphael)、丢勒(Albrecht Dürer)的作品是线描风格的艺术代表。在他们的作品中,围绕影廓的边线具有最重要的作用。中国画论也将轮廓列为画法第一阶段,董其昌说"有轮廓而无皴法,即谓之无笔;有皴法而无轻重向背明晦,即

---

① 盖山林:《中国岩画学》,书目文献出版社 1995 年版,第 202 页。
② 陈兆复:《中国岩画发现史》,上海人民出版社 2009 年版,第 374 页。
③ [瑞士]海因里希·沃尔夫林:《艺术风格学》,潘耀昌译,中国人民大学出版社 2004 年版,第 26 页。

谓之无墨"①。这句话虽是为了强调"画家以皴法为第一义",但从轮廓、皴法、明晦向背这三个层次来看,轮廓是最基础的。与西方古典绘画及中国古代传统绘画相比,中国岩画的轮廓风格表现得更为集中,更为简约,大部分图像除了轮廓别无所依。

局部代整体指岩画作者们有意识地运用一个物体的一部分来代表此物体本身。盖山林先生在解释手印含义时,列举了人们对它的多种猜测:或表示手势语言,或希望自己打猎有所收获,或战争后表示己方胜利,或代表五、多等数量符号等。②朱狄先生更是列出了手印的八种解释:"代表'我'、画家的签名、狩猎巫术、对祖先灵魂的问候、下意识的消遣、自残行为、手势语的一种、批示路人的标志。"③不管大家的推测如何,我们可以注意到有一点是人们一致公认的:作为身体一部分的手的形象绝不仅仅代表手!岩画中的手印总是承担着比它自身形象更丰富的涵义。先民们在这里充分展示了他们的以局部代整体、以少代多的智慧。云南沧源曼坎2号岩画点的栅栏形象也是以局部代整体原则的典型代表。岩画上部有二人持一节栅栏围捕猴群,下方又有一栅栏表示将猴子圈养在栏中。这两处的栅栏都很短,以这么短的栅栏去捕猴或圈猴,效果无疑甚微,此处为局部代整体法,表示的是更长、更完整的栅栏。除了上述的手印、栅栏外,还有脚印、马蹄印、人面像、天体等图案都表现了人们的局部代整体的简化思维。这些图像都是某物象的一部分,却代表着整个物象的意义。后世绘画进一步发展了局部代整体技法。古人画梅作过墙一枝,以及郭熙所说的"山欲高,尽出之则不高,烟霞锁其腰,则高矣;水欲远,尽出之则不远,掩映断其派,则远矣"④等都是局部代整体原则的进一步拓展!

抽象化技法指先民用一些抽象的要素来指称具体的物象,它是局部代整体原则的进一步发展。先民们对抽象符号的运用最为集中地体现了

---

① (明)董其昌:《画禅室随笔》,《四库全书》第867卷,上海古籍出版社1987年版,第448页。

② 参见盖山林:《中国岩画》,广东旅游出版社2004年版,第59页。

③ 朱狄:《艺术的起源》,武汉大学出版社2007年版,第143页。

④ 俞剑华编著:《中国画论类编》,人民美术出版社1986年版,第639页。

抽象化原则。中国岩画中常出现一些抽象的符号,常见的有三角符号、重圈纹、涡纹等。三角符号是生殖的标志;重圈纹与涡纹通常被研究者看作表示天体的符号。还有一些偶尔出现在局部区域,或局部主题图像中的抽象符号,如十字符、蔓纹、太阳纹等都是物象浓缩后的结体。这些符号以图案化的抽象纹饰表示具体的物象,显示了先民们的抽象思维能力。不仅是抽象符号,中国岩画中还出现了稳定的抽象几何图形三角形与圆形。三角形用来描绘动物头部、人物身躯等部位;圆形用来描绘人面像、铜鼓、天体等图像。这两种几何图形很为人类所喜爱,瓦西里·康定斯基(Wassily Kandinsky)的现代艺术主张也最为推崇这两种图形,认为它们是"两种最基本的、对比最强的平面图形的标志"①。原始人显然不是通过康定斯基那种细致的关于角、线、力的分析而得出这个结论,他们以人类心灵的最初直觉在图像上显示了人类的喜好。

谈到艺术中的简化原则,我们自然会想到阿恩海姆(Rudolf Arnhelm)的著名论点:"人们倾向于把任何一个刺激式样看作已知条件所允许达到的最简单的形状。"②简化原则作为知觉的基本规律影响着人们的作图手法。岩画中表现出来的简化原则是最原始的,也是最基本的知觉规律的图像实践。先民们在构图时自发地寻求着简约与秩序,这些技巧被后世绘画加以改进、变形,一直延续了下去。

二、最大轮廓化原则

我们在简化原则中已经提到,先民们偏爱投影式轮廓取象。不仅如此,我们还可以发现,中国岩画遵循的是最大轮廓化原则。最大轮廓化原则是指在取象时,尽量截取对象最大面积的轮廓。在中国岩画,甚至是世界岩画中,动物的图像多为侧面影像,人物的图像多为正面影像。这是因为,对于动物来说,它的侧面影像要大于它的正面影像,而人物影像正好

---

① [俄]康定斯基:《康定斯基论点线面》,罗世平等译,中国人民大学出版社 2003 年版,第 54 页。

② Rudolf Arnhelm,*Art and Visual Perception*,Berkeley and Los Angeles:University of California Press,1974,p.53.

相反。早期的绘画中常出现"歪曲远视法",阿恩海姆称其为发散透视（Divergent perspective），"聚焦透视隐藏事物旁边的平面，而发散透视将他们展示出来"①。"歪曲远视法"常将岩画中的图像的正面与侧面同时结合在一个图形中。这种绘制方法也表现了取象的最大轮廓化原则。

最大轮廓化原则在动物岩画中表现得最为明显。动物是岩画中最常见的题材，以中国岩画的分布来看，北部与西部的岩画中动物主题图像要多于人物主题图像。这些图像不约而同地都采用了最大轮廓化原则：从动物的侧面剪影，以动物的侧面影像绘制动物。为了更进一步地贯彻这种原则，有些岩画截取了动物身躯的侧面和头部的正面。如青海天峻县庐山的一幅野牛图，牛角合成一个圆形，分明是正面取象，而身躯依然采用侧面的影像（见图 8-1）。中国南部的岩画以人物为主题，相对而言不太擅长绘制动物。比起北部和西部，南部岩画的动物图像更遵循最大轮

图 8-1　源自《中国岩画全集二》

廓原则，图像将四肢如实记录。而北部与西部岩画中已经出现了大量的两腿动物，这便打破了动物绘制的最大轮廓规律。打破最大轮廓规律可能有两个原因：一是这些作品本身就有优劣之分；二是除了最大轮廓化原则外，先民们已经在探索不同的技法。

中国岩画的人物图像与器物图像中也表现了最大轮廓化原则。中国块面岩画中人物的身躯多取像正面，广西与云南两处的岩画涂绘人物，基本为人物正面的或蹲、或站、或跑的模样。即使是侧身人物，身躯的肩部也是经常展开的，形成了正侧面的风格，在西部与北部块面岩画的狩猎图中可见此类形象。此外，在器物的表现中，如鼓、车、船等形象中也可发现最大轮廓化原则的运用。先民们选取的"鼓"是鼓面的正面形象，这比鼓身的侧面形象要大；"车"的形象很奇怪，轮子与车身一定是分别独立并

---

① Rudolf Arnhelm, *Art and Visual Perception*, Berkeley and Los Angeles: University of California Press, 1974, p.195.

置的,并且不是从同一个面取象;"船"是船只的侧面形象,可以设想最开始的船只体形不会太大,它的侧面会比其他角度的面要大一些。

国外的某些岩画同样体现了最大轮廓化原则。如印度马哈德山崖岩画人物躯干是正面的,腿部与脚却从侧面取象,腿部的曲线起伏有致。人们经常谈论的埃及正侧面人身像,也属于此类原则。这说明早期绘画经常使用最大轮廓化原则。最大轮廓化原则凸显了两层意义:一是先民们按事物所是取象,而不是按视觉所是取象;二是先民们在取象时偏好截取图像最大面积的视角。最大轮廓化原则是不为视觉所囿的清晰化作图选择。

三、局部凸显原则

艺术永远是局部的采集。怀着个人情感与时代偏好的绘画通过局部凸显原则表现创作的不同兴趣点。这种原则在岩画中表现为图像形体与位置的凸显。前者可以解释为岩画不重物象现实比例,以及追求秩序的特征;后者表达了岩画作者极其写意的细节创作习惯。艺术家们用不同的方法将物象的局部特征夸大,以彰显他们不同的艺术手法。

从岩画图像中可以推断先民们对某个物象的关注程度。为了突出他们的兴趣点,岩画岩面中的某一物象会凸显出来。有些形体被扩大了比例,以体势上的绝对优势展示出原始物象宠儿的身份,因为"岩画通常是以位置的高低、形体的大小来显示尊卑的区别"①。云南沧源曼帕岩画中的卷云人物形象远远大于其左侧的其他人物。此人头戴角形装饰,左手持一个箭镞形器物,后面衬托着卷云纹图案,在岩画岩面上尤其醒目,是该岩画点最突出的人物形象,其形体的大与刻画的精细相印证,说明原始人对大形象的关注。夸大人物比例以突出人物重要性的表现方式一直延续到后世绘画中,西魏时期的敦煌壁画第 249 窟的《说法图》,初唐时期阎立本的《历代帝王图》等绘画中人物主从关系都处理为主大从小,主要人物与次要人物在形体上对比突出。

---

① 宋耀良:《呼图壁岩画对马图符研究》,《文艺理论研究》1990 年第 5 期。

有些中国岩画将一图像的某一局部图形的体型夸大,以突出它在整个图形中的位置。人物交媾图中,男性器官总被凸显为联系二人之间的长长横线,强调它的重要性;云南洋德海 1 号岩画点的羽人图,人物颈部上绘制了两根长长的羽毛,有该人物形象的三到四倍高,突出了羽毛的存在感;云南曼坎岩画点的人物通常夸大手的长度,甚至长可触地。国外岩画也同样出现了此类现象,如亚洲叶尔加苏尔岩刻忽视物象外形,把动物的某些特征加以强调,过于夸大颈下流苏,竟画成畸形的突瘤。① 以形体的夸张来强调人们对图形的偏好或许正是原始岩画不重视现实比例的原因之一。

但夸大物象形体的方式在局部凸显原则中并不独占鳌头,那些被标准化,拥有几何形体,注意规律美的图形婉转悠扬地达到了同样的效果。如老虎身上的漩涡纹;讲究对称与装饰的各样鹿角;做着各种动作,呈半圆形或其他对称形的人物手臂等。先民们将规则与规则对比,已经懂得把他们所重视的形象画得更规则一些,表明他们的情感偏向。

位置的凸显是中国岩画中另一重要的局部凸显原则,它指图形在要突出的关键部分标上一个符号,表示这个位置的重要性。当象形的技巧不能完全达意时,点出位置的写意性手法以它特有的意会方式传达着画中的意味。这种方法经常用来表示性别区分及生殖崇拜。如福建华安仙字潭岩刻的一些人物下部用圆圈与圆点标示出来,表示人物的性别;内蒙古哈日干那沟南口西畔高地的一块巨石上,有一个人形,双脚回弯,胯下有一圆点;内蒙古乌兰察布与福建华安仙字潭都出现了乳房突出的女性形象,这个特征被两个小圆点在身体的两侧标示出来。原始图形充分表现了先民们对人体生殖器官的赞美,生殖位置的凸显便是这种质朴而热烈的赞美诗的主要形式。除了性别与生殖位置的表现外,当岩画作者逐渐试探着描绘人体五官时,也选用了位置凸显法,如贵州岩画的人物图横七竖八地在脸上标示了一些圆点,表示人物的五官。这些五官口、眼、鼻形状全然不分,只在位置上点到为止。中国后世也有类似的技法,明代沈

---

① 参见陈兆复、邢琏:《外国岩画发现史》,上海人民出版社 1993 年版,第 157 页。

颛在论山水画法时,提倡"每画云烟着底,危峰突出,一人缀之,有振衣千仞势。客讶之,予曰:此以绝顶为主,若儿孙诸岫,可以不呈,岩脚柯根,可以不露"①,以危峰的位置衬托山峰之人凌绝顶览山小的气势,正是位置凸显的妙用。

局部凸显原则表明了中国岩画不重比例的原因。为了突出作画者要强调的图形,岩画作者或夸大某个图形的体型,使之鹤立鸡群,卓然傲物,或者利用较为隐晦的方法,将需要强调的图形规则化,使之方圆规矩、有理有序。局部凸显原则中的位置的凸显方法更是传达了岩画作者们对写意手法的娴熟运用,表达了意到而止的审美理想。

四、多点平视原则

岩画中的取象大多都用平视角度。中国岩画的视中线与画面是垂直的,所取的是平视的图像。而且岩画将不同角度观察到的图形放在同一图像中,多点取象。中国岩画取象的多点平视原则使它的图形既简单直接,又极为自由,不囿于视觉限制,表现了岩画触觉绘画的性质。

中国岩画的视中线基本都是与画面垂直的。在原始人的想象绘画中,无论对象是正对着作画者而设(如大部分人物图),还是侧对着作画者而设(如动物图),作画者都正好垂直地面对着对象的正面或侧面,也就是说岩画造成的效果是对象就在作画者的正前方。岩画只重图像本身,不重图像中环境的衬托。绘画中对自然环境的审美是个非常缓慢的发展过程,一直到南北朝时期,一向在人物画中作为辅助的山水才从人物画中分离出来成为独立的画科。而此前的画都以人物为中心。岩画中根本没有出现过明确的山水图像,更不要提自然环境与人物的互相衬托。岩画中的物象大部分都是独立的,不考虑它与环境,或其他图像的关系。所以岩画的视向是单纯的,作画者想到一个对象,就觉得它正是以这种单一的角度独立出来仿佛出现在眼前。

很难想象西方古典绘画单个图像会出现需要采用两三个视点观察到

---

① 俞剑华编著:《中国画论类编》,人民美术出版社 1986 年版,第 772 页。

图 8-2 源自《中国岩画学》

的图形,即使在中国传统绘画与现代绘画中这种情形也是少见的。在中国岩画中我们发现了这个奇观。最有代表性的要算北部的马车图(见图 8-2)。车中用来载人或物的舆是从上部取象,左部的车轮与马是从车的左边取象,右部的车轮与马从车的右边取象,这个图像至少用了三个视点。这样一个奇形怪状的,绝不符合视觉事实的图像却是岩画中的标准车图,北部与西部的车图大致都是按照这个样式来绘制的。这便是触觉绘画与视觉绘画的不同。沃尔夫林曾以触觉与视觉的特质来区分线描风格与涂绘风格的差异,"甚至古人也知道这种差异——前者按照事物的真实情况来表现它们,后者则按照事物显现于眼前的情况来表现它们"①。这两种风格的差异表现为触觉绘画与视觉绘画的不同,"线描的风格……着实打动了我们的触觉感","涂绘风格已多少使自己摆脱了事物的真实面目的束缚……而只产生事物的视觉外表"②。视觉绘画按事物显现于眼前的样貌创作,触觉绘画按事物的实际情况创作。岩画的风格正属于触觉绘画一类,它并不遵循视觉原理,所以才会大胆地以多个视点集合成一个物像。

岩画将多点平视原则运用在单幅图像的取象中,这与中国后世绘画的取象风格截然不同。中国后世绘画的视向已有了俯、仰、斜之分,它虽然是散点取象,但已有了视觉意识。北宋时期李成与沈括之间就发生过关于"仰画飞檐"的争论。李成的"仰画飞檐"尊重的是"焦点透视的规定,要求在视点确定的基础上,准确地再现自己视觉中的自然形象"③。

① [瑞士]海因里希·沃尔夫林:《艺术风格学》,潘耀昌译,中国人民大学出版社2004年版,第 29 页。

② [瑞士]海因里希·沃尔夫林:《艺术风格学》,潘耀昌译,中国人民大学出版社2004年版,第 30 页。

③ 樊莘森、高若海:《从"仰画飞檐"和"以大观小"的论争谈起》,《文艺研究》1981年第 1 期。

从岩画的取象看,原始先民取象的视角非常单一,都是与画面垂直90度。先民们的图像视觉绘画意识还未萌芽,人们遵循的是按记忆、想象、触觉引导的另一种创作习惯。中国岩画中视点的不固定,使我们推测,中国岩画的视阈是不局限于一个视点的,因为它可以将相隔较远的图像糅合到同一图画中。岩画中的图画可以是不同时期画上去的作品,这也为岩画不局限于同一个视阈提供了有利条件。中国岩画以单幅构图为主,图与图之间的关系较为随意,择物取象上并不考虑固定视阈的问题。有些大型图画,虽由多个图景按一定的方位形成,但我们根据中国岩画中的视点取象风格,可得出这些大型图画上的图景,并不在同一视域中。如云南壤典姆岩画图,由多幅场景组成,气势恢弘。这些不同场景中的活动,彼此之间没有紧密的联系,应是杂取种种,合成一处。

中国岩画的几种原则之间的关系是相互联系的,也是相互阻碍的。它们是相互联系的。最大轮廓化原则是简化原则中轮廓取象的进一步发展。同时,它与多点平视原则互为因果,正是要集合各个面的轮廓,才造成了多点平视的效果,或者说因为图像不局限于一个视点,才形成了图像多个面的集合,使岩画表现出最大轮廓化原则。它们相互也有冲突。简化原则表现了先民们整体性与模糊性的艺术思维特征。最大轮廓化原则又表明了先民们愿意更为全面地展现物象的意愿。如果说先民们希望尽可能地描写对象的最大轮廓,更加具体地将物象表现出来,那么他们又为什么会忽视对象的细节轮廓,如动物的毛发、人物的五官。简化原则与最大轮廓化原则的冲突显示了写实与写意冲突的原初萌芽。局部凸显原则也与简化原则的整体性相冲突,它倾向于要破坏图像的整体均衡,而重点突出某一个部分。简化原则与最大轮廓化原则以及局部凸显原则之间的矛盾冲突表明了先民们在描写物象时一个微妙的心态:作画者在有意识地要将物象更清晰地呈现时,面临着更具体还是更精简的选择。这种思考也一直持续到后世绘画中,形成了细节与整体、写实与写意的不同艺术选择。

第二节　平面经营

中国岩画的平面经营包含两个层次：第一层是图像的构成。一个图像可由不同的图形构成，图形的位置安排组合成各种不同的图像；第二层是岩画岩面中各图像的安排。一块岩画上往往有多个图像。这些图像可能是同一时期制作的，也很可能是不同时期先后添加上去的。这些图形或图像彼此之间都有着一定的构图关系，它们大部分是二维平面构图，表现的是二维空间。倾向于平面的表现不能理解成人们只对轮廓、对侧影感兴趣，"因为，这样一种侧影绝不会呈现一个独立自主的材料个性的图像。那种倾向于对平面的表现必须理解成，深度关系必须尽可能地转化成平面关系"①，中国岩画中的最大轮廓化原则已说明了这个问题。中国岩画岩面以丰富的平面空间表现方法显示了图像平面经营的原始规律。这主要表现为图形之间的分割方式，在图形与图像之间交叉运用的对比方式，以及表现图像关系的排列方式。

一、分　割

在构图中分割是重要的平面经营方法，它包括选择物象的部位和物象的比例。分割意识表现了先民们对物象的认识与偏爱。物象本身来自一个完整的对象，人们按照自己的意愿强行将它分割为各个部分，构成一个新的形象，这便要考虑它们的取舍：哪个部分需要表现，哪个部分可以不表现。分割还显示图像中各个部分的比例关系，某个图形在图像中占多大空间、拥有多少形体优势，都在岩画中自发地表现了出来。

图像对物体的分割表明了当时人们对物象各部位的认识与重视程度。中国岩画对物象各部位的划分非常笼统，人物图大部分是头、身躯、四肢的划分，有时会加上头饰与身上的羽饰，少见五官、衣饰、纹饰。动物图大部分被划分为头、身躯、四肢、角、尾，少见皮毛与五官。物象的某些

---

①　[德] W.沃林格：《抽象与移情》，王才勇译，辽宁人民出版社 1987 年版，第 39 页。

部分在岩画图像中的遮蔽不能只把它归结于原始人不重细节的艺术习惯。与后世绘画比起来,中国岩画当然是不重细节的,但中国岩画也有细节表现。中国岩画中对细节的选择是因画而异的。云南沧源第二地点的人物基本不刻画手掌,而云南沧源 3 号点与新疆呼图壁石门子的人物形象却刻画了人物的手掌。后两者显示出了岩画作者对人物手指的重视。许多岩画中的动物都没有把蹄与腿区分开,常常是一笔到位。可见,这些岩画作者对动物的蹄部是相当漠视的。而西藏的一些动物图像却把鹿蹄刻画为尖状,凸显出了蹄部的重要性。这种类型的形象被称为斯基泰艺术风格。① 岩画图像中动物不同部位的划分,表示了人们对细节的关注程度。将手臂、手掌、手指视为一体,与将手掌、手指单列出来的岩画对事物部分的强调不一样,前者的重心在手臂,后者则在手掌。再有,岩画中有很多的人物画不注重头饰的刻画,要不就是没有,要不就是形象较模糊,彼此之间无大的变化。有些图像则不然,盖山林先生在《中国岩画学》中列举了左江岩画人物头饰 35 种,云南沧源岩画头饰 17 种。② 显然这些岩画点对人物的头饰颇为看重。这些细节的取舍,代表了当时各作者的绘画习惯,显示了古人的审美对象范围。

分割是构成想象性图像的重要途径。岩画将不同物体的特征分割出来,再拼凑在同一个物象中,形成一个新的形象。这种情况主要出现在想象性图像——人面像中。人面像是岩画中不多的非现实性形象之一,它可以是人像与动物像的交杂,也可以是人像与植物像的融合,还可以是人像与天体的汇集。江苏连云港的人面像就是人像与麦穗形象的结合体。此人面像分割出了这些部分:人的头发、人的五官、人脸部的外围轮廓、麦秆、麦穗上的网格纹。这些分割出来的图像组合在一起就形成了目前大家所看到的新的形象。人面像中的太阳人面像是人像与天体的结合,羊角人面像则是人像或动物的结合。不同形象之间的分割与重构是原始"互渗"思维的一方面。"互渗"思维是"作为集体表象之一部分的人和物

---

① 参见汤惠生、张文华:《青海岩画——史前艺术中二元对立思维及其观念的研究》,科学出版社 2001 年版,第 170 页。

② 参见盖山林:《中国岩画学》,书目文献出版社 1995 年版,第 115 页。

之间的'互渗'"。① 岩画图像中将各类形象杂糅在一个图形中,形成了各个形象之间的"互渗"。原始人的"互渗"随着逻辑思维的发展在认知范围被摒弃,却在艺术世界以其想象的奇特、蕴意的丰富特征被保留了下来。李济在谈论商代安阳贝壳镶嵌艺术时也论说过这种形式,认为商代贝壳镶嵌的方法是"将立体的动物分割为相等的两半,拼成平面。由这种新的纹样配列法,更进一步地演变。就是将同一动物的身体各部分予以重复,或将甲动物一部分配合于乙动物的另一部分;或夸张其身体之一部而忽略他部,由此形成各种复杂的纹样。商朝的装饰艺术家对这种新的表现技法具有偏好,很快地,雕刻工、陶工、玉工和铜工亦均相继仿效。因是之故,乃有虎头加于猿身,人头长出两角等怪形畸象的出现。"②从岩画中可以看出,这种动物形象相互渗透的方法并不是商代的新技法。早在新石器时代,甚至旧石器时代,人们就可以娴熟地运用它来制作非现实形象。

中国岩画图像的比例观念不如后世绘画那么严谨,但也不是完全没有比例。中国岩画基本是按不太精确的现实比例。大部分中国岩画的图像的比例不至于太过超现实,图像中各部分的组合与现实物体大概相对应,还不会让人感到过于突兀,至少大部分情况下,我们都能辨识这些形象。不过,中国岩画毕竟并不擅长比例划分。人物形象要么手长于脚,要么身躯过长、四肢过短,要么大腿或哪个手臂突然长出一截;绘制动物时常常将动物的身躯拉长,四肢刻画得过细;人手中拿着的弓箭有时竟会高于人的长。比例分割的模糊性在中国绘画中长久没有得到突破,一直到唐代花鸟畜兽画家如薛稷、边鸾、韩幹等人才精于此道。但中国山水画一向讲究以心驭物,是以并不十分注重物象本身的比例。

从中国岩画的分割来看,中国岩画对细节的关注是因画而异的,不同地区、不同类型的岩画对细节的关注部分全然不同。而且,中国岩画已经

---

① [法]列维-布留尔:《原始思维》,丁由译,商务印书馆1981年版,第69页。

② 李济:《安阳遗址出土之狩猎卜辞、动物遗骸与装饰纹样》,陈奇禄译,《李济文集》卷四,上海人民出版社2006年版,第528页。

擅长将不同物象的某些部分分割出来,重新组合成新的图形,这与以后商周器物上的动物形象有异曲同工之妙。在比例的分割上,中国岩画表现得较为模糊,不够精确,时常违背物象原貌夸大局部,显示了原始人在绘画比例上的率真任性。

二、对 比

对比是不同事物之间的比较,对比可突出事物之间的联系与差别,使彼此的特征更加显著,并最终形成一个整体的情感判断。岩画平面经营中的对比手法,包括制作技法的对比、构形要素的对比以及图像形体的对比。这些对比显示了岩画制作手法的分歧,展现了先民们构图方式的多样性,证明了岩画作者们已经开始注重图像与图像之间的紧密联系。

中国岩画对比的运用首先表现为不同制作技法的对比。它包括凿刻与线刻的对比。中国岩画在同一物象的表现中会出现凿刻与线刻两种技法的对比。如甘肃黑山岩画的雕凿技法中就有此类图像,它"琢凿出轮廓后通体用尖凿加以细密的雕琢,成为微浅的阴镌画面,一般不具线条,只是把鹿角用刻线画出"①。这是不同部位、不同技法的对比,鹿角的线刻与身躯的凿刻相呼应,既突出鹿不同部分的不同形状,又展示了两种制作技法的差异。有些时候,即使是刻画同一个图形的同一部位,也表现了凿刻与线刻技法的对比。有些动物的轮廓既采用了通体凿刻的技法,也在凿刻好的轮廓四周刻画了线条。如新疆阿勒泰汗德尕物自治区的《孕牛图》中的一头牛的凿刻块面四周就有明显的线刻痕迹。在同幅图中发生凿刻与线刻对比的状况数量很少,这似乎只是作画者在两种技法选择的犹豫与挣扎后作出的暂时妥协,因为这种融合状况并没有得到大面积地广泛运用。

块面与线条运用是中国岩画中构形要素的对比。块面塑形与线条塑形的手法在中国岩画中形成了两大主流。很多中国岩画采用了通体凿刻

---

① 嘉峪关市文物清理小组:《甘肃地区古代游牧民族的岩画——黑山石刻画像初步调查》,《文物》1972 年第 12 期。

的块面制作技法,同样,也有很多中国岩画图像是线条勾勒。块面制作与线条勾勒的手法对比以两种方式出现。其一,是同一岩画块面上出现以不同构形要素为主的图像。如青海刚察县舍布齐沟的《骑猎》图中出现了两幅描写"骑猎"的图像,左图以线条勾勒,人物形象生动,注重动作刻画;右边以块面制作,只强调骑猎者与马的基本轮廓。在宁夏中卫县北山老虎沟、宁夏中宁县刘庄沟、内蒙古呼鲁斯太苏木地里哈日、内蒙古曼德拉山、新疆阿拉泰等地也出现了这种对比。其二,是同一个物象中运用了不同塑形手法。如宁夏中卫县北山老虎嘴沟的《北山羊群》中,羊的身躯是线条勾勒,但头部是象形块面塑成。在青海舍布齐沟、内蒙古呼鲁斯太苏木地里哈日、新疆阿勒泰也可以看到这种手法。内蒙古查干敖包苏木西南处有一幅马的图像是块面与线条对比手法的杰出作品。这幅马图用线条勾勒出了马头、马脖、马臀,但是马的肚子那一段用块面凿刻出,马臀上点缀着一个近似方形的块面,充分地表现了两种塑形手法的差别与融合。

中国岩画的对比运用还包括形体的对比。这种做法我们在取象的局部凸显原则中已经提到过。局部凸显原则是以形体的巨大、规则来突出图形的存在感,这种对比方法,留给观众强烈印象的往往是形体大于规则的那一部分。不过,对比不仅是扬此抑彼的局部凸显手法。在构图中,对比还强调了双方形体的区分与联系,此时对比的双方是互依互存、相互平等的共在关系。如中国岩画中出现的动物母子图,母子姿态基本一致,小畜依偎在母亲的肚子下,母亲的强大与幼兽的弱小形成对比,舐犊之情与依赖之情交相辉映,场景温馨祥和。在这种构图中,母亲形体的庞大并未争夺视觉焦点;相反,此图的中心位置在母亲用四肢保护小兽上,图像强调的是母子之间的依存关系。

中国岩画构图中对比方法的运用是色彩缺场的图形对比方式,它主要集中于制作方式、构形要素与形体大小的对比上。这种对比方式缺少色彩的冷暖、黑白、浓淡、干湿等方面的对比,甚至在刚柔、转折、圆方等形体对照方面也未有大的建树。这不可避免地使它呈现出某种粗糙的质朴感。但方式与手法的稚嫩并不影响我们对先民的图像制作的赞誉,这种好像是发自人类本能的修辞手段显示了人类构图心理上的自觉,展示了图像形式最初的对比运用。

三、排　列

岩画图像安排以并置排列为主要手法。中国岩画岩面的图像常常具有自在的空间,图像之间互不干扰,各个图像是独立封闭的。中国岩画的绘制以单幅构图为主。一幅有七八个动物图的岩面,很可能收藏了不同时期的作品。中国原始时代不同的作者于不同的时间绘制岩画时,并不考虑图像与图像之间的紧密联系,更多的时候他们在做重复与模拟活动:将一个个类似的图像一次次地按照并置排列关系再现于岩画岩面上。与后世绘画在一个画框内慎重地考虑图像之间的空间位置安排相比,岩画的排列构图是疏散的。但这并不是说图像与图像之间难以形成任何构图关系。

岩画图像的排列具有了显著的方位意识。在岩画中经常可以出现站立图。有时是一个人站在另一个人肩上,有时是一个人站在马的背上,有时是两只动物上下叠加。这说明古人在构图时有清楚的上下方位意识。在甘肃黑山、云南沧源、新疆呼图壁等地有近似水平排列的人物图像,这说明古人也有左右相连的方位意识。可见,岩画是有水平方向与垂直方向感的艺术,它在上下左右的并置中表现出了秩序性。除此之外,在内蒙古乌兰察布、西藏日土县任姆栋等岩画中还有与水平面呈 45 度排列的动物图,从其排列的整齐韵律来看,倒并非是任意而为。以上三种都是线性排列,除此之外,岩画中还出现了包容性的排列方式:大的图像将小的图像包容进去。宁夏贺兰山回回沟的一幅老牛图,长 2.01 米,高 1.01 米①,此幅老牛图体型巨大,在贺兰山岩画中实为罕见,因此称为《巨牛图》。巨牛图的腹部还刻了五只小羊,显出见缝插针之妙。岩画中的母子图也多采用此种方式,小动物们或躲在母亲的肚子下,被母亲四肢紧紧地包围着,或出现在母亲的角弯里,以想象的方式投入母亲的怀抱。

---

① 参见陈兆复:《中国岩画发现史》,上海人民出版社 2009 年版,第 111 页。

为了加强图像之间的联系,有些岩画会以一根线将各个图形连接起来。这种线条的连接方式是中国岩画中常见的平面构图方式。如云南沧源岩画的《村落图》将十几幢干栏式房屋用一个圆圈圈起来,它既串联了这些干栏房屋,又区分了村里与村外,形成一个封闭性的图像。在沧源岩画中经常可以看到把几个图像串联在一起的线条,它们或是一个圆,划分了内外之界;或者是一条直直的水平线,或者是转上折下的蛇线形成山脉起伏之势。广西花山《祭祀图》也有类似的线条将各人物串联起来,并将崖壁分为不同水平线的几个空间。利用线条来串联或区隔空间的做法虽简单却清晰。后世绘画进一步发展了以线分隔空间的方式,将简单的一根线条化身为多种形象,成为空间划分的媒介。

有些中国岩画会将多个场景混合在一起,利于场景之间的呼应关系形成大型生活画卷。这些岩画十分注重图像之间的排列关系。再以云南第二地点 1 区的《村落图》为例,以线条封闭起来的村落的上部有一房屋,房屋旁有人,并用线条将他们串联起来,看起来像田埂之类的小路。这个场景上部又另外有一个追赶动物的场面。村落的左边、右边皆有人物活动图,下部还有一个祭祀图像。特别是村落左边的人物、动物多面向右,有明显的向村落行进之状。虽然村落的右面因灰浆污损,图形模糊不清,但大概也能辨出动物向右的趋势。这样,此岩画岩面上就以中间的村落图为中心,绘制了一个由多个场合组成的大型村庄图。这些场景围绕着村落,分四个方向排列在村落四周,方位明确,分布有致。

岩画图像的并置排列显示了它初步的秩序感,中国岩画图像的排列主要以并置为主。但我们在论述岩画的并置排列方式时,并不是否认岩画中的重叠排列现象。岩画中很多图像具有重叠现象:沧源岩画中"图形有重叠现象,一块崖壁往往画过许多次"①;西藏任姆栋岩画点"可以看到各期岩刻的重叠现象,诸如中期的狗复盖在早期的图像上,晚期的豹重刻在中期的羚羊身上,或是晚期的鹿叠压在中期的鹿

---

① 汪宁生:《云南沧源崖画的发现与研究》,文物出版社 1985 年版,第 19 页。

上"①。一般认为,这种重叠现象是不同时期的作品叠加,前后之间没有显示出图像之间的构图关联,只是后者力图打破前者,给予岩画岩面以新的形象。

总之,中国岩画中缺乏自然风光的描绘、环境的衬托,各单幅图像都是自足的。宗白华所赞誉的出现在后世中国绘画中的"阴阳明暗高下起伏所构成的节奏化了的空间"②在中国岩画中只在高下起伏方面有所显现。虽然缺少明暗关系,却具有自己的艺术特征,表现出了先民独立的审美思维。它充分利用了分割、对比、排列几种方式来构思平面经营,在几种基本的平面经营方式中呈现出了丰富多元的构图思维,令人不禁称奇叫好。

第三节 纵深经营

我们已经注意到岩画是平面构图,岩画的平面表现有一系列的固定规律。但我们还应注意,岩画仍处在一个纵深空间中。岩画的平面构图有模糊的深度空间表现。岩画图与底的关系表现出了二项对比作画的倾向。岩画自然环境的选择与岩画作者的生存环境及他们的审美取向密切相关。深度表现、图与底的关系、环境这三方面形成了中国岩画纵深经营规则。

一、深度表现

中国岩画未能显示出清晰的深度空间表现意识。将中国岩画中的深度表现与西方古典绘画相对照,可以发现中国岩画的深度表现只具有非常模糊、朦胧的痕迹。众所周知,西方的绘画理论在绘画的深度表现上建立了透视理论,中心焦点透视方法更是代表着西方古典时代的辉煌成就。如文艺复兴画家莱昂纳多·达芬奇(Leonardo Da Vinci)就认为透视具有

---

① 陈兆复:《中国岩画发现史》,上海人民出版社 2009 年版,第 158 页。
② 宗白华:《美学散步》,上海人民出版社 1981 年版,第 84 页。

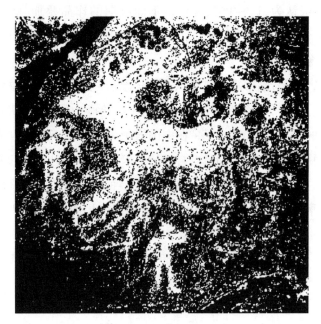

图8-3 源自《中国岩画全集》

三点要素:缩小(Diminution)、色彩的变化(Colors Vary)与消失(Disappearance)。① 根据这三个要素我们可以考察一下岩画的深度空间表现。

(1)缩小规则。缩小规则认为事物离我们越远,看起来就越小。中国岩画中的画面基本表现在同一平面上,没有叠加、重合,更没有近大远小的缩小比例,无法从线条的比例、物面的变形中表现事物的远近之别。中国岩画中的单个图案表现为平面,属于剪影式画法,不具备线条与物面向深度缩小的特征。中国岩画多个图案之间的构图,也没有统一向一个方向缩小的趋势。不过,中国岩画的构图已经具有了大小之分,而且从大小之分中可以让人领略到远近之别。如新石器时代内蒙古乌拉特中旗呼鲁斯太苏木布尔日格斯太的《鹿、北山羊、猎人》图(见图8-3),左边形体巨大的鹿与右边形体纤细的北山羊在一起的对照带来了鹿近羊远的空间感。这种从轮廓的大小来区分空间深度的方法,往往会带来困惑,使人不

① Cf.Leonardo Da Vinci.*Selections From the Notebooks of Leonardo Da Vinci*.Tr.Irama A. Richter Oxford University Press,1952,pp.118-119.

理解图中要表现的是物的大小,还是物的远近,从而使图画徘徊于空间的不确定中。因此,中国岩画中的缩小规则是极其模糊、跳跃的。

(2)色彩的变化。根据图案色彩的浓淡变化可以表现事物的深度,油画中色彩的层次性与中国水墨画的浓淡变化都是以色彩表现深度的策略。中国岩画中也有上色的作品,这些作品几乎都是采用同一种颜色,没有色彩的变换。如我国云南沧源、广西左江的大量涂绘岩画都以红色画成,基本呈红赫色,在色彩上没有浓淡变化,仅仅以红色区分了图案与石头背景。即使不同幅图画的颜色稍有差异,单幅图基本只用一色,色彩上不具备对比性。由于没有层次与浓淡上的变化,中国岩画不能通过色彩来表现深度。中国岩画中也有很少的一部分绘有不同的颜色,如云南麻栗坡县大王岩画点上的人像用红、黑、白三种颜色绘制,但这也并不能说明此幅岩画用色彩表现出了空间的远近。这些色彩没有根据远近安排递进关系,只是对不同的层次、不同的部位作了区分,它使岩画具有空间层次感与修饰效果,却不能表现空间的远近关系。后世的色彩在此铺陈上具有长足的发展。晋代张僧繇已经会使用色彩明暗烘托的"退晕法",其画"朱及青绿所成,远望眼晕如凹凸"①。此"凹凸"状才是深度空间的表现效果。中国岩画在色彩的深度表现中是一片空白,仅以岩画来看,不得不说是一种遗憾。幸好,这种缺失在后世转向为对色彩运用的另一方向,形成与西方浓墨重彩绘画相对立的,意境高远、独树一帜的中国水墨色彩运用方式。

(3)消失。透视理论认为人的视线是有局限的,事物离我们越远时,它的轮廓就会越模糊,直到成为一个点,最后消失不见,现实事物中的并行线条在绘画中最终应交汇于一点,而且人的视线不具备穿透力,处于人前面位置的事物会把后面事物挡住,使被挡住的地方消失不见。中国岩画不具备透视理论要求的清晰与模糊的区分或递变。当然,岩画作者们更没有在绘画中表现出他们已经知道了并行线消失于一点的透视原理。中国岩画色彩上不追求变化,在岩画的作图中也没有利用线条与平面的

---

① 许嵩:《建康实录》,张忱石点校,中华书局1986年版,第686页。

扭转、倾斜表现线条与平面的消失倾势。在绘制动物群的时候,岩画绘制者们呆板地将一只只动物绘刻于岩石上,丝毫没有想到可以用无数小点表现远处万兽奔腾的壮观气势。将岩画的建筑与现代建筑图相对比,岩画中建筑的并行线条非常随意地与其他线条相接,看不出有交汇于消失点的趋势。如贵州岩画中的干栏建筑,理应聚于一点的线条四面发散,根本就不考虑消失点。因此,岩画中没有事物消失于远方的意识。

被遮挡的物象消失不见这个透视原则,没有发现消失于远方这个规律,但被挡住了而不能画是时有时无的。中国西部与北部岩画中的动物图可见许多两腿动物,另两只腿被遮挡住,在图画中消失不见,这显示了原始人已经发现视角透视时的被遮挡规律。但中国南部岩画却是如实刻画动物的四条腿,并没有意识到遮挡现象。在骑马图中,按照视觉真实应被人腿挡住的马肚却总是出现,如贺兰山树林沟 D1108 的人骑图违背遮挡规律,省略了人腿,让马肚出现(见图8-4);有些图画中人腿与马肚重合,如贺兰山石马湾 D1205 岩画(见图8-5)。这两种人骑图,在中国岩画中都经常可见。

图8-4 源自《贺兰山岩画》　　　　图8-5 源自《贺兰山岩画》

可见,用中心焦点透视的缩小规则、色彩变化、消失三个次级标准来衡量的话,中国岩画中还不具备清晰、确定的远近意识,即使在大小事物的组合上、事物的遮挡上,似乎有些深度表现规律,但这种表现是非常模糊、不确定的。原始画家并不是严格按照视觉所见来绘画,原始岩画中没有精确的求真意识,这既是原始社会绘画规则未形成、技巧未成熟的结果,也是原始人独特意识的产物。

二、图与底

岩画图像的构成包括图与底的层次关系。在中国岩画中,图像缺少背景衬托,岩画岩面就是背景。岩画的图像构成基本只有两个层次。中国岩画岩刻直接在岩面上轮廓取象,岩面便是背景。涂绘类岩画也多为单色平涂,少数岩画运用了多种颜色,但也是用并置排列方法,没有体现图像的多层次的明暗关系。中国岩画图与底的关系,往往就是岩画图像与岩画岩面的关系。

国外岩画常出现三个层次的图底关系。欧洲洞穴岩画常在线条勾勒的轮廓中使用色彩块面,形成岩画岩面、线条轮廓、色彩块面三个层次。此外,欧洲洞穴岩画会将凿刻与涂绘两种方式叠加运用,形成三个层次的图底关系。如法国哥摩洞窟中有一系列的彩色野牛,先用棕红色打底子,再用黑色加以渲染,为了强调,还在牛角、背脊、眼睛等处进行刻凿。[①] 出现在马来西亚、阿雅湖湾、南美洲等岩画点的"X 光线风格"在图与底的对应中也具有三层关系,人物轮廓是一层,骨骼是第二层,岩画岩面是第三层。如南美洲"X 光线风格"崖壁画的制作通常是先在岩面上涂一层白色,画出一个白色的剪影,然后用其他颜色的线条画出外轮廓和内脏器官。这些岩画在图与底的关系上都超过了两个层次。

反观中国岩画,一般只具有两层关系。中国岩画目前还没有发现"X 光线风格"的作品。中国岩画的图像一般只用一种方式刻画在岩画岩面上,中国凿刻岩画与涂绘岩画泾渭分明,凿刻岩画并不上色,涂绘岩画也不以凿刻突出图形。这样造成的结果,便是中国岩画在图与底的关系中最为集中地体现了二项对比思维。以贵州岩画人物图像为例,我们可以发现贵州岩画人物图先用红色颜料勾勒出人物的轮廓,但它并不是通体平涂,而是在人物面部留下几个空白,表示人物五官。按现实物象来看,这几个空白应该是与岩面不同的、处于轮廓上的第三层次,但是在贵州人

---

① 参见陈兆复、邢琏:《外国岩画发现史》,上海人民出版社 1993 年版,第 53 页。

物图中,它与岩面混同,并不另加表现。中国岩画尽可能地在单纯的图像与岩面的联合中表达它的图底关系。

这并不是说中国先民只会运用一种颜料才导致了这种结果。云南麻栗坡大王岩画中就表现出中国先民对颜料运用的巧思妙想,是中国岩画色彩运用的杰出作品,其色彩运用以黑、红、白三种颜色并置排列的模式塑造了两个人物的形象。白色不仅是物像的轮廓线,而且间隔着黑色与红色,红色与黑色并列着。这些色彩既写实地标出了人物的各个部位,又具有脸谱式的装饰意味。除了眼睛点在白色脸谱上多了一层次外,其他部位都局限于图与底的二项层次构图。

岩画的二项层次构图初露笔简意厚之端倪。中国岩画以轮廓取象,轮廓之上少见五官与骨骼,即使有,也只用露白来表现,并不在轮廓上再加其他笔画。中国先民坚守最简单的二项层次对比的图底关系,善于运用露白表现物象,以最简洁的笔画表现深厚的图像意蕴,意到而止,构图高简、质朴,体现了岩画作者们笔简意厚的艺术追求。

三、环境运用

中国岩画分布极广,它们出现于海边、江边、水潭边、山崖、山坡等各处的石面上。从自然环境的选择来看,原始人作画并不是随性的。不要说欧洲集中于洞穴中的岩画,即使是像中国这样岩画分布范围极广的状况,岩画位置的选择都是非常谨慎的。中国岩画在自然环境的山水选择,以及岩画的面向等方面表现出了一定的规律。

与欧洲岩画喜欢分布在洞穴中不同,中国岩画喜爱分布在山势峻奇的山崖峭壁上。中国岩画点的命名多以山名为主,如阴山岩画、贺兰山岩画、阿尔泰山岩画、花山岩画、黑山岩画、曼德拉山岩画、具茨山岩画等。有些岩画虽没有以山命名,但实际上也是绘在山上的。如沧源岩画采用了地名命名方式,但它们也是绘在崖壁上的,因此也称沧源崖画。这些岩画点的岩画或在山崖,或在山脚。崖壁上的岩画利用山势的峻峭获得高高在上、常物难及的震慑感,它更能显示超自然神秘力量的神圣与威严。如贺兰山贺兰口的《太阳神》图,落在陡峭的山腰上,不但形体较大,还独揽一块岩面,位置、形体都极为醒目,非常适合膜礼、参拜。当这幅画在山崖上沐浴着日月光照之时,似乎也就领受了大自然的神秘力量,从而产生使人凛然的感动。占地理之便的《太阳神》岩画所具有的气势非其他列在山脚下的人面像可比,是贺兰山岩画最有代表性的岩画之一。

中国岩画不但喜爱依山,还偏向于傍水。郦道元在《水经注》中对岩画的记载也多与水相关,如《水经注·江水》记宜昌县人面像:"人滩水至峻峭,南岩有青石,夏没冬出,其石嶔崟,数十步中,悉作人面形。或大或小,其分明者,须发皆具。因名曰人滩也。"①我们可从北到南一路逡巡:黑龙江牡丹江崖画"面南向日,高出江面约 23 米"②;贺兰山贺兰口的岩画分面在大峡谷两侧,中间是长久岁月中山河冲刷成的河床;江苏连云港将军崖石刻靠近海边;福建华安仙字潭石刻位于汰溪盘旋而成的仙字潭上方崖壁上;贵州关岭县马马崖岩画临近北盘江上游的花江段;贵州开阳画马崖岩画处在乌江支流清水江旁的崖壁上;广西花山崖画高高悬挂在花山崖壁上,崖壁下是奔腾的左江浪潮;中国香港东龙石刻、广东珠海石刻皆靠海……特别是人面像,更加明显地体现了这个特征,"据观察,所有人面形岩画,在古时,都镌凿在水源边。现在绝大部分的人面形岩画遗址边,仍有清澈可人的流水或常年不涸的潭水"③。

古人给予了山河极大的想象性权威。在古人心中山非常神圣威严,因为它是神仙飞天的地方,"华山青水之东,有山名曰肇山,有人名曰柏高,柏高上下于此,至于天"④,郭璞认为柏高为柏子高,是仙人,或者是天体出没之处,"西海之外,大荒之中,有方山者,上有青树,名曰柜格之松,日月所出入也"⑤。与山一样,水也是玄妙之源。《周易·系辞上》记载:"河出图,洛出书,圣人则之。"⑥山水的神秘使人对之心有戚戚焉,古代权

---

① (北魏)郦道元:《合校水经注》,王先谦校,中华书局 2009 年版,第 495 页。
② 黑龙江省博物馆:《黑龙江省海林县牡丹江右岸的古代摩崖壁画》,《考古》1972 年第 5 期。
③ 宋耀良:《中国史前神格人面岩画》,上海三联书店 1992 年版,第 47 页。
④ (晋)郭璞:《山海经校注》袁珂校注,上海古籍出版社 1980 年版,第 444 页。
⑤ (晋)郭璞:《山海经校注》袁珂校注,上海古籍出版社 1980 年版,第 397 页。
⑥ (清)阮元校刻:《十三经注疏·礼记正义》,中华书局 1980 年版,第 82 页。

贵诸侯对山水极为尊敬,常常于名山胜水处举行大型祭祀活动。《史记·封禅书》有曰:"天子祭天下名山大川,五岳视三公,四渎视诸侯,诸侯祭其疆内名山大川。"①孔子更将山水与人的品德比较,得出了"仁者乐山,智者乐水"②的观点。从岩画中看,上古时期人们对山水的敬畏依恋,应承自于更早的惯例。远古时期,人们对岩画位置的慎重处理,体现了山水的神圣性。不过,山水还没有进入岩画的题材范围,这又显示出山水与动物、人物、车船甚至天体等物象的不同。出现这种情况有可能是自然的威力太过震慑,原始人不敢亵渎之,所以未将山水纳入岩画题材,也可能是山水连绵度太广,难以描写。

除了依山傍水外,有些地方的岩画还偏爱于向阳的方位。如阴山岩画"通常分布在避风向阳的地方,由山的南面山腹,一直延伸到山顶,或在山沟北岩,画面迎南或迎东,而向北的岩画极少"③。人面像更是喜爱向阳的一面,宋耀良在《中国史前神格人面岩画》中指出人面像喜爱对着阳光,因为"在完全背阴处,无见有人面岩画镌刻"④。将岩画绘制于阴暗处,使人难以窥见,与将岩画放置向阳处,获得阳光熠熠之辉,是两种截然不同的岩画处理方式,代表着中西先民不同的审美意趣。

在中国绘画中,一开始就表现出了对自然山水的亲近与对自然环境的运用。班澜先生说:"岩画环境,包括地貌地状、岩质岩色、岩面向背,都是经过选择的,与岩画的图像构成有意味的整一关系。"⑤洞穴深处的岩画有意识地将岩画图像与自然环境的整一关系隐藏起来,而处于崖壁、裸露于自然风光中的岩画,特别是在山清水秀之地的作品,依据山势与水脉,添加日月光照,于大自然的环境氛围中增强了岩画的艺术魅力。

总之,中国岩画的纵深经营内兼模糊的深度空间表现,以及二层次图与底的关系,外括自然环境于山、水、向阳面的选择。中国岩画在缩小和

---

① 韩兆琦编著:《史记笺证》,江西人民出版社 2004 年版,第 1935 页。
② (清)刘宝楠:《论语正义》,《诸子集成》第一卷,中华书局 1954 年版,第 127 页。
③ 盖山林:《阴山岩画》,文物出版社 1986 年版,第 5 页。
④ 宋耀良:《中国史前神格人面岩画》,上海三联书店 1992 年版,第 83 页。
⑤ 班澜:《北方岩画与草原艺术精神》,《内蒙古大学艺术学院学报》2009 年第 2 期。

消失两个构图方式中体现了不够确定的深度空间关系。在图与底的对比中,中国岩画保持在二项对比的关系内。中国岩画对作画环境的选择流露出远古先民对山水与太阳的崇敬。从中国岩画的纵深经营中可以看到原始岩画虽然不能够明确地表现出物体的深度空间关系,但中国岩画在其他方面弥补了此项缺失。中国岩画将图与底的关系限于二项对比,在最简单的图像层次中安排出表现丰富的物象,显示了笔简意厚的审美品位,为今后中国绘画的求简趣味埋下了第一个伏笔;并且中国岩画亲近自然,有意识地利用自然环境增添岩画的艺术魅力,在岩画放置的空间中表现了岩画的深度经营,弥补了岩画画面深度空间表现的不足。

　　综上所述,岩画的成像特征包括取象规则、平面经营、纵深经营三个方面。取象是岩画制象的首要步骤。中国岩画在取象中显示出了以下几大原则:第一是简化原则。它包括投影轮廓技法、局部代整体技法和抽象化技法。第二是最大轮廓化原则,指最大面积地截取轮廓。这在早期艺术中时常出现。第三是局部凸显原则。它在中国岩画中表现为形体的凸显与位置的凸显两种形式。第四是多点平视原则。它表现了岩画缺乏背景衬托,属于触觉绘画的特征。这些原则的综合运用代表着原始岩画的取象特征,显示了原始先民的取象思维。中国岩画常单幅构图,无背景衬托,以平面经营为主,主要分为分割、对比、排列三种方式。分割是构成中国岩画图像的主要形式,它表现了先民们对物象的各部分的倚重与图像中各部分的比例关系。对比可运用于图形与图像之间。中国岩画的对比主要集中于制作方式、构形要素与形体大小的对比。岩画图像之间的安排以并置排列为主要手法,它表现出了显著的方位意识,并常以线条为空间间隔媒介,有时会将多个场景混合在一起,形成大型生活画卷。中国岩画的纵深经营包括自然环境的选择、深度空间的表现、图与底的关系三方面。从中国岩画的纵深经营中可以看到原始岩画虽然不能够明确地表现出物体的深度空间关系,但它们亲近自然,有意识地利用自然环境增添岩画的艺术魅力。中国岩画将图与底的关系限于两项对比,于最简单的图像层次安排出表现丰富的物象,显示了笔简意厚的审美品位。

第九章

中国岩画的题材意蕴

　　原始岩画具有三个层次的题材运用方式,并伴有相应的审美特质。岩画题材的自然含义在最基础的再现层面展示了原始人对题材的运用,它既反映出当时人们的审美取向,又以工匠式的模仿呈现出了图像的初级审美意蕴。岩画题材的历史含义与当时的社会经济体制密切相关,并表现出当时的精神信仰,具有独特的时代特征。岩画题材的心灵含义体现为尚圆、对身体的书写、"天人合一"观以及明朗质朴的图像形式,这些成为人类的心理积淀,继续充斥在以后的艺术世界中。

第一节　自 然 题 材

　　岩画题材的自然含义是指岩画题材与物质的对应关系,它属认知范围,是潘诺夫斯基(Erwin.Panofsky)所说的基本题材:"要领悟这种题材就要把各种纯形式(线条和色彩构成的一定形状,或由青铜、石块构成的某些特殊形式的团块)看作自然对象(比如人、动物、植物、房屋和工具等)的再现。"①自然含义由人类的共通经验获得。人们的感觉与知觉将岩画图像的形式综合起来,看作自然物象,再根据图像与物像的相似度,判断图像的美学意义。它以图像的真实、生动以及图像的题材选择显示岩画艺术的价值。中国岩画在类的模仿、人自我意识的出现,以及山水环境的描摹中表现了自然题材独特的审美意蕴。

---

　　①　[美]E.潘诺夫斯基:《视觉艺术的含义》,傅志强译,辽宁人民出版社1987年版,第34页。

一、类的模仿

在没有系统文字的时代,图像是最早的记录载体。岩画中的车图、射猎图、直臂人图、太阳图等图像被直接吸收为古代文字,说明岩画是文字的开端与萌芽,在原始社会起着文明社会中文字的交流、教化的同等作用。原始时代的岩画如一本百科全书,记载着原始时代的生活知识。以图像为记录的百科全书首先要面临的是模仿问题。如何能按自然形象将图像模仿出,使图像在当时工具、材料奇缺的情况中得到对现实的再现,并将之分门别类,是原始人在处理岩画时需要慎重考虑的问题。

岩画在对题材的自然摹写中直接反映了当时的社会经济环境。从社会经济学的角度看,岩画类型可以做多种区分。它既可分为早期狩猎者、后期狩猎者、畜牧者、复杂经济者、农耕者的文化类型①,也可以分为早期狩猎者、采集者、进化了的狩猎者、牧人饲养者和复合经济族群的文化类型②。岩画的题材与当时特定的经济文化相联系,在一定程度上反映了当时、当地人们的经济生活形式。岩画相似题材拥有特定群体的推论有利于我们划分相近的审美文化群体。我们可以假定拥有相近题材的岩画作者也拥有类似的文化背景。根据中国岩画题材的经济环境,可以大致地将侧重于动物题材的北部、西部岩画归为狩猎与畜牧类;侧重于人物题材的南部岩画归为农耕类;侧重于船只题材的东南与东北沿海岩画归为渔猎类。这些题材的选择与当时人们生产生活息息相关,并直接反映在岩画中。但考古学家们津津乐道的这种经济上的分类是后人所为,原始人在创造岩画时并没有意识到这一点,经济环境分类是原始人在岩画创作中被动形成的分类事实。

艺术的最初发展大多与对事物的直接象形有关。我们可以回想一下古希腊德谟克利特(Democritus)那段为人所熟知的话:"在许多重要的事

---

① 参见陈兆复:《古代岩画》,文物出版社 2002 年版,第 110 页。
② 参见[意]埃马努埃尔·阿纳蒂:《艺术的起源》,刘建译,中国人民大学出版社2007 年版,第 409—453 页。

情上,我们是模仿禽兽,作禽兽的小学生的。从蜘蛛我们学会了织布和缝补;从燕子学会了造房子;从天鹅和黄莺等歌唱的鸟学会了唱歌。"①模仿是人的一种天性,当一个事物进入人的关注视野时,人们很有可能会想用某种方式将其复制下来,并运用到我们的生活之中。对形象的模拟、复制是造型艺术中常见的开端。艺术的起源都或多或少地与象形摹物有所联系。《周易·系辞》解释象的由来:"圣人有以见天下之赜,而拟诸其形容,象其物宜,是故谓之象。"②就连书法也来自于象形,许慎《说文解字·叙》中说:"仓颉之初作书,盖依类象形,故谓之文。"③原始人在学习式的象形模仿中传达了题材自然含义所具有的审美意义。岩画图像便直接表现了图像对现实的学习模仿特征,在稚嫩而基础的再现层面展示了原始人对题材的运用。但是,正如黑格尔所说:"靠单纯的模仿,艺术总不能和自然竞争,它和自然竞争,那就像一只小虫爬着去追大象。"④不过,这种缺失对于在模仿技巧中蹒跚学步的原始人来说是可以得到谅解的。

原始时代百科书式的象形模仿使中国岩画在描述对象指意时,以对象形貌为焦点,相对而言,较少地注重对象的动作描写。在中国岩画中,动物图大面积地出现了静止形象刻画,强调动作的图像不多。人物图透露出了先民们对动作的重视,但这些动作具有一致性,并不注重个性动作的描画。当中国岩画展示一个图像时,特别是动物图像,它主要说的是这是什么,而不太注重这个对象在干什么。这种图式倾向使中国岩画中的描形状物突出了类的区分,而未达到个性差异层次。岩画几乎是要将时间泯除,试图获得某类形象的永恒。岩画的这种模仿手法更适合表现神的形象。黑格尔指出:"雕刻和绘画特别适合用理想的形式表现个别的神,……因为雕刻和绘画之表现本身真实的东西,只是表现它的自己对自

---

① 北京大学哲学系、外国哲学史教研室编译:《古希腊罗马哲学》,商务印书馆 1961年版,第 112 页。

② 阮元校刻:《十三经注疏·周易正义》,中华书局 1980 年版,第 67 页。

③ (东汉)许慎:《说文解字》,中华书局 1963 年版,第 314 页。

④ [德]黑格尔:《美学》第 1 卷,朱光潜译,商务印书馆 1979 年版,第 54 页。

己发生关系的客观存在,而不是表现它与许多其他有限事物的错综复杂的关系。"①诗歌对神的描写过于注意事件的表述,描写得越详细,牵扯出的事件越多,越容易将神描画为平凡之人,因此,缺少事物琐碎背景介绍的造型艺术比诗歌更能表现神的静穆高贵的伟大。后世的绘画经常处于一个故事性中,艺术家会注意图形与图形之间的关联,发展到漫画、连环画等作品中,绘画的叙事、琐碎达到极致,完全抛弃了图像本身的永恒优势。原始岩画图像却尽力地隔除与其他图像的关系,那些拥有千篇一律、大同小异题材的岩画图形多为单幅成像。原始岩画几乎没有,或者刚刚迈入故事文本的视野,它基本上保持了自身的独立性,而不是由其他图像限定自身的意义,也显示了未被污染的永恒性表达优势。这也可以理解为何人们总习惯将岩画图像理解为崇拜对象。

中国岩画的类的象形特征使它不具备以后造型艺术所追求的顷刻性特点。空间艺术、造型艺术与时间艺术的不同就是它们都抓住了某一个时刻的特征。莱辛(Gotthold Ephraim Lessing)所强调的绘画的顷刻性不仅要求如此,而且还需要绘画抓住事件发展的顶点前后的那个瞬间,"在一种激情的整个过程里,最不能显出这种好处的莫过于它的顶点。到了顶点就到了止境,眼睛就不能朝更远的地方去看,想象就被捆住了翅膀……凡是可以让人想到只是一纵即逝的东西,就不应在那顷刻中表现出来"②。岩画也是某一时间性的截取,但岩画对具体时间的漠视与迟钝,对永恒性的追求使岩画成为缺少时间感悟的符号式图像,达不到莱辛所强调的顷刻性艺术境界,"岩画图像的顷间是一般性的'瞬间',而非'决定性瞬间'"③。当图像将时间性降到最低时,"其结果是画面上只具有平面的形象符号,而失掉了事物发展的各阶段的鲜活性,图像与受众的互动性变差"④。一方面岩画图像的具体时间含义陷入模糊隐晦之中;另一方面,正是由于模糊隐晦,岩画图像可轻易获得具体时间性图像所没有

① [德]黑格尔:《美学》第1卷,朱光潜译,商务印书馆1979年版,第225页。
② [德]莱辛:《拉奥孔》,人民文学出版社1979年版,第19页。
③ 李彦锋:《岩画图像叙事的"顷间"性》,《民族艺术》2009年第2期。
④ 韩丛耀:《图像:一种后符号学的再现》,南京大学出版社2008年版,第297页。

的神圣与威严。

总之,中国岩画在记录自然物质时试图对它们进行分类性象形模仿,突出了岩画写实的特征,但岩画在摹写外物时,不太注重动作个性描写,并有摒弃背景衬托的倾向,表现出非顷刻性图像描绘特色,这些使岩画易于显得神圣庄严,为它们更好地表现巫术与宗教氛围奠定了基础。

二、自我意识

中国岩画中的人的形象常常单独存在,不但出现了人与动物、自然的区分,甚至出现了人与动物的对立。中国岩画中有人与自然相混合的图像,也有人物单独成像的图像,更不要说那些人们张弓拉箭与动物之间形成的决然对立氛围。中国岩画中的这些图像表明,原始时代人们开始了对自身知识的探索,并已经逐渐将人的形象从其他形象中独立出来,但是这种独立并不彻底,尚没有形成普遍性的人与自然的对立。

中国岩画出现了纯粹的人的形象,人们可以根据图像毫不费力地将之与其他事物区分开。这说明中国岩画时代,人类发展至少正在处于或早已超出拉康所说的个人发展的镜像时代。人们已经从水的倒影,或其他倒影中认出自己的形象,并可以将之刻画在岩石上,人的形象得以与其他事物相区分。人们按照自己的理想在岩画上模仿也塑造着自己的形象。它们可以宽肩窄腰、刚健壮硕,可以身宽体胖、憨态可掬,也可以颀长苗条、纤细敏捷。大体上看,中国先民人物的审美品位偏向于阳刚健硕,中国岩画用来塑造人身躯的块面是粗壮健硕的。中国岩画对人物图像的有选择性塑造说明这时人们已意识到人自身形象的独特性,人对自身的审美关系已经开始发生。

如果说在人面像中人与自身的审美关系还是混合在天体、动物等联合形象中的话,在云南、广西、贺兰山、阴山等地出现的单独人像标示着人对自身独立审美关系的出现。从图像上看,原始时代不是完全的天人合一,物我不分;相反,原始图像出现了人物与动物之间的对立,其表现得比较明显的是狩猎图。范晔《吴越春秋》记载原始人的狩猎活动"断竹继竹,飞土逐肉"①便既是劳动场面的写照,也是人与动物之间紧张对峙的生动表现。中国岩画的狩猎图正是鲜明的人物二分,且相互对立。但中国先民们在表现这一点的时候,不像欧洲洞穴岩画那样出现肃穆、血腥的杀气,而是表现得更为平和。它在轻描淡写的挥洒中暗示着二者之间的紧张局势。所以,中国岩画狩猎图的箭不插在被猎杀的动物身上,而总是出现在猎人的弓上,甚至不知所踪,在这些厮杀中,毫无要奋力一搏,必将之击杀于箭下的凌厉气势,它更多的只是陈述二者之间的关系。

不过,这种区分还不能说是主客二分,原始人虽然意识到了自己与其他形象的不同,但还没有意识到主体世界与客体世界的区分。在原始人那里,"我们叫做客观的实在的那种东西,是与我们确定为主观因素的那些捉摸不到的神秘因素联合在和掺和在(常常也是从属在)他们的知觉中"②。正如原始人已经独立出人物图像,不过他们对人的力量的认识与其他自然物还是混沌为一的。原始人的狩猎行为是多种力量结合而成的,制作工具、锻炼技能、祈求成功、讨好动物、防止动物同时防止动物之神的报复这些行为共同组成了狩猎活动。在原始社会中人与动物之间的关系既互相对立,又相互包容。因此,原始社会表现的主客观是主客合一,又是主客对立的混合形态。

我们有充分的理由相信直接绘制人物形象对原始人来说是一大跨越。在一些可以明确断代的岩画中,可以发现与人面像相比,人物岩画的滞后性。广西花山岩画的年代,众说纷纭,但"经过长期深入的讨论,进入20世纪80年代以来,将崖壁画年代的上下限断定为春秋战国至两汉时期的观点,得到了大多数专家学者的认可"③。云南沧源岩画的年代问题至今差异较大,有将之定为5000年至3000年的④;有说它的主要部分

① 刘晓东等点校:《二十五别史·吴越春秋》,齐鲁书社2000年版,第88页。
② [法]列维-布留尔:《原始思维》,丁由译,商务印书馆1981年版,第52页。
③ 林晓:《四十年来国内学者对左江流域崖壁画的研究概述》,《广西师院学报》2000年第3期。
④ 参见吴学明:《石佛洞新石器文化与沧源崖画关系探索》,《云南文物》1989年第25期。

在汉唐之际①；有将之定为战国至东汉年的②。而人面像的出现（指石器磨刻的人面像）显然要早些。人面像岩画发生期最早应为约 6000 年前，即红山文化一类的原始文化发生前③；连云港人面像距今约 4300—4500 年④；"人面岩画的出现、发展到终止，大致与人面形器物的创作、流行过程相仿。从其早期采用石器工具磨制，到晚期运用金属利器凿，表明它起始于新石器早中期，而终止于青铜时代。大致制作在距今约 7000—3000 年之际"⑤。从图形的选择来看，半人半神的人面像题材出现得更早，后来才逐渐出现了直接对人物形象的描摹。在最开始的人物图像描写中，人们对人自身形象的绘制持谨慎态度。原始人认为图像的外形与内容和某种神秘力量相连，图像包含着人本身的生命力，对图像的破坏会给本人带来同样的负面效果。在很长一段时间内人们延续了这种信仰，如古代对画像的做法行为，《聊斋》中从画像中走入人世的妖精想象都具有赋予图像生命力的意图，而且在很大程度上这并不是拟人的修辞手法。原始人直接在岩壁上绘制出人物形象，不管是祖先还是巫师都是要慎重考虑的，因为按照巫术的观念来看，这些形象很可能被心怀叵测的另一些人在上面动手脚，以引起惊人的变异。人物形象的直接表现对于图像绘制来说是主题的一大进步。至此，人物图像不再被禁锢在神秘的力量中，而迈出了主体独立的第一步。

三、山水描摹

中国岩画处于特定的自然风景之中，岩画的安置讲究地理方位，却少有描写自然风光的主题作品。从岩画来看，人们对自然的意识非常模糊，

---

①　参见汪宁生：《云南沧源岩画的发现与研究》，文物出版社 1985 年版，第 115 页。

②　参见邱钟仑：《也谈沧源岩画的年代和族属》，《云南民族学院学报》1995 年第 1 期。

③　参见龚田夫、张亚莎：《中国人面像岩画文化浅谈》，《中央民族大学学报》2006 年第 3 期。

④　参见汤惠生、梅亚文：《将军崖史前岩画遗址的断代及相关问题的讨论》，《东南文化》2008 年第 2 期。

⑤　宋耀良：《中国史前神格人面岩画》，三联书店 1992 年版，第 207 页。

只有那些与生活密切相关的自然物事才能进入他们的作画题材。事实上,绘画中山水画的独立一直到中古时期才正式成立。早期的画为什么缺少田园山水这些自然题材？如果说是因为高山流水难画,那么又怎么解释新疆岩画的《流水图》？可见,人们并不是因为难以绘制才不去画山水风光。而且,新疆、台湾等地的沟槽、圆圈图像是流水图还是星云图,还有待于进一步研究。似乎新疆"流水图"旁的两只饮水的羊,可以加强流水图的力证,但是这是两只后来加上去的饮水的羊。①

田园山水的题材未进入当时人们的审美范围,与当时人们的审美习惯有关。以"羊大为美"的先人,更对感性的、有功利的题材感兴趣,而对超越的山水题材缺少感悟。岩画作者具有形式的独立感,却没有显性的超越于物事的无功利情怀。一方面,山水对他们来说太过威慑,原始时期还未形成独立的人格自由精神,人们不能产生征服自然的豪情,也就不会有征服这种恐惧感的自我崇高感;另一方面,先民们与自然是具有隔阂的,他们未能如后世古人一样达到与万物齐一的化境。原始人不能超出尘欲,超越尘嚣靳锁、世俗烦扰,在精神上得到自我肯定与满足。因此,以超功利性为标志的山水题材尚没有大面积地进入原始人的模仿视野。山水题材要大面积进入原始人的作画范围首先必须具备强烈的现实性,它们应该以山神或水神的面貌出现,或是作为如《周易》卦象一样的象征意蕴丰富的抽象符号而出现,而不是被直接仿形状物。

从艺术效果来看,摒弃背景、突出图像的方式可以更好地体现普遍性观念。在造型艺术中"因为所采用的情境愈简单,他们的理想的崇高和独立自主性也就愈显得突出,所采用的行动和不行动愈是平板的,不关重要的,永恒的神的静穆和常住不变性也就愈清楚地现在目前"②。没有背景干扰的图像可以更好地突出图像自身的意义,并暂时隐藏此图像与其他事物的联系,使它不至于单纯地陷入某个短暂的历史时刻,从而有利于保持它的永恒意义。

---

① 参见汤惠生:《凹穴岩画的分期与断代——中国史前艺术研究之一》,《考古与文物》2004 年第 6 期。

② [德]黑格尔:《美学》第 1 卷,朱光潜译,商务印书馆 1979 年版,第 257 页。

　　除此之外,原始人忽略山水题材还有一种可能,便是原始人对于无常形的事物缺乏作图兴趣。苏东坡在《净因院画记》提出了绘画对象形状上的区分:"余尝论画,以为人禽宫室器用皆有常形。至于山石竹木,水波烟云,虽无常形,而有常理。"①岩画题材中山石、水波、烟云甚至是竹木都较为稀有,而喜大肆描写动物、人物。归咎起来,原始岩画在现实题材的选取上竟在有常形物与无常形物之间有所偏向。这表明了原始人在摹写现实物的时候,有求写实的倾向,所以他们对于形状较为固定,可以摹写原形的事物才会更感兴趣。

　　与之不同的是,自然中的星象图在中国岩画中屡屡皆是。特别是21世纪才发现的中原地区的具茨山岩画竟然以点状的抽象符号为主。这些凹穴岩画如星云一般点缀在石面上,其中还出现了排列非常有秩序感的点状符号,证实了先民们的形式规律感。点状星象图既预示了后世象数思维的发展,又暗示了岩画是掌控性意味的艺术。对于天象的掌控一直是古人在统治中极力争取的权力。原始先民如此地重视星象题材,因为以先民们功利性的审美取向来看,这星象题材是与人们的生活现实密切相关的。先民们可以用它们来占卜吉凶,或祭祀祈祷,或者直接运用交感巫术手法来改变运势。为了达到他们的目的,先民们在石头上或密集布置,或随意洒落,或精心设计,为岩画贡献了一幅幅简练又具有秩序感的星云图。

　　在中国岩画对山水风景的利用中,表现为内部排斥而外部接受。我们在纵深经营那一节已经讲过,中国岩画位置处理要依靠自然环境,但图像取材时却竟然遗漏了山水环境,而另一方面,中国岩画中又常见星象图。中国岩画对山水题材的处理,表现了强烈的功利性追求与回避无常形之物的写实态度。这一切显示了与儿童无目的式涂鸦绘画的不同。

　　总之,无论是类的模仿,还是人的意识的出现,抑或是对山水的选择性遗漏,都表现了中国岩画作者对现实的谨慎思考。中国岩画在记录自然物质时试图对它们进行分类性象形模仿,突出了岩画写实的特征,但岩

---

　　① 　(宋)苏轼:《苏轼文集》,中华书局1986年版,第367页。

画在摹写外物时,不太注重动作个性描写,并有摒弃背景衬托的倾向,表现出非顷刻性图像描绘特色,这些使岩画易于显得神圣庄严,有利于更好地融入巫术与祭祀氛围。中国岩画已经出现人物的单独图像,岩画的原始时代人的意识已经萌芽了,人与自然世界的关系呈现了主客相对又相融的混合状态。中国岩画在运用自然题材时,内部排斥而外部接受。中国岩画的位置处理要依靠自然环境,但图像取材时却遗漏了山水环境,而且岩画中又常见功利性的星象图。中国岩画对山水题材的处理,强调了浓烈的功利追求与回避无常形之物的写实态度。原始人在选择题材时审慎细致,对于题材的审美关注也常常依附于其他的现实目的中。摒弃背景、注重写实、偏向功利是原始艺术自然题材与其他艺术的最大不同。

第二节 信仰题材

原始时代呈现出独特的精神信仰。从中国岩画来看,中国岩画的作画时代处于巫术与宗教的混合期。原始社会的信仰类型决定着先民们的精神风貌。中国岩画题材有助于研究原始人的精神信仰。弗雷泽在《金枝》中指出了巫术与宗教的不同。巫术按照规律而行,巫师依据他认定的因果关系施展法术,以期得到预定的结果:"巫术与科学在认识世界的概念上,两者是相近的。二者都认定事件的演替是完全有规律的和肯定的。"①宗教是指"对被认为能够指导和控制自然与人生进程的超人力量的迎合或抚慰"②。这超人的力量就是指神灵。人们通过祭祀、祈祷等手段获得神灵的庇佑,达到自己的期望目标。弗雷泽的理论得到了人类学家的认同,如马林洛夫斯基(Bronislaw Malinowski,也译为马凌诺斯基)就认同:"巫术和宗教是有分别的。宗教创造一套价值,直接地达到目的。巫术是一套动作,具有实用的价值,是达到目的的工具。"③中国岩画同时拥有这两种方式的岩画图像。从中国岩画来看,神灵已经存在,如内蒙古

① [英]J.G.弗雷泽:《金枝》,徐育新等译,新世界出版社2006年版,第51页。
② [英]J.G.弗雷泽:《金枝》,徐育新等译,新世界出版社2006年版,第52页。
③ [英]马凌诺斯基:《文化论》,费孝通译,华夏出版社2002年版,第57页。

的拜日图、左江的祭祀图都充分地说明了这一点。中国岩画有交感巫术的痕迹,表现为人物同体与天人合一的图像形式。中国岩画将巫术与宗教混淆在一起,我们可以推测中国原始岩画时期人们的精神信仰处于巫术与宗教相互融合的原始信仰状态。

一、类 型

中国岩画信仰题材具有多重含义。学术界一般用崇拜来表示,如自然崇拜、生殖崇拜、祖先崇拜等。这种称号在对象上具有明显的划分,却很笼统地将一些更细致的问题遮挡了。如自然崇拜包括天体、动植物的崇拜,但这是拜神灵,还是施行巫术?生殖崇拜敬畏的是生殖神,还是利用图像的交感巫术获得丰产?这些对象到底以何种方式在原始人的精神信仰中起着作用?为了更清楚地接触到这些问题,应在崇拜划分的基础上进行更进一步的考察,我们将发现岩画题材的信仰含义可以分为符咒、偶像、牲祭三个类别。

先来看符咒的含义。巫师采用交感想像获取图像的符咒含义。在欧洲洞穴岩画中,这种含义非常明显。人们在动物图形上画上箭,或在动物图形上留下用石头敲凿的痕迹,使这些图形具有了明显的祈求丰产的巫术含义。相比而言,中国岩画的符咒意义的表现要朦胧些。在狩猎图中,狩猎者更多地只是弯弓张箭,蓄势待发,这种图像与其说是祈求狩猎顺利的巫术符号,不如说更加偏向于狩猎生活场景的描写。其他丰产巫术图像如畜牧图、男女交媾图、女阴崇拜图更是一派祥和,毫无生杀血腥之气,应该说从岩画图像中看,中国先民们一早就少了人与自然剑拔弩张的对立,而是在更加平和的状态中显出人与自然的共存共生的生命智慧。

中国岩画中偶像意义居多。原始时期的偶像即用来崇拜的神灵对象,主要有动物神、人物神和太阳神。古时候的神灵崇拜主要以自然神的方式出现,"山林、川谷、丘陵,能出云,为风雨,见怪物,皆曰神"①。神灵

---

① (清)阮元校刻:《十三经注疏·礼记正义》,中华书局 1980 年版,第 1588 页。

隐身于山水之地,"望于山川,遍于群神"①。中国岩画的神灵也多为自然神灵,并有与人的形象相交糅的人格神灵。岩画中有很多动物神的形象,如云南元江它克崖画的两条蜥蜴,"一条长 37 厘米、宽 12 厘米……另一条长 80 厘米、宽 24 厘米"②,这两条蜥蜴体型远远大于同个岩面上的图像,气势最为磅礴,而且百越族有崇拜蜥蜴的习惯,所以这两条蜥蜴应为动物神。岩画中的很多蹲踞式人物像与史前陶器上的蛙纹极为相似,蛙也是远古时期人们主要祭拜的对象。中国岩画的人面像题材基本被看作神灵的图像,在人面像的周围常常也能发现祭祀平台。连云港的人面像、华安仙字潭的人面像及云南麻栗坡的大王岩画等都被看作祖先神。这些图像是以人的形象为基础模式经过变形夸张创作出来的。再者便是对太阳的崇拜岩画。人们对太阳的崇拜,在上古神话中也有记载。《尚书·尧典》曰:"寅宾出日,平秩东作。日中星鸟,以殷仲春。""寅饯纳日,平秩西成。宵中星虚,以殷仲秋。"③《史记·五帝本纪》载帝喾"历日月而迎送之"④,尧"乃命羲和,敬顺昊天,数法日月星辰,敬授民时"⑤。可知,祭日典礼是很早以前就有的习俗。这也就不奇怪岩画中出现了那么多的与太阳相关的图像。在中国岩画中,太阳的形象或独立而出,或与人的形象结合在一起,以太阳神的形象出现,展示了远古时期的人对太阳的敬畏与依赖。

中国岩画的物具有牲祭意义。《左传·宣公三年》记载:"昔夏之方有德也,远方图物,贡金九牧,铸鼎象物,百物而为之备,使民知神奸。故民入川泽山林,不逢不若。魑魅魍魉,莫能逢之。用能协于上下,以承天休。"⑥张光直先生认为文中的"物"字不能解释为"物品",而应作"牺牲之物"或"助巫觋通天地之动物"解。⑦ 张光直先生是从青铜器纹饰的实证考察中得出此结论,因为镌刻在古代礼器上的物全是动物,而无其他的

---

① (清)阮元校刻:《十三经注疏·尚书正义》,中华书局 1980 年版,第 126 页。

② 杨天佑:《云南元江它克崖画》,《文物》1986 年第 7 期。

③ (清)阮元校刻:《十三经注疏·尚书正义》,中华书局 1980 年版,第 119 页。

④ 韩兆奇编著:《史记笺证》,江西人民出版社 2004 年版,第 11 页。

⑤ 韩兆奇编著:《史记笺证》,江西人民出版社 2004 年版,第 15 页。

⑥ (清)阮元校刻:《十三经注疏·春秋左传正义》,中华书局 1980 年版,第 1868 页。

⑦ 参见张光直:《美术、神话与祭祀》,郭净译,辽宁教育出版社 2002 年版,第 45 页。

物品,所以用于通天地的夏鼎也只能铸动物纹样。与青铜器相似,中国岩画图像也是动物居多。特别是北部与西部,动物图像占了大部分比例。这些动物图像的一部分很可能是用来通神的。特别是有些动物图像位置较高,前面有开阔的祭祀场地,而且这些动物形象还未被创造成超自然力的神的形象,可能是作为牲祭在使用。

岩画中有些形象的历史含义是晦暗不明的。如人面像到底是人格神的出现,还是古人运用巫术手段对自然界的想象控制? 很有可能是两者的混同。人们在人的形象中加上天体或动物的图形样式,使之获得了常人没有的超自然力量,这种形象在人类心中高大起来,又会逐渐地演变为神的形象得到人们的顶礼膜拜,或者演变为具有沟通人神功能的牲祭。

不管如何,从岩画的信仰题材来看,在这种艺术的最初形态中,艺术是要更直接地参与生活、掌握生活。岩画中的人物或动物形象作为信仰力量的积极体现者而存在。一方面,岩画试图通过人们所信仰的神秘威严力量直接引导生活方式,而对大多数艺术,特别是强调自律的艺术来说,这种强大的生活干预能量是它们望尘莫及的;另一方面,岩画不是纯粹的宗教产品,它不是宗教教条的阐明与宗教真理的特殊见解。在岩画的信仰题材中,它以供感性知觉与观照的形式出现,它在图像的显现中构成信仰活动。

二、象征性指意

如果说,在自然题材的表现中,先民们几乎是平铺直叙地主张自己的好恶,那么在信仰题材中,先民们采用了隐晦的象征手法表达他们的精神意图。卡西尔(Enst Cassirer)曾说:"在客观的与主观的、再现的与表现的艺术之间所作的泾渭分明的区别是难以维持的。帕尔泰家神庙的中楣,巴赫的弥撒曲,米开朗琪罗的'西斯廷教堂天顶画',莱奥帕尔迪的一首诗,贝多芬的一首奏鸣曲,或陀思妥耶夫斯基的一部小说,都是既非单纯再现的亦非单纯表现的。在一个新的更深刻的意义上它们都是象征的(Symbolic)。"①在再现与表现不太明显的对立图形中,象征是一种基本

---

① ［德］卡西尔:《人论》,甘阳译,上海译文出版社 1985 年版,第 186 页。

的指意方法,岩画中的象征特色在信仰题材中表现得尤为明显。

很难信服地断定中国岩画对于信仰主题的记录是写实的,还是写意的。中国岩画对当时精神信仰的表现确实具有写实的成分,但是又不如它的自然题材来得那么直截了当。人们可以较为准确地指出一幅岩画的物理意义,却因为岩画图像的丰富蕴味,难以十足断定它的信仰意义以及达到信仰意义的象征手法。如前文所说,从图像来看,原始岩画时期处于巫术与宗教相混淆的时代,它可以是符咒、偶像,还可以是祭祀形象,有时候它处于互相交叉的状态。岩画对当时的精神生活场面不是完全如实地记录,从当代原始部落的比证来看,岩画只是一场盛大活动的一部分。阿纳蒂先生曾引证了来自澳大利亚的例子证明这一点,岩画是澳大利亚不同部落相聚时举行仪式活动的某一个高潮阶段。[1] 因此,留存于现在的岩画是意义不完整的开放式图式等待着我们去挖掘。

岩画与信仰意义之间的含糊性决定了它的象征特点,它常将多个意象合在一个图形中,增加这个图像的象征意蕴。如神格人面像中人的特征,动物圆瞳的威力,羊、蛙或禽鸟的繁殖力结合在一起,形成一个个多意的人面图像;在巫师图像中,人、羽毛和权杖等物的组建象征着超出常人的力量与威严。虽大多是单幅构图,但原始人擅长在单个形象中糅合多个意义以超出对单个形象的刻画。少数多幅图形构图的岩画更是注重彼此意象的象征关系。如新疆呼图壁的生殖崇拜图,将对马形象与人物图并置在一个岩面上,以马的生殖力相似感染、增强激发人的生殖力,不但如此,该图还在右下方刻画一连串体形较小的人物形象,象征子子孙孙繁衍不息。在这幅岩画中,男女人物、马形图、小人物等多个意象从不同的方面,共同象征了原始人类对繁衍、生殖的期盼。

岩画的多种意义融合的象征手法包括运用题材的相似性与相邻性。相似性指题材意蕴的相似,这使它们得以表现相似的主题。一方面,岩画象征表意中题材的相似性利用了形象上的类似性,人们靠形象的联系表

---

[1] 参见[意]埃马努埃尔·阿纳蒂:《艺术的起源》,刘建译,中国人民大学出版社2007年版,第106—107页。

达自己的意义。在表现丰产的期望时,人们可以采用马、牛、羊等题材;在制作神格人面像的时候,可以采用方形、圆形、猴面形等人面题材;而人物繁衍的期望可以通过人物交媾、男女生殖器官描写及蛙、鱼等题材表现出来。这些相似性的题材可相互替代,它们都象征同一个主题。现代人运用题材中所强调的细微差异,在原始社会中被粗略地忽视了。

另一方面,原始人的图像相邻性题材也经常出现在同一岩面上表现象征意蕴。相邻性题材共同构成一个固定的意义关系,它表示图像与图像的不同组合可构成不同意义。中国岩画中出现了很多图像之间的组合,较为固定的有人面像与手印的结合、凹穴与人面像的组合、人物蹲踞图与太阳图的组合等。一些岩画会表现出地方色彩的图像组合,如西藏臃肿符号与人物像、动物像的组合,广西铜鼓与人物图的组合。表信仰意义的岩画在相邻性题材的运用中显示了稳定的符号思维。对于当时的原始人来说,这些固定的图像,如手印、凹穴被抽象为固定的意义,所以它们会有较为固定的搭配,并按一定的规律频繁出现在岩画图像中。

在传达信仰意义时,这种多意象的融合方式表现了岩画象征手法的主要特点。原始人思维中各表象之间的互相关联的互渗为他们提供了丰富的象征资源。大多数时候,图像所提供的象征在原始信仰的指引下,具有令人信服的现实意味。原始图像的象征,不仅是符号的联想性指意,这种岩画象征结果的运用,原始人比现代人要慎重得多。因为这对于我们可能仅仅是一个诗性的修辞行为,但在岩画的原始认知中却是笃定的。

三、明朗质朴

岩画表现了原始时期的祭祀习俗,与殷商青铜器的狞厉美不同,原始岩画的祭祀风格是明朗质朴的。青铜器的饕餮纹是"神秘、恐怖、威吓的象征……突出在这种神秘威吓面前的畏怖、恐惧、残酷和凶狠"①。与青铜器相比,中国岩画充满着浓厚的生活气息。岩画的图像要明朗清爽些,

---

① 李泽厚:《美的历程》,三联书店 2009 年版,第 38 页。

岩画图像之间的关系显得自然和睦,没有等级森严的尊上卑下痕迹,并不突出图像的威慑感,显得自然祥和。即使是一些代表神的形象也古朴可亲,如麻栗坡的"大王岩保护神像,虽庄严但不恐怖,神圣而又可亲,从体态、无须、眼眉慈祥、后留有短发等特点,唯可能是妇女形象"①。比起青铜器的祭祀环境,岩画应是在一个权势镇压相对缓和的环境中出现的。同是通人、神之物,商周时期更加突出王权的威严,增添了狰狞之美。原始时代巫术与祭礼相混杂,并在岩画图像中表现出浓厚的生活气息。不要说那些平和欢快的村落图,就是专用来祭祀的人面像,也是刻画得生动明朗,毫无抑郁之气。

无论是巫术还是祭祀,都是非常严肃庄重的事情,为什么岩画中表现出来是这样的欢欣鼓舞,而青铜器却偏重狰厉之美呢? 李泽厚认为青铜器的狰厉美出自于政治原因,是长年的战争带来的炫耀品,"炫耀暴力和武功是氏族、部落大合并的早期宗法制这一整个历史时期的光辉与骄傲。所以继原始的神话、英雄之后的,便是这种对自己氏族、祖先和当代的这种种野蛮吞并战争的歌颂和夸扬。殷周青铜器也大多为此而制作,它们作为祭祀的'礼器',多半供献给祖先或铭记自己武力征伐的胜利。与当时大批杀俘以行祭礼完全吻同合拍。"②武力的增多是不是主要原因呢?从文献中可以看出,原始战乱不是从商代开始的,"自剥林木而来,何日而无战? 大昊之难,七十战而后济;黄帝之难,五十二战而后济;少昊之难,四十八战而后济;昆吾之战,五十战而后济;牧野之战,血流漂杵"③;《大荒北经》记载了黄帝与蚩尤的战争,"蚩尤作兵伐黄帝,黄帝乃令应龙攻之冀州之野。应龙畜水,蚩尤请风伯雨师,纵大风雨。黄帝乃下天女曰魃,雨止。遂杀蚩尤"④;《淮南子·天文》述共工与颛顼的斗争:"昔者共工与颛顼争为帝,怒而触不周山。天柱折,地维绝。天倾西北,故日月星

① 杨天佑:《麻栗坡大王岩画》,《云南民族文物调查》,民族出版社 2009 年版,第 107 页。

② 李泽厚:《美的历程》,三联书店 2009 年版,第 39 页。

③ (宋)罗泌:《路史》,《四库全书》第 383 卷,上海古籍出版社 1987 年版,第 32 页。

④ (晋)郭璞:《山海经校注》,袁珂校注,上海古籍出版社 1980 年版,第 430 页。

辰移焉,地不满东南,帮水潦尘埃归焉"①;《史记·五帝本纪》载,"轩辕之时,神农氏世衰。诸侯相侵伐,暴虐百姓,而神家氏弗能征。于是轩辕乃习用干戈,以征不享,诸侯咸来宾从……天下有不顺者,黄帝从而征之,平者去之,披山通道,未尝宁居"②。可见,商代之前各部落就常征伐不断,战争不是艺术风格变化的主要原因。

同样是乱世,是什么导致了原始先民保持了明朗质朴、活泼生动的审美品位? 我们来看一段资料:《尚书·吕刑》记:"上帝监民,罔有馨香德,刑发闻惟腥。皇帝哀矜庶戮之不辜,报虐以威,歇绝苗民,无世在下,乃命重黎绝地天通,罔有降格。"③《国语·楚语》中记载了观射父对此的解释:"古者民神不杂,民之精爽不携贰者,而又能齐肃衷正,其智能上下比义,其圣能光远宣朗,其明能光照之,其聪能听彻之;如是则明神降之,在男曰觋,在女曰巫。是使制神之处位次主,而为之牲器时服,而后使先圣之后之有光烈,而能知山川之号、高祖之主、宗庙之事、昭穆之世、齐敬之勤、礼节之宜、威仪之则、容貌之崇、忠信之质、礼絜之服,而敬恭明神者,以为之祝。使名姓之后,能知四时之生、牺牲之物、玉帛之类、采服之仪、彝器之量、次主之度、屏摄之位、坛场之所、上下之神、氏姓之出,而心率旧典者为之宗。于是乎有天地神民类物之官,是谓五官,各司其序,不相乱也。……及少皞之衰也,九黎乱德,民神杂糅,不可方物……颛顼受之,及命南正重司天以属神,命火正黎司地以属民,使复旧常,无相侵渎,是谓绝地天通。"④依据这段文字,远古存在着一段民和神混杂的时期,此时人人都可通神。在这个时期,艺术用来掌握生活,而不标示人与人之间的差距。原始社会中人人可通神,人人都能通过它来掌握、调控自己的生活。这时期的先民少了后世人与人之间的压抑,而我们现在已经认识到现世中人对人的倾轧可以达到何种恶劣的地步,超出常规的文明、启蒙、理性会使利己主义更加凸显。正如席勒所说:"高贵的事物一旦败坏就更为

① (东汉)高诱注:《淮南子》,《诸子集成》第七卷,中华书局1954年版,第35页。
② 韩兆奇编著:《史记笺证》,江西人民出版社2004年版,第1页。
③ (清)阮元校刻:《十三经注疏·尚书正义》,中华书局1980年版,第247—248页。
④ 刘晓东等点校:《二十五别史·国语》,齐鲁书社2000年版,第274—275页。

可恶。我们将会发现,这句话也符合道德方面的实情。若是自然之子,超出常规,充其量变成一个疯子,而有教养的人就会变成一个卑鄙之徒"①。原始先民是自信、安乐的。他们的协天地之像几乎是一个无忧无虑、欣然自得的世界。人们因为拥有掌握世界的自我暗示能力,可以获得逍遥自在,对权势地位无沾无碍的心理状态。这也许是被谎言塑造的心灵自由却给人带来了极大的满足感。

可以直接掌握命运的巫术行为,使原始人具有极大的自信。我们一般认为,原始人对大自然的畏惧产生了人们的一系列信仰行为。现在反过来看,在因畏惧而产生的信仰中,原始人类是多么自信而从容。对于原始先民来说,图像拥有神秘而巨大的力量。人们利用图像可获得相应的拥有所画人或所画动物的权利。只要巫术这种被原始人认为行之有效的行为,可以被获准得到普遍、全民性的运用,那么人人都相信自己可以拥有掌握自己命运的力量。况且原始人相信生命、灵魂的循环,死亡在他们看来更不是什么可悲的事情。沉溺于大胆想象中,不注重实证与矛盾的原始人,正如我们在科学的探索与终极价值的追求中获得心灵慰藉一样,他们也可以在巫术的运作与神灵的依靠中获得安宁。如此,静止的岩画如动物像、人面像等可表现出泰然自足的风格,而不是人类彼此相互倾轧的狞厉美。

岩画参与性的共生共存的特征使我们不难在原始艺术中发现他们狂热的喜悦情感。岩画是集体参与的,处于露天之中的中国岩画更是集体行为。岩画作为一般实体性的象征而存在,还没有分化为独立自主的个体。当然岩画也会刻画人物形象的身体行走以及他们发出的多种动作姿势,但岩画中个别人物形象常混在集体的活动中,万众一心的人们在舞蹈、在狂欢、在沸腾。这一点,广西左江的祭祀图表现得最为完整,统一的动作、整齐的姿态、近似的装饰都表现了原始时代的一个大型集体活动。一幅画完成后,它总是处于一个露天场所向原始大众敞开着,人人都有可

① [德]弗里德里希·席勒:《审美教育书简》,冯至、范大灿译,北京大学出版社 1985年版,第 25 页。

能再一次利用岩画上的神秘力量。甚至一些岩画的创作本来就是集体的一次次合作行为。作画是专业所为,但对岩画的信仰则是集体行为。越是人数众多的活动越是靠近全民活动,人们越能在此中得到集体的认同感,与之相对应的,排斥性的差异距离将在活动者的心中占据较少空间。在更多的集体认同感中,人们易于找到平和安宁的心理表征物。正是因为如此,着重突出大众民间形象的作品常能让人觉得和蔼可亲。巴赫金(M.M.Bakhtin)对于拉伯雷小说民间韵味的称赞也许能带给我们更多的启示:"在近代文学的这些创建者中,他是最民主的一个。但对于我们来说,最主要的是,他与民间源头的联系比其他人更紧密、更本质,而这些民间源头是独具特色的;这些源头决定了他的整个形象体系及其艺术世界观。……这些拉伯雷的形象固有某种特殊的、原则性的和无法遏止的'非官方性':任何教条主义、任何专横性、任何片面的严肃性都不可能与拉伯雷的形象共融,这些形象与一切完成性和稳定性、一切狭隘的严肃性,与思想和世界观领域里的一切现成性和确定性都是相敌对的。"①属于民间与大众的东西容易获得宽广的接受空间,它的形象要远离严肃、专横,并具有博大的开放与包容特征。虽然处于不同的时代,但人的心理应有共通性,更为大众所接受的作品会更远离威慑的狞厉美。岩画的风格特征表现出它与大众的关系更为紧密,而青铜器与官方的关系更为紧密。

总之,中国岩画的信仰题材可分为符咒、偶像、牲祭三种类型。中国岩画信仰含义的多样性决定了岩画表信仰意义既是非写实的,也不是直接的抒发写意,而是更加隐晦的象征方式。中国岩画的象征手法善于将多个意象糅合于一个图形中,并运用了相似性与相邻性两种题材来表现。从岩画信仰题材的风格来看,中国岩画是明朗质朴的,这取决于原始社会人与人之间差异并未完全拉开,等级森严的阶层关系还未充分建立起来,人对人的倾轧相对缓和。相对于商代青铜器而言,原始艺术是集体参与的,有利于表现集体活动中的喜悦狂热。中国岩画的信仰题材显示出多

①　［俄］巴赫金:《巴赫金全集》第六卷,李兆林、夏忠宪等译,河北教育出版社1998年版,第2—3页。

种意象糅合、明朗质朴的象征特点。

第三节　心灵题材

中国岩画的心灵题材指直接表现原始人生命精神的题材。它不是与自然之物直接相对应的自然题材，也不是注重历史文化的信仰题材，而是表现原始人最隐蔽的心灵意蕴所塑造出的无定型式图像。图像彼此之间共有的相似性呈现了原始人的思维特征与生命感悟，它是原始人题材运用中最深层的心理动因。它比岩画的自然题材与信仰题材更加隐晦。岩画图像的心灵含义常常表现为人类的共性，在中国艺术的历史发展中，可以见到它们改头换面地出现在各个艺术类型里。

一、尚　圆

中国人偏好圆形。道教的太极八卦图，儒家的宇宙循环往复观，佛教的因果循环论，民间节日中人们对家人团圆意义的推重等，都表现了中国人对圆形的独特爱好。从中国岩画来看，国人爱好圆形的心理有着悠远的历史源头。岩画中的题材偏向圆形，以实物图形为以后中国的偏圆思维奠定了图像基础。圆、方、三角形这三种规则几何形通常都可以在原始艺术中被发现，其中圆是岩画最常采用的图形。在岩画中，圆形凹穴、同心圆、漩涡纹、圆形人面像、天体、铜鼓等圆形造型在整个中国岩画中得到了极为广泛地运用。不但如此，人们还会在一些非圆的题材中刻意加入圆形因素。如西部与北部的老虎图像的大腿部会出现圆形漩涡纹；广西花山的人物图拥有圆状头部；岩画中牛、羊、鹿等动物的角呈对称圆状；舞蹈图中人物四肢动作的圆形弧度等。

自然环境的圆形题材为古人尚圆的风俗奠定了基础。与三角形、方形相比，自然界中的圆形题材随处可见。头顶上的太阳，晚上闪烁于天际苍穹中的星星，时圆时缺的月亮，这些恒定的天体无时无刻地提醒着人类圆形造型的存在，还有各色圆形果实，动物的圆形眼睛，人物自身的圆形特征，也许还有被石块在水面激起的层层涟漪，用手搅动泥浆带出的圆形弧线……这一切都可以为原始先民带来圆的心理印记与围绕着圆产生微妙变化的各种图形启迪。原始先民在自然界的启发下，摹形状物，并进一步妙悟创造，这不正是张璪所说的"外师造化"！在"近取诸身，远取诸物"的观察模式中，原始人向自然事物学习，被自然事物中的各色天然的圆形题材所震惊、感怀，并有选择地在岩画中运用了这种题材。中国岩画中从天体演化而来的各类凹穴，从太阳演化而来的太阳图与太阳人面像，从动物眼睛所演化而来的人面像中的圆环眼等都是向自然学习的结果。

岩画作者对自然环境圆形题材的运用不是单纯的模仿，他们对圆形题材的亲近心理使他们从来都没有停滞于摹形状物，而是带有主观想象色彩地对自然圆形事物进行改造加工。他们或将一圆形物搬到另一物上去，将动物的圆角安在人的身上，给鹿、老虎的皮毛装饰上漩涡纹；或糅合种种圆形事物于一个图像，将圆形脸与圆环眼组合成人面像，将动物近圆的侧身影像与圆形的正面影像相结合。圆这种形式的稳定、对称、完整使原始人乐意选择圆的题材，并将各种非圆的实物在图像中塑造为圆形的题材。

不仅是岩画，原始人的其他遗留物也无不崇尚圆形题材。从外圆内方的玉琮、外圆内亦圆的玉玦到拥有圆口、圆腹、圆底、圆柄、圆形纹饰的陶器，再到圆形建筑，原始人对圆的依恋一展无遗。原始人圆形题材的选择与"圆"本身的特性和"圆"所代表的寓意有关。在所有的几何图形中，圆是视觉上最稳定的图形。圆的稳定性表现为它是最完整的单一图形，赫拉克利特（Herakleitos）指出："在圆周上，终点就是起点。"①现代艺术理论家康定斯基论述道："直线是面的全盘否定，曲线本身就是面的核心。若情况依然不变，这两种力就继续一步步将曲线压弯，那么已经形成的弧线将迟早会到达一度是起点的地方，起点和终点汇聚一处，同时这个点也立即消失，形成了最后的稳定，同时又是最稳定的平面图形——圆形。"②不要说原始人，就是当代人也很难对圆有这些清晰的认识，但现代

---

① 北京大学哲学系外国哲学教研室编译：《西方哲学原著选读》上，商务印书馆 1981 年版，第 24 页。

② ［俄］康定斯基：《康定斯基论点线面》，罗世平、魏大海、辛丽译，中国人民大学出版社 2003 年版，第 51 页。

艺术家分析圆形特征的兴趣可追溯到上万年前就开始产生的图形积淀上。区别在于:现代艺术家可以用理论概念分析人们对圆的亲近原因,原始人只能以最直白的图形方式表现他们的偏好。

圆的图形特征暗示了一系列与之相关的寓意。原始人认为生死是循环。"新石器时代的人类很可能从母腹或子宫的圆形中悟出了一个最重要的道理:生命是一个圆,时间也是一个圆。"①不单是原始人,中国古代也是如此,庄子曾毫不在乎地说:"生也死之徒,死也生之始。孰知其纪?人之生,气之聚也。聚则为生,散则为死。若死生为徒,吾又何患!"②原始人相信人死后可复生,灵魂可移至下一个肉体中。如《山海经·海内经》记:"洪水滔天,鲧窃帝之息壤以堙洪水,不待帝命。帝令祝融杀鲧于羽郊,鲧复生禹,帝乃命禹卒布土,以定九州岛。"郭璞注引《开筮》曰:"鲧死三岁不腐,剖之以吴刀,化为黄龙。"③鲧死后,他的灵魂移入了黄龙之内。再有:"黄帝生骆明,骆明生白马,白马是为鲧。"④袁珂认为白马是生物之白马。鲧的灵魂又与动物白马发生了互渗。原始人的生命观是不断循环、转换的,终点便是一个新的起点,圆形式上的特征正好契合此意蕴。岩画中经常可以看见人兽的结合。出现在中国北方的羊角人面图融合了羊与人二者的生命形象,在羊与人二者中发生互渗;云南的饰羽巫师图是将鸟类的某些力量渗透到巫师身上;呼图壁生殖岩画中人与马发生了互渗。这些不同生物之间形象的互渗表示了原始人的生命互渗观:不同生物的灵魂、生命、力量是可以相互转换的。这种图像意识表现在圆形上就变得较为隐晦了,原始人利用圆转无穷的特征将这些杂糅的形象所表现出来的生命循环意识蕴藏于圆形之中,在图像的选择中才会尽量偏向圆形。

生命的循环、日月的更迭、四季的交替更使原始人意识到时间也是周

---

①　户晓辉:《地母之歌——中国彩陶与岩画的生死母题》,上海文化出版社 2001 年版,第 194 页。

②　王先谦:《庄子集解》,《诸子集成》第三卷,中华书局 1954 年版,第 138 页。

③　(晋)郭璞:《山海经校注》,袁珂校注,上海古籍出版社 1980 年版,第 472—473 页。

④　(晋)郭璞:《山海经校注》,袁珂校注,上海古籍出版社 1980 年版,第 465 页。

而复始的。《吕氏春秋·仲夏纪》说:"天地车轮,终则复始,极则复反"①;《文子·自然》云:"轮转无穷,象日月之运行,若春秋之代谢"②;《荀子·王制》曰:"始则终,终则始,若环之无端也。"③原始时代的生命时空被看成是一个不中断的连续整体,容不得任何泾渭分明的区别。岩画虽然不能以概念明确表达出后世文献的时间观,但其中的重圈纹、漩涡纹不正是"终则复始"、"轮转无穷"、"始则终、终则始"的最好图像说明!

原始人的圆性思维表现在它不是直线性的思维方式。在岩画中可以发现,人们处理图像的方式是多元性的,有巫术、祭祀、模仿、想象,图像可以表现不同的主题,表现同一主题也可以采用不同的图像,这种广泛的表达方式是"亦此亦彼"的圆形观,而不是"非此即彼"的线性观。"原始人的思维在很多场合都显示了经验行不通和对矛盾不关心"④。"对矛盾的不关心"使原始人远离线性的认识思维,而是以更加具有想象性的、多元的方式来打量这个世界。虽然大多时候,他们有些行为是稚嫩而可笑的,但是他们非单一性的对待世界的方式还是值得现代人借鉴。

中国人尚圆的传统在早期原始先民那里已是蔚然成风。原始岩画中的圆形题材一直延续到后世,并发展为后来中国的圆形观中的"循环往复,生生不息"、"周而复始"、"轮环交替"、"天圆"、"天地混沌"、"圆满"、"圆融"等意义。原始岩画的圆形造型为后世圆的观念的形成提供了大量的图像依据。中国岩画中无概念得以说明的尚圆倾向通过图像文字的方式表现出了丰富的意蕴,从图像上证明了原始人对圆的亲近,暗示了原始人生命观、时间观、圆性思维等方面表现的尚圆传统。

二、开放式身体

人们对身体的审美态度衡量着一个时代对感性和理性、身体和精神的认识与运用状态。原始时代的身体是开放式的,一方面,原始时代未受

---

① (东汉)高诱注:《吕氏春秋》,《诸子集成》第六卷,中华书局 1954 年版,第 46 页。
② (周)文子:《文子》,上海古籍出版社 1989 年版,第 68 页。
③ (清)王先谦:《荀子集解》,《诸子集成》第二卷,中华书局 1954 年版,第 103 页。
④ [法]列维-布留尔:《原始思维》,丁由译,商务印书馆 1981 年版,第 102 页。

礼仪的约束,对性与性别的认识是淳朴而自由、宽容而开放的;另一方面,开性式身体观意味着感觉器官全方位的展开,而不是像后世一样集中于视觉,由视觉统治甚至是代替其他的感觉器官的感知方式。① 原始时代以生命的全方位方式展开对万事万物的接近,比起现代人视觉感官,他们更加注重肢体感官。

中国岩画人物图像几乎不做衣饰的描写,而是直接描绘身体的特征。它们或是赋予人物各种几何图形,或是专心于人物的局部动作,或是直接突出人物的身体特征。中国岩画的身体描写还不够细致,处于大致的基本构形中。中国岩画的身体图像基本遵守最大轮廓化原则,由凿刻或平涂方式的取摄投影轮廓像,不像中国传统绘画以衣饰代替对身体的直接描写,追求"吴带当风"、"衣袂翩翩"的服饰美感,而是直接描绘人体本身的特征,特别是生殖特征。

原始岩画的身体无羁绊,两性关系在原始开放的民风中自由舒展。身体美学在原始时代以直感的方式展示了它的存在。岩画的身体美学即使仍掺杂着实用目的的功利性,却因为历史的优势,得天独厚地获得对礼仪的超越。未经身体礼仪驯化过的原始先民忠于人类最初的情感。他们在岩画中对身体大胆的描摹与夸张,毫不忌讳的质朴赞美,展示了先民们未沾染上矫揉造作姿势的纯朴之风。与当代一些艺术利用身体裸露与刺激大造声势的噱头相比,岩画艺术的身体表现是如此自然。没有身体道德标准的时代也没有身体的羞恶,原始时代的身体是神圣的,不掺杂猥琐感。原始社会的衣饰并不是为了遮羞。阿纳蒂曾记录过澳大利亚中部沙漠原始部落的聚会习俗:"不同的氏族在前一天夜里就到达了,每组八到十人,他们一个接一个来,都光着身子。一些成人的额头束着动物的毛或人发编成的带子,系着植物纤维的腰带。上了年纪的女人身上系着动

---

① 以视觉为中心的影像式感知,在现代电子社会中越来越突出。如法国境遇主义者居伊·德波(Guy-Ernest Debord)与后现代思想者鲍德里亚(Jean Baudrillard)都以影像为中心论述了现代社会的转型。(参见[法]居伊·德波:《景观社会评论》,梁虹译,桂林:广西师范大学出版社2007年版;[法]鲍德里亚:《仿真与拟象》,《后现代性的哲学话语——从福柯到赛义德》,汪民安等编,浙江人民出版社2000年版。)

物皮,一般是围着臀部,这专门是为了坐下的时候不弄脏自己。无论男人还是女人都没有感到需要遮住他们的生殖器官或是他们的鼻子。"①对原始人来说,衣服并不是必不可少的,他们也不以赤身跣足为耻。庄子在《胠箧篇》中说:"攘弃仁义,而天之德始玄同矣。彼人含其明,则天下不铄矣;人含其聪,则天下不累矣;人含其知,则天下不惑矣;人含其德,则天下不僻矣。"②岩画时代是身体与精神未被道德强行分裂,处于原始混沌状态的身体观。在对身体的规范上,它无善恶、正邪、黑白之分,而是秉承最直接的认知包容着身体。它透露着强烈的感性诉求,以狂热浓烈而郑重严肃的笔画书写着身体的话语,毫无隔阂地接受着身体的感官性。同时,由于没有善恶的对照,自然不会拥有后代人对身体遮遮掩掩、半露半揭,明是规则、约束、批判,实际上加倍地强化了猥琐感的身体观念。因心中一片澄明,毫无杂质,拥有孩童般率真任性的品质,才能如此洒脱直接、坦荡自然。

这种无沾无碍的表现,使中国岩画中身体展现的不仅是视觉的投射点。人物图像中眼睛从来都不是重点,它与其他脸部器官处于同等的隐形位置;相反,身体力量、肢体舞蹈、性别特征才是中国岩画人物图像的刻画重点。中国岩画构成身体的块面是粗壮健硕的,这与印度、非洲等地区的一些纤细形人物形象表现出的对人体的审美品位大相径庭。中国岩画的人物图像五官模糊,甚至干脆省略,只描写肢体的舞蹈动作。在选择表现角度时,中国岩画经常故意突出男女的性别特征,表现阴阳交媾、男女化合之意。所以,在后世中出现的"点睛之笔"等画论中对眼睛的强调,被原始作画者刻意忽略了,他们更喜欢在肢体的展示中呈现他们的生命力。原始时代"传神写照,正在阿堵"的眼睛还未从其他的肢体触觉中脱颖而出,这种全方位的感知方式比视觉主导方式更加全面、平衡。

从中国岩画中看,原始人的身体美学建立于自由无拘束的开放式身体观念之上。原始人坦然承认身体的欲望,直接而率性地展示身体及欲

---

① ［意］埃马努埃尔·阿纳蒂:《艺术的起源》,刘建译,中国人民大学出版社 2007 年版,第106页。

② （清）王先谦:《庄子集解》,《诸子集成》第三卷,中华书局1954年版,第60页。

望本身,未用礼仪枷锁捆束住身体。再者,原始人对身体感官的认知未集中于视觉之上,他们对肢体的舒展更感兴趣,这使他们的感知活动更全面、平衡。原始人舒展开放的身体美学与后世礼仪教化下身体的猥琐、萎靡相比,着重突出了人性原生态式的自我肯定。

三、天人合一

"天人合一"是中国传统观念与思维的核心特征,是中国古人对宇宙和人生及其关系的一种认识,是人与自然和谐统一的整体观念。"天人合一"是"中国传统文化中的一个核心命题。在中国传统的审美思想中,人与自然是统一的,万物生命间是息息相通的,处在相互对应的有机联系中,存在于统一的生命过程中"①。此观念源远流长,早到图像语言——中国岩画中已见"天人合一"观之雏形。岩画虽然不能用文字、概念直接表述"天人合一"思想,但岩画以图像题材的选择、图像的组合方式说明了原始社会中"天人合一"观的萌芽。

中国古代,人们认为天体运行与人类生存息息相关。神话中记载着人们自认为可以掌握着日月运行的雄心壮志。《山海经·大荒西经》载:"颛顼生老童,老童生重乃黎。帝令重献上天,令黎邛下地。下地是生噎,处于西极,以行日月星辰之行次。"②在岩画中,天体与人的关系通过天体图与人面像的结合表现了出来。许多星宿图旁边会有人面像,是天体与人像共存的画面,如台湾万山岩画中同心圆与人面像的组合,江苏连云港人面像与凹穴的组合,云南沧源、广西左江人与太阳的组合。岩画中的太阳人面像是"天人合一"显性图式,人们希望通过人与太阳的互渗,使一些被人格化的神拥有太阳的力量。北方岩画的贺兰山、狼山大霸沟、格尔敖包沟、默勒赫图沟等地的太阳人面像不但制作精制,而且位置逐渐走高,突出太阳人面像的神圣威严。"太阳形人面岩画实为中国人面岩画中一大系统的符式。其制作之精、刻画之繁、神圣之至,

---

① 朱志荣:《中国审美理论》,北京大学出版社 2005 年版,第 106 页。
② (晋)郭璞:《山海经校注》,袁珂校注,上海古籍出版社 1980 年版,第 402 页。

堪称一流。"①想象奇特的太阳人面像在众多岩画中制作精致,颇具匠心,能看出先民们对太阳人面像的慎重处理。太阳人面像中既有人的品格,又有太阳的形式,是人与天体的结合图像,是"天人合一"观念的原始表象。它是主客体未分的心灵模式,是人伦本体与宇宙本体相结合的生命形式。后世的中国文化正是从这个角度开拓了独具特色的诗性文化意识。

岩画中的天人合一意义主要包括三个方面。第一,太阳、星宿是岩画中的祭祀图像。日月是中国古代的重要祭祀对象。《礼记·祭义》:"祭日于坛,祭月于坎,以别幽明,以制上下。祭日于东,祭月于西,以别外内,以端其位。日出于东,月生于西,阴阳长短,终始相巡,以致天下之和。"②《大戴礼记·保傅》记载:"三代之礼,天子春朝朝日,秋暮夕月。祭日东坛,祭月西坎,以别内外,以端其位。所以明有别也。"③原始时代,人们就开始关注天体。中国岩画中有很多天体形象。在江苏连云港、福建华安高安、广东珠海高栏岛宝镜湾等地都出现了星宿图。太阳图岩画更是遍布中国南北地区的岩画点,北至阴山,南至沧源,太阳图以各种各样的形式出现,或带芒纹,或不带芒纹,或中心加点,或中心空白。内蒙古与广西左江都出现了明确的人物拜日图,说明原始时代人们已经有了祭日的风俗,人们认识到人类的生活与太阳、星宿紧密相关,期望通过仪式获得更好的与太阳、星宿的关系。

除写实象形的日月图外,岩画中的漩涡纹与类似蛙纹的蹲踞式图分别代表着太阳与月亮。据严文明先生对彩陶的研究,"鸟纹经过一个时期的发展,到马家窑期即已开始旋涡纹化,而半山期的旋涡纹和马厂期的大圆圈纹,形象拟似太阳,可称为拟日纹"④,拟蛙纹与拟日纹"可能都是

---

① 宋耀良:《中国史前神格人面岩画》,上海三联书店 1992 年版,第 67 页。
② (清)阮元校刻:《十三经注疏·礼记正义》,中华书局 1980 年版,第 1595 页。
③ (汉)戴德:《大戴礼记》,《四库全书》第 128 卷,上海古籍出版社 1987 年版,第 422 页。
④ 严文明:《甘青彩陶的源流》,《文物》1978 年第 10 期。

太阳神和月亮神的崇拜在彩陶花纹上的体现"①。因为古文献中鸟与太阳有关,《易·说卦》云:"离为雉"②,又云:"离也者,明也"③,"离为火、为日"④;《楚辞·天问》说:"羿焉彃日?乌焉解羽"⑤;《山海经·大荒东经》述:"一日方至,一日方出,皆载于乌"⑥;《淮南子·精神训》载:"日中有踆乌"⑦;所论的都是鸟与太阳的关系。另外,月亮又与蛙有关。《淮南子·精神训》称:"而月中有蟾蜍。"⑧鸟纹与蛙纹形成了神话中日月二元对立形象,"蛙纹成月纹,鸟纹成日纹,这是日月崇拜的象征性转换,大量的日中有鸟及月中有蟾蜍的神话是这一命题的坚实支持者"⑨。所以,岩画中的漩涡纹与类似蛙纹的蹲踞式人物图有可能逐渐被影射为日月的替代形象。但在岩画中月的形象并不突出,如果说"女人像是人形化了的蛙神,蛙纹则是女神的象征实体"⑩的话,那么岩画中类似蛙纹的蹲踞式人物的女性特征并不明显。可见,神话中日月的这种二元对立思想,在岩画中还未成型,其更强调的是对太阳与星宿的形象塑造。

第二,日月是世俗权力的代表。传说中的黄帝与炎帝是太阳神的化身。"黄"与"炎"字都代表太阳,"帝"字"源于积柴束之于植柴之架……都是太阳神的代名词"⑪。中国古代的神话故事中记载着人们与"日"这一方当权者的斗争。如《尚书·汤誓》中记载了人民诅咒夏王的歌谣:"时日曷丧,予与汝皆亡。"⑫《山海经·海外北经》记载了"夸父逐日"的神话:"夸父与日逐走,入曰。渴欲得饮,饮于河渭;河渭不足,北饮大泽。

① 严文明:《甘青彩陶的源流》,《文物》1978 年第 10 期。

② (清)阮元校刻:《十三经注疏·周易正义》,中华书局 1980 年版,第 94 页。

③ (清)阮元校刻:《十三经注疏·周易正义》,中华书局 1980 年版,第 94 页。

④ (清)阮元校刻:《十三经注疏·周易正义》,中华书局 1980 年版,第 95 页。

⑤ (宋)朱熹:《楚辞集注》,《朱子全书》第 19 册,上海古籍出版社、安徽教育出版社 2002 年版,第 67 页。

⑥ (晋)郭璞:《山海经校注》,袁珂校注,上海古籍出版社 1980 年版,第 354 页。

⑦ (东汉)高诱注:《淮南子》,《诸子集成》第七卷,中华书局 1954 年版,第 100 页。

⑧ (东汉)高诱注:《淮南子》,《诸子集成》第七卷,中华书局 1954 年版,第 100 页。

⑨ 田兆元:《神话与中国社会》,上海人民出版社 1998 年版,第 21 页。

⑩ 田兆元:《神话与中国社会》,上海人民出版社 1998 年版,第 9 页。

⑪ 束锡红、李祥石:《岩画与游牧文化》,上海古籍出版社 2007 年版,第 91 页。

⑫ (清)阮元校刻:《十三经注疏·尚书正义》,中华书局 1980 年版,第 160 页。

未至,道渴而死。弃其杖,化为邓林。"①《淮南子·本经训》完整记载"后羿射日"的故事:"逮至尧之时,十日立出。集禾稼,杀草木,而民无所食……尧乃使羿……上射十日。"②这三则故事隐喻着几方势力的争斗,其中日是当权者的象征,人们要推翻其统治便是忤逆、质疑"日"高高在上的地位。如朱天顺对后羿射日传说的解释,"这里面反映着两个敌对集团的关系,即反映着崇奉后羿为主神的一族和崇拜太阳神为族神的一族的敌对关系"③。叶舒宪进一步认为羿本身就是太阳的化身,"羿之射日原来不是为民除害,而是家庭内讧,因为他自己本来就是'日'"④。中国岩画中出现的太阳神图像是神的人格化,又何尝不是人的神格化? 在宁夏贺兰山、内蒙古阴山、内蒙古桌子山等地出现带有芒状纹的太阳人面像,图像形式繁复、威严肃穆,是天体太阳与人的形象的组合,是人的力量的神化,也是神的形象的人格化,象征被天体力量捍卫着的部族权威的不可侵犯。

第三,岩画的天人合一表现为人与动物的共生共存智慧。我国很早就懂得节流开源的生存方式。砍伐林木的时间有严格的规定,反对滥砍滥伐。《逸周书·文传》说:"山林非时不登斤斧,以成草木之长。"⑤《管子·八观》中言:"山林虽广,草木虽美,禁发必有时。"⑥荀子论述王者之道曰:"山林泽梁,以时禁发而不税。"⑦《大戴礼记·曾子大孝》说:"草木以时伐焉,禽兽以时杀焉。夫子曰:'伐一木杀一兽,不以其时,非孝也。'"⑧狩猎也是要遵守一定时间的,《逸周书·文传》中说:"川泽非时

---

① (晋)郭璞:《山海经校注》,袁珂校注,上海古籍出版社1980年版,第238页。
② (东汉)高诱注:《淮南子》,《诸子集成》第七卷,中华书局1954年版,第117—118页。
③ 朱天顺:《中国古代宗教初探》,上海人民出版社1982年版,第11页。
④ 叶舒宪:《英雄与太阳——中国上古史诗的原型重构》,上海社会科学院出版社1991年版,第73页。
⑤ 刘晓东等点校:《二十五别史·逸周书》,齐鲁书社2000年版,第21页。
⑥ (清)戴望:《管子校正》,《诸子集成》第五卷,中华书局1954年版,第75页。
⑦ (清)王先谦:《荀子集解》,《诸子集成》第二卷,中华书局1954年版,第102页。
⑧ (汉)戴德:《大戴礼记》,《四库全书》第128卷,上海古籍出版社1987年版,第447页。

不入网罟,以成鱼鳖之长;不麛不卵,以成鸟兽之长。不夭猎以时,童不夭胎,马不驰骛,土不失宜。"①在中国岩画图像中显示了人与自然共生共存的生态意识。中国岩画中的狩猎图像不仅仅表明射杀目的。在内蒙古阴山与新疆木垒县博斯坦牧场等地的岩画中可以看见男性狩猎者与动物相互联结的图像。"它们形象地说明:弓箭在远古猎牧文明中兼具狩猎工具和性象征物的双重意义,这些'狩猎图'的意义绝非仅仅是为了捕杀动物,而表达着岩画制作者利用图像的刻绘以增殖动物、迫使动物多多出现的巫术意愿,所谓猎牧岩画与生殖岩画的内在联系和深层统一,也就表现在这里。"②原始人在猎杀动物时,已经明白了动物的生存繁殖与自己的生存状态紧密相关:一方面,他们既要射杀动物以供自身所需;另一方面,原始人也通过各种方法改善动物的繁殖状态,以获得对资源的可持续利用。

由此可知,原始人对动物的描写是为了营造更好的自然氛围。他们时常希望从动物身上获得更多的力量来改善他们当前的生活状况。例如广西左江岩画中的类似蛙纹的人形图,也可能是广西壮族崇拜蛙神的表现。广西壮族崇拜蛙神,"进入农耕社会以后,蛙也成为古越人崇拜的图腾,属水神之列。……民族学和民俗学研究还显示,蛙图腾祭拜是珠江流域很多地区一项很普遍的风俗活动"③。"青蛙在壮民族中享有极为崇高的地位,今天在民间,还广泛流传着复杂的爱护与尊奉青蛙的习俗。……至今壮族民间也还流传着许多青蛙与壮族先民特殊关系的故事"④。以人的图形、蛙的动作组合出来的人物舞蹈图,表达了人与自然物灵性相融、命运相关的生命体验,原始人将他们借用自然力量的愿望表现在岩画的图像绘制中。

中国岩画蕴含了宝贵的"天人合一"思想,展示了原始人在处理人与

---

①　刘晓东等点校:《二十五别史·逸周书》,齐鲁书社 2000 年版,第 21 页。

②　户晓辉:《岩画与生殖巫术》,新疆美术摄影出版社 1993 年版,第 128 页。

③　黄桂秋:《壮族社会民间信仰研究》,中国社会科学出版社 2010 年版,第 432 页。

④　梁庭望主编:《壮族原生型民间宗教调查研究》,宗教文化出版社 2009 年版,第 117 页。

自然关系中表现出来的生存智慧。原始人已经意识到自然环境对人生存的重要影响,并试图去把握并改变自然运行的节奏。他们在岩画中通过图像的组合与图像的交糅,采用互渗思维,利用巫术与神祇崇拜的途径达到与自然的和谐共存。虽然在方法上有欠思量,但原始人的"天人合一"的思想观念是最早的生态智慧,值得现代人思索考虑,甚至是学习借鉴。

总之,原始岩画在"尚圆"、"开放式身体"、"天人合一"三方面表现出了心灵题材的审美意蕴。中国岩画从图形、生命观、时间观、思维等方面呈现了尚圆的传统;从无衣饰、不重礼仪、全方位的身体感知等方面展开了开放式的身体书写;从天体存在、人与动物的共生共存等方面显示了天人合一的生命宇宙观。岩画题材的心灵含义在后世的艺术世界中依然是层出不穷。这种原始的心理积淀以别样的形式在后世绘画中不断重现。世界艺术制作中依然延续了岩画中的尚圆意识;至于对身体的描写,中国传统绘画显然转为礼仪性的隐晦与潜在,而西方绘画则一直坚持了对人体本身的兴趣;岩画中用图像表现的"天人合一"图式演化为中国传统文化的核心观念,代表着中国人的独特宇宙观与人生观。

综上所述,岩画的题材选择表现出了丰富的审美意蕴。原始时代的岩画是文字缺席状态的记录载体。在中国岩画与自然物质的对应关系中,中国岩画表现了它自然题材的审美意蕴。中国岩画在记录自然物质时试图对它们进行分类性象形模仿,突出了岩画写实的特征,但岩画在摹写外物时,不太注重动作个性描写,并有摒弃背景衬托的倾向,表现出非顷刻性图像描绘特色,这些使岩画易于显得神圣庄严,有利于更好地融入巫术与祭祀氛围。中国岩画已经出现人物的单独图像,表明原始时代人的意识已经萌芽,人与自然世界的关系呈现了主客相对又相融的混合状态。中国岩画在运用自然题材时,内部排斥而外部接受:原始人在选择题材时审慎细致,对于题材的审美关注也常常依附于其他的现实目的中。摒弃背景、注重写实、偏向功利是原始艺术的自然题材与其他艺术的最大不同。岩画有很大一部分运用的是信仰题材。中国岩画的作画时代处于巫术与宗教的混合期。为了达到各种信仰目的,原始岩画的信仰含义可分为符咒、偶像、牲祭三个类别,并采用了隐晦的象征手法表现原始人的巫术与崇拜目的,这包括多意象的融合与运用题材的相邻和相似特征。与殷商青铜器的狞厉美不同,原始岩画的祭祀风格是明朗质朴的,充满着浓厚的生活气息,这与原始时代人人可通神的现实状况及岩画参与性的活动特征相关。中国岩画的心灵题材表现原始人最隐蔽的心灵意蕴所塑造出的无定型式图像,主要为尚圆、开放式身体与天人合一三种方式。原始岩画偏好用圆形,这既是因为自然现实的启示,也源自于圆形图像本身的稳定特征,更决定于圆所带来的对生命、时间的循环认识。中国岩画表现出了自由无拘束的开放式身体美学。原始人身体观未被礼仪枷锁捆束,对身体感官的认知也未集中于视觉之上,这使他们的感知活动更全面、平衡。中国岩画利用自然力量,并在与自然的共存中展示了宝贵的"天人合一"思想,显示了原始人在处理人与自然关系中表现出来的生存智慧。

第十章
中国岩画的艺术起源

由于是早期艺术的代表作品,中国岩画的艺术起源问题在很大程度上启迪着其他艺术的起源问题。从中国岩画的作画目的来看,它不仅仅是巫术的附属物,更是具有多重目的方向的作品。岩画的创造心理包括理性与情感两种方式的选择,直观性的情感判断在岩画的创作中起到了心理上的奠基作用。从岩画创作来看,审美经验表现了岩画活动的根源意义。

第一节 目 的 起 源

岩画是最早的艺术之一。作为珍贵的保存下来的实体艺术,岩画中的"象"代表着人类最早期艺术中"象"的特征,为探索艺术的奥秘提供了实证资源。岩画学界对岩画图像的起源问题也是五花八门,各持己见。就目前拥有的理论资源与考察出来的岩画资源推测,岩画象的起源应是一个具有多种方向、多种可能的多层累的开放性问题。在尚未有定论的情况下,我们应承认多元性并存的可能。

一、一元论起源观

就岩画研究发展的近百年历史来看,对岩画起源的解释最有代表性的是以下几种:(1)最早的岩画图像起源论是"为艺术而艺术"论。以 G.德·莫尔蒂耶(G.de Mortillet)、M.布朗(M.Boule)等人为代表。这种观点认为原始岩画形象本质上是审美的,因为人类有一种固有的天性,希望从艺术上去表现自己,"旧石器时代的艺术与宗教无关,纯粹是出于审美意识的装饰品,而岩画则是人类最早对美的追求的表现"①。(2)目前最得到认同的岩画起源论是以 1903 年 S.雷纳克《艺术与巫术》为开端的巫术论,以及随之而来的安德烈斯·隆梅尔(Andreas Lommel)为代表的萨满论。巫术论认为岩画是巫术行为,正是巫术的需要决定岩画艺术的风格必然是写实的。人们要描写社会图像,如动物,是因为人们要"以魔术的交感性引诱它们"②。萨满论强调了赎罪仪式与作画者的恍惚状态。(3)法国安德烈·勒鲁瓦-古昂(Andre Leroi-Gourhan,又译为雷诺埃-古尔汉)依据洞穴岩画动物的出现率与分布情况得出的性符号论。他对欧洲 72 个洞穴进行详细分析后,发现这些洞穴岩画的动物形象有一半以上是马和野牛。通过考察这些牛与马的绘制特征与其身边的符号特征,安德烈·勒鲁瓦-古昂认为,"旧石器时代壁画绘于中间部分的主题,无疑是一种将马与野牛或古野牛相结合的二元主题。……它显然源于雄性与雌性象征的表现"③。(4)史蒂文·米森(Steven Mithen)的信息论。他认为岩画是狩猎者提供的有价值的狩猎信息。④ (5)亚历山大·马沙克则持季节符号论。马沙克认为原始时期的人们已经掌握了相当的天文知识,他们注意到太阳、月亮在不同季节中的变化,并且将季节的变化运用动植物形象表现出来。原始艺术是季节符号的象征。如他分析拉斯科洞穴岩画一匹马周边类似箭的物体为树枝,"这个作品中的树枝可能与雄驹落地的时段有关,或联系到胎儿的初次显著增大的时段"⑤。除了这些以外,还有洞穴教堂、神话、女神母亲、猴子的艺术以及"本能"理论、牧羊人的涂鸦等说法。

在世界岩画阐释的影响下,中国学者依据本土的文献资料与考古信

① 汤惠生:《关于岩画解释的理论假说》,《岩画》(2),知识出版社 2000 年版,第 15 页。

② [法]赖那克:《阿波罗艺术史》,李朴园译,商务印书馆 1937 年版,第 10 页。

③ [法]安德烈·勒鲁瓦-古昂:《史前宗教》,俞灏敏译,上海文艺出版社 1990 年版,第 118 页。

④ 参见朱狄:《雕刻出来的祈祷——原始艺术研究》,武汉大学出版社 2008 年版,第 325 页。

⑤ Alexander Marshack,*The Roots of Civilization*,New York:McGraw-Hill Book Company,1972,p.220.

息对中国岩画的起源作出了判断。目前,中国岩画图像研究中最有代表性的一元论起源观是巫术观,学者们认为史前艺术是巫术的成果,并习惯于用丰产巫术、狩猎巫术、生殖巫术来解释岩画起源。户晓辉的《岩画与生殖巫术》一书是这一派的代表。户晓辉将岩画看作原始人巫术信仰特别是生殖巫术的历史证明。他从"人类自身的繁殖才是原始社会发展的决定性因素,生殖母题在远古巫术仪式、艺术、神话和宗教中有着举足轻重的作用"①这一立论出发,将岩画中弓箭图像、太阳神图像释读为生殖意义。巫术论在中国岩画研究界占据了主导性的地位,对各处岩画的阐释都围绕着巫术论为中心,岩画的巫术起源观俨然已成为中国岩画起源论中绝对性的代言者,每一篇论述岩画起源、目的的文章都不可避免地要提到巫术论,岩画受巫术影响已得到学者们的一致认同。

20 世纪中叶,随着人们对萨满教认识的提升,人们开始用萨满教的巫术活动来阐释岩画。美国加利福尼亚沙漠,人们运用石英石锤制作岩画,是因为石英在摩擦后会产生光亮,这种光亮能为萨满仪式利用。非洲南部人们用羚羊血的混合物作为岩画颜料,因为他们相信羚羊血里面具有超自然的力量。② 我国学者在 21 世纪也逐渐引用了萨满观。萨满活动是巫术的一种。萨满是巫医,南宋徐梦莘在《三朝北盟会编》中记载:"珊蛮者,女真语巫妪也。以其变通如神,粘罕之下,皆莫能及。"③萨满教在主题、工具、颜料的选择上影响了岩画制作。也有学者对萨满论提出质疑,因为萨满在作画时,精神上处于一种迷狂状态,但"有些岩画是画在地势十分陡峭的岩壁上,一个正常人尚且难以有立足之地,一个神志处于恍惚状态的萨满怎么可能在这种地方作画呢?"④可见,在某些作画环境中,迷狂状态是不合适的。与之相反,我国学者汤惠生是中国岩画阐释论中萨满观的坚决拥护者。汤惠生指出:"事实上到目前为止,世界上任何

---

① 户晓辉:《岩画与生殖巫术》,新疆美术摄影出版社 1993 年版,第 74 页。

② Cf.Dvid S.Whitley, *Introduction to Rock Art Research*, Walnut Creek:Left Coast Press, 2005, p.11.

③ 徐梦莘:《三朝北盟会编》,上海古籍出版社 2008 年版,第 21 页。

④ 朱狄:《雕刻出来的祈祷——原始艺术研究》,武汉大学出版社 2008 年版,第 282 页。

地方均尚未发现与萨满教在本质上有所不同的其他任何'原始宗教形态'。当代国际萨满教研究表明,萨满教是世界上唯一的原始宗教形态或曾在世界范围内普遍流行的原始文化综合体。"①汤惠生强调了岩画中对立的萨满二元思维。萨满阐释观是巫术论的进一步分化,但因为"萨满"含义的丰富与复杂,学者们在运用这种观点时不得不持谨慎态度。

目前,巫术论在岩画图像起源观中最为盛行,也最受学界肯定与接受。岩画巫术起源观源于人们对原始社会活动巫术性质的接受。从爱德华·泰勒和弗雷泽对原始宗教的理论奠定开始,人们消除了原始社会不存在宗教的质疑。对于人类学家来说,用以巫术为核心的原始宗教信仰来解释原始文化,已经成为一个基本的立足点。但这种单一性的解释仍然有其缺陷,原始人的活动并不全是巫术迷信,在很多方面,他们是遵循经验科学的。马林洛夫斯基等人已经对此发出了质疑。中国岩画的起源也不仅仅依赖于巫术。

二、起源差异

岩画是艺术的一种,可以当作艺术来研究。岩画图像的起源与其他艺术的起源同气连枝。当前艺术起源的理论,并不囿于岩画理论界最常用的巫术学说。历来人们在艺术的起源问题上争论不休,产生了巫术论、模仿论、情感论、劳动说、游戏说等各种理论。这些学说历经长年的理论洗礼,迄今为止,还没有一个单独的理论能将他者完全吞没。就此看来,如果岩画解释仅仅停留在巫术上,实在过于狭隘与单调。

岩画的图式也表明着起源的差异。岩画中的图像分为现实性形象与想象性形象。人面像想象成分较多,动物图像与人物图像则多为写实。想象性的岩画图像将人与自然的形象结合起来,强调了图像的超能力的神祇性质,带着浓厚的巫术氛围。而现实性的图像更偏向于记录。巫术论者们会争论这些现实题材也是巫术,它们是丰产巫术,是以现实性的图

---

① 汤惠生、张文华:《青海岩画——史前艺术中二元对立思维及其观念的研究》,科学出版社 2001 年版,第 200 页。

像获取更多的实物收获。但这种观点是有失偏颇的。

以动物图像为例,既然是为了同一个目的,为何会出现不同的表达方式? 如果动物图像都是为了丰产与生殖,那么每一个动物都应该绘以交媾形式,或显露生殖器,因为这样可以更直接地达到丰产与生殖的目的。但很明显,原始人并不限于此,虽然他们对身体的描述毫无禁忌,但他们也不愿意仅仅塑造生殖形象。相反,大部分的动物是没有显露直接丰产目的的复制性描写。这些形象多为静止的,似乎仅在说明牛与羊的不同、马与鹿的不同;或者看看谁能在虎与鹿身上装饰出更美的漩涡纹与折线纹;这一处似乎完全不考虑动物之间位置的安排,那一处却让动物们老实地排排站;有些艺术家们要让动物们跑起来,于是划开动物的四蹄,增加一个追赶的人物,为了让动物更好地冲刺,还会低下它们的头颅,这时候构图便产生了……

人物图像也是如此。中国岩画中那些男女交媾图,那些特意刻画出生殖器官的人物图,可以定为生殖巫术。但还存在一大批另外的形象,有人物舞蹈图、人物狩猎图、人物劳作图、人物祭祀图。与前者相比,这些形象的巫术意味要较为淡薄。我们很有可能又会掉入同样的巫术陷阱,那就是这些都与巫术相关。巫术论者们展开不逊于原始人的想象,不顾图像的差异,将所有这些都联系到巫术,使巫术论可以继续大一统地控制着整个岩画阐释。如人们在解释人物狩猎图时,认为人物狩猎图是生殖巫术作品,理由是人射出的箭,将人的生殖器官与动物联结了起来,人的生殖力与动物的繁衍发生了接触互渗,于是所有的狩猎图都为巫术起源。他的阐释很有道理,问题在于,不是所有的狩猎图都将箭与动物连结了起来。因此,我们可以质疑为什么有绝大多数的狩猎图并没有做这样的联结,有些狩猎图甚至连箭都没有。如果仅仅是为了促进生殖的目的,为何不是所有的狩猎图都这样绘制? 如果硬要争辩这是因为人们将弓箭的联结作用写意化为弓箭本身的话,那么我们至少可以说,这种写意式的抽象正是不同于巫术的其他手法——艺术手法。

岩画中同一幅图像的含义并不单一,即使是同一幅画也具有不同的意义。处于混沌期的原始人,并没有出现现代社会的分化,大多数活动都综合了不同的方式与意义。如云南麻栗坡大王岩画作为祖先崇拜对象的同时,仍然保持的蹲踞式动作不也是愉神的舞蹈,是蛙纹的变化吗?白、黑、红三色颜料的选择是代表着某种巫术力量,还是因为这三种颜色的易得,或者仅仅源于视觉的绚丽?这个形象的完善度在当时又怎样作为承前的大成典范,或启后的众像楷模?

再看看那些已经非常洗练的抽象符号。如具茨山等地出现的排列整齐的计数符号。即使给抽象性符号安上巫术的桂冠,但在成为巫术符号之前,它们首先是作为记录图像与计数符号存在的。人们至少对"二"这个数量有一个具体的印象,才会在岩石上刻出两两相对的单组双排或多组双排的计数图案。这里不再强调客观的物象,而是强调对"二"、"成双"、"对举"、"并列"这样的抽象精神的表达。

中国岩画区域广泛,不同区域的文化背景使岩画图像展示了不同的内容。特别是中国岩画的南北差异,更是泾渭分明地标明了图像的不同起源。中国南方岩画图像中生活场景、人物形象偏多,而北方岩画主要为动物形象。这固然表现着南北的经济差异,也显示了南北岩画的不同起源。北方岩画多为动物图像,这些动物图像多带有丰产巫术或生殖巫术的含义。南方岩画中出现了较多的生活题材,这包括云南沧源的村落图与东南沿海一带的船舶图。这些图像中巫术含义较为薄弱,更多地展示出生活意义及祭祀意义。

可见,用巫术来解释一切中国岩画是先确立了一个先决条件的强制解释。中国岩画在图式的复杂性与丰富性中显示了不同的图像倾向。岩画中的想象式图像——人面像将自然中各种形象与人物形象混合在一起,以交感巫术的方式塑造形象。岩画中动物、人物图等现实形象展现了不同的图形倾向,有一些直接流露出巫术意义,而更多的现实形象巫术意味淡薄。岩画中抽象的计数符号更是直指计数思维,展示了原始人数的智慧,并为中国岩画象数思维奠定了基础。

三、多层累起源观

原始艺术是混合艺术,它的混合性表现在两方面:各种功用的混合与各种艺术样式的混合。早期诗歌最能证明这一点，锡德尼（Philip Sidney）说："诗，在一切人所共知的高贵民族和语言里，曾经是无知的最初的光明给予者，是其最初的保姆，是它的奶逐渐喂得无知的人们以后能够食用较硬的知识。"①中国早期文献如《诗经》、《尚书》、《左传》、《山海经》等都融文学、历史、地理、生物等众多学科为一体。

原始艺术是混合性的艺术。对于原始民族来说，"艺术创作并不是只有一个目的。艺术可能是信仰的表达、巫术的工具，但也可能是追念神话和集体回忆的方法，或者是为了某个仪式而装扮自己"②。张光直在《中国青铜时代》中指出，三代时期艺术与宗教、政治是结合在一起的。③这种特色不可能是突然出现在三代的，它很可能承续于新石器时代。汪宁生在论述云南岩画时指出，云南沧源岩画的创作目的归纳起来，"不外两个方面：一个是宗教性的，另一个是原始记事性的"④。盖山林在《中国岩画学》中认为："根据中国岩画的题材内容、作画目的和社会作用，大致可以归纳为两大方面：一是原始记事性的；二是宗教性的。前者包括重大事件记录、传授知识记事画、原始词符号；后者包括模拟巫术产物、巫师祭拜神祇的图像、宣泄情绪的载体、祈求人畜两旺的生殖崇拜图画等。"⑤混合性的岩画艺术必涵盖着多重的目的。

岩画是一种文字记录，只要将岩画图像与象形的甲骨文和金文相对照，就会发现二者有着惊人的相似。如岩画有许多太阳图像，而甲骨文的日字是一个方框中点一点，金文的日字是一个圆圈中间点一点。甲骨文与金文中的车字更是岩画中车图形的直接搬照。下面是岩画与甲骨文的部分对照表，从中可以看出两者的近似（见表1）。

---

① ［英］锡德尼：《为诗一辩》，《文艺理论译丛》，知识产权出版社 2010 年版，第 515 页。
② ［意］埃马努埃尔·阿纳蒂：《艺术的起源》，刘建译，中国人民大学出版社 2007 年版，第 108 页。
③ 张光直：《中国青铜时代》，三联书店 1999 年版，第 455 页。
④ 汪宁生：《云南沧源崖画的发现与研究》，文物出版社 1985 年版，第 99 页。
⑤ 盖山林：《中国岩画学》，书目文献出版社 1995 年版，第 188 页。

表　1

岩　画	甲　骨　文①
牛:	牛:
雄性鹿:	牡:
脚印:	步:
羊形人面像:	羊:
云南沧源人物图像:	美:
虎:	虎:
射手:	射:
云南沧源人物图像:	舞:
太阳:	日:
马:	马:
鹿:	鹿:
广西花山人物图:	大:
广西左江宁明人物图:	立:
车图:	车:

　　以上只是一部分对照图,另甲骨文中的鱼、水、川、弦、弓、引等字都可以在岩画中找到近似的图像。我们往往喜欢从抽象符号中寻找文字的认证,实际上甲骨文中大部分是象形文字。从以上图像对照可以看出,中国

————————

　　①　甲骨文图像引自徐中舒主编:《甲骨文字典》,四川辞书出版社 2006 年版。

岩画图像与我国早期的象形文字有极大的相似性。中国岩画完全可以交流某些信息,达到图像文字的作用。

岩画是情感的表达。原始人具有情感,它与认知一样是原始人的基本心理机能。巫术论者们本着纯认识论的解读,往往忽略了这一点。列维-布留尔强调原始人的情感:"神话、葬礼仪式、土地崇拜仪式、感应巫术不像是为了合理解释的需要而产生的:它们是原始人对集体需要、对集体情感的回答,在他们那里,这些需要和情感要比上述的合理解释的需要威严得多、强大得多、深刻得多。"①如果说列维-布留尔指的情感还遵循于互渗的理性推论的话,那么马林洛夫斯基所指出的情感更偏向于无理性基础的心里感觉,"这样我们才明白,巫术行为底核心乃是情绪底表演——不然,表演出来的是什么呢? 表演出来的自然不是所要达到的目的,因为倘若那样的话,巫术师便要模仿敌人底死了。就当时情形来看,最合乎情理且为术师所不得不模仿的,乃是他自己底情绪状态——这乃是他要表演出来的东西。"②马林洛夫斯基指出的心理情绪正是艺术活动的情感模仿与渲泄。科林伍德(Robin George Collingwood)更是直接言明:"巫术艺术是一种再现艺术,因而属于激发情感的艺术,它出于预定的目的唤起某些情感而不唤起另外一些情感,为的是把唤起的情感释放到实际生活中去。"③阿纳蒂认为岩画中除存在图像文字、表意文字外,还存在心理文字:"心理文字既不是客体的表现,也不是象征性的符号。它是精力的剧烈释放,是感情的表达,是欲望和其他情感的表现。它的功能是,一会儿作为精力和释放者,一会儿又作为大大的感叹号。尽管表意文字是重复性的,而心理文字则几乎总是单一的,即使在不同的大陆上有一些是很相像的。这些符号把艺术家的情感传递给观看它们的人。"④情感

---

① [法]列维-布留尔:《原始思维》,丁由译,商务印书馆1981年版,第17页。

② [英]马林洛夫斯基:《巫术科学宗教与神话》,李安宅译,中国民间文艺出版社1986年版,第54页。

③ [英]罗宾·乔治·科林伍德:《艺术原理》,王至元、陈华中译,中国社会科学出版社1985年版,第70页。

④ [意]埃马努埃尔·阿纳蒂:《艺术的起源》,刘建译,中国人民大学出版社2007年版,第360页。

的表达也是岩画的重要目的，它更加密切地联系着岩画的审美创造。

因而，岩画便有了显示这些情感的，不与功利目的直接相关的各种形式。中国涂绘类岩画多为红色。一方面，红色是大部分生物的血的颜色，易于发生关于生命的联想，这可以使它与巫术发生联系，使巫术者幻想到红色之中的生命力；另一方面红色本身绚丽明亮、狂野浓烈，本能地使人感到充满朝气活力的生命意趣。如果说单纯的红色还使人在巫术与情感中游移不定的话，那么中国岩画的构形要素、构图特征以及题材意蕴的审美意蕴将使人们更多地认识到岩画中那些较为远离于巫术的情感形式。岩画的点、线、块面三者都具有自身的规律与特色，点粗率劲直，线条爽朗有序，块面刚健沉稳；中国岩画的构图特征，显示了最大轮廓化、局部凸显、多点平视等原则，并以平面经营为主；中国岩画题材可分为自然、信仰、心灵三个层次，其中的自然与心灵题材都表现出了不同于信仰题材的审美意蕴。即使被包含在巫术活动中，岩画依然利用情感形式引导了岩画的取向。在巫术活动中，求美与求功利的目的相互提升，共同导致了岩画的形成。亚历山大·马沙克评点原始艺术时说："尽管艺术有时是现实的，有时是抽象和象征的，它总是故事性的。"①马沙克是以"故事性"论述岩画中的季节时间意味，且不论岩画是否指季节时间，马沙克的"故事性"指出了岩画中的艺术加工。"故事性"的艺术加工与求功利的其他目的相作用，共同形成了岩画的存在。

正如盖山林所说，岩画不是最开始的起源，"岩画作为以审美的方式把握世界的精神产品，从开始阶段它就要有已经发展了的技巧，它是人们物质的、精神的辛勤劳动的结果。人类在漫长的劳动实践过程中，经过长期的迷茫和探索，才发现岩石是记录自己生活的理想园地。他们经过多方面的转化工作，把自然事物中那些繁芜的、驳杂的、混乱的、臃肿的东西一起去掉，而且不留痕迹地诉于美的物质形式才产生了感人的艺术，并逐渐摸索到岩画造型的规律。"②虽然是目前考古发现的最早艺术遗存之

① Alexander Marshack, *The Roots of Civilization*, New York: McGraw-Hill Book Company, 1972, p.261.

② 盖山林：《中国岩画学》，书目文献出版社 1995 年版，第 201—212 页。

一,但在岩画之前还有更早的艺术品,人类发展到岩画阶段已经经历了一个时段的艺术积累。原始岩画不是为艺术而艺术的,但岩画寄托了人们的美好愿望,有着传递信息、团结社会成员、组织集体活动的作用,在实现这些功能的同时,游戏的、娱乐的、情感的功能也真实地发生了。

总之,中国岩画的起源并不囿于单一性的宗教活动。中国岩画图像丰富多变,在不同的图式、不同的区域展示出了不同的起源倾向。中国岩画与甲骨文的接近说明它有过记录性的文字意义,中国岩画中的形式意蕴体现出了对情感的表达。中国岩画中的审美意蕴已经历了一段时期的发展,它的起源并不是零开始,而是那个时代的特殊产物。在原始时代,宗教、文字记录、情感游戏共同构筑了中国岩画的成因。

第二节 心理根基

上文中我们已经论及了岩画中具有情感指向的存在。现在我们要具体分析:原始人的情感在整个岩画活动中主要处于怎么样的位置,其情感判断以怎样的心理活动为积淀,又以什么样的方式表现出来。我们将发现岩画的创作毋庸置疑地存在着审美经验的支撑,甚至在最极致的理性深思背后也隐藏着它无所不在的身影。

一、理性与作品的差异

岩画全部是由理性创造的吗? 至少巫术论是这种看法。用巫术来阐述的艺术活动拥有超乎寻常的理智。在巫术论中,形式与意义的联结总是具有固定的社会模式。但人们在审视原始艺术时常常发出原始社会思维与产品不符合的感慨。热尔曼·巴赞惊叹道:“对艺术起源的研究,使我们感到惊奇:艺术的最高水平出现于人类生活在旧石器时代的原始状态之时——冰期的进展使自然条件处于北极或近北极状态的时代。”[1]再

---

① [法]热尔曼·巴赞:《艺术史》,刘明毅译,上海人民美术出版社 1989 年版,第 12 页。

看列维–布留尔的一段话。

与原始人的整个文化的粗糙和原始性形成如此鲜明对比的他们的某些产品和方法的特殊价值,并不是深思或推理的结果。假如不是这样,就不会表现出这样悬殊的差别,而这个一般的技能就会不止一次地为他们服务。我们毋宁说是靠了一种直觉使他们的手获得熟练的,这是为原始人对他们特别感兴趣的客体的敏锐观察所指导的直觉。有了这种直觉,就可以把他们引导向前了。精细的应用适于所追求的目的的全部方法,并不一定要求缜密的理解,也不一定要求拥有一种能够进行分析和综合并适应预见不到的情况的知识。这可能只不过是一种通过应用而形成和发展起来的实践技能,又因为应用而得以保持。它可以和一个好台球手的技艺相比。一个好台球手可以对几何学和力学一窍不通,但他能够获得在特定位置的条件下所应完成运动的迅速而可靠的直觉,而不需要对自己的击球法作深思熟虑。①

这种"原始人对他们特别感兴趣的客体的敏锐观察所指导的直觉"类似于我们说的艺术的直觉,有时我们称为艺术灵感。人们常常感觉人类的精神产品经常不是深思熟虑的结果,有一些东西超于理性思考范围,尤其是在艺术中。这种情况,柏拉图称为迷狂,康德称为天才的创造力,还有陆机的兴感之会、严羽的妙悟之说都力图解释理性与作品的差异。

不以理性为规导的直觉是艺术创造活动的主要特征,它同样也成就了原始艺术。但是人们总习惯于用理性去判定艺术价值。所以,阿尔塔米拉洞穴岩画史前地位的确认要经历那么久的质疑。人们想,史前原始人不是低劣的吗?他们的作品不应该拙劣粗糙吗?理性思维不发达的原始人怎么可能制作出这么精美的作品?所以阿尔塔米拉的艺术作品应是桑图拉②(Marcelino Sanz de Sautuola) 自己的伪作。

中国岩画又何尝不是如此。我们用理性去解释岩画中的投影,认为

---

① 参见[法]列维–布留尔:《原始思维》,丁由译,商务印书馆 1981 年版,第 424 页。

② 阿尔塔米拉洞穴的发现者,但他的发现受到专家长久的质疑,直到去世后才被学术界普遍承认。(参见陈兆复:《阿尔塔米拉散记》,《岩画》(2),知识出版社 2000 年版,第119—122 页。)

这是原始人必然的无奈选择,但我们将如何用同种推理去解释最大轮廓化原则呢?如果说原始人对动物图像的刻画是深思熟虑下的选择,那么,如何解释他们对块面绘画与线条勾勒的有意识选择?如果说岩画都是巫术的目的,那么装饰在动物身上的"人字纹"与"漩涡纹"又有什么直接的巫术目的?无论我们多么愿意相信人的理性推理,愿意将一切事物都归于它的阐释,但最终将一切归于理性推理的阐释依然会漏洞百出。因为有一些不靠推理、更靠体会的经验充斥于其中,而且从古至今它都一直存在于人类活动之中,那便是人类的审美经验。

二、审美经验的根源意义

杜夫海纳在《美学与哲学》中提出:"在人类经历的各条道路的起点上,都可能找出审美经验:它开辟通向科学和行动的途径。原因是:它处于根源部位上,处于人类在与万物混杂中感受自己与世界的亲密关系的这一点上;自然向人类显出真身,人类可以阅读自然献给他的这些伟大图像。在自然所说的这种语言之前,逻各斯的未来已经在这相遇中着手准备了。创造的自然产生人并启发人达到意识。"①杜夫海纳提出了一个重要命题:审美活动是否是理性活动的基础?如果是这样的话,那么审美活动已经隐藏于任何人的理性活动之中,它与认识活动的关系不是非此即彼的关系,而是亦此亦彼的关系。

审美活动可以成为一切活动的起点,在于它是与其他活动不同的一种独立性活动。在认识论意义上,审美活动是不同于理性思辨的感性认识方式。鲍姆嘉通用"aesthetic"这个词代指感性认识,康德认为审美是不同于认识活动、意志活动的情感判断。此时,审美活动只是具有了独立性,人们还没有认识到审美活动的根源意义。当叔本华、柏格森等人越来越注重直观的认识作用后,审美经验在人类活动中的根基作用已经呼之欲出。克罗齐进一步地将直观联系于艺术,明确指出了审美活动与直观

---

① [法]米盖尔·杜夫海纳:《美学与哲学》,孙非译,中国社会科学出版社 1985 年版,第 8 页。

认识的相通性。对于克罗齐来说,直觉与艺术是统一的,"我们已经坦白地把直觉的(即表现的)知识和审美的(即艺术的)事实看成统一,用艺术作品做直觉的知识的实例,把直觉的特性都付与艺术作品,也把艺术作品的特性都付与直觉"①。所以审美活动便可以其直观特质充当一切概念认识活动的根源。

直观活动为何可以处于各种活动的根源部位呢? 叔本华对于表象的论述概括了直观根源意义:"在我们所有一切表象中的主要区别即直观表象和抽象表象的区别。后者只构成表象的一个类,即概念。……直观包括整个可见的世界或全部经验,旁及经验所以可能的诸条件。……并且这种直观不是从什么经验的重复假借来的幻象,而是如此地无须依傍经验,以至应该反过来设想经验倒是依傍着直观的"②。这样,叔本华就将直观处于抽象表象的根源部位了。克罗齐则以直觉和概念的知识区分重述了这个问题。他认为认识活动分为直觉与逻辑两个维度,"概念的知识是什么呢? 它是诸事物中关系的知识,而事物就是直觉品。概念不能脱离直觉品,正犹如直觉自身不能没有印象为材料"③,直觉独立于逻辑,逻辑依赖直觉而存在,概念的知识要依赖于直觉。

艺术创作心理的每一个层次后都可以找到直觉的支撑,结论为一句话:我们永远可以在有意义的形式后找到有意蕴的形式的存在。孔子八佾舞于庭的"八佾"是有意义的形式,它仅供天子专用,表现天子的权威。在这基础之下,人们对气势恢弘的大型舞蹈的形式意蕴的偏爱决定了八佾舞阵才能以壮美战胜六佾、四佾舞阵进献于天子面前。中国岩画的形式具有意义,拉长的箭、夸张的生殖器、双人同体图都具有直接的巫术意义。同时,它们又有审美的形式意蕴。人们对生命的赞美、对生存的渴望引发了艺术家们的创造欲望,才会以非现实的形象代替真实的渴求。不仅如此,更重要的是在我们对中国岩画的审美分析中,发现了大量的意义

---

① [意]克罗齐:《美学原理》,朱光潜译,上海人民出版社2007年版,第21页。
② [德]叔本华:《作为意志和表象的世界》,石冲白译,商务印书馆1982年版,第30页。
③ [意]克罗齐:《美学原理》,朱光潜译,上海人民出版社2007年版,第34页。

相当模糊的形式,在这些具有很高独立性的形式中,岩画全凭它的审美意蕴迸发出生命力,所以"每块粗糙的凿成的东西,每个随意的图描,尽管它们像装饰艺术那样并没有准确地表明一个民族的审美天赋,但是,它们作为艺术活动的最初萌动,仍然成了艺术史研究的出发点"①。

三、三重创作心理

我们还可以更进一步地分析中国岩画意义后的意蕴是如何起重要作用的。不妨将多方面的猜想都拿出来做例证。依据现在的猜测,岩画的创作活动包括了好几层心理历程,这其中有人类学家的理性深思,有令艺术家惊喜的艺术原则,还有多方面论述过的偶然性创作心理。通常它们是混杂在一起同时出现的,这里将它们强制性的分开只是为了更清楚地说明创作心理的最后根源。

第一层是功利性的深思熟虑。如原始人将弓箭连到动物身体上表现生殖崇拜的企图携带着强烈的功利追求。即使是这种深思熟虑也常常含有情感基奠。对岩画的想象图案,可以分析它的理性推断:岩画图像使用互渗、交感,综合了各种力量。这是图像的意义分析,我们还要进一步追问。首先,在选择象征性题材的时候,原始人有没有情感倾向?中国岩画作者何以认为羊的形象能代表生殖力量,所以将之与人面像结合在一起,为什么不用蚂蚁、蜘蛛来代表?难道蚂蚁、蜘蛛的繁殖力不强吗?他们在选择动物时,没有情感需要吗?我们在岩画题材分析中已经指出,岩画物体对象的种类选择以及种类表现都体现了岩画的情感判断。其次,原始人对形象进行艺术组合时,有没有情感倾向?为什么羊形象加人形象的人面像会拥有更强大的力量,为什么认为两种图像加在一起就会综合它们的优势而不是劣势?一个漂亮的母亲与一个强壮的父亲,如果生出来的孩子在相貌上像妈妈,在力量上像爸爸当然是好,如果相反呢?认为两种形象的结合会带来一个好的结果,这种行为中不包括着人们的情感期

---

① [德]W.沃林格:《抽象与移情》,王才勇译,辽宁人民出版社 1987 年版,第 51—52 页。

盼吗？可见,在人们选择某种形象去代表一个意义时,有一个直觉性的情感判断奠基。

第二层是艺术的深思熟虑,如最大轮廓化原则。对原始艺术研究来说,这总牵涉可能与只能的问题。我们常常认为原始人这样做是他们无选择性的只能这样做。一方面是因为技术的落后,另一方面是因为技巧的落后。如程金城先生的观点:"原始时期,先民们想把外界事物画出来,以此来掌握它们,控制它们。但是,他们并没有经过专门的绘画训练,不掌握绘画技巧,他们想把外界现象画出来的理想并不是轻易可以实现的。绘画技巧水平决定了他们必须通过抽象、简化、便化来实现对对象的掌握。所以说,抽象对他们来说并不是选择而是必须和仅能。具象纹样是最容易画的,特征是明显的;而最多见的、观察细微的事物也是容易抽象的,最早的抽象只能是一种剪影式的描绘,如岩画的风格。"①程先生所论述的只能是某种程度上的抽象,正如他说原始艺术是抽象一样,还有更多的人说原始艺术是写实。无论何种说明,如果将之绝对化,那只能走向片面的结论。以岩画为例,将世界不同地区岩画进行比较时,我们可以发现它们在抽象与写实的程度上是各有偏重的,如中国岩画与欧洲洞穴岩画的风格就有很大的不同。如果将岩画与陶器上的纹饰作对照,我们将发现更大的差异。原始人并不像我们想的一样没有选择性,虽然在艺术风格上趋同,但他们已经具有了相当广阔的选择权。他们可以根据自己的喜好,选择某种具体的艺术形式来表现自己的精神作品。

第三层是偶然性的创作心理。这在欧洲洞穴岩画中表现得十分明显。如利用石块的凸起来塑形的方式,就主要取决于岩画作者创作前的期待心理接受刺激环境的过程,"我们得说期待、猜测、假说,是它们影响了我们的经验。我们常常见到:这种期待变得如此强烈,以至使我们的经验跑到刺激环境前头去了"②。冈布里奇强调的固然是人的期待心理对创作的作用,同时,他又提到了另一个重要的创作因素:刺激。刺激对创

---

① 程金城:《中国彩陶艺术论》,甘肃人民美术出版社 2008 年版,第 171—172 页。

② [英]冈布里奇:《艺术与幻觉》,周彦译,湖南人民出版社版 1987 年版,第 282 页。

作心理的激发具有偶然因素,所有人们才会对同一种事物产生不同的想象。岩画作者们心里已经有了牛形象的存在,当岩画作者被一块与其心中牛形象类似的凸起的石块所刺激,对这石块产生心理投射,岩画中牛形象的腹稿才能完成。这些岩画需要心理期待与外部刺激的偶然性结合,也就是某种灵感的产生。中国岩画也是这样。在岩画制作中,从山脉地势的选择,到岩面的选择,再到题材、图像的落成,都伴随着某种偶然因素。这可能是作者突发奇想的,觉得这个位置更有光照度,那块岩面更加平滑或者宽阔。实际上在艺术创作中很难完全摆脱偶然性的创作心理,它可以说是无处不在。至少,审美经验在某种程度上决定着作画者的瞬时选择。为什么看到这块石头就会想起牛呢?为什么不主动寻找象兔子的石头呢?为什么觉得这块岩面就适合画岩画呢?为什么觉得画在这里非常合适呢?甚至在用笔成像时,还会时常被灵感催促、诱惑着,就应该这样画。中国岩画的规则性并不严谨,更多地流露出随心所欲的规则喜好,似乎岩画中点的图案化和线条的重复、对称、均衡,以及块面的象形等都是仰仗灵感突发的情感判断。

这样就可以发现,每一层心理活动中都隐含着审美判断,弥补理性思维与作品表现沟壑的是建立于心理情感的审美经验之上的,它在原始时期便已经存在。"审美表现的冲动是人类本性中原始的或基本的性质,这一性质对史前人、原始人和现代文明人而言基本上相同。"①如此,岩画中的审美经验直接证明了审美经验在一切活动中的根源意义。岩画创作心理根基是建立在审美活动的基础上。即使原始人没有显著的审美超越意识,没有自觉的审美无功利性意识,但审美经验协同直观原则已经存在于他们的精神活动中。

总之,中国岩画的起源是多层累的,并以审美经验为根基。目前对中国岩画图像起源的阐释主要集中为巫术观。巫术观具有一定的现实合理性及强烈的时代倾向性。但以巫术观阐释的同种岩画主题图像却表达出

①　[美]罗伯特·戈德沃特:《现代艺术中的原始主义》,殷泓译,江苏美术出版社1994年版,第25页。

了极大的图式差异。岩画的不同图式展示了不同的作图目的,同个图像也包含着不同的作图目的。岩画是多种功用相混合的艺术,岩画与甲骨文的近似充分展示了它的记录功能,岩画中各种独立形式表达了不同于巫术的情感功能。在岩画活动中,各种功能相混合,共同构成了中国岩画图像的起源。岩画的构成不是理性深思熟虑的结果,审美活动以其直观特质充当了一切概念认识活动的根源。岩画创作的三层心理活动——功利性的深思熟虑、艺术的深思熟虑、偶然性的创作心理都隐含了审美判断,因此,岩画创作的心理根基是审美经验。

综上可见,岩画不是背负着消极意义上的原始符号的被动体。原始人这么画岩画,在相当的程度上是他们要这样画,只不过原始人的有意为之多数是集体表象的结晶。岩画虽然质朴,却不能轻视。这不但是指岩画是原始时期的遗留物,还指岩画所表现的艺术技法,显示的是对宇宙、生命的审美观照,是宝贵的精神财富,对于我们对现代生命的重新审思具有十分重要的参照意义。岩画以其独特的时代特色,以其前规则的艺术特色,给予我们源头上的警醒与反思。

岩画显示了艺术的前规则时段。这个前规则不是无规则,它包括了规则,是规则与无规则的并容状态,规则包涵于前规则之中。前规则是母体、容器、太一,它不断运作着,向外生成着规则。它是规则的生产基地,它的包容与不确定特征可以打破规则的限制,破除规则发展到一定阶段必定带来的僵化、呆板。任何艺术的规则溯源都可以在这个人类最早的艺术源头中寻求,同样,与陈腐艺术规则的破裂也可以在人类最早的艺术中寻找突破点,因为这是一个包罗万象、孕育各种可能的艺术圣地。

岩画的前规则特征表现为功能与类型的混沌。岩画在功能上是未分化的,岩画与信仰的关系显示了它的实用目的与审美目的的混同,而中国岩画图像与甲骨文的近似更证明了中国岩画的记录功能。岩画中对舞蹈的图像记录,上古文献记载中歌舞乐的混合,以及人们对原始文化考察得出的原始艺术是混合艺术的结论,使我们有充分的理由相信,岩画很有可能是混同其他艺术形式一起出现在原始集体活动中的,也就是说原始人已经混同了多种类型的艺术。

岩画更主要的混沌性表现在它的风格上。它是写意与写实、触觉与视觉、精简与规则的混沌。从陶器纹饰中人们经常得出一个结论,陶器纹饰的发展是从写实到写意:"陶器纹饰的演化是一个非常复杂而困难的科学问题,尚需深入探索。……但是,由写实的、生动的、多样化的动物形象演化成抽象的、符号的、规范化的几何纹饰这一总的趋向和规律,作为科学假说,已有成立的足够根据"①。陶器的这种结论经常会影响到我们对原始艺术的评断。人们甚至容易将之自然地运用到岩画上去,如这样的论述:"随着历史的发展,岩画的制作不再倾心地、如实地描绘动物外形,而是着力描绘其内在精神,所以向图案化、抽象化发展。"②但从岩画上来看,至少并不完全如此。从艺术风格上讲,欧洲最早的岩画作品"年代为距今三四万年。作品是一些神秘的线刻"③。中国最早的岩画作品也是抽象玄妙的凹穴。从岩画中来看,要断言艺术形象是从写实到抽象实在是有点牵强。事实上,已经出现了艺术源自抽象的结论,如沃林格的抽象理论。岩画中点能独立成像,我们可说这是写意的;岩画中有对动物、人物形象的摹写,我们又可说这是写实的;岩画中对动物、人物形象的摹写多取其侧影,这时写意抽象派势必又占上风;接下来,我们还可以用最大轮廓化原则继续对写意派的打击,因为最大轮廓化原则展现了原始人想将物象画得更清楚的意图。这样下去,争论将永无止境,因为岩画风格是写意与写实的混沌。这还不仅仅是岩画风格的唯一的混沌性,甚至我们可以惊讶地发现,出现在后世的审美表现竟然都可以在这里发现端倪。如在岩画的成像特征中,我们已经论述了岩画的触觉绘画特征,以轮廓为主体的、无视阈限制的触觉绘画特质使岩画的表现更自由随性。但同时,我们也在深度经营这一节指出了岩画中视觉特质的朦胧表现。中国岩画是求简的,用笔端正简朴,图与底的关系坚守二次项对比,中国岩画又有对规律秩序的追求,其构图要素的均衡与对称、最大轮廓化原则的运用似乎都是对简朴风格的背道而驰。在多重选项中,中国岩画具有一

① 李泽厚:《美的历程》,三联书店 2009 年版,第 27 页。
② 苏北海:《新疆岩画》,新疆美术摄影出版社 1994 年版,第 402 页。
③ 陈兆复、邢琏:《外国岩画发现史》,上海人民出版社 1993 年版,第 31 页。

种主体风格,同时又蕴含着其他的风格特质,表现了它前规则的混沌性。

岩画呈现了原始人的混沌思维与观念。爱德华·泰勒的万物有灵论告诉我们:原始人的思维是我向性思维,原始人总是将自身的特征赋予自然万物。但另一方面,我们也要看到,原始人还有他向思维,原始人同样会将动物的特征施加在人的形象上,如中国岩画中身披羽毛、头戴羽冠的人物形象表明原始人想将禽类的某些力量加到人类身上,会以自然界其他生物的特性来想象人所应该具有的特性。因为这种他向思维才会导致部落中动植物的图腾或族徽的存在,认为蜥蜴、马等的生殖能力可以进入人的体内。这正如古代社会一样,"自然宇宙观念是社会观念的基础,宗教、道德等方面的价值模式正是从宇宙观模式中类比引申而来的"①。所以,中国岩画是我向思维与他向思维的结合。

中国岩画基本表现了原始人的诗性的具象思维,但也出现了抽象思维。列维-斯特劳斯早已指出:"历史上早期的人类乃是一个漫无边际的科学传统的继承者。……存在着两种不同的科学思维方式,两种方式都起作用,但当然不是所谓人类心智发展的不同阶段的作用,而是对自然进行科学探究的两种策略平面的作用:其中一个大致对应着知觉和想象的平面,另一个则是离开知觉和想象的平面"②。岩画作者凭借着想象、知觉,一方面塑造着岩画中的各种现实形象及幻想形象,另一方面他们在形象的表现中也显示了分类的倾向,这包括不同构形要素的分类、不同技法的分类、不同题材的分类。

原始人的主观世界与客观世界是混同在一起的。如我们在自然题材一节论述的,原始人已经出现了人类的自我意识,因为岩画中有人物形象的出现,人的形象得以与其他事物相区分,直接绘制人物形象对原始人来说是一大跨越。但原始人的主体世界与客体世界还是混同的,原始人并不认为由人所形成的世界是一个可以独立的主观世界。因为在构图上他们没有形成视觉作画规律,而且经常将各类形象混同在一起。

---

① 叶舒宪:《中国神话学》,中国社会科学出版社 1992 年版,第 25 页。

② [法]列维-斯特劳斯:《野性的思维》,李幼蒸译,商务印书馆 1987 年版,第 20—21 页。

原始人对于社会与人自身的许多观念仍是混沌的。中国岩画信仰题材中混淆权力差异的明朗质朴风格流露出原始人之间等级秩序的混沌划分。与殷商青铜器的狞厉美不同,原始岩画的祭祀风格是明朗质朴的,无抑郁威吓之势,充满了浓厚的生活气息。由普遍的民众所直接参与的,可以掌握他们自己命运的巫术行为,给予了原始人极大的生存信心,也使岩画这种活动更加大众化、集体化。等级差异不明显的岩画也就显示了更多的明朗质朴之美,而不是由独权集团牢牢控制的威慑美。在中国岩画心灵题材的身体观中,我们发现了原始人对身体的混沌意识。首先是原始人对两性礼仪的混沌意识,原始人直白率真的两性认识透露出开放的身体观念。其次是中国岩画的身体不以视觉为中心,而是更重视肢体的表达,更全面、均衡地开启了身体的感知力。

于是,我们可以认识到作为艺术起源的岩画作品是前规则的作品,是母性的混沌物,父亲规则在其中时隐时现。正是因为有了母体的混沌性的包罗万象,岩画风格才可以在现代古典艺术规则走向穷途末路时,以新异的艺术源泉重新启示艺术的发展。不过这种母体风格并不是我们理想中的希腊式的"既有丰富的形式,同时又有丰富的内容;既善于哲学思考,又长于形象创造;既温柔又刚毅"①的完美结合。这是具象与抽象、理性与情感更加质朴的结合。

岩画的母性混沌风格并不是全世界同一的,岩画已经出现了地域差异。中国岩画与欧洲洞穴岩画风格的不同,表现了以岩画为载体的艺术起源不是完全同一的,其最初源头就预示了它们以后发展的不同。中国岩画求简去繁,欧洲洞穴岩画求繁去简,这预示了日后中国绘画抽象写意、欧洲绘画求真写实的风格差异;中国岩画注重生活表现,欧洲洞穴岩画重巫术参与,这预示了后世中国绘画重超越、欧洲绘画重参与的风格差异。中国岩画与欧洲洞穴岩画风格的差异示例说明原始时代艺术不是完全同一的,原始艺术的研究有必要进一步的细致化。中国岩画与欧洲洞

---

① [德]弗里德里希·席勒:《审美教育书简》,冯至、范大灿译,北京大学出版社 1985 年版,第 28 页。

穴岩画风格的不同说明中国岩画是一个独立风格的起源性艺术,它与后世中国传统绘画的联系进一步地证明了中国绘画的本土起源意义。

透过中国岩画的审美特征,可以发现审美经验在原初的时候是如何起作用的。在中国岩画的目的起源这一节中,我们论述了岩画的创作目的,岩画集记录、宗教与情感表达为一体。岩画中的情感表达不仅仅是某一类图像的特征,在所有的岩画图像中都充斥着情感导向。在岩画的心理根源这一节中,我们已经通过岩画创作的三重心理论证了以直观体验为特征的审美经验如何暗中引导着岩画创作的理性思考。被目前许多岩画研究者所鄙弃的审美判断游刃于岩画活动中,宣告了情感的力量。既然审美经验确实具有根源意义,那么我们就不能再宣称人类思维的发展是"由宗教灵感到艺术灵感的发展过程"①。因为宗教与艺术早期是综合在一起的,是混沌性的存在。

总之,中国岩画的审美特征研究应建立在中国岩画中包含生命情怀的有意蕴的形式上,中国岩画的构形要素、成像特征、题材意蕴无不表现了中国岩画的审美特征。中国岩画审美特征对于艺术起源研究具有启示性的意义:原始艺术不是本能模仿,也不是无选择的原初作品。中国岩画显示了前规则的艺术风格。不但如此,中国岩画与欧洲洞穴岩画的对比表明,中国岩画具有地域特色,显示了原始艺术已经具有了差异,并且这种差异对各地的艺术具有一定的影响。它们之间的对比也说明无论中国绘画如何变化、受何流派的影响,它在我们自己的本土上已经存在一个最早的源头,而中国岩画与中国传统绘画的联系更直接地论述了中国岩画的独立源头意义。中国岩画审美特征的独立特征,证实了原始活动中审美经验的存在,说明了审美经验在理性认识活动中的根源意义。

---

① 朱存明:《灵感思维与原始文化》,学林出版社 1995 年版,第 375 页。

结　语

　　中国史前的审美意识是我国美学发展史的源头活水,对中国传统美学思想的形成具有重要的价值。中国史前时代的石器、陶器、玉器等器物和岩画、神话等给我们留下了生动、丰富的审美意识的历史标本,对中国古代艺术的发展产生了深远影响;史前时代的审美意识,昭示了中国后代审美理论的发展方向。系统深入地研究中国史前审美意识,不仅有助于传承华夏先民们艺术创造的精华,厘清审美意识的发展变迁脉络,而且有助于探索中国本土的艺术和美学资源,使它们发扬光大,为中国美学史的研究提供感性资源和理论依据。

　　在中国史前时代,石器作为人类文明的发端经历了漫长的岁月,是以自发向自觉发展的过程。原始先民从制造生存工具的石器材料选择的随意性、不确定性发展到对它们形状的不断改造,逐步开启心灵的智慧,并逐步精致和深化。对石器材质进行差异性选择,根据不同的功能而选择不同材料,反映了人类朦胧审美意识的初步觉醒。这种意识从自发到自觉,通过对物质材料的征服,在工具制造过程中得以表现。

　　原始先民们还运用挂饰装饰人体,反映了实用功能向审美功能的逐步转化。石器的实用功能所要求对称和器表的光洁,不断超越纯实用功能而具有精神的价值,从而在实用的基础上逐步领会生命的节奏和规律,并且有了装饰和美化的意识。尽管当时的审美意识还非常朴素,但我们还是从各类陶器和玉器中可以看出原始先民们一定程度的审美意识的自发追求。

　　新石器时代的陶器和玉器等由于技术的进步和审美经验的积累,其造型和纹饰更趋规整,并开始注意造型和纹饰的整体和谐,形成了一定的风格特征。一种适应主体内在需求的视觉尺度在先民群体内心中生成，自发的对称、比例、秩序等与主体的生理节律和心理节律逐步相互影响，双向同构，熔铸在群体的心理意识中，并得以代代传承。

中国岩画在构形要素、成像特征、题材意蕴等方面都有独特的审美特征，表现了不同于西方岩画的民族艺术风格。中国原始岩画图像中包含着情感导向，原始岩画的祭祀风格是明朗质朴的，无抑郁威吓之势，充满了浓厚的生活气息。岩画创作行为中融入了巫术，由原始先民广泛参与，被视为可以掌握他们自己命运，给予了先民们极大的生存信心，也使岩画这种活动更加大众化、集体化。在对人本身的认识上，岩画更直白率真地透露出开放的身体观念，表现了不以视觉为中心，而以肢体表达为中心的更全面、更均衡的感知力。

中国史前审美意识与实用的需要和原始宗教关系密切。实用的需要和原始宗教、巫术等意识形态的影响，推动了人们在制造工具和器皿的过程中对法则的运用，使得工具和器皿在实用和为原始宗教服务的过程中得到深化和发展。最早的陶器主要是首先满足人们日常生活的需要。其中最主要的是炊食器具，此外，陶器广泛用于宗教祭祀用具、明器、葬具和部落标志，成为新石器时代的文化表征。可见，在新石器时代，陶器乃是实用与审美的复合体，集中体现了"器"与"道"的辩证关系。陶器和玉器在发展和使用过程中，受到祭祀和礼法方面的影响，并且逐渐形成了一定的传统母题，如人兽母题等。史前工具和器皿的审美特质更多从实用中升华，在一定程度上体现了人、器、道的高度统一。

中国史前的石器、陶器、玉器等器物，以及岩画昭示了原始先民们对技艺探求和宇宙意识。中国史前审美意识研究发现，早在史前时代中国审美思想的一些原型母体已经开始萌芽。史前的石器、陶器、玉器等器物，在纹饰、造型和艺术风格上，已经表现出中国传统美学思想中的"意象表意"、"生命意识"和"天人合一"等观念的雏形。中国原始岩画中，也显示出"尚圆意识"、"以大为美"和写意与写实的统一，表现出朴拙简韵的审美趣味。可见，中国史前时代是中国美学思想的源头活水。

我们注重运用现代审美思想反观中国史前时代的器物、工艺作品、原始岩画、原始遗存中所蕴含的审美意识和审美理想,为中国美学思想史研究提供一个新视野。中国史前的审美意识,由于缺乏直接和丰富的原始文献资料,前辈们尚无法做全面学理上的考究,但是通过史前各类器物、岩画和神话,我们还是能够看出先民们朴素而原始的审美意识。因此,我们从史前时代的器物、岩画等研究其造型、纹饰背后的审美趣味和审美理想,是非常必要的。

在中国史前时代的器物、岩画审美意识标本中,我们发现了很多艺术创造的规律,如石器、陶器、玉器、岩画的造型和纹饰,神话的铸鼎像物和意象性特征,都是中国传统艺术象形表意的滥觞,显示了先民们独特的创造力和审美的想象力,对后世的造型艺术、审美意识乃至对中国传统的艺术思维产生了深刻的影响。因此,我们研究中国史前审美意识,对于总结史前先民的艺术创造规律,推动当代的艺术创造实践,具有不可忽视的意义。

我们研究中国史前审美意识的变迁和传统美学思想的演变脉络,不仅有助于我们进一步认识中华先民们早期的审美意识,探索中国本土的艺术和审美资源;还有助于传承先民们艺术创造的精华,探索艺术审美变迁的理路与轨迹,使它们发扬光大,推动当代的审美创造,并借以建设中国特色的美学理论体系,使之发扬光大、走向世界。

参 考 文 献

（以姓氏拼音为序）

A

Alexander Marshack, *The Roots of Civilization*, New York: McGraw-Hill Book Company, 1972.

B

白文源:《浅谈商周玉器的雕琢技法》,《文物春秋》1999 年第 4 期。

(清)包世臣:《艺舟双楫》,北京图书馆出版社 2004 年版。

芮国耀:《良渚文化时空论》,《文明的曙光——良渚文化》,浙江人民出版社 1996 年版。

C

陈传席:《中国绘画美学史》,人民美术出版社 2002 年版。

陈鼓应:《老子今注今译》,商务印书馆 2003 年版。

陈龙海:《中国线性艺术论》,华中师范大学出版社 2005 年版。

陈引驰编校:《刘师培中古文学论集》,中国社会科学出版社 1997 年版。

陈兆复:《阿尔塔米拉散记》,《岩画》(2),知识出版社 2000 年版。

陈兆复:《古代岩画》,文物出版社 2002 年版。

陈兆复主编:《中国岩画全集·图版说明》第 4 卷,辽宁美术出版社、人民美术出版社 2007 年版。

陈兆复、邢琏:《外国岩画发现史·序》,上海人民出版社 1993 年版。

程炳达、王卫民:《中国历代曲论释评》,民族出版社 2000 年版。

程金城:《远古神韵——中国彩陶艺术论纲》,上海文化出版社 2001 年版。

程金城:《中国彩陶艺术论》,甘肃人民美术出版社 2008 年版。

崔大庸:《山东龙山文化的墓葬、城址与房屋建筑》,《济南大学学报》1994 年第 3 期。

D

Dvid S. Whitley, *Introduction to Rock Art Research*, Walnut Creek：Left Coast Press，2005.

邓福星：《艺术前的艺术》，山东文艺出版社 1986 年版。

（明）董其昌：《画禅室随笔》，《四库全书》第 867 卷，上海古籍出版社 1987 年版。

杜金鹏、杨菊花：《中国史前遗宝》，上海文化出版社 2000 年版。

（唐）杜佑：《通典》，岳麓书社 1995 年版。

段宏振：《试论庙底沟类型彩陶的传播》，《文物春秋》1991 年第 1 期。

段世琳：《云南沧源崖画是佤族先民创造的文化遗迹》，《中央民族大学学报》1986 年第 4 期。

段世琳《佤族历史文化探秘》，云南大学出版社 2007 年版。

E

EvanHadingham，*Secrets of the Ice Age-The Word of the Cave Artists*, New York：The Walker Publishing Company，1979.

F

范文澜：《文心雕龙注》，人民文学出版社 2006 年版。

方克强：《文学人类学批评》，上海社会科学院出版社 1992 年版。

方向明：《良渚文化"鸟蛇样组合图案"试析》，《东南文化》1992 年第 2 期。

（明）冯梦龙著，橘君辑注：《冯梦龙诗文》，海峡文艺出版社 1958 年版。

［美］弗朗兹·博厄斯：《原始艺术》，金辉译，贵州人民出版社 2004 年版。

［德］弗里德里希·席勒：《审美教育书简》，冯至、范大灿译，北京大学出版社 1985 年版。

G

［英］冈布里奇：《艺术与幻觉》，周彦译，湖南人民出版社 1987 年版。

高天麟：《黄河流域新石器时代的陶鼓辨析》，《考古学报》1991 年第 2 期。

（东汉）高诱注：《淮南子》，《诸子集成》第七卷，中华书局 1954 年版。

盖山林：《阴山岩画》，文物出版社 1986 年版。

盖山林：《中国岩画学》，书目文献出版社 1995 年版。

盖山林、盖志浩：《内蒙古岩画的文化解读》，北京图书馆出版社 2002 年版。

龚若栋：《河姆渡原始艺术的地位和价值》，《民间文艺季刊》1988 年第 1 期。

龚田夫、张亚莎、乔华：《宁夏岩画的出现、发展及特点》，《中央民族大学学报》

2005 年第 2 期。

广西少数民族社会历史调查组:《花山崖壁画资料集》,广西民族出版社 1963 年版。

郭大顺:《玉器的起源与渔猎文化》,《北方文物》1996 年第 4 期。

郭沫若:《青铜时代》,科学出版社 1957 年版。

郭庆红:《彩陶图案中线条的功能与性格语言情感表达——新石器时期我国彩陶图案中线条研究之二》,《福州大学学报》(社会科学版)1997 年第 2 期。

郭淑芬、常法蕴、沈宁编:《常任侠文集》卷一,安徽人民出版社 2002 年版。

(宋)郭熙著,周远斌点校纂注:《林泉高致》,山东画报出版社 2010 年版。

H

[瑞士]海因里希·沃尔夫林:《艺术风格学》,潘耀昌译,中国人民大学出版社 2004 年版。

Helen Gardner, *Art through the Ages*, New York: Harcourt Brace Jovanovich, 1976.

洪诚编选:《中国历代语言文字学文选》,江苏人民出版社 1982 年版。

户晓辉:《岩画与生殖巫术》,新疆美术摄影出版社 1993 年版。

户晓辉:《地母之歌——中国彩陶与岩画地生死母题》,上海文化出版社 2001 年版。

户晓辉:《中国人审美心理的发生学研究》,中国社会科学出版社 2003 年版。

黄静:《粤港澳岩画浅析》,《2000 宁夏国际岩画研讨会文集》,宁夏人民出版社 2001 年版。

(清)恽寿平:《南田画跋》,潘运告编著:《清人论画》,湖南美术出版社 2004 年版。

J

[英] J.G.弗雷泽:《金枝》,徐育新等译,新世界出版社 2006 年版。

靳桂云:《龙山文化城子崖类型分期》,《北方文物》1994 年第 4 期。

计成著,陈植注释:《园冶注释》,中国建筑工业出版社 1988 年版。

(清)焦循:《孟子正义》,《诸子集成》第一卷,中华书局 1954 年版。

[日]今井晃树:《良渚文化的地域间关系》,姜宝莲、赵强 译,《文博》2002 年第 1 期。

金仁安:《试论红山文化居民对岫岩玉的开发与利用》,《鞍山师范学院学报》2003 年第 3 期。

贾兰坡、盖培、尤玉柱:《山西峙峪旧石器时代遗址发掘报告》,《考古学报》1972 年第 1 期。

蒋孔阳:《蒋孔阳全集》,安徽教育出版社 1999 年版。

蒋书庆:《中国彩陶花纹之谜》,《文艺研究》2001 年第 6 期。

K

康育义:《论河姆渡原始艺术的美学特征——兼论中国绘画南北差异之起源》,《东南文化》1990 年第 5 期。

[意]克罗齐:《美学原理》,朱光潜译,上海人民出版社 2007 年版。

孔凡礼点校:《苏轼文集》第五册,中华书局 1986 年版。

L

Laurie Schmeider Adams, *Art across Time*, New York: McGraw-Hill College, 1999.

Leonardo Da Vinci, *Selections From the Notebooks of Leonardo Da Vinci*. Tr. Irama A: Richter Oxford University Press, 1952.

李福顺:《中国美术史》上卷,辽宁美术出版社 2000 年版。

李洪甫:《论中国东南地区的岩画》,《东南文化》1994 年第 4 期。

李纪贤:《马家窑文化的彩陶艺术》,人民美术出版社 1982 年版。

李开先:《李开先集》(上册),中华书局 1959 年版。

李山译注:《管子》,中华书局 2009 年版。

李世源:《珠海宝镜湾岩画年代的界定》,《东南文化》2001 年第 11 期。

林焘:《华安县高安地区岩刻——星宿图、圆穴》,《岩画》(2),知识出版社 2000 年版。

李淞:《中国绘画断代史·远古至先秦绘画》,人民美术出版社 2004 年版。

李彦锋:《岩画图像叙事的"顷间"性》,《民族艺术》2009 年第 2 期。

李砚祖:《纹样新探》,《文艺研究》1992 年第 6 期。

李友谋:《试论半坡和庙底沟类型文化的相互关系》,《中州学刊》1985 年第 3 期。

李泽厚:《美的历程》,三联书店 2009 年版。

李泽厚:《华夏美学》,天津社会科学院出版社 2004 年版。

李泽厚、刘纲纪主编:《中国美学史》,中国社会科学出版社 1984 年版。

梁一儒、户晓辉、宫成波:《中国人审美心理研究》,山东人民出版社 2002 年版。

[法]列·谢·瓦西里耶夫:《中国文明的起源问题》,郝镇华译,文物出版社 1989 年版。

[法]列维-布留尔:《原始思维》,丁由译,商务印书馆 1981 年版。

林华东、王永太:《良渚文化玉器的雕刻技术》,《浙江学刊》1996 年第 5 期。

林晓:《四十年来国内学者对左江流域崖壁画的研究概述》,《广西师范学院学报》2000 年第 3 期。

(清)刘宝楠:《论语正义》,《诸子集成》第一卷,中华书局 1954 年版。

刘溥、尚民杰:《涡纹、蛙纹浅说》,《考古与文物》1987 年第 6 期。

邓福星:《艺术前的艺术》,山东文艺出版社 1986 年版。

(东汉)刘熙:《释名》,中华书局 1985 年版。

刘锡诚:《中国原始艺术》,上海文艺出版社 1998 年版。

(清)刘熙载:《艺概》,上海古籍出版社 1978 年版。

(齐梁)刘勰著,陆侃如、牟世金译注:《文心雕龙译注》,齐鲁书社 1995 年版。

(五代)刘昫:《旧唐书》,中华书局 1975 年版。

(唐)柳宗元:《始得西山宴游记》,《柳河东全集》,中国书店 1991 年版。

卢守助译注:《晏子春秋译注》,上海古籍出版社 2012 年版。

鲁迅:《破恶声论》,《鲁迅全集》第八卷,人民文学出版社 2005 年版。

(明)陆西星:《南华真经副墨》,中华书局 2010 年版。

[美]罗伯特·戈德沃特:《现代艺术中的原始主义》,殷泓译,江苏美术出版社
　　1994 年版。

M

马宝光、马自强:《庙底沟类型彩陶纹饰新探》,《中原文物》1988 年第 3 期。

马承源:《仰韶文化的彩陶》,上海人民出版社 1957 年版。

(宋)米芾:《画史》,《四库全书》(第 813 卷),上海古籍出版社 1987 年版。

[法]米盖尔·杜夫海纳:《美学与哲学》,孙非译,中国社会科学出版社 1985
　　年版。

[美]摩尔根:《古代社会》,杨东莼等译,商务印书馆 1977 年版。

O

欧潭生、卢美松:《福建华安仙字潭岩画新考》,《考古》1994 年第 2 期。

P

潘守永:《玉器在中华文化中的意义》,《华夏文化》1997 年第 2 期。

Q

(清)钱谦益:《钱注杜诗》,上海古籍出版社 2009 年版。

钱玉趾:《良渚文化的刻划符号及文字初论》,《东方文明之光——良渚文化发现
　　60 周年纪念文集》,海南国际新闻出版中心 1996 年版。

钱锺书:《中国画与中国诗》,《七缀集》,三联书店 2002 年版。

钱锺书:《管锥编》,三联书店 2007 年版。

覃圣敏:《广西左江流域崖壁画考察与研究》,广西民族出版社 1987 年版。

秦学人、侯作卿编著:《中国古典编剧理论资料汇辑》,中国戏剧出版社 1984
　　年版。

秦维廉:《香港古石刻——源起及意义》,中国宗教文化出版社 1976 年版。

青海文物考古队:《青海彩陶·前言》,《青海彩陶》,文物出版社 1981 年版。

青浦县县志编纂委员会:《崧泽文化》,上海人民出版社 1992 年版。

邱立新:《彩陶蛙纹神人纹歧义评考》,《西北民族学院学报》1996 年第 3 期。

邱钟伦:《也谈沧源岩画的年代和族属》,《云南民族学院学报》1995 年第 1 期。

裘锡圭:《文字学概要》,商务印书馆 2010 年版。

曲冰:《对龙山文化中出土黑陶器的几点探索》,《山东陶瓷》1995 年第 2 期。

R

[法]热尔曼·巴赞:《艺术史》,刘明毅译,上海人民美术出版社 1989 年版。

(清)阮元校刻:《十三经注疏·尚书正义》,中华书局 1980 年版。

Rudolf Arnhelm. *Art and Visual Perception*, Berkeley and Los Angeles, University of Cali-
　　fornia Press,1974.

S

上海博物馆集刊编辑委员会:《上海博物馆集刊》第 4 期,上海古籍出版社 1987
　　年版。

(宋)沈括:《梦溪笔谈》,侯真平校点,岳麓书社 2002 年版。

沈宁编:《滕固艺术文集》,上海人民美术出版社 2003 年版。

(清)沈宗骞:《芥舟学画编》,山东画报出版社 2013 年版。

施昕更:《良渚——杭县第二区黑陶文化遗址初步报告》,浙江省教育厅 1938 年
　　(内部资料)。

(清)石涛:《苦瓜和尚画语录》,选自潘运告编著:《清人论画》,湖南美术出版社
　　2004 年版。

石兴邦:《有关马家窑文化的一些问题》,《考古》1962 年第 6 期。

[德]叔本华:《作为意志和表象的世界》,石冲白译,商务印书馆 1982 年版。

宋祁、欧阳修等:《新唐书》,中华书局 1975 年版。

宋耀良:《中国史前神格人面岩画》,三联出版社 1992 年版。

宋兆麟:《中国风俗通史·原始社会卷》,上海文艺出版社 2001 年版。

苏北海、孙晓艳:《新疆母系氏族社会时期的洞窟彩绘岩画》,《岩画》(1),中央民
　　族大学出版社 1995 年版。

苏秉琦:《关于仰韶文化的若干问题》,《考古学报》1965 年第 1 期。

孙维昌:《良渚文化陶器细刻纹饰论析》,《中国民间文化·民间神秘文化研究》

（1993 年第 4 期，总第十二集），学林出版社 1993 年版。

T

汤惠生：《凹穴岩画的分期与断代——中国史前艺术研究之一》，《考古与文物》
　2004 年第 6 期。

汤惠生：《寻找中国最早的美术——旧石器时代岩画的确认与重估》，《美术》2004
　年第 9 期。

汤惠生 梅亚文：《将军崖史前岩画遗址的断代及相关问题的讨论》，《东南文化》
　2008 年第 2 期。

汤惠生、张文华：《青海岩画——史前艺术中二元对立思维及其观念的研究》，科
　学出版社 2001 年版。

唐兰：《中国奴隶制社会的上限远在五六千年前》，《大汶口文化讨论文集》齐鲁书
　社 1979 年版。

Thomas Heyd and John Clegg edited, *Aesthetics and Rock Art*, Hampshire：Ashgate pub-
　lishing Limited, 2005,

田广林：《中国东北西辽河地区的文明起源》，中华书局 2004 年版。

田自秉、吴淑生、田青：《中国纹样史》，高等教育出版社 2003 年版。

W

汪宁生：《云南沧源崖画的发现与研究》，文物出版社 1985 年版。

（魏晋）王弼：《老子注》，《诸子集成》第三卷，中华书局 1954 年版。

王炳华：《新疆呼图壁生殖崇拜岩画》，燕山出版社 1991 年版。

王炳华：《新疆天山生殖崇拜岩画初探》，《2000 宁夏国际岩画研讨会文集》，宁夏
　人民出版社 2001 年版。

王朝闻主编：《美学概论》，人民出版社 1981 年版。

（清）王夫之：《船山全书》第 15 册，岳麓书社 1988 年版。

王刚、赵丁丁：《变异中的早期纹样》，《图案》第十四辑，轻工业出版社 1991 年版。

王国栋：《中国新石器时代彩陶泛论》，华文出版社 2003 年版。

王国轩编著：《大学中庸孝经》，中华书局 2012 年版。

王国维：《古史新证》，清华大学出版社 1994 年版。

王国维：《屈子文学之精神》，《王国维全集》第十四卷，浙江教育出版社 2009
　年版。

王骥德：《曲律》（杂论第三十九下），《中国古典戏曲论著集成》（四），中国戏剧出
　版社 1989 年版。

王仁湘：《仰韶文化渊源研究检视》，《考古》2003 年第 6 期。

（明）王世贞：《艺苑卮言》附录一，见陈多，叶长海选注：《中国历代剧论选注》，湖南文艺出版社 1987 年版。

（明）王世贞：《艺苑卮言》，凤凰出版社 2009 年版。

王文浩辑注，孔凡礼点校：《苏轼诗集》第五册，中华书局 1982 年版。

（清）王先谦：《庄子集解》，《诸子集成》第三卷，中华书局 1954 年版。

（清）王昱：《东庄论画》，《丛书集成续编》第 86 册，上海书店出版社 1994 年版。

王颖绢、王志俊：《西安半坡博物馆》，三秦出版社 2003 年版。

王应麟：《诗地理考·自序》，张保见校注：《诗地理考校注》，四川大学出版社 2009 年版。

王宇、陆根林、边任：《良渚文化玉璧专题学术研讨会纪要》，《中国钱币》1998 年第 2 期。

尉崇德：《大汶口文化时期白陶鬶制作工艺的探讨与复制研究》，《考古与文物》1999 年第 3 期。

魏筌：《龙山文化中的舜崇拜》，《管子学刊》1998 年第 2 期。

（唐）魏征等撰：《隋书》第六册，中华书局 1973 年版。

闻惠芬：《吴地玉文化足迹》，《苏州杂志》2001 年第 5 期。

闻一多：《伏羲考》，《闻一多全集》第一卷，开明书店 1948 年版。

［瑞士］沃尔夫林《意大利和德国的形式感》，北京大学出版社 2009 年版。

吴山：《中国新石器时代陶器装饰艺术》，文物出版社 1979 年版。

吴文治点校：《柳宗元集》，中华书局 1979 年版。

吴光、钱明、董平、姚延福编校：《王阳明全集》，上海古籍出版社 1992 年版。

吴毓华：《中国古代戏曲序跋集》，中国戏剧出版社 1990 年版。

吴玉贤：《河姆渡的原始艺术》，《文物》1982 年第 7 期。

武丽敏：《论彩陶纹饰的起源》，《晋中师范高等专科学校学报》2003 年第 3 期。

［德］W.沃林格：《抽象与移情》，王才勇译，辽宁人民出版社 1987 年版。

X

西安半坡博物馆：《半坡仰韶文化纵横谈》，文物出版社 1988 年版。

（明）谢榛：《四溟诗话》，中华书局 1985 年版。

熊十力：《新唯识论》，中华书局 1985 年版。

熊月之：《上海通史》第二卷，上海人民出版社 1999 年版。

徐峰：《马家窑舞蹈盆及相关彩陶纹饰的文化隐喻初探》，西安半坡博物馆、良渚文化博物馆编《史前研究》（2004），三秦出版社 2005 年版。

（明）徐渭原著，李复波、熊澄宇注释：《〈南词叙录〉注释》，中国戏剧出版社 1989 年版。

Y

严文明:《论半坡类型和庙底沟类型》,《考古与文物》1980 年第 1 期。

严文明:《略论仰韶文化的起源和发展阶段》,《纪念北京大学考古专业三十周年论文集》文物出版社 1990 年版。

杨伯达:《中国史前玉文化板块论》,《故宫博物院院刊》2005 年第 4 期。

杨伯峻:《论语译注》,中华书局 1980 年版。

杨泓:《美术考古半世纪》,文物出版社 1997 年版。

杨美莉:《试论新石器时代北方系统的环形玉器》,《故宫学术季刊》1994 年卷 12。

杨美莉:《存在红山诸文化中的细石器传统》,《北方民族文化新论》,哈尔滨出版社 2001 年版。

杨天佑:《麻栗坡大王岩画》,《云南民族文物调查》,民族出版社 2009 年版。

叶舒宪:《中国神话学》,中国社会科学出版社 1992 年版。

(明)叶燮:《己畦文集》卷九,清戊午孟夏梦篆楼刊本。

易中天:《艺术人类学》,上海文艺出版社 1992 年版。

于海广:《山东龙山文化生产技术初论》,《济南大学学报》1995 年第 3 期。

俞剑华编著:《中国画论类编》,人民美术出版社 1986 年版。

袁珂:《中国神话传说词典》,上海辞书出版社 1985 年版。

袁珂:《中国神话史》,上海文艺出版社 1988 年版。

苑胜龙:《"大汶口"人农业状况述略》,《泰山学院学报》2005 年第 7 卷第 1 期。

岳仁译注:《宣和画谱》,湖南美术出版社 1999 年版。

Z

章太炎:《洪秀全演义·章序》,人民文学出版社 1984 年版。

张朋川:《黄土上下——美术考古文萃》,山东画报出版社 2006 年版。

张光直:《美术、神话与祭祀》,郭净译,辽宁教育出版社 2002 年版。

张森水:《管窥新中国旧石器考古学的重大发展》,《人类学学报》1999 年第 3 期。

张舜民著,李之亮校笺:《张舜民诗集校笺》,黑龙江人民出版社 1989 年版。

张晓凌:《中国原始艺术精神》,重庆出版社 1996 年版。

张星德:《红山文化研究》,中国社会科学出版社 2005 年版。

张亚莎:《西藏的岩画》,青海人民出版社 2006 年版。

(唐)张彦远:《历代名画记》,人民美术出版社 1963 年版。

张忠培:《窥探凌家滩墓地》,《凌家滩玉器》,文物出版社 2000 年版。

赵国华:《生殖崇拜文化论》,中国社会科学出版社 1990 年版。

中国美术全集编辑委员会:《中国美术全集·工艺美术编·玉器》,文物出版社

1986 年版。

中国戏曲研究院:《中国古典戏曲论著集成》,中国戏剧出版社 1959 年版。

《马克思恩格斯文集》(第 4 卷),人民出版社 2009 年版。

周膺、吴晶:《中国 5000 年文明第一证——良渚文化与良渚古国》,浙江大学出版社 2004 年版。

(宋)朱长文:《琴史》,文化部文学艺术研究院音乐研究所、北京古琴研究会:《琴曲集成》,中华书局 1987 年版。

朱存明:《灵感思维与原始文化》,学林出版社 1995 年版。

朱狄:《原始文化研究》,三联书店 1988 年版。

(唐)朱景玄:《唐朝名画录》,四川美术出版社 1985 年版。

(宋)朱熹:《四书章句集注》,《朱子全书》第 6 册,上海古籍出版社、安徽教育出版社 2002 年版。

朱志荣:《中国审美理论》,北京大学出版社 2005 年版。

朱自清:《朱自清全集》,江苏教育出版社 1988 年版。

(明末清初)张岱:《张岱诗文集》,上海古籍出版社 1991 年版。

章建刚:《陶器的肩腹分化和人的审美活动——从原始陶器看日常生活器具方面审美关系的发生》,《文物》1987 年第 8 期。

庄辉明、章义和译注:《颜氏家训译注》,上海古籍出版社 1999 年版。

宗白华:《美学散步》,上海人民出版社 1981 年版。

宗白华:《艺境》,北京大学出版社 1987 年版。

宗白华:《宗白华全集》,安徽教育出版社 1994 年版。

索　引

后　记

　　奉师命完成这篇后记,介绍一下朱志荣老师与我在本书上的分工。第六章至第十章是本人拙作。而书中更重要的部分:全套书总绪论、本书绪论、第一章至第五章以及结语部分是老师的成果。

　　由于文献资料的缺少致使史前审美意识研究主要来自于地下挖掘材料,所以本书借鉴了考古学界的大量研究成果。美学思想史的写作到了史前时代常止步不前,就是因为传统的美学史写作习惯是以文献中众多思想家的美学思想为主要研究对象。这种传统写法一旦触及史前时代就无可奈何了。因为史前文献的匮乏,所以本书重心全部都放在实物上了。

　　在史前研究中,朱志荣老师的研究对象以器物为主,主要是陶器与玉器,还包括石器,并以形式与风格为研究重点。我的岩画研究也是从形式分析开始的。史前器物与绘画的形式分析看起来比较浅层化。虽然这种浅层化并不简单,但因为专注于具体的形式分析有时候会放弃同一性,因此,显得理论深度不合许多人的阅读品位。做理论提升需要理论与实践的契合,强制性去提炼容易发生以偏概全的问题,甚至陷入独断论的深渊。目前我们先以初步工作为研究中心,相信以后这个领域还有许多研究空间。但再远的研究都要从这一步开始,所以这个工作看似不高深,然而却是重要且艰难的。

　　因为难度太大,方法又新,会不可避免地出现这样那样的失误,望同仁们指正且包涵。

朱　媛

2016 年 5 月于绍兴

策划编辑:方国根
责任编辑:方国根
封面设计:石笑梦
版式设计:顾杰珍

图书在版编目(CIP)数据

中国审美意识通史. 史前卷/朱志荣 主编;朱志荣,朱媛 著. —北京:
人民出版社,2017.8
ISBN 978-7-01-017860-8

Ⅰ.①中… Ⅱ.①朱…②朱… Ⅲ.①审美意识-美学史-中国-
石器时代 Ⅳ.①B83-092

中国版本图书馆 CIP 数据核字(2017)第 148780 号

中国审美意识通史
ZHONGGUO SHENMEI YISHI TONGSHI
(史前卷)

朱志荣 主编 朱志荣 朱媛 著

人 民 出 版 社 出版发行
(100706 北京市东城区隆福寺街 99 号)

北京中科印刷有限公司印刷 新华书店经销

2017 年 8 月第 1 版 2017 年 8 月北京第 1 次印刷
开本:710 毫米×1000 毫米 1/16 印张:25.75
字数:380 千字

ISBN 978-7-01-017860-8 定价:106.00 元

邮购地址 100706 北京市东城区隆福寺街 99 号
人民东方图书销售中心 电话 (010)65250042 65289539

版权所有·侵权必究
凡购买本社图书,如有印制质量问题,我社负责调换。
服务电话:(010)65250042